Motif de la vignette de couverture :

Marguerite de Navarre
Dessin de Dumontier

B. N. Estampes *Cl. B. N.*

L'Heptaméron

B. N. Estampes. *Cl. B. N.*

Marguerite de Navarre.
Dessin de Dumontier.

Marguerite de Navarre

L'Heptaméron

Éditions Garnier Frères
6, Rue des Saints-Pères, Paris

Texte établi sur les manuscrits
avec une introduction, des notes et
un index des noms propres

par

Michel François

Ancien membre de l'École française de Rome

Conservateur adjoint aux Archives Nationales

Docteur ès Lettres

Édition illustrée

L'HEPTAMERON DES NOVVELLES DE TRESILLVSTRE ET TRESEXCELLENTE Princesse Marguerite de Valois, Royne de Nauarre:

Remis en son vray ordre, confus au parauant en sa premiere impression: & dedié à tresillustre & tresvertueuse Princesse Ieanne, Royne de Nauarre, par Claude Gruget Parisien.

A PARIS,
Par Benoist Preuost, rue Fremétel,
à l'enseigne de l'Estoille d'or
pres le clos Bruneau.
1560.

Auec priuilege du Roy.

B. N. Imprimés.

Cl. B. N.

B. N. Estampes. *Cl. B. N.*

Le château de Nérac.

(Voir Introduction p. VII.)

B. N. Estampes. *Cl. B. N.*

Brantôme.

(Voir Introduction p. VIII.)

Dessin du XVIe siècle.

Musée de Chantilly. *Cl. Archives photographiques.*

Henri d'Albret, roi de Navarre.
(Voir le *Prologue*.)
Dessin de Jean Clouet le père.

Florence, Musée des Offices,
Cabinet des dessins.

Cl. Archives photographiques.

Louise de Savoie. (Voir IIe Journée, 13e Nouvelle.)
Dessin de Clouet.

GVILLAVME GOVFFIER SEIGNEVR DE BONNIVET DE CREVECOEVR
ET DE THOIS CHEVALIER DE L'ORDRE DV ROY GOVVERNEVR
DE DAVPHINÉ ET DE GVYENNE AMIRAL DE FRANCE L'AN
1517 TVÉ A LA BATAILLE DE PAVIE LE 24 FEV L'AN 1524

B. N. Estampes. *Cl. B.*

L'amiral de Bonnivet.

(Voir IIe Journée, 14e Nouvelle.)

B. N. Estampes. Cl. B. N.

Costume de cordelier au XVIe siècle.
(Voir la Quatrième Journée.)

B. N. Estampes. *Cl. B. N.*

Jeanne d'Albret. (Voir VIIe Journée, 66e Nouvelle.)
Dessin de Lecurieux.

A PIERRE CHAMPION
In Memoriam.
† 29 juin 1942.

INTRODUCTION

*L'*ART *de conter est essentiellement français. Notre littérature peut s'enorgueillir de maints recueils d'« histoires » où, depuis le moyen âge, leurs auteurs, grands seigneurs ou pauvres bourgeois, mais nourris tous de la même sève, ont mis le plus pur de l'esprit de notre race en même temps qu'ils traçaient, pour les générations à venir, le plus précieux tableau des mœurs de leurs contemporains.*

*Parmi ces recueils, l'*Heptaméron *de Marguerite de Navarre occupe une place de choix. La doit-il à la personnalité de son auteur, une princesse, au dire de Brantôme, « douce, gratieuse, charitable, grand'ausmonniere et ne desdaignant personne »*, la sœur bien-aimée de François I*er *? Ou bien le charme qui se dégage des récits de la* Reine*, l'animation des propos échangés par les devisants, la belle ordonnance enfin de l'œuvre, tout incomplète qu'elle soit, font-ils que l'on revient plus volontiers aux nouvelles que Marguerite, dans ses « gayettez », avait réunies et qui, dès leur publication, connurent un si prodigieux succès ?*

C'est un « gentil livre pour son estoffe » disait déjà Montaigne et, comme les Essais, *l'*Heptaméron *est devenu un ouvrage classique qui figurait dans toutes les bibliothèques de nos pères. Il n'est pas moins recherché de nos jours. Plus d'une raison nous ont engagé d'ailleurs à présenter une nouvelle édition de ces contes où l'art de dire et la finesse des réflexions s'accordent pour plaire et enseigner.*

*Des premières éditions de l'*Heptaméron *parues peu après la mort de la* Reine*, il ne reste que quelques exemplaires, précieusement conservés dans les bibliothèques. Quant à la magistrale publication de* Le Roux *de* Lincy *reprise par Anatole de Mon-*

* Ed. LALANNE pour la *Société de l'Histoire de France*, t. VIII, p. 122.

taiglon pour la Société des Bibliophiles françois, *elle n'est accessible qu'à quelques rares privilégiés. Enfin, si l'on met à part le beau travail de Félix Frank, les éditions qui se sont succédé à la fin du siècle dernier n'offrent aucune des garanties que l'on est en droit d'attendre d'un texte scrupuleusement établi, ou se bornent à reproduire celle du premier éditeur, Claude Gruget.*

Mais surtout après les intéressantes recherches de notre maître, M. Abel Lefranc, et la thèse, parue en 1930, *de M. Pierre Jourda sur* Marguerite d'Angoulême, *où l'auteur, reprenant les travaux de tous ceux qui avaient écrit sur la* Reine, *apportait, à son tour, maintes données nouvelles, il s'est imposé qu'une édition de l'*Heptaméron *devait être maintenant entreprise, qui bénéficierait d'une si importante contribution à l'histoire de la vie et des œuvres de la* Reine *de Navarre, cependant que le texte en serait établi avec le plus grand soin. On trouvera plus loin l'exposé des principales caractéristiques de cette nouvelle édition.*

Nous avons cru utile de retracer d'abord en quelques pages ce que fut l'existence de la Reine, *puis de rechercher, derrière le cadre qu'elle a adopté pour son recueil de contes, les intentions qu'elle y a mises et les idées qu'elle y a exposées, enfin d'esquisser une histoire du texte en tentant de résoudre les problèmes qu'il pose encore à nos yeux.*

I

Le 11 *avril* 1492, *au château d'Angoulême, Louise de Savoie, mariée depuis quatre ans à Charles d'Orléans, comte d'Angoulême, mettait au monde une fille, son premier enfant. On l'appela Marguerite, mais aucune cérémonie spéciale ne marqua la naissance de celle qui devait être la « marguerite des princesses », duchesse d'Alençon et de Berry, enfin reine de Navarre et la sœur bien-aimée du « grand* Roy *François ».*

R*ien en effet ne pouvait faire prévoir une telle ascension pour la branche de Valois-Angoulême, dont le chef, Charles d'Angoulême, bien que de sang royal, vivait chichement à la cour de Charles VIII, préférant le séjour sur ses terres retirées d'Angoumois aux fastes bruyants et ruineux de l'entourage du roi de France. Deux ans* *plus tard, Charles d'Angoulême avait un fils, le futur François Ier, et ne tardait pas à mourir, laissant à Louise de Savoie, sa jeune veuve, le soin de défendre le patrimoine et les droits de ses deux enfants. La mort prématurée de Charles VIII, le* 8 *avril* 1498, *laisse le trône au duc d'Orléans, Louis XII, dont le mariage avec Anne de Bretagne risque d'écarter à jamais le père de Marguerite de la succession à la couronne. Mais Louis XII mourra sans avoir eu d'héritier mâle, et François d'Angoulême qui épousera sa fille, Claude de France, deviendra en janvier* 1515 *roi de France sous le nom de François Ier.*

C'est au cours de ces années difficiles, où les plus grands espoirs se mêlaient aux longues incertitudes, que Marguerite grandit, à Cognac d'abord, puis à Blois où elle avait à sa disposition la riche bibliothèque de son aïeul, le lettré et fin Jean d'Angoulême. Car si l'on en croit Brantôme, elle s'adonna fort aux lettres en son jeune aage* *sous la conduite d'une gouvernante de choix, la jeune et vertueuse Blanche de Tournon, Madame de Châtillon***, *issue de cette noble famille de barons du Vivarais, fidèlement dévouée à la maison de France et qui devait donner à la France un de ses grands hommes d'État, le cardinal François de Tournon, lui-même ami très cher de Marguerite.*

Ses professeurs, qui sont aussi ceux de son frère, François Demoulin, François de Rochefort, Robert Hurault, l'initient au commerce des Anciens cependant qu'elle-même se sent portée tout spécialement vers la lecture de l'Écriture sainte, car c'est dans l'ombre de son frère, son cadet de deux ans, mais l'espoir de Louise de Savoie jusqu'à ce qu'il devienne son « César triomphant », que Marguerite passera sa jeunesse, participant à ses jeux violents et à ses aventures de jeune homme sans contrainte ***.

Marguerite a dix-sept ans lorsqu'en compagnie de François de Valois elle gagne la cour pour épouser, le 2 *décembre* 1509, *le duc Charles d'Alençon que Louis XII avait résolu de lui donner pour mari. Était-ce là le mari qui pouvait plaire à la jeune princesse ? On peut en douter si l'on songe que le duc d'Alençon, brave soldat mais capitaine sans génie, était, au surplus, un prince*

* Ed. LALANNE, t. VIII, p. 115.
** Marguerite la mettra en scène dans la 4e nouvelle.
*** Cf. la 42e nouvelle.

sans culture et sans curiosité, et c'est un fait que pendant les seize années que dura leur union Marguerite ne parlera de lui dans ses lettres qu'à de rares intervalles et en des termes qui excluent toute passion.

Au château d'Alençon, c'est une vie nouvelle qui commence pour la jeune duchesse, et qui contraste singulièrement par son austérité avec l'existence heureuse que l'on menait aux bords de la Loire ; les brefs séjours qu'elle vient faire à la cour dans les années qui suivent son mariage rendent ce contraste plus frappant encore. L'avènement de son frère au trône le 1er janvier 1515 devait la faire participer sans réserve à cette joie de vivre qui marque les premières années du règne de François Ier. Avec sa mère, elle se rend à Marseille au devant du souverain, qui, après Marignan, regagne en triomphateur son royaume. Elle suit alors son frère dans cette existence itinérante qui sera celle de la cour durant tout le règne. La disgrâce physique de la reine Claude et, par contraste, l'affection que témoigne François Ier à sa sœur, la beauté de sa jeunesse et les rares qualités de son esprit ne font-elles pas de la duchesse d'Alençon la vraie reine de France dont les ambassadeurs, les poètes et les clercs recherchent le commerce ?

C'est à la fin de l'année 1521, où les armées de Charles-Quint font courir au royaume les plus grands dangers, que la princesse se rapproche d'un de ces clercs, l'évêque de Meaux, Guillaume Briçonnet, l'animateur, avec Lefèvre d'Étaples, de ce « groupe de Meaux » où l'on se préoccupe de redonner à l'Église une vie nouvelle en y introduisant les réformes jugées salutaires. Trois ans durant, Marguerite qui se sent isolée à la cour (son mari est aux armées, elle n'a pas d'enfants) entretiendra avec Briçonnet une correspondance suivie, série de lettres spirituelles où la duchesse confesse ses inquiétudes et sollicite les avis du prélat novateur quand elle ne les reçoit pas de la bouche même du prédicateur qu'il lui a adressé, Michel d'Arande. C'est alors, sans doute, que Marguerite s'essaie à mettre en forme ses méditations en traduisant en vers les pensées de son âme tourmentée : le *Dialogue en forme de vision nocturne*, le *Miroir de l'âme pécheresse* et l'*Oraison de l'âme fidèle* demeurent pour nous l'expression la plus touchante des idées religieuses de Marguerite.

Et pourtant d'autres inquiétudes vont accabler la princesse dès qu'arriveront à Lyon, où elle a suivi sa mère nommée régente, les premières nouvelles de l'armée que François Ier a conduite au delà des Alpes pour la conquête du Milanais ; à la bataille de Pavie, le 24 février 1525, les Français ont été battus ; François Ier est tombé aux mains de l'ennemi ; quant à Charles d'Alençon, il a pris la fuite et réussira à regagner Lyon où il mourra le 11 avril suivant.

Aux côtés de la régente, Marguerite prend alors une part chaque jour plus grande dans le gouvernement difficile du pays après la défaite ; mais toutes ses pensées vont à son frère prisonnier et aux moyens d'abréger une captivité dont le royaume, comme elle-même, ne pourraient endurer la prolongation. François Ier pense bien d'ailleurs l'utiliser à cette fin et c'est à sa demande qu'elle s'embarque le 28 août à Aigues-Mortes sur les galères du baron de Saint-Blancard pour gagner Palamos et, de là, Madrid et Tolède, où elle négociera directement avec Charles-Quint la libération du souverain.

Les négociations se poursuivirent durant tout le mois d'octobre, cependant que François Ier se remettait lentement de la grave maladie qui avait failli l'emporter. Mais tout de suite, Marguerite se heurte à l'intransigeance de l'empereur et du chancelier Mercurin de Gattinara qui exigent la Bourgogne et ne veulent pas entendre parler de rançon ; il faut alors rompre les conversations qui devaient être reprises avec plus de succès par François de Tournon et le président de Selve ; le 27 novembre, Marguerite quitte Madrid et, par Saragosse et Barcelone, rentre en France. Apparemment sa mission n'avait obtenu aucun résultat : en fait, Marguerite avait apporté à son frère un précieux réconfort et préparé déjà les voies de son retour.

Cependant Marguerite, à trente-quatre ans, restait veuve et sans enfant de son premier mariage. Mais les projets d'une union de la princesse avec le jeune roi de Navarre, Henri d'Albret, qui s'était évadé après Pavie, prennent bientôt corps. Le mariage fut célébré à la fin de janvier 1527 à Saint-Germain-en-Laye. Sœur de roi, Marguerite était reine à son tour mais d'un royaume dont Charles-Quint retenait la majeure partie : partout et toujours, le même ennemi se proposait à elle, menaçant. C'est à la fin de *cette même année 1527 que Marguerite accompagna Henri d'Albret dans ses états, mais trois mois plus tard elle a déjà regagné la cour où, le 16 novembre 1528, elle accouchait d'une fille, Jeanne d'Albret, qui sera la mère d'Henri IV. Plus que jamais, cependant, elle est occupée de politique : aux côtés de sa mère, elle se porte à Cambrai à la rencontre de Marguerite d'Autriche et durant tout le mois de juillet 1529 les dames discuteront de cette paix auxquelles elles devaient laisser leur nom et qui fixera les conditions de la libération des enfants de France, retenus comme otages à Madrid.*

Les deuils pourtant allaient bientôt frapper la reine ; c'est d'abord son fils Jean qui meurt en décembre 1530, âgé de six mois à peine. L'année suivante il lui faut rester au chevet de sa mère malade, qui mourra le 22 septembre. Ainsi la « trinité », si unie et célébrée par les poètes, de la mère, du frère et de la sœur était-elle rompue et c'était au moment où l'orage menaçait à l'horizon.

L'orage éclata en effet deux ans plus tard, lorsque Marguerite demanda à Gérard Roussel de prêcher au Louvre le carême de 1533, provoquant les foudres de Noël Béda et de toute la Sorbonne, qui inscrit le Miroir de l'âme pécheresse *au nombre des ouvrages interdits par elle.*

*L'intervention énergique de François Ier, qui protégeait alors ouvertement Marguerite, permit l'annulation de ce verdict. L'affaire des placards, en octobre 1534, devait rallumer les passions et obliger le roi à sévir contre les novateurs ; la prudence conseille alors à la reine de Navarre de quitter la cour pour gagner ses États et parcourir le midi de la France. Ce n'est qu'après un an de séparation qu'elle rejoindra son frère à Lyon, en novembre 1535, au moment où la reprise de la guerre contre l'empereur va occuper tous les esprits. Marguerite entretient alors les rapports les plus étroits avec les animateurs de la défense du royaume, le cardinal François de Tournon et le grand-maître Anne de Montmorency ; elle se rendra elle-même au « camp de Provence » dressé « contre la descente de Charles d'Autriche * » et dont elle admirera la belle ordonnance.*

Mais les menaces d'invasion du nord de la France l'inquiètent ;

* Cf. nouvelle II de l'Appendice.

*elle songe aussi à son royaume de Navarre, dont Charles-Quint tient toujours la plus belle part, et que la voie de la conciliation serait peut-être plus profitable que la poursuite de la lutte avec un rival aussi puissant. Elle participe à cet effet aux conférences qui se succèdent à Nice puis à Aigues-Mortes en 1538 ; elle accueillera à la fin de l'année suivante Charles-Quint traversant la France pour réprimer la révolte des Gantois. Le projet rapidement esquissé d'une union de Jeanne d'Albret avec l'infant Philippe paraît un temps devoir hâter la restitution tant désirée de la Navarre, mais le projet échoue et avec lui les espoirs de Marguerite qui revient à l'idée d'une ligue nécessaire des princes de l'Europe contre l'empereur ; c'est à l'un d'eux, Guillaume de La Marck, duc de Clèves, qu'elle mariera sa fille, non d'ailleurs sans hésitations et repentirs, le 14 juin 1541. Son prestige cependant connaît à la cour des fortunes diverses : pour plaire à son frère, elle se rapproche de sa maîtresse d'alors, la toute-puissante duchesse d'Étampes, et prend avec elle parti contre Anne de Montmorency et le chancelier Poyet, mais redoute bientôt l'influence renaissante du connétable. A la fin de 1542, elle retourne dans ses terres ; à Nérac d'abord, où elle restera jusqu'en juin 1543, mettant sans doute à profit le calme de cette retraite pour réunir les premiers éléments de ce qui sera l'*Heptaméron*, puis à Mont-de-Marsan, à Pau. En l'absence de son mari, c'est sur elle que retombent les responsabilités du gouvernement de ses États. La reine a alors cinquante ans, sa santé est fragile et tant de soucis risquent de l'ébranler plus encore ; mais elle trouve aux bords du Gave, dans la bibliothèque du château où Boccace voisine avec les romans de chevalerie, l'occasion de se distraire en écrivant comme elle l'a toujours fait et en devisant avec tous ceux qu'elle mettra elle-même en scène dans son recueil de nouvelles.*

Si elle cherche à s'abstraire ainsi des soucis qui l'accablent, les préoccupations qui l'assiègent se font chaque jour plus grandes : lorsqu'en janvier 1545 elle rejoint la cour à Fontainebleau elle y retrouve son frère gravement malade et peu de mois après porte le deuil du deuxième fils de François Ier. *Puis c'est un long séjour en Navarre où elle apprend successivement la mort d'*Henri VIII, *roi d'Angleterre, et, au début d'avril, celle de François* Ier, *son frère bien-aimé. Marguerite, accablée de tristesse, restera alors,* *durant quatre mois, cloîtrée au monastère de Tusson, cherchant dans la prière et la méditation un remède à ses angoisses.*

L'avènement du nouveau roi, Henri II, ne pouvait pas attirer la reine de Navarre à la cour. Elle prolonge son séjour dans les Pyrénées, allant de Tarbes à Cauterets, puis à Auch et redoute le projet d'union de Jeanne d'Albret, dont le mariage avec le duc de Clèves avait été annulé en 1545, *avec Antoine de Bourbon-Vendôme. Marguerite rejoint enfin la cour à Lyon en juillet* 1548 *pour assister le* 20 *octobre à Moulins au mariage de Jeanne qu'elle n'avait pu éviter : elle relatera peu après dans un de ses contes une aventure arrivée aux jeunes mariés*. Pau la reçoit à la fin de l'année, puis encore Cauterets où elle tentera de refaire une santé chaque jour plus chancelante. En septembre* 1549 *elle se retire au château d'Odos près de Tarbes, mais trois mois plus tard il lui faut s'aliter ; c'est là qu'elle mourra le* 21 *décembre* 1549.

II

*Telle est brièvement retracée l'existence inquiète et tourmentée de Marguerite de Navarre, qui reste à nos yeux l'une des figures les plus attachantes de notre Renaissance. Car malgré tant de voyages, tant aussi de sujets d'inquiétude et si divers, elle avait su s'entourer de savants et de lettrés qui recherchaient son commerce et sa protection. Clément Marot, Victor Brodeau, Antoine Héroët **, Bonaventure des Périers sont ses familiers. Elle-même écrira de nombreuses pièces de vers, fera représenter maintes comédies pieuses ou profanes et laissera un recueil de contes, malheureusement incomplet, l'*Heptaméron.

Brantôme qui, par sa mère et sa grand'mère, a bien connu Marguerite nous a rapporté dans quelles conditions la reine composa ses nouvelles : « Elle fist en ses gayettez ung livre qui s'intitulle Les Nouvelles de la reyne de Navarre... *elle composa toutes ses nouvelles, la plus part dans sa lityere en allant par pays ; car elle avoit de plus grandes occupations, estant retirée.*

* Cf. la 66e nouvelle.

** Marguerite fera de la sœur de ce dernier l'héroïne d'un de ses contes; cf. la 22e nouvelle.

Je l'ay ouy ainsin conter à ma grand'mere qui alloit tousjours avecq elle dans sa lityere, comme sa dame d'honneur, et luy tenoit l'escritoyre dont elle escrivoit et les mettoit par escrit aussitost et habillement ou plus que si on luy eust ditte * ». *Il est bien difficile, dans ces conditions, de déterminer la date ou même les dates extrêmes de composition du recueil de nouvelles de la reine. Utilisant les données historiques qui apparaissent çà et là dans ces nouvelles et le prologue qui les précède et les mettant en accord avec les faits précis qui composent la biographie de la reine, M. Pierre Jourda, son dernier historien, a pu établir que c'est aux environs de* 1542 *que Marguerite eut l'idée d'écrire un recueil de contes divisé en dix jours analogue au* Décaméron *de Boccace, dont Antoine Le Maçon, son protégé, devait publier trois ans plus tard une traduction française. Aux premiers jours de septembre* 1546, *Marguerite, se trouvant à Cauterets, rédigea son prologue alors qu'elle n'avait pas encore réuni les cent nouvelles qui lui étaient nécessaires pour écrire un* Décaméron *français. De fait, jusqu'à sa mort, Marguerite travaillera à son ouvrage ; la* 66e *nouvelle, qui met en scène sa fille Jeanne et son gendre Antoine de Bourbon est forcément postérieure au mariage de ces derniers célébré, on l'a vu, le* 20 *octobre* 1548. *Eut-elle le temps de le terminer tel qu'elle l'avait conçu ?* Le *recueil de contes que nous possédons ne comporte en effet que sept journées entières et deux nouvelles de la huitième. Il s'interrompt brusquement en nous annonçant une histoire qui doit parler « de religieux et de mort ». Aussi lorsqu'en* 1559, *Claude Gruget publiera l'œuvre de Marguerite, lui donnera-t-il un titre de fortune, l'*Heptaméron des Nouvelles... de Marguerite de Valois, royne de Navarre, *auquel la reine reste, par force, étrangère.*

*C'est un problème non encore résolu de savoir si Marguerite de Navarre eut le temps d'écrire les cent nouvelles qu'elle avait envisagé de rassembler ou si la mort la surprit avant qu'elle eût terminé ; la place nous manque ici pour l'aborder dans tous ses aspects. Nous noterons seulement que tous les critiques ont admis jusqu'alors, et M. Jourda le dernier, que l'*Heptaméron *était une œuvre inachevée, la reine étant morte trop tôt pour terminer ce qui*

* Ed. LALANNE, t. VIII, p. 125-126.

devait être son Décaméron. *Nous croyons cependant pour notre part qu'il est imprudent de se tenir à une attitude aussi catégorique.*

Il faut remarquer d'abord, en effet, qu'à la fin de son édition, Claude Gruget prend soin d'imprimer : « Cy finent les comptes et nouvelles de la feüe Royne *de Navarre* qui est ce que l'on a peu recouvrer », *ce qui laisse supposer que d'autres contes avaient été composés qui n'ont pas été retrouvés. On notera d'autre part que Brantôme qui, nous l'avons montré, connaissait particulièrement la sœur de* François Ier, *fait toujours allusion aux* « Cent Nouvelles *de la* Royne *de Navarre* » *lorsqu'il leur emprunte un trait ou en rappelle un épisode.*

*Poursuivant nous-même, naguère, une étude comparée de trois manuscrits du recueil de nouvelles de Marguerite, nous avons retrouvé un conte non encore publié dans les éditions fournies jusqu'alors et un prologue resté également inédit * qui nous ont engagé à nous écarter de la conclusion admise jusqu'alors sans réserve par les critiques. Nous n'affirmerons certes pas que Marguerite composa en réalité les cent nouvelles qu'elle avait projeté d'écrire ; mais nous pensons que l'édition donnée par Gruget de ce « qu'il put recouvrer » ne doit pas être considérée comme un état définitif de l'ouvrage conçu par Marguerite et dont quelques épaves se trouvent peut-être encore cachées — l'expérience l'a montré — dans quelque bibliothèque.*

* * *

*Nous savons par le témoignage des contemporains et par les indications qu'elle-même nous fournit dans l'*Heptaméron *que Marguerite de Navarre, gaie et enjouée lorsque les soucis ne la pressaient pas, aimait à dire des histoires et à en entendre raconter ** ; c'était un de ses passe-temps favoris au cours des longs séjours qu'elle faisait entourée de ses dames d'honneur et*

* Nous avons fait de ces deux textes l'objet d'une communication à l'Académie des Inscriptions et Belles-Lettres en octobre 1937 et d'un article paru sous le titre *Adrien de Thou et l'*Heptaméron *de Marguerite de Navarre* dans *Humanisme et Renaissance*, t. V (1938), p. 16-36. On les trouvera publiés ci-dessous à l'Appendice no V.

** Cf. la 62e nouvelle.

de ses familiers à Nérac ou à Pau. Là aussi, elle disposait de riches bibliothèques, meublées des romans de chevalerie et des fabliaux composés aux siècles passés. Plus près d'elle, à la cour de Bourgogne, avait vu le jour le recueil des Cent nouvelles nouvelles *dont le succès avait été aussitôt considérable ; enfin dans l'entourage même de Marguerite son protégé, Bonaventure des Périers, composait lui aussi des histoires.*

L'idée n'était donc pas neuve de mettre par écrit une série de nouvelles, mais c'est chez les conteurs italiens et tout spécialement chez Boccace que Marguerite puisera son inspiration ; à Boccace elle empruntera le cadre même de son livre en réunissant dix devisants qui, obligés par un accident de séjourner ensemble hors de chez eux, se divertiront en racontant, dix jours durant, chacun une histoire par jour.

*Après avoir exposé dans un prologue ses intentions et brossé le décor — les bains de Cauterets — où se meuvent les dix devisants, cinq hommes et cinq femmes qu'elle nous présente successivement, Marguerite distribue ses nouvelles en journées en faisant précéder chaque journée d'un court prologue et en reliant entre elles ces nouvelles par un dialogue où les devisants, commentant l'histoire qui vient d'être dite annoncent en même temps celle qui va suivre. Marguerite a d'ailleurs apporté le plus grand soin à la composition matérielle de son ouvrage et ce n'est pas au hasard que les devisants prennent la parole. La reine respecte scrupuleusement l'alternance des conteurs hommes et femmes ; elle prend soin de faire succéder un conte gai à une histoire tragique, à une nouvelle longue une plus brève *. Mais surtout les personnages qu'elle met en scène ne sont pas de simples instruments dont elle userait comme d'un artifice littéraire. Chacun d'eux a une personnalité bien marquée et qui s'affirme au fur et à mesure de l'ouvrage. Ne sont-ils pas, au reste, des personnages réels qui vivaient dans l'entourage même de la reine et dont les noms supposés dissimulent à peine l'identité ?*

* On peut remarquer aussi que la Reine respecte soigneusement la fiction des devisants *racontant* leurs histoires et ne les *écrivant* pas, sauf toutefois dans le dialogue qui suit la 25e nouvelle : « ce qu'elle m'a faict mettre icy *en escript* », et aussi dans le prologue inédit que nous publions à la fin de l'Appendice V.

Les recherches des critiques dont on trouvera plus loin la mise au point ont permis l'identification certaine de la plupart des devisants parmi lesquels Oisille (Louise de Savoie), Dagoucin (Nicolas Dangu), Hircan (Henri d'Albret, le mari de Marguerite) et Marguerite elle-même, sous le nom de Parlamente, ont une place à part. Leurs caractères différents s'affirment par la nature même des nouvelles que la reine leur prête et dans les réflexions que ces nouvelles leur suggèrent.

*Ces nouvelles, la reine nous affirme dans son prologue qu'elles sont toutes véritables, chacun des devisants s'étant engagé à ne rapporter que ce qu'il aura vu ou entendu dire « à quelque homme digne de foy ». En fait, si Marguerite emprunte plus d'une fois le sujet de ses récits, d'une façon plus ou moins dissimulée aux auteurs qui l'ont devancée *, elle trouve la plupart du temps son inspiration dans des scènes auxquelles elle a participé comme témoin **, dans des histoires qui lui ont été racontées par des amis au cours de son existence itinérante *** ou dans des aventures qui lui sont arrivées personnellement ****. A ce titre l'*Heptaméron *constitue avec son prologue un tableau fidèle de la vie de la société policée en France à la fin du* XVe *siècle et jusqu'au milieu du* XVIe *siècle. Car Marguerite peint surtout les mœurs des personnages de sa qualité ou de ceux qui l'entourent et ce n'est qu'à de rares moments qu'elle met en scène des bourgeois, encore sont-ils toujours d'une situation très aisée ; les gens du peuple, les « mecaniques » comme elle le dit elle-même, n'apparaissent pour ainsi dire pas dans son récit.*

Les religieux, par contre, y jouent un rôle considérable, désignés sous le nom de « cordeliers », qu'ils appartiennent, ou non, à la règle de saint François, et ce n'est pas pour chanter leurs louanges que Marguerite les fait intervenir. Elle reste, sur ce point, fidèle à la tradition directement héritée du moyen âge qui voulait

* Plus spécialement la 70e nouvelle qui n'est autre que le vieux poème *La châtelaine de Vergy*.

** Nouvelles 1re, 22e, 28e, 66e, 72e.

*** Et plus particulièrement lors de son voyage en Espagne pour tenter de rendre son frère à la liberté ou à l'occasion de ses séjours en Navarre, ce qui explique le grand nombre de contes situés au delà des Pyrénées.

**** Nouvelle 4e.

que le moine fût moqué ; mais il y a plus dans l'Heptaméron qu'une littérature de style sur les « bons pères » et leurs travers ; on y trouve une satire violente et imagée des mœurs perverties du clergé au moment où les hommes restés les plus fidèles à l'Église s'accordaient eux-mêmes à déplorer cet état de choses et à promouvoir un redressement dont les effets ne tarderont d'ailleurs pas à se faire sentir. Il serait donc faux de conclure que Marguerite, en se montrant aussi sévère pour le clergé, rejoint ceux de ses contemporains qui avaient déjà embrassé la Réforme : le soin qu'elle mit à protéger au long de sa vie de nombreux monastères suffirait à prouver le contraire. Mais surtout la reine, par la bouche de ses devisants, multiplie les témoignages de son attachement au catholicisme et plus particulièrement de son respect des sacrements. Un seul fait demeure frappant, l'insistance avec laquelle elle recommande la lecture de l'Écriture Sainte, comme le moyen par excellence d'atteindre à la perfection ; aussi voit-on les devisants commencer chacune de leurs journées par une « leçon » de l'Évangile suivie d'un commentaire que dirige la plus âgée d'entre eux, madame Oisille. Les citations tirées de l'Écriture reviennent d'ailleurs maintes fois au cours des dialogues qui séparent chaque nouvelle ; les textes sont empruntés à l'ancien comme au nouveau Testament et traduits avec beaucoup de fidélité.

Mais plus qu'une satire des débordements des clercs, l'Heptaméron avec ses contes tristes ou gais et ses dialogues si animés est une longue variation sur l'amour et sur les multiples aspects qui marquent les rapports des hommes et des femmes ; aussi Pierre Boaistuau, publiant pour la première fois un texte tronqué du recueil de nouvelles de la reine de Navarre, avait-il pu l'intituler Histoires des Amans fortunez. Ici encore les dialogues concourent, avec la nature même des aventures qui nous sont rapportées, à nous faire connaître la pensée de Marguerite. Parmi les devisants, Hircan (le mari de Marguerite), Saffredent et Simontault se présentent comme les défenseurs de la vieille tradition gauloise de jouissance directe et de soumission à la loi de nature comme le voulait Jean de Meung : « Toutes pour tous et tous pour toutes ». Oisille, Longarine, Ennasuitte voudraient défendre l'honneur des femmes et garder leurs illusions sur l'hon-

nêteté des propos que les hommes commencent toujours par leur tenir. Mais c'est dans les réparties de Parlamente et dans les considérations de Dagoucin qu'il nous faut trouver l'expression réelle des idées de Marguerite.

Nous y voyons alors la princesse reprendre la conception de l'amour courtois si souvent exprimée déjà dans les romans de la Table Ronde et par les troubadours et affirmer avec Platon que l'amour humain n'est pas autre chose qu'un désir de retrouver dans l'être aimé l'autre moitié de nous-même et, par delà, de perfectionner notre âme pour atteindre enfin au Créateur ; car l'amour humain apparaît aux yeux de Marguerite et de tous les théoriciens de l'amour platonique récemment remis en honneur par Marcile Ficin comme le seul moyen de participer à l'amour divin. « Encores ay-je une opinion, dira-t-elle dans le dialogue qui suit la 19e nouvelle, que jamais homme n'aymera parfaictement Dieu, qu'il n'ait parfaictement aymé quelque creature en ce monde. » Et plus loin : « J'appelle parfaictz amans ceulx qui cerchent, en ce qu'ilz aiment, quelque parfection, soit beaulté, bonté ou bonne grace ; tousjours tendans à la vertu et qui ont le cueur si hault et si honneste qu'ilz ne veullent, pour mourir, mectre leur fin aux choses basses que l'honneur et la conscience repreuvent ; car l'ame, qui n'est creée que pour retourner à son souverain bien, ne faict, tant qu'elle est dedans ce corps, que desirer d'y parvenir. » L'objection vient ailleurs dans la bouche de Simontault : « Je ne croys pas que jamais vous ayez esté amoureux ; car, si vous aviez senty le feu comme les autres, vous ne nous paindriez icy la chose publicque de Platon, qui s'escript et ne s'experimente poinct » ; mais Marguerite reviendra encore à son propos : « Je croy que Dieu ne se courrouce poinct de tel peché, veu que c'est ung degré pour monter à l'amour parfaicte de luy, où jamais nul ne monta, qu'il n'ait passé par l'eschelle de l'amour de ce monde. » Et Marguerite de paraphraser aussitôt la parole de saint Jean :* Qui enim non diligit fratrem suum quem videt, Deum, quem non videt, quomodo potest diligere ? ** ».

Ainsi le platonisme de Marguerite nous ramène-t-il en un

* 8e nouvelle.

** 36e nouvelle. — On remarquera que ce passage a été entièrement modifié par Cl. Gruget qui lui a ôté tout son sens.

circuit fermé à l'Écriture, qui demeure la source de toute vérité, la « vraie touche pour scavoir les parolles vraies ou mensongeres ». Marguerite se sépare en effet de Platon et de son traducteur lorsqu'il s'agit de justifier sa conception de l'amour ; à leur théorie de la réminiscence des choses vues avant la naissance que le christianisme ne peut admettre, elle substitue ce désir de l'âme immortelle du chrétien d'atteindre à la perfection dont Dieu, dans son éternité, est la pure image. Mais pour elle comme pour l'auteur de la* République *et du* Banquet, *le parfait amant doit demeurer chaste et vertueux.*

Ainsi la pensée antique et la doctrine chrétienne se complètent-elles pour composer ce tout harmonieux qui constitue l'essentiel de la philosophie de la reine.

* * *

Qu'une œuvre aussi nouvelle et aussi attrayante, en dehors même de la célébrité de son auteur, ait connu tout de suite le plus grand succès, il ne faut pas nous en étonner. Nous étudierons plus à loisir, dans la Notice bibliographique *qui suit, les manuscrits et les principales éditions de l'*Heptaméron. *Ces manuscrits, dont la plupart se trouvent à la Bibliothèque nationale, sont relativement peu nombreux mais toujours d'une exécution très soignée. Tous paraissent avoir été écrits dans la seconde moitié du* XVIe *siècle, plus précisément sous le règne d'Henri II, c'est-à-dire dans les années qui suivirent la mort de la Reine. Parmi ceux-ci, une place à part doit être réservée au superbe volume écrit en élégante humanistique par Adrien de Thou « sur exemplaires fort incorrectz » et dont la Préface est datée du* 8 *août* 1553.

Dans cette préface, le scrupuleux conseiller au Parlement de Paris justifie d'abord le soin qu'il a mis à transcrire les contes de la Reine avec une orthographe conforme à la prononciation et en restituant l'accentuation et la ponctuation « modernes ». Mais il précise surtout que « pour faire conformer ces Nouvelles *de la Royne de Navarre... à celles de Jan Boccace » il a ajouté au début et à la fin de chacune d'elles quelques lignes « pour leur donner*

* 44e nouvelle.

telle grace que si elles se lisent tumultuerement, le commencement ne semble ajouté ny la fin tronquée si tout d'une tire on les trouve si couzues et lyées ensemble que la fin de la precedente donne demye intelligence à la subsequente. ». *Il nous prévient enfin qu'il a dressé en tête de son manuscrit une table des variantes qui lui ont paru dignes d'être retenues.*

Il n'est pas douteux que ce manuscrit constitue, quatre ans après la mort de Marguerite, la première ébauche d'une publication du recueil des contes de la Reine ; *car tout indique qu'il avait été préparé par son auteur pour être livré à l'impression. Adrien de Thou n'aura pourtant pas été le premier éditeur des* Nouvelles *de Marguerite. C'est en vain que l'on chercherait dans la Préface citée plus haut les raisons de cette abstention. On notera toutefois qu'Adrien de Thou avait intitulé son manuscrit* Le Décameron de très haute et très illustre princesse, Madame Marguerite de France, sœur unique du Roy Françoys premier, Royne de Navarre, duchesse d'Alençon et de Berry *et que s'arrêtant, comme le font tous les autres manuscrits, au seuil de la* 73e *nouvelle, il laissa en blanc le nombre de feuillets nécessaires pour recevoir les* 28 *nouvelles qui devaient « parfaire la centaine ». Pensait-il retrouver un jour ce complément de l'œuvre inachevée de la* Reine *et, ne l'ayant pas recouvré, ne se crut-il pas autorisé à livrer au public une œuvre tronquée ? Ici encore nous ne pouvons apporter aucune réponse catégorique, car nous nous retrouvons une fois de plus devant ces deux questions : Marguerite a-t-elle composé un nombre de contes supérieur à celui que nous connaissons ? A-t-elle pu même, comme elle en avait l'intention, écrire les cent nouvelles de son* Décameron ? *Nous pensons avoir suffisamment montré que l'on pouvait en tout cas répondre affirmativement à la première de ces questions.*

C'est en 1558 *seulement que devait paraître pour la première fois le recueil des nouvelles de Marguerite de Navarre, sous le titre* Histoires des Amans fortunez, *par les soins de Pierre Boaistuau. L'ouvrage paraissait sans nom d'auteur et les nouvelles, au nombre de* 67 *seulement, y étaient distribuées suivant un ordre arbitraire. En outre, les arguments qui précèdent chaque journée avaient été supprimés ainsi que les passages où la* Reine *exprimait trop ouvertement son opinion, notamment sur les religieux.*

Un an plus tard, Claude Gruget procurait une nouvelle édition du recueil des nouvelles « remis en son vray ordre, confus auparavant en sa première impression » et lui donnait le titre, qui devait lui rester désormais, d'Heptaméron. L'ouvrage est dédié à Jeanne d'Albret, la princesse ayant tenu à ce que l'on rendît au recueil de contes de sa mère son vrai visage. Claude Gruget pourtant n'a pas été sans trahir la pensée de Marguerite. Comme Boaistuau l'avait fait l'année précédente, il modifie ou fait disparaître les développements de la reine jugés par lui trop audacieux ; il supprime également les noms des personnages cités dans les nouvelles ; aux 11e, 44e, 46e nouvelles il substitue trois contes d'allure beaucoup moins libre et dont il se garde de nous dire où il les a pris : peut-être, au reste, ces contes furent-ils composés eux aussi par Marguerite et laissés de côté par elle comme n'étant pas dignes de prendre place dans son recueil. Tant de prudence ne pouvait en fin de compte que défigurer, une fois encore, l'œuvre de la princesse dont Adrien de Thou avait préparé, six ans auparavant, avec tant de soin une édition si fidèle. Mais il ne faut pas oublier qu'au moment où paraissait l'Heptaméron, les mesures les plus rigoureuses venaient d'être ordonnées par Henri II pour arrêter les progrès de la Réforme et que les exécutions, en place de Grève, reprenaient sur un rythme accéléré.

L'Heptaméron devait pourtant connaître aussitôt le plus vif succès. Les éditions se succèdent pendant tout le XVIe siècle, reproduisant toujours celle de Claude Gruget. Il en sera de même au XVIIe et au XVIIIe siècle où l'on se préoccupe surtout de remettre le texte des nouvelles au goût du jour. Ce n'est qu'en 1853 que Le Roux de Lincy donnera d'après les manuscrits une édition de l'Heptaméron qui tendait enfin à restituer à l'œuvre de Marguerite sa physionomie véritable. Cette édition devait être reprise en 1880 par Anatole de Montaiglon qui, pour le commentaire, la faisait bénéficier des publications survenues entre temps de La Ferrière-Percy et de F. Frank.

III

*Il convient de préciser maintenant les règles auxquelles nous nous sommes tenu pour établir la présente édition. Notre intention n'a pas été de donner une édition critique de l'*Heptaméron, *mais bien plutôt de mettre sous les yeux du lecteur un texte qui reproduise le plus fidèlement possible celui qu'avait laissé Marguerite. Nous nous sommes arrêté dans ce dessein au ms. français* 1512 *de la Bibliothèque nationale qui donne de l'*Heptaméron *un texte complet, correctement divisé en journées, d'une orthographe uniforme et qui, par les caractères de son écriture, paraît avoir été recopié très peu de temps après la mort de la* Reine. *Nous avons scrupuleusement reproduit le texte de ce manuscrit que nous désignerons par la lettre* A, *nous réservant seulement de le corriger pour combler ses rares lacunes ou rectifier ses leçons notoirement fautives en utilisant celles des autres manuscrits.*

Nous avons cru toutefois utile pour l'histoire du texte de révéler les modifications qu'il avait subies en donnant en note les variantes présentées par le manuscrit d'Adrien de Thou (ms. fr. 1524*), que nous désignons par la lettre* T, *et celles de l'édition de Claude Gruget, que nous désignons par la lettre* G.

Ainsi trouvera-t-on réunis pour la première fois les trois aspects les plus caractéristiques de ce texte, à savoir : son état ancien, la physionomie qu'il aurait présentée dans sa première édition si Adrien de Thou avait mis à exécution son projet en 1553 *et la forme que lui a donnée Claude Gruget, son premier éditeur, en* 1559 *. *Comme l'ont fait* Le Roux de Lincy *et A. de Montaiglon, nous avons mis en tête de chaque journée et de chaque nouvelle le court sommaire qui en résume parfaitement le sujet et que l'on doit à Adrien de Thou. Nous avons rejeté en appendice les trois nouvelles substituées par Claude Gruget aux* 11e, 44e *et* 46e *du recueil, la version différente de la* 52e *d'après Adrien de Thou et enfin la nouvelle que nous avons retrouvée dans les mss fr.*

* Nous n'avons pas tenu compte de l'édition de 1558 qui défigure par trop le texte de la Reine. Il est entendu, d'autre part, que nous n'avons pas reproduit les variantes qui n'affectaient pas le sens du texte, telles que synonymes très voisins, interversions de mots, etc.

1513 *et Dupuy* 736 *de la Bibliothèque nationale suivie du prologue qui l'accompagnait dans ce dernier manuscrit et dont nous avons publié pour la première fois le texte dans le tome V d'*Humanisme et Renaissance.

Ainsi le lecteur trouvera-t-il réunis dans ce volume, outre les trois états du texte que nous avons mentionnés plus haut, les compléments à ce texte mis au jour par les dernières recherches et qui sont indispensables pour une étude complète de l'œuvre de la Reine *de Navarre.*

La question de l'orthographe à adopter posait un problème que nous avons résolu en reproduisant fidèlement le texte du ms. fr. 1512. *Il s'agissait en effet de ne pas déconcerter le grand public par des formes trop excentriques et de procurer en même temps à l'étudiant un texte d'où serait bannie toute fantaisie. Nous avons cru bon, toutefois, d'uniformiser l'orthographe des noms propres ainsi que les terminaisons des imparfaits et des conditionnels des verbes qui, à leurs première et troisième personnes du singulier, se présentaient dans le manuscrit tantôt avec un* y *tantôt avec un* i, *en substituant partout l'*i *à l'*y. *C'est également le souci de faciliter la lecture qui nous a porté à accentuer suivant nos règles modernes les désinences féminines en* ée, *les adverbes* là, où, très, près *et les prépositions* à, après, voilà. *Pour la même raison, nous avons restitué la ponctuation telle que nous la concevons de nos jours et nous avons distribué en paragraphes le texte qui, dans le manuscrit, n'en comporte aucun.*

Nous avons présenté, d'autre part, dans une Notice bibliographique, *la description sommaire des manuscrits de l'*Heptaméron, *la liste des principales éditions et celle des plus importants travaux parus sur l'œuvre de la* Reine.

On trouvera au bas des pages la traduction en français moderne des expressions vieillies et des mots tombés hors d'usage; on remarquera d'ailleurs que ces mots et ces expressions sont en nombre relativement restreint.

Pour donner du texte une meilleure intelligence, il était également indispensable de restituer aux contes leur cadre historique et de rendre, chaque fois qu'il était possible, aux personnages que Marguerite de Navarre avait mis en scène sans les nommer ou sous des noms de convention, leur véritable identité. On cherchera tous ces éclaircissements dans les notes qui ont été rejetées à la fin du volume : les travaux de nos devanciers et plus particulièrement de Le Roux *de* Lincy, *de* F. Frank *et d'*Anatole *de* Montaiglon *ont, sur ce point, singulièrement facilité notre tâche.*

Enfin, un index des noms propres permettra de retrouver aisément tous ceux que la Reine *anima, dans ses contes, pour notre divertissement.*

NOTICE BIBLIOGRAPHIQUE

I. — MANUSCRITS.

A. — BIBLIOTHÈQUE NATIONALE.

1. — Fr. 1511 (Regius 7572).

812 p. Papier; cursive gothique d'une seule main, milieu du XVIe siècle. — Reliure maroquin rouge aux armes de Philippe de Béthune.

Le texte est complet sauf le dernier feuillet qui manque. La division en nouvelles et en journées est correcte.

2. — Fr. 1512 (Colbert 3137, Regius 7572[1a]).

750 p. Papier; cursive gothique d'une seule main, milieu du XVIe siècle. — Magnifique reliure en veau à entrelacs d'or sur les plats et au dos.

Sur la page de garde, d'une main du XVIIe siècle : *Eptameron ou nouvelles de la Reine de Navarre*; la même main a numéroté les nouvelles de 1 à 72. Aux fol. 392 et 750 d'une main de la fin du XVIe siècle : DOULCET, nom du possesseur.

Le texte est complet; c'est celui que nous désignons par la lettre *A* et que nous reproduisons dans notre édition.

3. — Fr. 1513 (Bigot 161, Regius 7572[2]).

103 fol. Papier; cursive gothique d'une seule main, milieu du XVIe siècle, très soignée. — Reliure demi-maroquin rouge au chiffre de Louis-Philippe.

Texte incomplet donnant 28 nouvelles dans l'ordre : 23, 26, 27, 22, 31, 32, 33, 30, 34, 10, 35, 36, 37, 38, 39, 41, 44, 20, 43, 21, 40, 52, 28, 24, 25, 29, la nouvelle publiée dans notre Appendice sous le nº V et 50. Pas de dialogues, mais seulement un « argument » et une « conclusion » encadrant chacune de ces nouvelles.

Au fol. 103 on lit : *Fin de ces presens comptes en nombre 28 de la très illustre Royne de Navarre, duchesse d'Alençon et de Berry, contesse d'Armaignac, seur unicque du très chrestien Roy de France, Françoys premier de ce nom.*

4. — Fr. 1514 (de Mesmes 161, Regius, 7572[3]).

190 fol. Papier; cursive gothique, plusieurs mains; fin du XVIe siècle. — Reliure veau ancien. Sur le feuillet liminaire,

d'une main du XVIIe siècle ; *Heptaméron de la Reyne de Navarre.*

Le texte est incomplet. Il comporte le prologue, la suite des 22 premières nouvelles avec les dialogues puis les 31e, 32e, 33e, 30e nouvelles et la 34e qui est restée inachevée.

5. — Fr. 1515 (Colbert 858, Regius 7572$^{3.3}$).
864 p. Papier; cursive gothique d'une seule main; milieu du XVIe siècle. — Très belle reliure en veau fauve à entrelacs d'or.
On lit au verso du premier plat de la reliure : *Ce present livre appartient à Daniel Leclerc, maistre...* 1606, et sur le premier feuillet liminaire : *Adam Fumée. — Il aviendra.*

Texte complet avec nombreuses corrections et additions dans les marges de la même main que celles du ms. fr. 1520.

6. — Fr. 1516 à 1519 (Regius 7573 à 7576).
4 volumes de 81, 98, 96 et 72 fol. Papier; cursive gothique milieu du XVIe siècle, une seule main. — Reliure maroquin rouge aux armes de Philippe de Béthune.

Ces 4 manuscrits doivent être lus dans l'ordre 1516, 1519, 1518, 1517. Le texte est incomplet; lacune à partir du fol. 76 dans le premier volume; le dernier feuillet de la 72e nouvelle manque dans le n° 1517.

7. — Fr. 1520 (Baluze 417, Regius 7576^{2}).
375 p. Papier; belle humanistique, milieu XVIe siècle, d'une seule main. — Reliure de veau fauve à dos de maroquin rouge au chiffre de Louis XVIII.

Texte complet, correctement divisé en nouvelles et journées avec nombreuses variantes dans les marges.

8. — Fr. 1522 (De La Marre 219, Regius 7576^{3}).
349 fol. Papier; cursive gothique fin du XVIe siècle. — Reliure parchemin. Au fol. 1er on lit : *Pour ma seur Marie Philander, P. Philander.*

Texte incomplet sauf deux lacunes aux fol. 155 et 234 qui sont blancs; au fol. 265 commence une suite de poèmes de Marguerite, dont les *Prisons* (fol. 265 à 275).

9. — Fr. 1523 (De La Marre 330, Regius 7576^{4}).
189 fol. Papier; belle cursive gothique milieu du XVIe siècle. — Reliure moderne en veau bleu à filets d'or.

Texte incomplet; le début du prologue manque et le ms. s'arrête au milieu de la 36e nouvelle.

10. — Fr. 1524 (Colbert 1358, Regius 7576$^{3.5}$).
383 p. et feuillets liminaires. Papier; élégante humanistique italienne, d'une seule main; le manuscrit est daté du 8 août 1553 à Paris. — Magnifique reliure en maroquin vert à compartiments de maroquin rouge avec entrelacs d'or; au centre un cartouche représentant une vigne qui s'enroule autour d'un

tronc d'arbre avec la devise : *Sin' et doppo la morte* et le monogramme d'Adrien de Thou.

On lit en tête le titre suivant : *Le Décaméron de très haute et très illustre princesse Madame Marguerite de France, sœur unique du Roy Francoys premier, Royne de Navarre, duchesse d'Alençon et de Berry.*

Le texte est complet; c'est celui que nous désignons par la lettre *T*. Il est précédé d'une préface, d'une table des variantes et d'un sommaire des journées et des nouvelles que nous reproduisons dans la présente édition. Des feuillets laissés en blanc étaient destinés à recevoir le texte des 28 nouvelles qui nous manquent.

11. — Fr. 1525 (Colbert 2447, Regius 7576^5.5A^).

217 fol. Papier, cursive gothique d'une seule main, milieu du XVIe siècle. — Reliure moderne en veau noir portant, sur les plats, un blason provenant d'une reliure du XVIe siècle : *parti au* 1, *coupé*, *A*, *parti au* 1 *de France ancien*, *au* 2 *de gueules au lion d'or* (Tournon); *B*, *échiqueté d'or et d'azur à la bordure de gueules* (Roussillon) *et*, *brochant sur le coupé*, *de gueules à trois pals d'hermine* (Vissac); *au* 2, *coupé*, *A*, *d'azur semé de fleurs de lis d'or à une tour d'argent* (La Tour); *B*, *coticé d'or et de gueules* (Turenne)*. Ce sont les armoiries de Just II de Tournon, ambassadeur de Charles IX à Rome, mort à Naples le 20 novembre 1563, neveu du cardinal François de Tournon et qui avait épousé en 1535 Claude de La Tour de Turenne.

Texte incomplet. Prologue suivi des deux premières journées (fol. 1-155). Du fol. 155vo au fol. 191, fragment de la 26e nouvelle, les 22e, 31e, 32e, 33e, 30e nouvelles et le début de la 34e. Au fol. 191vo commence le texte du poème de Marguerite *Le myroir de Jesucrist crucifié.*

12. — Fr. 2155 (Regius 7981).

477 fol. Papier, cursive gothique, plusieurs mains, milieu du XVIe siècle. — Reliure en maroquin rouge à filets d'or : les blasons qui ornaient les plats et le dos ont été enlevés.

Texte complet; la fin du prologue a été reliée à la fin de la première nouvelle. Le dernier feuillet porte une épitaphe de la Reine.

13. — Collection Dupuy, n° 736.

280 fol. Papier; recueil factice de pièces diverses toutes du XVIe siècle et ayant appartenu à Adrien de Thou.

Au fol. 13. — Texte du prologue et début de la première journée. Le texte s'interrompt brusquement (fol. 34) au milieu

* Nous devons cette description à notre confrère et ami M. Jacques Meurgey.

de la 9e nouvelle pour faire place au conte publié ci-après en Appendice sous le nº V puis au prologue publié à la suite de ce conte.

B. — BIBLIOTHÈQUE D'ORLÉANS.

Ms. 467 (ancien 382).
266 fol. Papier, XVIIe siècle. — Reliure en parchemin.
Texte incomplet.

C. — BIBLIOTHÈQUE DU VATICAN.

Ms. 929 du fonds de la Reine Christine.
95 fol. Papier, XVIe siècle. — Reliure en veau fauve.
Texte incomplet s'arrêtant au commencement de la 15e nouvelle.

D. — BIBLIOTHÈQUE PIERPONT MORGAN, A NEW-YORK.

Ms. 242 (ancien 325).

230 fol. Papier sauf le fol. 5 qui est en parchemin et porte un dessin à la plume. Ce dessin est une illustration du prologue et représente le groupe des devisants assis au bord du Gave avec, au second plan, l'abbaye N.-D. de Serrance et les ouvriers en train de reconstruire le pont rompu par les eaux. — Belle humanistique régulière, milieu du XVIe siècle. Au fol. 1, un blason *d'azur au chevron d'or chargé d'un croissant de gueules accompagné de trois têtes de loup d'or, au chef d'or à trois étoiles de gueules* *. Grande initiale peinte au début de chaque conte. — Magnifique reliure du XVIIIe siècle, de l'école des Pasdeloup, en maroquin rouge à cloisonnements de maroquin olive. — Mentionné dans le *Catalogue des livres de feu Madame la comtesse de Verrüe* en 1737, puis en 1775 dans le catalogue Filheul, le ms. a appartenu à la famille de Vogüé et a été acquis en 1907 par M. James Pierpont Morgan.

Texte incomplet; 68 nouvelles rangées dans un ordre très différent de celui des éditions de 1558 et 1559 et des mss sauf du ms. fr. 1513 cité ci-dessus, dont il est l'exacte reproduction, du moins pour les 28 nouvelles que ce dernier comporte. Les dialogues entre devisants sont également absents, les nouvelles n'étant reliées entre elles que par un « argument » et une « conclusion ». Comme dans le ms. fr. 1513, la nouvelle publiée dans notre Appendice sous le nº V y apparaît entre les nouvelles 29 et 50 de l'édition classique.

* M. Jacques Meurgey nous a signalé que ces armes figuraient sur la pierre tombale de Nicolas Grenier, nommé prieur de l'abbaye de Saint-Victor de Paris sur la proposition d'A. Caracciolo le 2 juin 1547 et mort en 1570 ; le dessin de cette pierre par Gaignières est conservé à la Bibl. nat. (Estampes).

A ces 16 manuscrits de l'*Heptaméron*, tous conservés aujourd'hui dans des bibliothèques publiques, il convient d'ajouter celui dont on trouve une description dans le *Catalogue des livres de la Bibliothèque de l'abbé Rive*, Marseille, 1793, in-8° (cf. LE ROUX DE LINCY et A. DE MONTAIGLON, *Heptaméron*, t. I, p. 172), et dont nous n'avons pu retrouver la trace. Au témoignage de l'abbé Rive lui-même, le texte de l'*Heptaméron* était entier. Le ms. portait sur les plats de sa reliure les armes de France.

II. — PRINCIPALES ÉDITIONS.

— *Histoires des Amans fortunez*, dédiées à très illustre princesse, Madame Marguerite de Bourbon, duchesse de Nivernois (Ed. par Pierre Boaistuau, dit Launay; le privilège au nom de Vincent Sertenas). — Paris, G. Gilles, 1558. In-4° de XIX et 184 ff.

Le texte est incomplet; il ne compte que 67 nouvelles qui ne sont pas divisées en journées et ont été distribuées dans un ordre arbitraire.

— *L'Heptaméron des Nouvelles* de très illustre et très excellente Princesse Marguerite de Valois, Royne de Navarre, remis en son vray ordre, confus auparavant en sa première impression et dédié à très illustre et très vertueuse Princesse Jeanne de Foix, Royne de Navarre, par Claude Gruget, parisien. — Paris, J. Cavellier, 1559. In-4° de X et 214 ff.

Le texte est complet et les nouvelles placées dans leur ordre normal. Toutefois aux 11e, 44e et 46e nouvelles des manuscrits ont été substituées trois autres nouvelles dont on trouvera le texte dans notre Appendice sous les nos I, II et III. C'est le texte de cette édition que nous désignons par la lettre *G*.

— L'édition de Cl. Gruget a été maintes fois reproduite au cours des années suivantes, notamment :

Paris, B. Prévost, 1560. In-4°.
Lyon, G. Rouillé, 1561. In-12.
Lyon, L. Cloquemin, 1572. In-16.
Paris, G. Buon, 1581. In-16.
Paris, J. Bessin, 1615. In-12.
Paris, J. Bessin, 1698. 2 vol. in-12.

— *Contes et nouvelles* de Marguerite de Valois, reine de Navarre, mis en beau langage accommodé au goût de ce temps. — Amsterdam, G. Gallet, 1698. 2 vol. in-8°. — Réimpressions en 1700 et 1708.

— *Les Nouvelles de Marguerite, Reine de Navarre.* — Berne, 1760-1781. 3 vol. in-8°; gravures de Freudenberg. — Réimpressions à Paris en 1784, 1807 et 1827.

— *L'Heptaméron, ou Histoire des amants fortunés...* par le bibliophile Jacob. — Paris, C. Gosselin, 1841. In-18. — Réimpressions en 1858, 1860, 1861 et 1876. Reproduit le texte de Claude Gruget.

— *L'Heptaméron des nouvelles de...* Marguerite d'Angoulême, reine de Navarre (par A.-J.-V. Le Roux de Lincy), pour la Société des bibliophiles françois. — Paris, C. Lahure, 1853-1854. 3 vol. in-8°.

Première édition établie d'après les manuscrits.

— *L'Heptaméron*, contes de la reine de Navarre. — Paris, Garnier (1862). In-18.

— *L'Heptaméron des nouvelles* de... Marguerite d'Angoulême, reine de Navarre... par Benjamin Pifteau. — Paris, A. Lemerre, 1875, 2 vol. in-16.

— *L'Heptaméron des nouvelles* de Marguerite d'Angoulesme, royne de Navarre... par Frédéric Dillaye. Notice par A. France. — Paris, A. Lemerre, 1879. 3 vol. in-12.

— *L'Heptaméron* de la Reine Marguerite de Navarre, par Félix Frank. — Paris, I. Liseux, 1879. 3 vol. in-18.

— *Marguerite de Navarre. L'Heptaméron des nouvelles...* par Paul Lacroix. — Paris, D. Jouaust, 1879-1880. 2 vol. in-8°.

— *L'Heptaméron des nouvelles* de très-haute et très-illustre princesse Marguerite d'Angoulême, reine de Navarre... par Le Roux de Lincy et Anatole de Montaiglon. — Paris, A. Eudes, 1880. 4 vol. in-8°.

III. — LISTE DES PRINCIPALES PUBLICATIONS RELATIVES A MARGUERITE DE NAVARRE ET A « L'HEPTAMÉRON ».

BATAILLON (Marcel). *Autour de l'*Heptaméron. *A propos du livre de Lucien Febvre* dans *Bibliothèque d'Humanisme et Renaissance*, t. VIII (1946), p. 245.

BATAILLON (Marcel). *Erasme et l'Espagne : recherches sur l'histoire spirituelle du* XVIe *s.* Paris, 1937, in-8°.

BECKER (Ph.-A.). *Marguerite et Briçonnet d'après leur correspondance inédite*. Extrait du *Bulletin de la Société de l'histoire du protestantisme français*, 1900.

BOURCIEZ (E.). *Les mœurs polies et la littérature de cour sous Henri II.* Paris, 1886, in-8°.

BUSSON (Henri). *Les sources et le développement du rationalisme dans la littérature française de la Renaissance* (1533-1601). Paris, 1922, in-8°.

CARTIER (A). *Notes sur les deux éditions de l'*Heptaméron *de Reine la de Navarre.* Paris, 1559-1560, dans *Bulletin du Bibliophile* (1885), p. 214 et 449.

Cent Nouvelles nouvelles (Les), publiées par Pierre CHAMPION. Paris, E. Droz, 1928, 2 vol. in-4°. (Documents artistiques du XVe siècle, t. V.)

DARTIGUE-PEYROU (Ch.). *La Vicomté de Béarn sous le règne d'Henri d'Albret* (1517-1555). Paris, 1934, in-8°.

FEBVRE (Lucien). *Autour de l'*Heptaméron. *Amour sacré, amour profane.* Paris, 1944, in-8°.

FEBVRE (Lucien). *Le problème de l'incroyance au* XVIe *s. La religion de Rabelais.* Paris, 1942, in-8° (Bibliothèque de synthèse historique).

FEBVRE (Lucien). *Origène et des Périers*, dans *Bibliothèque d'Humanisme et Renaissance*, t. II (1942), p. 7.

FESTUGIÈRE (J.). *La philosophie de l'amour de Marsile Ficin et son influence sur la littérature française au XVIe siècle.* Paris, 1941, in-8° (Études de philosophie médiévale, t. XXXI).

FRANÇOIS (Michel). *Adrien de Thou et l'*Heptaméron *de Marguerite de Navarre*, dans *Humanisme et Renaissance*, t. V (1938), p. 16 à 36 et tirage à part. Paris, 1938, in-8°.

FRANK (Félix). *Dernier voyage de la Reine de Navarre aux eaux de Cauterets*, dans *Revue des Pyrénées*, t. VIII (1896), p. 591 et t. IX (1897), p. 32; tirage à part, Toulouse, Paris, 1897, in-8°.

FRANK (Félix). *La Reine de Navarre, Marguerite d'Angoulême... aux Pyrénées et aux eaux de Cauterets*, dans *Revue médicale et scientifique d'hydrologie et de climatologie pyrénéennes*, 10 et 25 sept. 1884.

FREER (M.-W.). *The life of Marguerite d'Angoulême, queen of Navarra, duchesse d'Alençon and de Berry.* Londres, 1898, 2 vol. in-8°.

JOURDA (Pierre). *Répertoire analytique et chronologique de la correspondance de Marguerite d'Angoulême duchesse d'Alençon, reine de Navarre* (1492-1549). Paris, 1930, in-8°.

JOURDA (Pierre). *Marguerite d'Angoulême, duchesse d'Alençon, Reine de Navarre* (1492-1549). Paris, 1930, 2 vol. in-8°. (Bibliothèque littéraire de la Renaissance, nouvelle série, t. XIX et XX.)

JOURDA (P.). *Un document sur les idées religieuses de Marguerite de Navarre*, dans *Bulletin de la Société de l'histoire du protestantisme français*, t. LXXVIII (1929), p. 371.

JOURDA (Pierre). *Tableau chronologique des publications de Marguerite de Navarre*, dans *Revue du XVIe siècle*, t. XII (1925), p. 209.

LA FERRIÈRE-PERCY (H. de). *Marguerite d'Angoulême, sœur de François Ier, son livre de dépenses* (1540-1549). *Etude sur ses dernières années.* Paris, 1862, in-16.

LEFRANC (Abel). *Les idées religieuses de Marguerite de Navarre d'après son œuvre poétique*, Paris, 1898, in-8°. Extrait du *Bulletin de la Société de l'histoire du protestantisme français*, 1897-1898.

LEFRANC (Abel). *Marguerite de Navarre et le platonisme de la Renaissance*. Paris, 1897, in-8°. Extrait de la *Bibliothèque de l'École des Chartes*, t. LVIII (1897).

LEFRANC (Abel). *La civilisation intellectuelle en France à l'époque de la Renaissance*, dans *Revue des Cours et Conférences*, 1909-1912.

LEFRANC (Abel). Grands écrivains français de la Renaissance. Paris, Champion, 1914, in-8°, p. 63 : *Le platonisme dans la littérature en France à l'époque de la Renaissance* et p. 139 : *Marguerite de Navarre et le platonisme de la Renaissance*.

LEFRANC (Abel). *Les journées d'une societé polie au XVIe siècle d'après les prologues de l'*Heptaméron, dans *Humanisme et Renaissance*, t. V (1938), p. 7-15.

LEFRANC (Abel). *Le Platonisme et la littérature en France à l'époque de la Renaissance* (1500-1550). Paris, 1896, in-8°. Extrait de la *Revue d'Histoire littéraire de la France*, 15 janvier 1896.

LEFRANC (Abel). *La vie quotidienne au temps de la Renaissance*. Paris, 1938, in-8°.

LEFRANC (Abel) et BOULENGER (Jacques). *Comptes de Louise de Savoie* (1515, 1522) *et de Marguerite d'Angoulême* (1512, 1517, 1524, 1529, 1539). Paris, 1905, in-8°.

LIVINGSTONE (Ch.-V.). *The Heptaméron des nouvelles of Marguerite de Navarre. A study of nouvelles* 28, 34, 52 *and* 62 dans *The Romanic Review*, t. XIV (1923), p. 97 et suiv.

MOORE (W.-G.). *La Réforme allemande et la littérature française. Recherches sur la notoriété de Luther en France*. Strasbourg (Publications de la Faculté des Lettres), 1930, in-8°.

PARIS (Gaston). *La nouvelle française au XVe et au XVIe siècle*, dans *Journal des Savants*, 1895, p. 289 et 342; publié à nouveau dans *Mélanges de littérature française du Moyen Age*. Paris, 1912, in-8°, p. 627.

PARTURIER (F.). *Les sources du mysticisme de Marguerite de Navarre* dans *Revue de la Renaissance*, t. V (1904). p. 1 et 49.

PRINET (Max). *Portrait d'Anne de Rohan, La Rolandine de l'Heptaméron*, dans *Revue du XVIe siècle*, t. XIII (1926), p. 70.

RALLY (A). *Commentaire de la XIIe nouvelle de l'Heptaméron*, dans *Revue du XVIe siècle*, t. XII (1924), p. 208.

RENAUDET (A.). *Etudes Erasmiennes* (1521-1529). Paris, 1929, in-8°.

RENAUDET (A.). *Marguerite de Navarre. A propos d'un ouvrage récent*, dans *Revue du Seizième siècle*, t. XVIII (1931), p. 272.

RUTZ-REESS (C.). *Charles de Sainte-Marthe* (1512-1555). *Etude sur les premières années de la Renaissance française*; trad. M. Bonnet. Paris, s. d., in-8°.

SAULNIER (V.-L.). *Etudes critiques sur les comédies profanes de Marguerite de Navarre* dans *Bibliothèque d'Humanisme et Renaissance*, t. IX (1947), p. 36.

SAULNIER (V.-L.), *Marguerite de Navarre : Théâtre profane.* Paris, 1946, in-8° (Textes littéraires français).

TELLE (Émile-V.). *L'œuvre de Marguerite d'Angoulême, reine de Navarre et la querelle des femmes.* Toulouse, 1937, in-8°.

TOLDO (P.). *Contributo allo studio della novella francese del XV° et XVI° secolo considerata specialmente nelle sue attinenze con la letteratura italiana.* Rome, 1894, in-8°.

TOLDO (P.). *Rileggendo il novelliere della Regina di Navarra*, dans *Rivista d'Italia*, 15 juillet 1923, p. 380.

L'HEPTAMÉRON

PROLOGUE

Le premier jour de septembre, que les baings des montz Pirenées commencent entrer en leur vertu, se trouverent à ceulx de Cauderès [a] plusieurs personnes tant de France que d'Espaigne [1]; les ungs pour y boire de l'eaue, les autres pour se y baigner et les autres pour prendre de la fange; qui sont choses si merveilleuses que les malades habandonnez des medecins s'en retournent tout guariz. Ma fin n'est de vous declarer la scituation ne la vertu desdits baings, mais seullement de racompter ce qui sert à la matiere que je veulx escripre. En ces baings là demeurerent plus de trois sepmaines tous les mallades jusques ad ce que, par leur amendement, ilz congnurent qu'ilz s'en pouvoient retourner. Mais sur le temps de ce retour vindrent les pluyes si merveilleuses et si grandes, qu'il sembloit que Dieu eut oblyé la promesse qu'il avoit faicte à Noé de ne destruire plus le monde par eaue; car toutes les cabanes et logis dudit Cauderès furent si remplyes d'eaue qu'il fut impossible de y demourer. Ceulx qui y estoient venuz du costé d'Espaigne s'en retournerent par les montaignes le mieulx qui leur fut possible; et ceulx qui congnoissoient les addresses des chemins furent ceulx qui mieulx eschapperent. Mais les seigneurs et dames francoys, pensans retourner aussy facillement à Therbes [b] comme ilz estoient venuz, trouverent les petitz ruisseaulx si fort creüz que à peyne les peurent-ilz gueyer [c]. Et quant se vint à passer le Gave Bearnoys [2] qui, en allant, n'avoit poinct deux piedz de proufondeur, le trouverent tant grand et impetueux qu'ilz se destournerent pour sercher les pontz, lesquelz, pour n'estre que de boys, furent emportez par la vehemence de l'eaue. Et quelcuns, cuydans rompre la

a. Cauterets. — *b.* Tarbes. — *c.* Passer à gué.

roideur du cours pour s'assembler plusieurs ensemble, furent emportez si promptement que ceulx qui les vouloient suivre perdirent le povoir et le desir d'aller après. Parquoy, tant pour sercher chemin nouveau que pour estre de diverses opinions, se separerent. Les ungs traverserent la haulteur des montaignes et, passans par Arragon, vindrent en la conté de Roussillon et de là à Narbonne; les autres s'en allerent droict à Barselonne où, par la mer, les ungs allerent [3] à Marseille et les autres à Aiguemorte.

Mais une dame vefve, de longue experience, nommée Oisille [4], se delibera d'oblier toute craincte par les mauvais chemins jusques ad ce qu'elle fut venue à Nostre-Dame de Serrance [5]. Non qu'elle fust si supersticieuse qu'elle pensast que la glorieuse Vierge laissast la dextre de son filz où elle est assise pour venir demorer en terre deserte, mais seullement pour envye de veoir le devot lieu dont elle avoit tant oy parler [6]; aussy qu'elle estoit seure que s'il y avoit moyen d'eschapper d'un dangier, les moynes le debvoient trouver. Et feit tant qu'elle y arriva, passant de si estranges lieux et si difficilles à monter et descendre que son aage et pesanteur ne la garderent poinct d'aller la pluspart du chemin à pied. Mais la pitié fut que la pluspart [7] de ses gens et chevaulx demorerent mortz par les chemins et arriva à Serrance avecq ung homme et une femme seullement, où elle fut charitablement receue des religieux.

Il y avoit aussy parmy les François deux gentilz hommes qui estoient allez aux baings plus pour accompaigner les dames dont ilz estoient serviteurs que pour faulte qu'ilz eussent de santé. Ces gentilz hommes icy, voyans la compaignie se departir et que les mariz de leurs dames les emmenoient à part, penserent de les suyvre de loing sans soy declairer à personne. Mais ung soir, estant les deux gentilz hommes mariez et leurs femmes arrivez en une maison d'ung homme plus bandoullier [a8] que paisant et les deux jeunes gentilz hommes logez en une borde [b] tout joingnant de là, environ la minuit oyrent un très grand bruict. Ils se leverent avecq leurs varletz et demanderent à l'hoste quel tumulte c'estoit là. Le pauvre homme qui avoit sa part de la paour leur dit que c'estoient mauvays garsons qui venoient prendre leur part de [9] la proye qui

a. Brigand, chef de bande. — *b.* Métairie.

estoit chez leur compaignon bandoullier; parquoy les gentilz hommes incontinant prindrent leurs armes et avecq leurs varletz, s'en allerent secourir les dames pour lesquelles ilz estimoient la mort plus heureuse que la vie après elles. Ainsy qu'ilz arriverent au logis, trouverent la premiere porte rompue et les deux gentilz hommes avecq leurs serviteurs se deffendans vertueusement. Mais pour ce que le nombre des bandoulliers estoit le plus grand et aussy qu'ilz estoient fort blessez, commencerent à se retirer, aians perdu desja grande partie de leurs serviteurs. Les deux gentilz hommes, regardans aux fenestres, veirent les dames [10] cryans et plorans si fort que la pitié et l'amour leur creut le cueur [a] de sorte que, comme deux ours enraigés descendans des montaignes, frapperent sur ces bandoulliers tant furieusement qu'il y en eut si grand nombre de mortz que le demourant ne voulut plus actendre leurs coups mais s'enfouyrent où ilz scavoient bien leur retraicte. Les gentilz hommes ayans deffaict ces meschans dont l'hoste estoit l'un des mortz, ayans entendu que l'hostesse estoit pire que son mary, l'envoierent après luy par ung coup d'espée; et, entrans en une chambre basse, trouverent un des gentilz hommes marié qui rendoit l'esprit. L'autre n'avoit eu nul mal, sinon qu'il avoit tout son habillement persé de coups de traict et son espée rompue. Le pauvre gentilz homme, voyant le secours que ces deux luy avoient faict, après les avoir embrassé et remercié les pria de ne les habandonner poinct, qui leur estoit requeste fort aisée [11]. Parquoy, après avoir faict enterrer le gentil homme mort et reconforté sa femme au mieulx qu'ilz peurent, prindrent le chemin où Dieu les conseilloit, sans savoir lequel ilz devoient tenir. Et s'il vous plaist sçavoir le nom des trois gentilz hommes, le maryé avoit nom Hircan [12] et sa femme Parlamente [13] et la damoiselle vefve Longarine [14] et le nom des deux gentilz hommes, l'un estoit Dagoucin [15] et l'autre Saffredent [16]. Et après qu'ilz eurent esté tout le jour à cheval, adviserent sur le soir un clochier où le myeulx qu'il leur fut possible, non sans travail et peine, arriverent. Et furent de l'abbé et des moynes humainement receuz. L'abbaye se nomme Saint-Savyn [17]. L'abbé qui estoit de fort bonne maison les logea honno-

a. leur donna un tel courage.

rablement; et, en les menant à leur logis, leur demanda de leurs fortunes et, après qu'il entendit la verité du faict, leur dict qu'ilz n'estoient pas seulz qui avoient part à ce gasteau; car il y avoit en une chambre deux damoiselles qui avoient eschappé pareil dangier ou plus grand, d'autant qu'elles avoient eu affaire contre bestes non hommes [18]. Car les pauvres dames, à demye lieue deçà Peyrehitte [19], avoient trouvé ung ours descendant la montaigne, devant lequel avoient prins la course à si grande haste que leurs chevaux, à l'entrée du logis tomberent morts soubz elles; et deux de leurs femmes qui estoient venues longtemps après leur avoient compté que l'ours avoit tué tous leurs serviteurs. Lors les deux dames et trois gentilz hommes entrerent en la chambre où elles estoient et les trouverent plorans et congnurent que c'estoit Nomerfide [20] et Ennasuite [21], lesquelles, en s'embrassant et racomptant ce qui leur estoit advenu, commencerent à se reconforter avecq les exhortations du bon abbé, de soy estre ainsy [22] retrouvées. Et le matin ouyrent la messe bien devotement, louans Dieu des perilz qu'ilz avoient eschappez.

Ainsy qu'ilz estoient tous à la messe, va entrer en l'eglise ung homme tout en chemise, fuyant comme si quelcun le chassoit, cryant à l'ayde. Incontinant Hircan et les autres gentilz hommes allerent au devant de luy pour veoir que c'estoit, et veirent deux hommes après luy leurs espées tirées, lesquelz, voians si grande compaignye, voulurent prendre la fuyte; mais Hircan et ses compaignons les suiveyrent de si près, qu'ilz y laisserent la vye. Et, quand ledit Hircan fut retourné, trouva que celluy qui estoit en chemise estoit ung de leurs compaignons nommé Geburon [23], lequel leur compta comme, estant en une borde auprès de Peyrehitte, arriverent trois hommes, luy estant au lict; mais, tout en chemise, avecq son espée seullement, en blessa si bien ung qu'il demora sur la place. Et, tandis que les deux autres s'amuserent à recueillir leur compaignon, voyant qu'il estoit nud et eulx armez, pensa qu'il ne les povoit gaingner sinon à fuyr, comme le moins chargé d'habillement, dont il louoit Dieu et eulx qui en avoient faict la vengeance.

Après qu'ilz eurent oy la messe et disné, envoyerent veoir s'il estoit possible de passer la riviere du Gave, et, congnoissans l'impossibilité du passaige, furent en merveilleuse craincte, combien que l'abbé plusieurs foys leur offrist la demeure du lieu jusques ad ce que les eaues fussent abbaissées; ce qu'ilz accorderent pour ce jour. Et au soir, en s'en allant coucher, arriva un vieil moyne qui tous les ans ne failloit poinct à la Nostre-Dame de septembre [24] d'aler à Serrance. Et, en lui demandant des nouvelles de son voiage, deist que [25], à cause des grandes eaues, estoit venu par les montaignes, et par les plus mauvais chemins qu'il avoit jamais faict, mais qu'il avoit veu une bien grande pitié : c'est qu'il avoit trouvé un gentil homme nommé Symontault, lequel, ennuyé de la longue demeure quel faisoit la riviere à s'abaisser, s'estoit deliberé de la forcer, se confiant à la bonté de son cheval, et avoit mis tous ses serviteurs à l'entour de luy pour rompre l'eaue. Mais, quant ce fut au grand cours, ceulx qui estoient le plus mal montez furent emportez malgré, hommes et chevaulx, tout aval l'eaue, sans jamays en retourner. Le gentil homme, se trouvant seul [26], tourna son cheval dont [a] il venoit, qui n'y sceut estre si promptement qu'il ne faillit soubz lui. Mais Dieu voulut qu'il fut si près de la rive, que le gentil homme, non sans boire beaucoup d'eaue, se traynant à quatre piedz, saillit dehors sur les durs cailloux, tant las et foible qu'il ne se povoit soustenir. Et lui advint si bien que ung bergier, ramenant au soir ses brebis, le trouva assis parmy les pierres, tout moillé et non moins triste de ses gens qu'il avoit veu perdre devant luy. Le bergier, qui entendoit myeulx sa necessité tant en le voiant que en escoutant sa parolle, le print par la main et le mena en sa pauvre maison, où avecq petites buchettes le seicha le mieulx qu'il peut. Et ce soir là Dieu y amena ce bon religieux, qui luy enseigna le chemyn de Nostre-Dame de Serrance, et l'asseura que là il seroit mieulx logé que en autre lieu, et y trouveroit une antienne vefve nommée Oisille, laquelle estoit compaigne de ses adventures. Quant toute la compaignye oyt parler de la bonne dame Oisille et du gentil chevalier Symontault, eurent une joye [27] inestimable, louans le Createur qui, en se contentant des serviteurs, avoit saulvé les maistres et maistresses, et sur toutes en loua Dieu de bon cueur Parlamente, car longtemps avoit qu'elle l'avoit très affectionné serviteur [28].

a. vers le point d'où.

Et, après s'estre enquis dilligemment du chemyn de Serrance, combien que le bon vieillard le leur feit fort difficille, pour cella ne laisserent d'entreprendre [29] d'y aller; et dès ce jour là se meirent en chemyn si bien en ordre qu'il ne leur falloit [a] rien, car l'abbé les fournit de vin et force vivres [30] et de gentilz compaignons pour les mener seurement par les montaignes; lesquelles passerent plus à pied que à cheval. En grand sueur et traveil arriverent à Nostre-Dame de Serrance, où l'abbé, combien qu'il fut assez mauvais homme, ne leur osa refuser le logis pour la craincte du seigneur de Bearn, dont il sçavoit qu'ilz estoient bien aimez; mais luy, qui estoit vray hypocrithe [31], leur feit le meilleur visaige qu'il estoit possible et les mena veoir la bonne dame Oisille et le gentilhomme Simontault.

La joye fut si grande en ceste compaignye miraculeusement assemblée [32], que la nuict leur sembla courte à louer Dieu dedans l'eglise de la grace qu'il leur avoit faicte. Et, après que, sur le matin, eurent prins ung peu de repos, allerent oyr la messe et tous recepvoir le sainct sacrement de unyon, auquel tous chrestiens sont uniz en ung, suppliant Celluy qui les avoit assemblez par sa bonté parfaire le voiage à sa gloire. Après disner envoyerent sçavoir si les eaues estoient poinct escoulées, et, trouvant que plustost elles estoient creues et que de longtemps ne pourroient seurement passer, se delibererent de faire ung pont sur le bout de deux rochiers qui sont fort près l'un de l'autre, où encore y a des planches pour les gens de pied qui, venans d'Oleron, ne veullent passer par le guey [33]. L'abbé fut bien aise qu'ilz faisoient ceste despence, afin que le nombre des pelerins et pelerines augmentast, les fournyt d'ouvriers; mais il n'y meist pas ung denier, car son avarice ne le permectoit. Et, pour ce que les ouvriers dirent qu'ils ne sçauroient avoir faict le pont de dix ou douze jours, la compaignie, tant d'hommes que de femmes, commença fort à s'ennuyer; mais Parlamente, qui estoit femme de Hircan, laquelle n'estoit jamays oisifve ne melencolicque, aiant demandé congé à son mary de parler, dist à l'ancienne dame Oisille : « Madame, je m'esbahys que vous qui avez tant d'experience et qui maintenant à nous, femmes, tenez lieu de mere, ne regardez quelque passetemps pour adoulcir

a. manquait.

l'ennuy que nous porterons durant notre longue demeure; car, si nous n'avons quelque occupation plaisante et vertueuse, nous sommes en dangier de demeurer malades [34]. » La jeune vefve Longarine adjousta à ce propos : « Mais, qui pis est, nous deviendrons fascheuses [a], qui est une maladie incurable; car il n'y a nul ne nulle de nous, si regarde à sa perte, qu'il n'ayt occasion d'extreme tristesse. » Ennasuite, tout en ryant, lui respondit : « Chascune n'a pas perdu son mary comme vous, et pour perte des serviteurs ne se fault desesperer, car l'on en recouvre assez. Toutes foys, je suys bien d'opinion que nous aions quelque plaisant exercice pour passer le temps; autrement, nous serions mortes le lendemain [35]. » Tous les gentilz hommes s'accorderent à leur avis et prierent la dame Oisille qu'elle voulsist ordonner ce qu'ilz avoient à faire; laquelle leur respondeit : « Mes enfans, vous me demandez une chose que je trouve fort difficille, de vous enseigner ung passetemps qui vous puisse delivrer de vos ennuyctz; car, aiant chergé le remede toute ma vye, n'en ay jamais trouvé que ung, qui est la lecture des sainctes lettres [b] en laquelle se trouve la vraie et parfaicte joie de l'esprit, dont procede le repos et la santé du corps. Et, si vous me demandez quelle recepte me tient si joyeuse et si saine sur ma vieillesse, c'est que, incontinant que je suys levée, je prends la Saincte Escripture et la lys, et, en voiant et contemplant la bonté de Dieu, qui pour nous a envoié son filz en terre anoncer ceste saincte parolle et bonne nouvelle, par laquelle il permect remission de tous pechez, satisfaction de toutes debtes par le don qu'il nous faict de son amour, passion et merites, ceste consideration me donne tant de joye que je prends mon psaultier et, le plus humblement qu'il m'est possible, chante de cueur et prononce de bouche les beaulx psealmes et canticques que le sainct Esperit a composé au cueur de David et des autres aucteurs. Et ce contentement là [36] que je en ay me faict tant de bien que tous les maulx qui le jour me peuvent advenir me semblent estre benedictions, veu que j'ay en mon cueur par foy Celluy qui les a portez pour moy. Pareillement, avant soupper, je me retire pour donner pasture à mon ame de quelque leçon; et puis au soir faictz une recollection de tout ce que j'ay faict la

a. tristes. — *b*. L'Écriture Sainte.

journée passée pour demander pardon de mes faultes, le remercier de ses graces; et en son amour, craincte et paix, prends mon repos asseuré de tous maulx. Parquoy, mes enfans, voylà le passetemps auquel me suis arrestée long temps après avoir cherché en tous autres, et non trouvé contentement [37] de mon esprit. Il me semble que si tous les matins vous voulez donner une heure à la lecture et puis durant la messe faire voz devotes oraisons, vous trouverez en ce desert la beaulté qui peut estre en toutes les villes; car qui congnoist Dieu veoit toutes choses belles en luy et sans luy tout laid. Parquoy, je vous prie, recepvez mon conseil si vous voulez vivre joyeusement. » Hircan print la parolle et dist : « Ma dame, ceulx qui ont leu la saincte Escripture, comme je croy que nous tous avons faict, confesseront que vostre dict est tout veritable; mais si fault il que vous regardez que nous sommes encore si mortiffiez qu'il nous fault [a] quelque passetemps et exercice corporel; car si nous sommes en noz maisons, il nous fault la chasse et la vollerye [b], qui nous faict oblier mil folles pensées; et les dames ont leur mesnaige, leur ouvraige et quelquesfois les dances où elles prennent honneste exercice; qui me faict dire (parlant pour la part des hommes) que vous, qui estes la plus antienne, nous lirez au matin de la vie que tenoit nostre Seigneur Jesus-Christ, et les grandes et admirables euvres qu'il a faictes pour nous; pour après disner jusques à vespres, fault choisir quelque passetemps qui ne soit dommageable à l'ame, soit plaisant au corps; et ainsy passerons la journée joieusement. »

La dame Oisille [38] leur dist qu'elle avoit tant de peyne de oblier toutes les vanitez, qu'elle avoit paour [c] de faire mauvaise election à tel passetemps, mais qu'il falloit remectre cest affaire à la pluralité d'opinions, priant Hircan d'estre le premier opinant. « Quant à moy, dist-il, si je pensois que le passetemps que je vouldrois choisir fust aussi agreable à quelcun de la compaignie comme à moy, mon opinion seroit bientost dicte; dont pour ceste heure je me tairay et en croiray ce que les aultres diront. » Sa femme Parlamente commença à rougir, pensant qu'il parlast pour elle, et, un peu en collere et demy en riant, luy dist : « Hircan, peult estre celle que vous pensez qui en

a. nous manque. — *b.* La chasse à l'oiseau. — *c.* peur.

debvoit estre la plus marrye auroit bien de quoy se recompenser s'il luy plaisoit; mais laissons là les passetemps ou deux seullement peuvent avoir part et parlons de celluy qui doibt estre commun à tous. » Hircan dist à toutes les dames : « Puisque ma femme a si bien entendu la glose de mon propos et que ung passetemps particulier ne luy plaist pas, je croy qu'elle sçaura mieulx que nul autre dire celluy où chascun prendra plaisir; et de ceste heure je m'en tiens à son oppinion comme celluy qui n'en a nule autre que la sienne. » A quoy toute la compaignie s'accorda. Parlamente, voiant que le sort du jeu estoit tombé sur elle, leur dist ainsy : « Si je me sentois aussy suffisante que les antiens, qui ont trouvé les arts, je inventerois quelque passetemps ou jeu pour satisfaire à la charge que me donnez; mais, congnoissant mon sçavoir et ma puissance, qui à peine peult rememorer les choses bien faictes, je me tiendrois bien heureuse d'ensuivre de près ceulx qui ont desja satisfaict à vostre demande [39]. Entre autres, je croy qu'il n'y a nulle de vous qui n'ait leu les cent Nouvelles de Bocace [40], nouvellement traduictes d'ytalien en françois, que le roy François, premier de son nom, monseigneur le Daulphin [41], madame la Daulphine [42], madame Marguerite [43], font tant de cas, que si Bocace, du lieu où il estoit, les eut peu oyr, il debvoit resusciter à la louange de telles personnes. Et, à l'heure, j'oy les deux dames dessus nommées, avecq plusieurs autres de la court, qui se delibererent d'en faire autant, sinon en une chose differente de Bocace : c'est de n'escripre nulle nouvelle qui ne soit veritable histoire. Et prosmirent les dictes dames et monseigneur le Daulphin avecq d'en faire [44] chascun dix et d'assembler jusques à dix personnes qu'ilz pensoient plus dignes de racompter quelque chose, sauf ceulx qui avoient estudié et estoient gens de lettres; car monseigneur le Daulphin ne voulloit que leur art y fut meslé, et aussy de paour que la beaulté de la rethoricque feit tort en quelque partye à la verité de l'histoire. Mais les grandz affaires [45] survenuz au Roy depuis, aussy la paix d'entre luy et le roy d'Angleterre [46], l'acouchement de madame la Daulphine [47] et plusieurs autres choses [48] dignes d'empescher toute la court, a faict mectre en obly du tout [a] ceste entreprinse,

a. complètement.

que par nostre long loisir pourra en dix jours estre mise à fin, actendant que nostre pont soit parfaict [a]. Et s'il vous plaist que tous les jours, depuis midy jusques à quatre heures, nous allions dedans ce beau pré le long de la riviere du Gave, où les arbres sont si foeillez que le soleil ne sçauroit percer l'ombre ny eschauffer la frescheur; là, assiz à noz aises [49], dira chascun quelque histoire qu'il aura veue ou bien oy dire à quelque homme digne de foy. Au bout de dix jours aurons parachevé la centaine; et, si Dieu faict que notre labeur soit trouvé digne des oeilz des seigneurs et dames dessus nommez, nous leur en ferons present au retour de ce voiage, en lieu d'ymaiges ou de patenostres, estant asseurée que si quelcun trouve quelque chose plus plaisante que ce que je deys, je m'accorderay à son oppinion [50]. » Mais toute la compaignie respondit qu'il n'estoit possible d'avoir mieulx advisé et qu'il leur tardoit que le lendemain fut venu pour commencer.

Ainsy passerent joyeusement ceste journée, ramentevant [b] les ungs aux autres ce qu'ilz avoient veu de leur temps. Si tost que le matin fut venu, s'en allerent en la chambre de madame Oisille, laquelle trouverent desja en ses oraisons. Et, quant ilz eurent oy une bonne heure sa leçon et puis devotement la messe, s'en allerent disner à dix heures, et après se retira chascun en sa chambre pour faire ce qu'il avoit à faire. Et ne faillirent pas à midy de s'en retourner au pré, selon leur delibération, qui estoit si beau et plaisant qu'il avoit [51] besoin d'un Bocace pour le depaindre à la verité; mais vous [52] contenterez que jamais n'en feut veu ung plus beau [53]. Quant l'assemblée fut toute assise sur l'herbe verte, si noble [54] et delicate qu'il ne leur falloit carreau [c] ne tappis, Simontault commença à dire : « Qui sera celluy de nous qui aura commencement sur les autres ? » Hircan luy respondit : « Puisque vous avez commencé la parolle, c'est raison que nous commandez; car au jeu nous sommes tous esgaulx. — Pleut à Dieu, dist Simontault, que je n'eusse bien en ce monde que de povoir commander à toute ceste compaignye ! » A ceste parolle, Parlamente l'entendit très bien, qui se print à tousser; parquoy Hircan ne s'apperceut de la couleur qui luy venoit aux joues, mais dist à Simontault qu'il commençast; ce qu'il feit [55].

a. achevé. — *b.* rappelant. — *c.* coussin carré.

LA PREMIERE JOURNÉE

En la premiere journée est fait un recueuil des mauvais tours que les femmes ont faicts aux hommes et les hommes aux femmes.

PREMIERE NOUVELLE

La femme d'un procureur, après avoir esté fort sollicitée de l'evesque de Sées, le print pour son profit, et, non plus contente de luy que de son mary, trouva façon d'avoir pour son plaisir le filz du lieutenant general d'Alençon, qu'elle feit quelque temps après miserablement massacrer par son mary, lequel depuis (non obstant qu'il eut obtenu remission de ce meurtre) fut envoyé aux galeres avec un invocateur nommé Galery, et le tout par la mechanceté de sa femme [56].

Mes dames, j'ay esté si mal recompensé de mes longs services, que, pour me venger d'amour et de celle qui m'est si cruelle, je mectray peine de faire ung recueil de tous les mauvais tours que les femmes ont faict aux pauvres hommes, et si ne diray rien que pure verité.

En [57] la ville d'Allençon, du vivant du duc Charles [58], dernier duc, y avoit ung procureur nommé Sainct-Aignan qui avoit espouzé une gentil femme du païs plus belle que vertueuse, laquelle, pour sa beaulté et ligiereté, fut fort poursuivye de l'evesque de Sées [59], qui, pour parvenir à ses fins, entretint si bien le mary, que non seullement il ne s'apparceut du vice de sa femme et de l'evesque, mais, qui plus est, luy feyt oblier l'affection qu'il avoit tousjours eue au service de ses maistre et maistresse, en sorte que, d'un loial serviteur, devint si contraire à eulx, qu'il sercha à la fin des invocateurs [60] pour faire mourir la duchesse. Or, vesquit longuement cest evesque avec ceste malheureuse femme, laquelle luy obeissoit plus par avarice que par amour, et aussy que son mary la sollicitoit de l'entretenir. Mais si est-ce qu'il y avoit ung jeune homme en la ville d'Alençon, filz du lieutenant general, lequel elle aimoit si fort qu'elle en estoit demye enragée, et souvent s'aidoit de l'evesque pour faire donner commission à son mary à fin de povoir veoir à son aise le filz du lieutenant nommé du Mesnil [61]. Ceste façon de vivre dura longtemps qu'elle avoit pour son proffict l'evesque et pour son plaisir le dict du Mesnil [62], auquel elle juroit que toute la bonne chere qu'elle foisoit à l'evesque n'estoit que pour continuer la leur plus librement, et que, quelque chose qu'il y eut, l'evesque n'en avoit eu que la parolle et qu'il povoit estre asseuré que jamais homme que luy n'en auroit autre chose.

Ung jour que son mary s'en estoit allé devers l'evesque, elle luy demanda congé d'aller aux champs, disant que l'air de la ville luy estoit contraire, et, quand elle fut en sa mestairye, escripvit incontinant à du Mesnil qu'il ne faillist de la venir trouver environ dix heures du soir; ce que feyt le pauvre jeune homme. Mais à l'entrée de la porte trouva la chamberiere qui avoit accoustumé de le fere entrer, laquelle luy dist : « Mon amy, allez ailleurs, car vostre place est prinse. » Et luy, pensant que le mary fut venu, luy demanda comme le tout alloit. La pauvre femme, aiant pitié de luy, le voiant tant beau, jeune et honneste homme, aymer si fort et estre si peu aymé, luy declaira la folye de sa maistresse, pensant que, quant il l'entendroit, cella le chastieroit d'aymer [63] tant. Et luy compta comme l'evesque de Sées [64] ne faisoit que d'y arriver et estoit couché avecq elle, chose à quoy elle ne se attendoit pas, car il n'y devoit venir jusques au lendemain. Mais, aiant retenu chez luy son mary, s'estoit desrobé de nuict pour la venir veoir secretement. Qui fut bien desesperé, ce fut du Mesnil [65], qui encores ne le povoit du tout croyre, et se cachea en une maison auprès et veilla jusques à trois heures après minuict, tant qu'il veit saillir l'evesque de là dedans, non si bien desguisé qu'il ne le congneust plus qu'il ne le vouloit.

Et en ce desespoir se retourna à Alençon, où bien tost sa meschante amye alla, qui, le cuydant abbuser, comme elle avoit accoustumé, vint parler à luy. Mais il luy dict qu'elle estoit trop saincte, aiant touché aux choses sacrées, pour parler à ung pecheur comme luy, duquel la repentance estoit si grande qu'il esperoit bien tost que le peché luy seroit pardonné. Quant elle entendit que son cas estoit descouvert et que excuse, jurement et promesse de plus n'y retourner n'y servoit de rien, en feit la plaincte à son evesque [66]. Et, après avoir bien consulté la matiere, vint ceste femme dire à son mary qu'elle ne povoit plus demorer dans la ville d'Allençon, pour ce que le filz du lieutenant, qu'il avoit tant estimé de ses amys, la pourchassoit incessamment de son honneur, et le pria de se tenir à Argentan [67] pour oster toute suspection. Le mary, qui se laissoit gouverner par elle, s'y accorda. Mais ilz ne furent pas longuement au dict Argentan, que ceste malheureuse manda audict du Mesnil [68] qu'il estoit le plus meschant homme du monde et qu'elle avoit bien sceu que publicquement il avoit dict mal d'elle et de l'evesque de Sées [69], dont elle mectroit peyne de le faire repentir.

Ce jeune homme, qui n'en avoit jamais parlé que à elle mesme et qui craingnoit d'estre mis en la malle [a] grace de l'evesque, s'en alla à Argentan [70] avecq deux de ses serviteurs et trouva sa damoiselle à vespres aux Jacobins. Il s'en vint agenoiller auprès d'elle et luy dict : « Madame, je viens icy pour vous jurer devant Dieu que je ne parlay jamais de vostre honneur à personne du monde que à vous mesme; vous m'avez faict ung si meschant tour, que je ne vous ay pas dict la moictyé des injures que vous meritez. Et s'il y a homme ou femme qui veuille dire que jamais j'en aye parlé, je suis icy venu pour l'en dementir devant vous. » Elle, voiant que beaucoup de peuple estoit en l'eglise et qu'il estoit accompaigné de deux bons serviteurs, se contraingnit de parler le plus gratieusement qu'elle peut, luy disant qu'elle ne faisoit nulle doubte qu'il ne dist verité et qu'elle l'estimoit trop homme de bien pour dire mal de personne du monde, et encores moins d'elle, qui luy portoit tant d'amityé; mais que son mary en avoit entendu des propos, par quoy elle le prioit qu'il voulust dire devant luy qu'il n'en avoit poinct parlé et qu'il n'en croyast riens [71]. Ce que luy accorda voluntiers; et, pensant l'accompaigner à son logis, la print par dessoubz le bras; mais elle luy dist qu'il ne seroit pas bon qu'il vint

a. mauvaise.

avecq elle, et que son mary penseroit qu'elle luy feit porter ces parolles; et, en prenant ung de ses serviteurs par la manche de sa robbe, lui dist : « Laissez-moy cestuy cy, et, incontinant qu'il sera temps, je vous envoiray querir par luy; mais, en actendant, allez vous reposer en vostre logis. » Luy, qui ne se doubtoit poinct de la conspiration [72], s'y en alla.

Elle donna à soupper au serviteur qu'elle avoit retenu, qui luy demandoit souvent quand il seroit temps d'aller querir son maistre : elle luy respondoit toujours qu'il viendroit assez tost. Et, quant il fut nuict, envoia ung de ses serviteurs secretement querir du Mesnil [73], qui, ne se doubtant du mal [74] que on luy preparoit, s'en alla hardiment à la maison du dict Sainct-Aignan, auquel lieu la damoiselle entretenoit son serviteur, de sorte qu'il n'en avoit que ung avecq luy. Et, quand il fut à l'entrée de la maison, le serviteur qui le menoit luy dist que la damoiselle vouloit bien parler à luy avant son mary, et qu'elle l'attendoit en une chambre où il n'y avoit que ung de ses serviteurs avecq elle, et qu'il feroit bien de renvoier l'autre par la porte de devant. Ce qu'il feit; et, en montant ung petit degré obscur, le procureur Sainct-Aignan, qui avait mis des gens en ambusche dans une garde robbe, commencea à oÿr le bruict, et, en demandant qu'est ce, luy dist que c'estoit ung homme qui vouloit secretement entrer en sa maison. A l'heure, ung nommé Thomas Guerin, qui faisoit mestier d'estre meurtrier, lequel pour faire ceste execution estoit loué du procureur, vint donner tant de coups d'espée à ce pauvre jeune homme, que, quelque deffence qu'il peust faire, ne se peut garder qu'il ne tombast mort entre leurs mains. Le serviteur qui parloit à la damoiselle luy dist : « J'oy mon maistre qui parle en ce degré : je m'en voys à luy. » La damoiselle le retint et luy dist : « Ne vous soulciez : il viendra assez tost. » Et, peu après, oiant que son maistre disoit : « Je meurs et recommande à Dieu mon esprit ! » le voulut aller secourir; mais elle le retint, luy disant : « Ne vous soulsiez : mon mary le chastie de ses jeunesses. Allons veoir que c'est. » Et, en s'appuyant dessus le bout du degré, demanda à son mary : « Et puys ? est il faict ? [a] » lequel luy dist : « Venez le veoir. A ceste

a. est-ce fait ?

heure, vous ay je vengée de cestuy là qui vous a tant faict de honte. » Et, en disant cella, donna d'un poignard qu'il avoit dix ou douze coups dedans le ventre de celluy que vivant il n'eust osé assaillir.

Après que l'homicide fut faict, et que les deux serviteurs du trespassé s'en furent fouys [a] pour en dire les nouvelles au pauvre pere, pensant le dict Sainct-Aignan que la chose ne povoit estre tenue secrette, regarda que les serviteurs du mort ne debvoient poinct estre creuz en tesmoignage et que nul en sa maison n'avoit veu le faict, sinon les meurdriers, une vielle chamberiere et une jeune fille de quinze ans, voulut secrettement prendre la vielle; mais elle trouva façon d'eschapper hors de ses mains et s'en alla en franchise [b] aux Jacobins, qui fut le plus seur tesmoing que l'on eut de ce meurdre. La jeune chamberiere demora quelques jours en sa maison; mais il trouva façon de la faire suborner par un des meurdriers et la mena à Paris au lieu publicq, affin qu'elle ne fust plus creue en tesmoignage. Et, pour celler son meurdre, feit brusler le corps du pauvre trespassé. Les os qui ne furent consommez par le feu, les feit mectre dans du mortier là où il faisoit bastir en sa maison et envoia à la court en dilligence demander sa grace, donnant à entendre qu'il avoit plusieurs fois deffendu sa maison à ung personnaige dont il avoit suspition, qui pourchassoit le deshonneur de sa femme, lequel, nonobstant sa deffense, estoit venu de nuict en lieu suspect pour parler à elle; parquoy, le trouvant à l'entrée de sa chambre, plus remply de collere que de raison, l'auroit tué. Mais il ne peut si tost faire despescher sa lettre à la chancellerie que le duc et la duchesse ne fussent par le pauvre pere advertiz du cas, lesquelz pour empescher ceste grace envoierent au chancelier [75]. Ce malheureux, voiant qu'il ne la povoit obtenir, s'enfuyt en Angleterre, et sa femme avecq lui et plusieurs de ses parens. Mais, avant partir, dist au meurdrier qui à sa requeste avoit faict le coup qu'il avoit veu lectres expresses du Roy pour le prendre et faire mourir; mais à cause des services qu'il luy avoit faictz il luy vouloit saulver la vie, et luy donna dix escuz pour s'en aller hors du royaume. Ce qu'il feit, et oncques puis ne fut trouvé.

a. enfuis. — *b*. pour bénéficier du droit d'asile reconnu à tous les lieux du culte.

Ce meurdre icy fut si bien parveriffié par les serviteurs du trespassé que par la chamberiere qui c'estoit retirée aux Jacobins, et par les oz qui furent trouvez dedans le mortier, que le procès fut faict et parfaict en l'absence de Sainct-Aignan et de sa femme. Ils furent jugés par contumace et condemnez tous deux à la mort, leurs biens confisquez au prince [a], et quinze cens escuz au pere pour les fraiz du procès. Ledict Sainct-Aignan, estant en Angleterre, voiant que, par la justice, il estoit mort en France, feit tant par son service envers plusieurs grands seigneurs et par la faveur des parents de sa femme, que le roy d'Angleterre feit requeste au Roy de luy vouloir donner sa grace et le remectre en ses biens et honneurs. Mais le Roy, ayant entendu le villain et enorme cas, envoya le procès au roy d'Angleterre, le priant de regarder si c'estoit cas qui meritast grace, luy disant que le duc d'Allençon avoit seul ce previlleige en son roiaulme de donner grace en sa duché. Mais, pour toutes ses excuses, n'appaisa poinct le roy d'Angleterre, lequel le prochassa [b] si très instamment, que, à la fin, le procureur l'eust à sa requeste, et retourna en sa maison, où, pour parachever sa meschanceté, s'accoincta d'un invocateur nommé Gallery, esperant que par son art il seroit exempt de paier les quinze cens escuz au pere du trepassé.

Et, pour à ceste fin, s'en allerent à Paris, desguisez sa femme et luy. Et, voiant sa dicte femme qu'il estoit si longuement enfermé en une chambre avecq ledict Gallery et qu'il ne luy disoit poinct la raison pour quoy, ung matin elle l'espia et veid que le dict Gallery luy monstroit cinq ymaiges [c] de boys, dont les trois avoient les mains pendantes et les deux levées contremont [d]. Et, parlant au procureur : « Il nous fault faire de telles ymaiges de cire que ceulx cy, et celles qui auront les bras pendans, ce seront ceulx que nous ferons mourir, et ceulx qui les ont eslevées seront ceulx de qui vous vouldrez avoir la bonne grace et amour. » Et le procureur disoit : « Ceste cy sera pour le Roy, de qui je veulx estre aymé, et ceste cy pour mon seigneur le chancellier d'Allençon Brinon [76]. » Gallery luy dist : « Il faut mectre ces ymaiges soubs l'autel où ilz orront leur messe, avecq des parolles que je vous feray

a. au profit du prince. — *b.* poursuivit. — *c.* statues. — *d.* en haut

dire à l'heure. » Et, en parlant de ceulx qui avoyent les bras baissez, dist le procureur que l'une estoit maistre Gilles du Mesnil[77], pere du trepassé; car il sçavoit bien que tant qu'il vivroit il ne cesseroit de le poursuivre. Et une des femmes qui avoit ses mains pendantes estoit ma dame la duchesse d'Allençon, seur du Roy, parce qu'elle aymoit tant ce viel serviteur, et avoit en tant d'autres choses congneu sa meschanceté, que, si elle ne mouroit, il ne pouvoit vivre. La seconde femme aiant les bras pendans estoit sa femme, laquelle estoit cause de tout son mal, et se tenoit seur que jamays ne s'amenderoit de sa meschante vye[78]. Quant sa femme, qui voyoit tout par le pertuis de la porte, entendit qu'il la mectoit au rang des trespassez, se pensa qu'elle le y envoiroit le premier. Et, faingnant d'aller empruncter de l'argent à ung sien oncle nommé Neaufle[79], maistre des requestes du duc d'Alençon, luy va compter ce qu'elle avoit veu et oy de son mary. Le dict Neaufle, comme bon viellard serviteur, s'en alla au chancellier d'Alençon et lui racompta toute l'histoire. Et, pour ce que le duc et la duchesse d'Allençon n'estoient pour le jour à la court, le dict chancellier alla compter ce cas estrange à ma dame la Regente, mere du Roy et de la dicte duchesse, qui soubdainement envoya querir le prevost de Paris, nommé La Barre[80], lequel feit si bonne dilligence qu'il print le procureur et Gallery son invocateur, lesquelz sans genne[a] ne contraincte, confesserent librement le debte[b]. Et fut leur procès faict et rapporté au Roy. Quelques uns, voulans saulver leurs vies, luy dirent qu'ilz ne serchoient que sa bonne grace par leurs enchantemens; mais le Roy, ayant la vie de sa seur aussy chere que la sienne, commanda que l'on donnast la sentence telle que s'ilz eussent attempté à sa personne propre. Toutesfois, sa sœur, la duchesse d'Alençon, le supplia que la vie fut saulvée au dict procureur et commuer sa mort en quelque peyne cruelle[80 bis]; ce que luy fut octroyé, et furent envoiez luy et Gallery à Marseilles, aux galleres de Sainct Blanchart[81], où ilz finerent leurs jours en grande captivité et eurent loisir de recongnoistre la gravité de leurs pechez. Et la mauvaise femme, en l'absence de son mary, continua son peché plus que jamais et mourut miserablement.

a. gehenne, torture judiciaire. — *b*. avouèrent leur crime.

« Je vous suplie, mes dames, regardez quel mal il vient d'une meschante femme et combien de maulx se feirent pour le peché de ceste cy. Vous trouverez que depuis que Eve feit pecher Adan toutes les femmes ont prins possession de tormenter, tuer et danner les hommes. Quant est de moy, j'en ay tant experimenté la cruaulté, que je ne pense jamais mourir ni estre danné [82] que par le desespoir en quoy une m'a mys. Et suis encore si fol, qu'il faut que je confesse que cest enfer là m'est plus plaisant venant de sa main que le paradis donné de celle d'une autre. » Parlamente, faingnant de n'entendre poinct que ce fut pour elle qu'il tenoit tel propos, luy dist : « Puisque l'enfer est aussy plaisant que vous dictes, vous ne debvez craindre le diable qui vous y a mis. » Mais il luy respondit en collere : « Si mon diable devenoit aussy noir qu'il m'a esté mauvays, il feroit autant de paour à la compaignie que je prends de plaisir à la regarder; mais le feu de l'amour me faict oblier celluy de cest enfer. Et, pour n'en parler plus avant, je donne ma voix à madame Oisille pour dire la seconde nouvelle, et suis seur que si elle vouloit dire des femmes ce qu'elle en sçait, elle favoriseroit mon opinion [83]. » A l'heure, toute la compaignye se tourna vers elle, la priant vouloir commencer; ce qu'elle accepta et, en riant, commencea à dire :

« Il me semble, mes dames, que celluy qui m'a donné sa voix, a tant dict de mal des femmes par une histoire [84] veritable d'une malheureuse, que je doibtz rememorer tous mes vielz ans pour en trouver une dont la vertu puisse desmentir sa mauvaise opinion; et, pour ce qu'il m'en est venu une au devant digne de n'estre mise en obly, je la vous vois compter. »

DEUXIESME NOUVELLE

Une muletiere d'Amboyse aima mieus cruelement mourir de la main de son valet que de consentir à sa mechante volonté [85].

En la ville d'Amboise, y avoit ung mulletier qui servoit la roine de Navarre, seur du roy François, premier de ce nom, laquelle estoit à Bloys, accouchée d'un fils [86];

auquel lieu estoit allé le dict mulletier pour estre paié de son quartier; et sa femme demoura au dict Amboyse, logée delà les pontz. Or, y avoit il long temps que ung varlet de son mary l'aymoit si desesperement, que ung jour il ne se peut tenir de luy en parler; mais, elle, qui estoit si vraie femme de bien, le reprint si aigrement, le menassant de le faire battre et chasser à son mary, que depuis il ne luy osa tenir propos ne faire semblant. Et garda ce feu couvert en son cueur jusques au jour que son maistre estoit allé dehors, et sa maistresse à vespres à Sainct-Florentin, eglise du chasteaufort, loing de leur maison. Estant demoré seul, luy vint en fantaisye, qu'il pourroit avoir par force ce que par nulle priere ne service n'avoit peu acquerir. Et rompit ung ais [a] qui estoit entre la chambre où il couchoit et celle de sa maistresse. Mais, à cause que le rideau, tant du lict de son maistre et d'elle que des serviteurs de l'autre cousté, couvroit les murailles si bien que l'on ne povoit veoir l'ouverture qu'il avoit faicte, ne fut point sa malice apparceue, jusques ad ce que sa maistresse fut couchée avecq une petite garse de unze à douze ans. Ainsy que la pauvre femme estoit à son premier sommeil entra le varlet, par l'ais qu'il avoit rompu, dedans son lict, tout en chemise, l'espée nue en sa main. Mais, aussy tost qu'elle le sentit près d'elle, saillit dehors du lict, en luy faisant toutes les remonstrances qu'il fut possible à femme de bien. Et luy, qui n'avoit amour que bestialle, qui eut mieulx entendu le langaige des mulletz que ses honnestes raisons, se montra plus bestial que les bestes avecq lesquelles il avoit esté long temps; car, en voyant qu'elle couroit si tost à l'entour d'une table [87], et qu'il ne la povoit prendre, et qu'elle estoit si forte que, par deux fois, elle s'estoit defaicte de luy, desesperé de jamais ne la povoir ravoir vive, luy donna si grand coup d'espée par les reings, pensant que, si la paour et la force ne l'avoit peu faire rendre, la douleur le feroit. Mais ce fut au contraire; car, tout ainsy que ung bon gendarme, quand il veoit son sang, est plus eschauffé à se venger de ses ennemys et acquerir honneur, ainsy son chaste cueur se renforcea doublement à courir et fuyr des mains de ce malheureux, en luy tenant les meilleurs propos qu'elle povoit, pour

a. cloison de bois.

cuyder par quelque moien le reduire à congnoistre ses faultes; mais il estoit si embrassé de fureur, qu'il n'y avoit en luy lieu pour recepvoir nul bon cousté; et luy redonna encore plusieurs coups, pour lesquelz eviter, tant que les jambes la peurent porter, couroit tousjours. Et quant, à force de perdre son sang, elle senteit qu'elle approchoit de la mort, levant les oeilz au ciel et joingnant les mains, rendit graces à son Dieu, lequel elle nommoit sa force, sa vertu, sa patience et chasteté, luy supplyant prendre en grey le sang qui, pour garder son commandement, estoit respendu en la reverence de celluy de son Filz, auquel elle croyoit fermement tous ses pechez estre lavez et effacez de la memoire de son ire [a]. Et, en disant : « Seigneur, recepvez l'ame qui, par vostre bonté, a esté racheptée ! » tumba en terre sur le visaige, où ce meschant lui donna plusieurs coups; et, après qu'elle eut perdu la parolle et la force du corps, ce malheureux print par force celle qui n'avoit plus de deffense en elle.

Et, quant il eut satisfaict à sa meschante concupiscence, s'en fouyt [b] si hastivement, que jamais depuis, quelque poursuicte que on en ayt faicte, n'a peu estre retrouvé. La jeune fille qui estoit couchée avecq la mulletiere, pour la paour qu'elle avoit eue, s'estoit cachée soubz le lict; mais, voiant que l'homme estoit dehors, vint à sa maistresse, et la trouva sans parolle ne mouvement; crya par la fenestre aux voisins, pour la venir secourir. Et ceulx qui l'aymoient et estimoient autant que femme de la ville, vindrent incontinant à elle, et amenerent avecq eulx des cirurgiens, lesquelz trouverent qu'elle avoit vingt cinq plaies mortelles sur son corps et feirent ce qu'ilz peurent pour luy ayder, mais il leur fut impossible. Toutesfois, elle languit encores une heure sans parler, faisant signe des oeilz et des mains; en quoi elle monstroit n'avoir perdu l'entendement. Estant interrogée, par ung homme d'esglise, de la foy en quoy elle mouroit, de l'esperance de son salut par Jhesucrist seul, respondoit par signes si evidens, que la parolle n'eut sceu mieulx monstrer son intention [88]; et ainsy, avecq un visaige joyeulx, les oeilz eslevez au ciel, rendit ce chaste corps son ame à son Createur. Et, si tost qu'elle fut levée et ensevelye, le corps mis à sa porte,

a. colère. — *b.* s'enfuit.

actendant la compaignie pour son enterrement, arriva son pauvre mary, qui veid premier le corps de sa femme mort devant sa maison, qu'il n'en avoit sceu les nouvelles; et, s'enquerant de l'occasion, eut double raison [89] de faire deuil, ce qu'il feit de telle sorte qu'il y cuyda laysser la vye. Ainsy fut enterrée ceste martire de chasteté en l'eglise de Sainct-Florentin, où toutes les femmes de bien de la ville ne faillirent à faire leur debvoir de l'honorer autant qu'il estoit possible, se tenans bien heureuses d'estre de la ville où une femme si vertueuse avoit esté trouvée. Les folles et legieres, voyans l'honneur que l'on faisoit à ce corps, se delibererent de changer leur vye en mieulx.

« Voylà, mes dames, une histoire veritable qui doibt bien augmenter le cueur à garder ceste belle vertu de chasteté. Et, nous, qui sommes de bonnes maisons, devrions morir de honte de sentir en nostre cueur la mondanité [a], pour laquelle eviter une pauvre mulletiere n'a point crainct une si cruelle mort. Et telle s'estime femme de bien, qui n'a pas encores sceu comme ceste cy resister [90] jusques au sang. Parquoy se fault humillier, car les graces de Dieu ne se donnent poinct aux hommes [91] pour leurs noblesses et richesses, mais selon qu'il plaist à sa bonté : qui n'est point accepteur de personne, lequel eslit ce qu'il veult; car ce qu'il a esleu l'honore de ses vertuz [92]. Et souvent eslit les choses basses, pour confondre celles que le monde estime haultes et honorables, comme luy mesmes dict : « Ne nous resjouissons de nos vertuz, mais en ce que nous sommes escriptz au livre de Vie, duquel ne nous peult effacer Mort, Enfert ne Peché [92 bis]. »

Il n'y eut dame en la compaignye, qui n'eut la larme à l'œil pour la compassion de la piteuse et glorieuse mort de cette mulletiere. Chascune pensa en elle-mesme que, si la fortune leur advenoit pareille, mectroient peyne de l'ensuivre en son martire. Et, voiant ma dame Oisille que le temps se perdoit parmy les louanges de cette trespassée, dist à Saffredent : « Si vous ne dictes quelque chose pour faire rire la compaignye, je ne sçay nulle d'entre vous qui peust

a. l'ensemble des mauvais sentiments que l'on rencontre dans le monde.

rabiller à la faulte que j'ay faicte de la faire pleurer. Parquoy je vous donne ma voix pour dire la tierce Nouvelle. » Saffredent [93], qui eut bien desiré pouvoir dire quelque chose qui bien eut esté agreable à la compaignye, et sur toutes à une, dist qu'on luy tenoit tort, veu qu'il y en avoit de plus antiens experimentez que luy, qui devoient parler premier que luy; mais, puisque son sort estoit tel, il en aymoit mieulx s'en despescher; car plus il y en avoit de bien parlans, et plus son compte seroit trouvé mauvays [94].

TROISIESME NOUVELLE

La Royne de Naples joua la vengence du tort que luy tenoit le roy Alphonse, son mary, avec un gentil homme duquel il entretenoit la femme; et dura cette amityé toute leur vie, sans que jamais le Roy en eut aucun soupçon [95].

Pour ce, mes dames, que je me suis souvent soubzhaicté compaignon de la fortune de celluy dont je vois faire le compte, je vous diray que, en la ville de Naples, du temps du roy Alphonce, duquel la lasciveté [96] estoit le septre de son Royaulme [a], y avoit ung gentil homme tant honneste, beau et agreable, que pour ses perfections ung viel gentil homme luy donna sa fille, laquelle en beaulté et bonne grace ne debvoit rien à son mary. L'amitié fut grande entre eulx deux jusques à ung carneval que le Roy alla en masque parmy des maisons, où chascun s'efforceoit de luy faire le meilleur racueil qu'il estoit possible. Et, quant il vint en celle de ce gentil homme, fut traicté trop mieulx que en nul autre lieu, tant de confitures, de chantres, de musicque, et de la plus belle femme que le Roy avoit poinct à son gré veu. Et, à la fin du festin, avecq son mary, dist une chanson de si bonne grace que sa beaulté en augmentoit. Le Roy, voiant tant de perfections en ung corps, ne print pas tant de plaisir au doux accord de son mary et d'elle, qu'il feit à penser comme il le pourroit rompre. Et la difficulté qu'il en faisoit estoit la grande amytié qu'il voioit entre eulx deux; parquoy il porta en

a. qui régnait sous le signe d'une vie dissolue.

son cueur ceste passion la plus couverte qu'il lui fut possible. Mais, pour la soulaiger en partie, faisoit force festins à tous les seigneurs et dames de Naples, où le gentil homme et sa femme n'estoient pas obliez. Pource que l'homme croit voluntiers ce qu'il veoit, il luy sembloit que les oeilz de ceste dame lui promectoient quelque bien advenir, si la presence du mary n'y donnoit empeschement. Et, pour essayer si sa pensée estoit veritable, donna la commission au mary de faire ung voyage à Romme pour quinze jours ou trois sepmaines. Et, si tost qu'il fut dehors, sa femme, qui ne l'avoit encores loing perdu de veue, en feit ung fort grand deuil, dont elle fut reconfortée par le Roy le plus souvent qu'il luy fut possible, par ses doulces persuasions, par presens et par dons; de sorte qu'elle fut non seulement consolée, mais comptante de l'absence de son mary. Et, avant les trois sepmaines qu'il devoit retourner, fut si amoreuse du Roy, qu'elle estoit aussy ennuyée du retour de son mary qu'elle avoit esté de son allée. Et, pour ne perdre sa presence [97], accorderent ensemble que, quand le mary iroit en ses maisons aux champs, elle le feroit sçavoir au Roy, lequel la pourroit seurement aller veoir, et si secretement, que l'honneur [98], qu'elle craingnoit plus que la conscience, n'en seroit poinct blessé.

En ceste esperance là se tint fort joyeuse ceste dame; et, quant son mary arriva, luy feit si bon recueil, que combien qu'il eut entendu que en son absence le Roy la serchoit, si ne peut avoir soupson [99]. Mais, par longueur de temps, ce que fut tant difficille à couvrir ce commencea [100] puis après à monstrer, en sorte que le mary se doubta bien fort de la verité, et feit si bon guet qu'il en fut presque asseuré. Mais, pour la craincte qu'il avoit que celluy qui luy faisoit injure luy fist pis, s'il en faisoit semblant, se delibera de le dissimuler; car il estimoit meilleur vivre avecq quelque fascherie, que de hazarder sa vye pour une femme qui n'avoit poinct d'amour. Toutesfois, en ce despit, delibera la rendre s'il en estoit possible [101]; et, sçachant que souvent le despit faict faire à une femme plus que l'amour, principallement à celles qui ont le cueur grand et honorable, print la hardiesse, ung jour, en parlant à la Royne, de luy dire qu'il avoit grand pitié dont elle n'estoit autrement aymée du Roy son mary. La Royne, qui avoit oy parler de l'amour du Roy et de sa femme, luy dist : « Je ne puis pas avoir l'honneur et le plaisir ensemble. Je sçay bien que j'ay l'honneur dont une aultre receoit le plaisir; aussy, celle qui a le plaisir n'a pas l'honneur que j'ay ». Luy, qui entendoit bien pour qui ces parolles estoient dictes, luy respondit : « Ma dame, l'honneur est né avecq vous; car vous estes de si bonne maison, que, pour estre Royne ou Emperiere [a], ne sçauriez augmenter vostre noblesse; mais vostre beaulté, grace et honnesteté a tant merité de plaisir, que celle qui vous en oste ce qui vous appartient se fait plus de tort que à vous; car, pour une gloire qui luy tourne à honte, elle pert autant de plaisir que vous ne dame de ce Royaulme ne sçauriez avoir. Et vous puis dire, ma dame, que si le Roy avoit mis sa couronne hors de dessus sa teste, qu'il n'auroit nul adventaige sur moy de contenter une dame, estant seur que, pour satisfaire à une si honneste personne que vous, il devroit vouloir avoir changé sa complexion à la myenne ». La Royne, en riant, luy respondit : « Combien que le Roy soit de plus delicate complexion que vous, si est ce que l'amour qu'il me porte me contente tant que je la prefere à toute aultre chose. » Le gentil homme luy dist [102] : « Ma dame, s'il estoit ainsy, vous ne me feriez poinct de pitié; car je sçay bien que l'honneste amour de vostre cueur vous rendroit très contante [103], s'il trouvoit en celluy du Roy pareil amour; mais Dieu vous en a bien gardée, à fin que, trouvant [104] en luy ce que vous demandez, vous n'en fissiez vostre Dieu en terre [b]. — Je vous confesse, dit la Roine, que l'amour que je luy porte est si grande, que en nul aultre cueur que au mien ne se peult trouver la semblable. — Pardonnez moy, ma dame, luy dist le gentil homme; vous n'avez pas bien sondé [105] l'amour de tous les cueurs; car je vous ose bien dire que tel vous ayme, de qui l'amour est si grande et importable, que la vostre au pris de la sienne ne se monstreroit rien. Et, d'autant qu'il veoit l'amour du Roy faillye en vous, la syenne croit et augmente de telle sorte que, si vous l'avez pour agreable, vous serez recompensée de toutes vos pertes. »

La Royne commencea, tant par ses parolles que par sa contenance, à congnoistre que ce qu'il disoit proceddoit

a. Impératrice. — *b.* vous ne le considériez comme votre Dieu sur la terre.

du profond du cueur et là [106] rememorer que, long temps avoit, il serchoit de luy faire service par telle affection, qu'il en estoit devenu melencolicque, ce qu'elle avoit paravant pensé venir à l'occasion de sa femme; mais maintenant croyoit elle fermement que c'estoit pour l'amour d'elle. Et aussy la vertu d'amour, qui se faict sentir quant elle n'est point faincte, la rendit certaine de ce qui estoit caché à tout le monde. Et en regardant le gentil homme, qui estoit trop plus amyable que son mary, voyant qu'il estoit delaissé de sa femme comme elle du Roy, pressée du despit et jalousie de son mary, et incitée de l'amour du gentil homme, commença à dire, la larme à l'œil, en souspirant : « O mon Dieu ! fault-il que la vengeance gaigne sur moy ce que nul amour n'a sceu faire ! » Le gentil homme, bien entendant ce propos, luy respondit : « Ma dame, la vengeance est doulce qui, en lieu de tuer l'ennemy, donne vie à ung parfaict amy. Il me semble qu'il est tems que la verité [107] vous oste la sotte amour que vous portez à celluy qui ne vous aime poinct; et l'amour juste et raisonnable chasse hors de vous la craincte, qui jamais ne peult demorer en ung cueur grand et vertueux. Or sus, ma dame, mectons à part la grandeur de vostre estat, et regardons que nous sommes l'homme et la femme de ce monde les plus trompez, trahis et mocquez de ceulx que nous avons plus parfaictement aimez. Revenchons nous, ma dame, non tant pour leur rendre ce qu'ilz meritent, que pour satisfere à l'amour qui, de mon costé, ne se peut plus porter sans morir. Et je pense que, si vous n'avez le cueur plus dur que nul chaillou ou dyamant, il est impossible que vous ne sentiez quelque estincelle du feu qui croist tant plus que je le veulx [108] dissimuler. Et si la pitié de moy, qui meurs pour l'amour de vous, ne vous incite à m'aimer, au moins celle de vous [109] mesme vous y doibt contraindre, qui, estant si parfaicte que vous meritez avoir les cueurs de tous les honnestes hommes du monde, estes desprisée et delaissée de celuy pour qui vous avez dedaigné tous les aultres ».

La Royne, oyant ces parolles, fut si transportée, que, de paour de monstrer par sa contenance le troublement de son esprit, s'appuyant sur le bras du gentil homme, s'en alla en ung jardin près sa chambre, où longuement se promena, sans luy povoir dire mot. Mais le gentil homme, la voyant demy vaincue, quant il fut au bout de l'alée, où nul ne les povoit veoir, luy declaira par effect l'amour que si long temps il luy avoit cellée [a]; et, se trouvans tous deux d'un consentement, jouerent la vengeance dont la passion [110] avoit esté importable [b]. Et là delibererent que toutes les foys que le mary iroit en son villaige, et le Roy de son chasteau en la ville, il retourneroit au chasteau vers la Royne : ainsy, trompans les trompeurs, ilz seroient quatre participans au plaisir que deux cuydoient avoir tous seuls. L'accord faict, s'en retournerent, la dame en sa chambre et le gentil homme en sa maison, avecq tel contentement qu'ils avoient obliez tous leurs ennuiz passez. Et la craincte que chascun avoit de l'assemblée du roy et de la damoiselle estoit tournée en desir, qui faisoit aller le gentil homme plus souvent qu'il n'avoit accoustumé en son villaige, lequel n'estoit que à demye lieue [111]. Et, si tost que le Roy le sçavoit, ne failloit d'aller veoir la damoiselle; et le gentil homme, quant la nuict estoit venue, alloit au chasteau, devers la Royne, faire l'office de lieutenant de Roy, si secretement que jamais personne ne s'en apperceust. Ceste vie dura bien longuement; mais le Roy, pour estre personne publicque, ne pouvoit si bien dissimuller son amour, que tout le monde ne s'en apperceust; et avoient tous les gens de bien pitié [112] du gentil homme, car plusieurs mauvais garsons luy faisoient des cornes [113] par derriere, en signe de mocquerie, dont il s'appercevoit bien. Mais ceste mocquerie luy plaisoit tant, qu'il estimoit autant ses cornes que la couronne [114] du Roy; lequel, avecq la femme du gentil homme, ne se peurent un jour tenir, voians une teste de cerf qui estoit eslevée en la maison du gentil homme, de se prendre à rire devant luy mesmes, en disant que ceste teste estoit bien sceante en ceste maison. Le gentil homme, qui n'avoit le cueur moins bon que luy, va faire escripre sur ceste teste : *Io porto le corna, ciascun lo vede ; ma tal* [115] *le porta, che no lo crede* [c]. Le Roy, retournant en sa maison, qui trouva cest escripteau nouvellement mis, demanda au gentil homme la signiffication, ce qu'il luy dist [116] : « Si le secret du Roy est caché au serf [117], ce n'est pas raison que celluy du serf soit declaré au Roy; mais entendez [118] vous que tous ceulx qui

a. cachée. — *b.* insupportable. — *c.* Je porte les cornes et chacun peut le voir; mais tel aussi les porte qui ne s'en doute pas.

portent cornes n'ont pas le bonnet hors de la teste, car elles sont si doulces, qu'elles ne descoiffent personne; et celluy les porte plus legierement, qui ne les cuyde pas avoir ». Le Roy congneut bien, par ces parolles, qu'il sçavoit quelque chose de son affaire, mais jamais n'eut soupsonné l'amitié de la Royne et de luy; car tant plus la Royne estoit contente de la vie que son mary menoit, et plus faingnoit d'en estre marrye. Parquoy vesquirent si longuement d'un costé et d'autre, en cest amityé que [119] la vieillesse y meit ordre.

« Voylà, mes dames, une histoire que voluntiers je vous monstre icy pour exemple, à fin que, quand vos mariz vous donnent des cornes de cheuvreux, vous leur en donnez de cerf [120]. » Ennasuitte commencea à dire, en riant : « Saffredent, je suis toute asseurée que si vous aimez autant que autrefois vous avez faict, vous endureriez cornes aussi grandes que ung chesne, pour en randre une à vostre fantaisye; mais, maintenant que les cheveulx vous blanchissent, il est temps de donner treves à voz desirs. — Ma damoiselle, dist Saffredent, combien que l'esperance m'en soit ostée par celle que j'ayme, et la fureur par l'aage, si n'en sçaurois diminuer la volunté. Mais, puis que vous m'avez reprins d'un si honneste desir, je vous donne ma voix à dire la quatriesme Nouvelle, à ceste fin que nous voyons si par quelque exemple vous m'en pourriez desmentir ». Il est vray que, durant ce propos, ung de la compaignye se print bien fort à rire, sachant que celle qui prenoit les parolles de Saffredent à son adventaige, n'estoit pas tant aymée de luy, qu'il en eust voullu souffrir cornes, honte ou dommaige. Et quant Saffredent apperceut que celle qui ryoit l'entendoit, il s'en tint trop [121] content, et se teust pour laisser dire Ennasuite, laquelle commença ainsy :

« Mes dames, affin que Saffredent et toute la compaignye congnoisse que toutes dames ne sont pas semblables à la Royne de laquelle il a parlé, et que tous les folz et hazardeurs ne viennent pas à leur fin, et aussy pour ne celler l'oppinion d'une dame qui jugea le despit d'avoir failly à son entreprinse pire à porter que la mort, je vous racompteray une histoire, en laquelle je ne nommeray les personnes, pour ce que c'est de si fresche memoire, que j'aurois paour de desplaire à quelcuns des parens bien proches [122]. »

QUATRIESME NOUVELLE

Un jeune gentil homme, voyant une dame de la meilleure maison de Flandre, sœur de son maistre, veuve de son premier et second mary, et femme fort deliberée, voulut sonder si les propos d'une honneste amityé luy deplairoyent; mais, ayant trouvé reponse contraire à sa contenance, essaya la prendre par force, à laquelle resista fort bien. Et sans jamais faire semblant des dessins et effors du gentil homme, par le conseil de sa dame d'honneur, s'eloingna petit à petit de la bonne chere qu'elle avoit accoutumé luy faire. Ainsy, par sa fole outrecuydance, perdit l'honneste et commune frequentation qu'il avoit plus que nul autre avec elle [123].

Il y avoit au païs de Flandres une dame de si bonne maison, qu'il n'en estoit poinct de meilleure, vefve de son premier et second mary, desquelz n'avoit eu nulz enfans vivans. Durant sa viduité, se retira avecq ung sien frere, dont elle estoit fort aymée, lequel estoit fort grand seigneur, et mary d'une fille de Roy. Ce jeune prince estoit homme fort subgect à son plaisir, aymant chasse, passetemps et dames, comme la jeunesse le requeroit; et avoit une femme fort fascheuse, à laquelle les passetemps du mary ne plaisoient poinct; parquoy le seigneur menoit tousjours, avecq sa femme, sa seur, qui estoit la plus joyeuse et meilleure compaigne [124] qu'il estoit possible, toutesfois saige et femme de bien. Il y avoit, en la maison de ce seigneur, ung gentil homme, dont la grandeur, beaulté et bonne grace passoit celle de tous ses compaignons [125]. Ce gentil homme, voyant la seur de son maistre femme joyeuse et qui ryoit voluntiers, pensa qu'il essaieroit pour veoir si les propos d'une honneste amityé luy desplairoient; ce qu'il feit. Mais il trouva en elle responce contraire à sa contenance. Et combien que sa responce fust telle qu'il appartenoit à une princesse et vraye femme de bien, si est-ce que, le voyant tant beau et honneste comme il estoit, elle luy pardonna aisement sa grande audace. Et monstroit bien qu'elle ne prenoit point desplaisir, quant il parloit à elle, en luy disant souvent qu'il ne tinst plus de telz propos; ce qu'il luy promist, pour ne perdre l'aise et honneur qu'il avoit de l'entretenir. Toutesfois, à la longue augmenta si fort son affection, qu'il oblia la promesse qu'il luy avoit faicte; non qu'il entreprint de se hazarder par parolles, car il avoit trop, contre son gré, experimenté les saiges responces qu'elle sçavoit faire. Mais il se pensa que, s'il la povoit trouver en lieu à son advantaige, elle qui estoit vefve, jeune, et en bon poinct, et de fort bonne complexion, prandroit peult-estre pitié de luy et d'elle ensemble.

Pour venir à ses fins, dist à son maistre qu'il avoit auprès de sa maison fort belle chasse, et que sy luy plaisoit y aller prandre trois ou quatre cerfs au mois de may, il n'avoit point encores veu plus beau passetemps. Le seigneur, tant pour l'amour qu'il portoit à ce gentil homme que pour le plaisir de la chasse, luy octroya sa requeste, et alla en sa maison, qui estoit belle et bien en ordre, comme du plus riche gentil homme qui fut au pays. Et logea le seigneur et la dame en ung corps de maison, et, en l'autre vis à vis, celle qu'il aymoit plus que luy-mesmes, la chambre de laquelle il avoit si bien accoustrée [a], tapissée par le hault [126], et si bien nattée [b], qu'il estoit impossible de s'apercevoir d'une trappe qui estoit en la ruelle de son lict, laquelle descendoit en celle ou logeoit sa mere, qui estoit une vieille dame ung peu caterreuse; et, pource qu'elle avoit la toux, craingnant faire bruict à la princesse qui logeoit sur elle, changea de chambre à celle de son filz. Et, les soirs, ceste vielle dame portoit des confitures à ceste princesse pour sa collation; à quoy assistoit le gentil homme, qui, pour estre fort aymé et privé de son frere, n'estoit refusé d'estre à son habiller et deshabiller, où tousjours il voyoit occasion d'augmenter son affection. En sorte que, ung soir, après qu'il eust faict veiller cette princesse si tard que le sommeil qu'elle avoit le chassa de la chambre, s'en alla à la sienne. Et, quant il eut prins la plus gorgiase [c] et mieulx parfumée de toutes ses chemises, et ung bonnet de nuict tant bien accoustré qu'il n'y failloit rien, luy sembla bien, en soy mirant, qu'il n'y avoit dame en ce monde qui sceut refuser sa beaulté et bonne grace. Par quoy, se promectant à luy mesmes heureuse yssue de son entreprine, s'en alla mettre en son lict, où il n'esperoit faire long sejour, pour le desir et seur espoir qu'il avoit d'en acquerir ung plus honorable et plaisant. Et, si tost qu'il eut envoyé tous ses gens dehors,

a. décorée. — *b.* couverte de tapis. — *c.* élégante.

se leva pour fermer la porte après eulx. Et longuement escouta si en la chambre de la princesse, qui estoit dessus, y avoit aucun bruit; et, quant il se peut asseurer que tout estoit en repos, il voulut commencer son doulx traveil, et peu à peu abbatit la trappe qui estoit si bien faicte et accoustrée de drap, qu'il ne feit ung seul bruit; et par là monta à la chambre et ruelle du lict de sa dame, qui commençoit à dormyr. A l'heure, sans avoir regard à l'obligation qu'il avoit à sa maistresse, ny à la maison d'où estoit la dame, sans luy demander congié ne faire la reverence, se coucha auprès d'elle, qui le sentit plus tost entre ses bras qu'elle n'apparceut sa venue. Mais, elle, qui estoit forte, se desfit de ses mains, en luy demandant qu'il estoit, se meit à le fraper, mordre et esgratiner, de sorte qu'il fut contrainct, pour la paour qu'il eut qu'elle appellast, luy fermer la bouche de la couverture; ce que luy fut impossible de faire, car, quant elle veid qu'il n'espargnoit riens de toutes ses forces pour luy faire une honte, elle n'espargnoit riens des siennes pour l'en engarder, et appella tant qu'elle peut sa dame d'honneur, qui couchoit en sa chambre, antienne et saige femme, autant qu'il en estoit poinct, laquelle tout en chemise courut à sa maistresse.

Et, quant le gentil homme veid qu'il estoit descouvert, eut si grand paour d'estre congneu de sa dame, que le plus tost qu'il peut descendit par sa trappe; et, autant qu'il avoit eu de desir et d'asseurance d'estre bien venu, autant estoit-il desesperé de s'en retourner en si mauvais estat. Il trouva son mirouer et sa chandelle sur sa table; et, regardant son visaige tout sanglant d'esgratineures et morsures qu'elle luy avoit faictes, dont le sang sailloit sur sa belle chemise, qui estoit plus sanglante que dorée [a], commença à dire : « Beaulté ! tu as maintenant loyer de ton merite, car, par ta vaine promesse, j'ay entrepris [127] une chose impossible, et qui peut-estre, en lieu d'augmenter mon contentement, est redoublement de mon malheur, estant asseuré que, si elle sçaict que, contre la promesse que je luy ay faicte, j'ay entreprins ceste follie, je perderay l'honneste et commune frequentation que j'ay plus que nul autre avecq elle; ce que ma gloire a bien deservy; car, pour faire valloir ma beaulté et bonne grace, je ne la

a. brodée de fils d'or.

devois pas cacher en tenebres pour gaingner l'amour de son cueur; je ne devois pas essayer à prandre par force son chaste corps, mais debvois, par long [128] service et humble patience, actendre que amour en fut victorieux, pour ce que sans luy n'ont pouvoir [129] toute la vertu et puissance de l'homme ». Ainsi passa la nuict en tels pleurs, regretz et douleurs qui ne se peuvent racompter. Et, au matin, voiant son visaige si deschiré, feit semblant d'estre fort mallade et de ne povoir veoir la lumiere, jusques ad ce que la compaignye feust hors de sa maison.

La dame, qui estoit demorée victorieuse, sachant qu'il n'y avoit homme, en la court de son frere, qui eut osé faire une si estrange entreprinse, que celluy qui avoit eu la hardiesse de lui declairer son amour, se asseura que c'estoit son hoste. Et, quant elle eut cherché avecq sa dame d'honneur les endroictz de la chambre pour trouver qui ce povoit estre, ce qu'il ne fut possible, elle luy dist par grande collere : « Asseurez-vous que ce ne peult estre nul aultre que le seigneur de ceans et que le matin je feray en sorte vers mon frere, que sa teste sera tesmoing de ma chasteté ». La dame d'honneur, la voiant ainsi courroucée, luy dist [130] : « Ma dame, je suis très aise de l'amour que vous avez de vostre honneur, pour lequel augmenter ne voulez espargner la vie d'un qui l'a trop hazardée pour la force de l'amour qu'il vous porte. Mais bien souvent tel la cuyde croistre, qui la diminue [131]. Parquoy je vous supplye, ma dame, me vouloir dire la verité du faict ». Et, quant la dame luy eut compté tout au long, la dame d'honneur luy dist : « Vous m'asseurez qu'il n'a eu aultre chose de vous que les esgratinures et coups de poing ? — Je vous asseure, dist la dame, que non et que, s'il ne trouve ung bon cirurgien, je pense que demain les marques y paroistront. — Or, puisque ainsy est, ma dame, dist la dame d'honneur, il me semble que vous avez plus d'occasion de louer Dieu, que de penser à vous venger de luy; car vous pouvez croire que, puis qu'il a eu le cueur si grand que d'entreprendre une telle chose, et le despit qu'il a de y avoir failly, que vous ne luy sçauriez donner mort qu'il ne luy fust plus aisée à porter. Si vous desirez estre vengée de luy, laissez faire à l'amour et à la honte, qui le sçauront mieulx tormenter que vous. Si vous le faictes pour vostre honneur, gardez-vous, ma dame, de tumber en pareil inconvenient que le sien;

car, en lieu d'acquerir le plus grand plaisir qu'il ait sceu avoir, il a receu le plus extreme ennuy que gentil homme sçauroit porter. Aussy, vous, ma dame, cuydant augmenter vostre honneur, le pourriez bien diminuer; et, si vous en faictes la plaincte, vous ferez sçavoir ce que nul ne sçaict; car, de son costé, vous estes asseurée que jamays il n'en sera rien revelé. Et quant Monseigneur vostre frere en feroit la justice que en demandez, et que le pauvre gentil homme en vint à mourir, si courra le bruict partout qu'il aura faict de vous à sa volunté; et la plus part diront qu'il a esté bien difficille que ung gentil homme ayt faict une telle entreprinse, si la dame ne luy en donne grande occasion. Vous estes belle et jeune, vivant en toute compaignye bien joieusement; il n'y a nul en ceste court, qu'il ne voye la bonne chere que vous faictes au gentil homme dont vous avez soupson : qui fera juger chascun que s'il a faict ceste entreprinse, ce n'a esté sans quelque faulte de vostre costé. Et vostre honneur, qui jusques icy vous a faict aller la teste levée, sera mis en dispute en tous les lieux là où cette histoire sera racomptée. »

La princesse, entendant les bonnes raisons de sa dame d'honneur, congneut qu'elle luy disoit verité, et que à très juste cause elle seroit blasmée, veue la bonne et privée chere qu'elle avoit tousjours faicte au gentil homme; et demanda à sa dame d'honneur ce qu'elle avoit à faire, laquelle luy dist : « Ma dame, puis qu'il vous plaist recepvoir mon conseil, voiant l'affection dont il procedde, me semble que vous devez en vostre cueur avoir joye d'avoir veu que le plus beau et le plus honneste gentil homme que j'aye veu en ma vie, n'a sceu, par amour ne par force, vous mectre hors du chemyn de vraye honnesteté. Et en cela, ma dame, devez vous humillier devant Dieu, recongnoistre que ce n'a pas esté par vostre vertu; car mainctes femmes, ayans mené vye plus austere que vous, ont esté humiliées par hommes moins dignes d'estre aymez que luy. Et devez plus que jamais craindre de recepvoir propos d'amityé, pource qu'il y en a assez qui sont tombez la seconde fois aux dangiers qu'elles ont evité la premiere. Ayez memoire, ma dame, que Amour est aveugle, lequel aveuglit de sorte que, où l'on pense le chemyn plus seur, c'est à l'heure qu'il est le plus glissant. Et me semble, ma dame, que vous ne debvez à luy ne à aultre faire semblant du cas qui vous est advenu; et, encores qu'il en voulust dire quelque chose, faindrez du tout de ne l'entendre, pour eviter deux dangiers, l'un de la vaine gloire de la victoire que vous en avez eue, l'autre de prandre plaisir en ramentevant [a] choses qui sont si plaisantes à la chair, que les plus chastes ont bien à faire à se garder d'en sentir quelques estincelles, encores qu'elles le fuyent le plus qu'elles peuvent [132]. Mais, aussi, ma dame, affin qu'il ne pense, par tel hazard, avoir faict chose qui vous ayt esté agreable, je suis bien d'advis que peu à peu vous vous esloingniez de la bonne chere que vous avez accoustumé de luy faire, afin qu'il congnoisse de combien vous desprisez sa follie, et combien vostre bonté est grande, qui s'est contentée de la victoire que Dieu vous a donnée, sans demander autre vengeance de luy. Et Dieu vous doinct grace, ma dame, de continuer l'honnesteté qu'il a mise en vostre cueur; et, congnoissant que tout bien vient de luy, vous l'aymiez et serviez mieulx que vous n'avez accoustumé. » La princesse, deliberée de croire le conseil de sa dame d'honneur, s'endormit aussy joieusement que le gentil homme veilla de tristesse.

Le lendemain, le seigneur s'en voulut aller, et demanda son hoste; auquel on dit qu'il estoit si mallade qu'il ne povoit veoir la clairté, ne oyr parler personne; dont le prince fut fort esbahy, et le voulut aller veoir; mais, sçachant qu'il dormoit, ne le voulut esveiller, et s'en alla ainsy de sa maison sans luy dire à Dieu, emmenant avecq luy sa femme et sa seur; laquelle, entendant les excuses du gentil homme qui n'avoit voulu veoir le prince ne la compaignye au partir, se tint asseurée que c'estoit celluy qui luy avoit faict tant de torment, lequel n'osoit montrer les marques qu'elle luy avoit faictes au visaige. Et, combien que son maistre l'envoyast souvent querir, si ne retourna il point à la court, qu'il ne fust bien guery de toutes ses playes, horsmis celle que l'amour et le despit luy avoient faict au cueur. Quant il fut retourné devers luy, et qu'il se retrouva devant sa victorieuse ennemye, ce ne fut sans rougir; et luy, qui estoit le plus audacieux de toute la compaignye, fut si estonné, que souvent devant elle perdoit toute contenance. Parquoy fut toute asseurée que son

a. rappelant.

soupson estoit vray; et peu à peu s'en estrangea [a], non pas si finement qu'il ne s'en apparceust très bien; mais il n'en osa faire semblant, de paour d'avoir encores pis; et garda cest amour en son cueur, avecq la patience de l'esloingnement qu'il avoit merité.

« Voylà, mes dames, qui devroit donner grande craincte à ceulx qui presument ce qu'il ne leur appartient et doibt bien augmenter le cueur aux dames, voyans la vertu de ceste jeune princesse et le bon sens de sa dame d'honneur. Si à quelqu'une de vous advenoit pareil cas, le remede y est ja donné. — Il me semble, ce dist Hircan, que le grand gentil homme, dont vous avez parlé, estoit si despourveu de cueur, qu'il n'estoit digne d'être ramentu [b]; car, ayant une telle occasion, ne debvoit, ne pour vielle ne pour jeune, laisser son entreprinse. Et fault bien dire que son cueur n'estoit pas tout plain d'amour, veu que la craincte de mort et de honte y trouva encores place. — Nomerfide respondit à Hircan : « Et que eust faict ce pauvre gentil homme, veu qu'il avoit deux femmes contre luy ? — Il devoit tuer la vielle, dist Hircan; et quant la jeune se feut veue sans secours, eust esté demy vaincue. — Tuer ! dit Nomerfide; vous vouldriez doncques faire d'un amoureux ung meurdrier ? Puis que vous avez ceste oppinion, on doibt bien craindre de tumber en voz mains. — Si j'en estois jusques là, dist Hircan, je me tiendrois pour deshonoré si je ne venois à fin de mon intention. » A l'heure Geburon dist : « Trouvez-vous estrange que une princesse, nourrye en tout honneur, soit difficille à prandre d'un seul homme ? Vous devriez doncques beaucoup plus vous esmerveiller d'une pauvre femme qui eschappa de la main de deux. — Geburon, dit Ennasuicte, je vous donne ma voix à dire la cinquiesme Nouvelle; car je pense que vous en sçavez quelqu'une de ceste pauvre femme, qui ne sera point fascheuse. — Puis [133] que vous m'avez esleu à partie, dist Geburon, je vous diray une histoire que je sçay, pour en avoir faict inquisition veritable sur le lieu; et par là vous verrez que tout le sens et la vertu des femmes n'est pas au cueur et teste des princesses, ny toute l'amour et finesse en ceulx où le plus souvent on estime qu'ilz soyent. »

a. s'éloigna de lui, le tint à distance. — *b.* de *ramentevoir :* il n'était digne qu'on rappelât son souvenir.

CINQUIESME NOUVELLE

Deus cordeliers de Nyort, passans la riviere au port de Coullon, voulurent prendre par force la bateliere qui les passait. Mais elle, sage et fine, les endormit si bien de paroles, que, leur accordant ce qu'ilz demandoyent, les trompa et mit entre les mains de la justice, qui les rendit à leur gardien pour en faire telle punition qu'ilz meritoyent [134].

Au port de Coullon [135], près de Nyort, y avoit une basteliere qui jour et nuict ne faisoit que passer ung chacun. Advint que deux Cordeliers du dict Nyort passerent la riviere tous seulz avecq elle. Et, pour ce que le passaige est ung des plus longs qui soit en France [136], pour la garder d'ennuyer, vindrent à la prier d'amours; à quoy elle leur feit la responce qu'elle devoit. Mais, eulx, qui pour le traveil du chemyn n'estoient lassez, ne pour froideur de l'eaue refroidiz, ne aussy pour le refuz de la femme honteux, se delibererent tous deux la prandre par force, ou, si elle se plaingnoit, la jecter dans la riviere. Elle, aussy saige et fine qu'ilz estoient folz et malitieux, leur dist : « Je ne suis pas si mal gratieuse que j'en faictz le semblant; mais je vous veulx prier de m'octroyer deux choses, et puis vous congnoistrez que j'ay meilleure envye de vous obeyr que vous n'avez de me prier. » Les Cordeliers luy jurerent, par leur bon sainct Françoys, qu'elle ne leur sçauroit demander chose qu'ils n'octroiassent pour avoir ce qu'ilz desiroient d'elle. « Je vous requiers premierement, dist-elle, que vous me jurez et promectez que jamais à homme vivant nul de vous ne declarera nostre affaire. » Ce que luy promisrent très voluntiers. Et aussy, elle leur dist : « Que l'un après l'autre veulle prandre son plaisir de moy, car j'aurois trop de honte que tous deux me veissent ensemble. Regardez lequel me vouldra avoir le premier. » Ilz trouverent sa requeste très juste, et accorda le jeune que le plus vieil commenceroit. Et, en approchant d'une petite isle, elle dist au jeune [137] : « Beau pere, dictes là vos oraisons jusques ad ce que j'aye mené vostre compaignon icy devant en une autre isle; et si, à son retour, il s'estonne [138] de moy, nous le lerrons [a] icy et nous en irons ensemble. »

[a] laisserons.

Le jeune saulta dedans l'isle, actendant le retour de son compaignon, lequel la bastelliere mena en une aultre. Et quant ilz furent au bort, faignant d'atacher son basteau à ung arbre, luy dist : « Mon amy, regardez en quel lieu nous nous mectrons. » Le beau pere entra en l'isle pour sercher l'endroict qui luy seroit plus à propos : mais, si tost qu'elle le veid à terre, donna ung coup de pied contre l'arbre et se retira avecq son basteau dedans la riviere, laissant ses deux bons peres aux desertz, ausquelz elle crya tant qu'elle peut : « Actendez, messieurs, que l'ange de Dieu vous vienne consoler, car de moy n'aurez aujourd'huy chose qui vous puisse plaire. »

Ces deux pauvres religieux, congnoissans la tromperie, se misrent à genoulx sur le bord de l'eaue, la priant ne leur fere ceste honte, et que, si elle les vouloit doulcement mener au port, ilz luy promectoient de ne luy demander rien. Mais, en s'en allant tousjours, leur disoit : « Je serois doublement folle, après avoir eschappé de voz mains, si je m'y remectois. » Et, en entrant au villaige, va appeller son mary et ceulx de la justice, pour venir prandre ces deux loups enraigez, dont, par la grace de Dieu, elle avoit eschappé de leurs dentz : qui [139] y allerent si bien accompaignez, qu'il ne demora grand ne petit, qui ne voulsissent avoir part au plaisir de ceste chasse. Ces pauvres freres [140], voyans venir si grande compaignye, se cachoient chacun en son isle, comme Adan quand il se veid nud devant la face de Dieu [141]. La honte meit leur peché devant leurs oeilz, et la craincte d'estre pugniz les faisoit trembler si fort, qu'ilz estoient demy mortz. Mais cela ne les garda d'estre prins et mis [142] prisonniers, qui ne fut sans estre mocquez et huez d'hommes et femmes. Les ungs disoient : « Ces beaulx peres qui nous preschent chasteté, et puis la veullent oster à noz femmes [143] ! » Et les autres disoient : « Sont sepulchres par dehors blanchiz, et par dedans plains de morts et pourriture [144]. » Et puis une autre voix cryoit : « Par leurs fruictz, congnoissez vous quelz arbres sont [145]. » Croyez que tous les passaiges que l'Evangile dict contre les ypocrittes furent alleguez contre ces pauvres prisonniers, lesquels, par le moyen du gardien, furent recoux [a] et delivrez [146], qui en grand diligence les vint demander, asseurant

a. mis en liberté.

ceulx de la justice qu'il en feroit plus grande pugnition que les seculiers n'oseroient faire; et, pour satisfere à partye, ilz diroient tant de messes et de prieres qu'on les en vouldroit charger. Le juge accorda sa requeste, et luy donna les prisonniers qui furent si bien chappitrez du gardien, qui estoit homme de bien [147], que oncques puis ne passerent rivieres sans faire le signe de la croix et se recommander à Dieu.

« Je vous prie, mes dames, pensez, si ceste pauvre bastelliere a eu l'esperit de tromper l'esperit de deux si malitieux hommes, que doyvent faire celles qui ont tant leu et veu de beaulx exemples, quant il n'y auroit que la bonté des vertueuses dames qui ont passé devant leurs œilz, en la sorte que la vertu des femmes bien nourryes seroit autant appelée coustume que vertu [148] ? Mais de celles qui ne sçavent rien, qui n'oyent quasi en tout l'an deux bons sermons, qui n'ont le loisir que de penser à gaingner leurs pauvres vyes, et qui, si fort pressées, gardent soingneusement leur chasteté [149], c'est là où on congnoist la vertu qui est naïfvement dedans le cueur, car où le sens et la force de l'homme est estimée moindre, c'est où l'esperit de Dieu faict de plus grandes œuvres. Et bien malheureuse est la dame qui ne garde bien soingneusement le tresor qui luy apporte tant d'honneur, estant bien gardé, et tant de deshonneur au contraire. » Longarine luy dist : « Il me semble, Geburon, que ce n'est pas grand vertu de refuser ung Cordelier, mais que plus tost seroit chose impossible de les aymer. — Longarine, luy respondit Geburon, celles qui n'ont poinct accoustumé d'avoir de tels serviteurs que vous, ne tiennent poinct fascheux les Cordeliers; car ilz sont hommes aussy beaulx, aussi fortz et plus reposez que nous autres, qui sommes tous cassez du harnoys [a]; et si parlent comme anges, et sont importuns comme diables; parquoy celles qui n'ont veu robbes que de bureau [b] sont bien vertueuses, quant elles eschappent de leurs mains. » Nomerfide dist tout hault : « Ha, par ma foy, vous en direz ce que vous vouldrez, mais j'eusse myeulx aymé estre gectée en la riviere que de coucher avecq ung Cordelier. » Oisille luy dist en

a. vieillis sous le harnais. — *b.* bure, étoffe grossière.

riant : « Vous sçavez doncques bien nouer [a] ? » Ce que Nomerfide trouva bien mauvays, pensant qu'Oisille n'eut telle estime d'elle qu'elle desiroit; parquoy luy dist en colere : « Il y en a qui ont refusé des personnes plus agreables que ung Cordelier, et n'en ont poinct faict sonner la trompette. » Oisille, se prenant à rire de la veoir courroussée, luy dist : « Encores moins ont-elles fait sonner le tabourin de ce qu'elles ont faict [150] et accordé. » Geburon [151] dist : « Je voys bien que Nomerfide a envye de parler; parquoy je luy donne ma voix, affin qu'elle descharge son cueur sur quelque bonne Nouvelle. — Les [152] propos passez, dit Nomerfide, me touchent si peu, que je n'en puis avoir ne joye ne envye. Mais, puis que j'ay vostre voix, je vous prie oyr la myenne pour vous monstrer que, si une femme a esté seduicte en bien, il y en a qui le sont en mal. Et, pour ce que nous avons juré de dire verité, je ne la veulx celer; car, tout ainsy que la vertu de la batteliere ne honnore poinct les aultres femmes si elles ne l'ensuyvent, aussi le vice d'une aultre ne les peut deshonorer. Escoutez doncques. »

SIXIESME NOUVELLE

Un vieil borgne, valet de chambre du duc d'Alençon, averty que sa femme s'estoit amourachée d'un jeune homme, desirant en sçavoir la verité, findit s'en aller pour quelques jours aux champs, dont il retourna si soudain que sa femme, sur laquelle il faisoit le guet, s'en apperceut, qui, la cuydant tromper, le trompa luy mesme [153].

Il y avoit ung viel varlet de chambre de Charles, dernier duc d'Alençon [154], lequel avoit perdu ung œil et estoit marié avecq une femme beaucoup plus jeune que luy. Et, pour ce que ses maistre et maistresse l'aymoient autant que homme de son estat qui fust en leur maison, ne pouvoit si souvent aller veoir sa femme qu'il eust bien voulu : qui fut occasion dont elle oblya tellement son honneur et conscience, qu'elle alla aymer ung jeune homme, dont, à la longue, le bruict fut si grand et mauvais que le

a. nager.

mary en fut adverty. Lequel ne le pouvoit croire, pour les grands signes d'amityé que luy monstroit sa femme. Toutesfois, ung jour, il pensa d'en faire l'experience, et de se venger, s'il pouvoit, de celle qui luy faisoit ceste honte. Et, pour ce faire, faignist s'en aller en quelque lieu auprès de là pour deux ou trois jours. Et, incontinant qu'il fut party, sa femme envoya querir son homme, lequel ne fut pas demie heure avecq elle que voicy [155] venir le mary, qui frappa bien fort à la porte. Mais elle, qui le congneut [a], le dist à son amy, qui fut si estonné qu'il eust voulu estre au ventre de sa mere, mauldisant elle et l'amour qui l'avoient mis en tel dangier. Elle luy dist qu'il ne se soulciast poinct, et qu'elle trouveroit bien moyen de l'en faire saillir [b] sans mal ne honte, et qu'il s'abillast le plus tost qu'il pourroit. Ce temps pendant, frappoit le mary à la porte, appellant le plus hault qu'il povoit sa femme. Mais elle faingnoit de ne le congnoistre point, et disoit tout hault au mary de leans : « Que ne vous levez-vous, et allez faire taire ceux qui font ce bruict à la porte ? Est-ce maintenant l'heure de venir aux maisons des gens de bien ? Si mon mary estoit icy, il vous en garderoit ! » Le mary, oyant la voix de sa femme, l'appela le plus hault qu'il peut : « Ma femme, ouvrez moy ! Me ferez vous demorer icy jusques au jour ? » Et, quan elle veit que son amy estoit tout prest de saillir, en ouvrant sa porte, commencea à dire à son mary : « O mon mary, que je suis bien aise de vostre venue ! car je faisois ung merveilleux songe, et estois tant aise, que jamais je ne receuz ung tel contantement, pource qu'il me sembloit que vous aviez recouvert la veue de vostre œil. » Et, en l'embrassant et le baisant, le print par la teste, et luy bouchoit d'une main son bon œil, et luy demandant : « Voiez vous poinct myeulx que vous n'avez accoustumé ? » En ce temps, pendant qu'il ne veoyt goutte, feit sortir son amy dehors, dont le mary se doubta incontinant, et luy dist : « Par dieu, ma femme, je ne feray jamais le guet sur vous; car, en vous cuydant [c] tromper, je receu la plus fine tromperie qui fut oncques [d] inventée. Dieu vous veulle amender; car il n'est en la puissance d'homme du monde de donner ordre en la malice d'une femme, qui du tout ne la tuera. Mais, puis que le bon traictement que je vous ay

a. reconnut. — *b.* sortir. — *c.* croyant. — *d.* jamais.

faict n'a rien servy à vostre amendement, peult-estre que le despris [a] que doresnavant j'en feray vous chastira. » Et, en ce disant, s'en alla et laissa sa femme bien desolée, qui, par le moyen de ses amys, excuses et larmes, retourna encores avecq luy.

« Par cecy, voyez-vous, mes dames, combien est prompte et subtille une femme à eschapper d'un dangier. Et, si, pour couvrir ung mal, son esprit a promtement trouvé remede, je pense que, pour en eviter ung ou pour faire quelque bien, son esperit seroit encores plus subtil; car le bon esperit, comme j'ay tousjours oy dire, est le plus fort. » Hircan luy dist : « Vous parlerez tant de finesses qu'il vous plaira, mais si ay-je telle oppinion de vous, que, si le cas vous estoit advenu, vous ne le sçauriez celer [b]. — J'aymerois autant, ce luy dist elle, que vous m'estimissiez la plus sotte femme du monde. — Je ne le dis pas, respondit Hircan; mais je vous estime bien celle qui plus tost s'estonneroit d'un bruict, que finement [c] ne le feroit taire. — Il vous semble, dist Nomerfide, que chacun est comme vous, qui par ung bruit en veult couvrir ung autre. Mais il y a dangier que, à la fin, une couverture ruyne sa compaigne, et que le fondement soit tant chargé pour soustenir les couvertures, qu'il ruyne l'edifice. Mais, si vous pensez que les finesses dont chacun [156] vous pense bien remply soient plus grandes que celles des femmes, je vous laisse mon ranc pour nous racompter la septiesme histoire. Et, si vous voulez vous proposer pour exemple, je croys que vous nous apprendriez bien de la malice. — Je ne suis pas icy, respondit Hircan, pour me faire pire que je suis; car encores y en a-il qui plus que je ne veulx en dient. » Et, en ce disant, regarda sa femme, qui lui dist souldain : « Ne craingnez poinct pour moy à dire la verité; car il me sera plus facille de ouyr racompter voz finesses, que de les avoir veu faire devant moy, combien qu'il n'y en ait nulle qui sceut diminuer l'amour que je vous porte. » Hircan luy respondit : « Aussy, ne me plains-je pas de toutes les faulses opinions que vous avez eues de moy. Parquoy, puis que nous congnoissons l'un l'autre, c'est occasion de plus grande seureté pour l'advenir. Mais si

a. mépris. — *b*. cacher. — *c*. en fin de compte.

ne suis-je si sot de racompter histoire de moy, dont la verité vous puisse porter ennuy : toutesfois, j'en diray une d'un personaige qui estoit bien de mes amys. »

SEPTIESME NOUVELLE

Par la finesse et subtilité d'un marchant une vieille est trompée et l'honneur de sa fille sauvé [157].

En la ville de Paris y avoit ung marchant amoureux d'une fille sa voisine, ou, pour mieulx dire, plus aymé d'elle qu'elle n'estoit de luy, car le semblant qu'il luy faisoit de l'aymer et cherir [158] n'estoit que pour couvrir ung amour plus haulte et honnorable; mais elle, qui se consentit d'estre trompée, l'aymoit tant, qu'elle avoit oblyé la façon dont les femmes ont accoustumé de refuser les hommes. Ce marchant icy, après avoir esté long temps à prandre la peyne d'aller où il la pouvoit trouver, la faisoit venir où il luy plaisoit, dont sa mere s'apperceut, qui estoit une très honneste femme, et luy desfendit que jamais elle ne parlast à ce marchant, ou qu'elle la mectroit en religion. Mais ceste fille, qui plus aymoit ce marchant qu'elle ne craignoit sa mere, le chercheoit [159] plus que paravant. Et, ung jour, advint que, estant toute seulle en une garde robbe, ce marchant y entra, lequel, se trouvant en lieu commode, se print à parler à elle le plus privement qu'il estoit possible. Mais quelque chamberiere, qui le veyt entrer dedans, le courut dire à la mere, laquelle avecq une très grande collere se y en alla. Et, quant sa fille l'oyt venir, dist en pleurant à ce marchant : « Helas ! mon amy, à ceste heure me sera bien chere vendue l'amour que je vous porte. Voycy ma mere, qui congnoistra ce qu'elle a tousjours crainct et doubté. » Le marchant, qui d'un tel cas ne fut poinct estonné, la laissa incontinant, et s'en alla au devant de la mere; et, en estandant les bras, l'embrassa le plus fort qu'il luy fut possible; et, avecq ceste fureur dont il commençoit d'entretenir sa fille, gecta la pauvre femme vielle sur une couchette. Laquelle trouva si estrange ceste façon, qu'elle ne sçavoit que luy dire, sinon : « Que voulez-vous ? Resvez-vous ? » Mais, pour cella, il ne laissoit de la poursuivre d'aussi près que si ce eut esté la plus belle fille du monde. Et n'eust esté qu'elle crya si fort que ses varletz et chamberieres vindrent à son secours, elle eust passé le chemyn qu'elle craingnoit que sa fille marchast. Parquoy, à force de bras, osterent ceste pauvre vielle d'entre les mains du marchant, sans que jamais elle peust sçavoir l'occasion pourquoy il l'avoit ainsy tormentée. Et, durant cella, se saulva sa fille en une maison auprès, où il y avoit des nopces, dont le marchant et elle ont maintesfois ri ensemble depuis aux despens de la femme vieille qui jamais ne s'en apparceut.

« Par cecy, voyez-vous, mes dames, que la finesse d'un homme a trompé une vieille et sauvé l'honneur d'une jeune. Mais qui vous nommeroit les personnes, ou qui eut veu la contenance de ce marchant et l'estonnement de ceste vieille, eust eu grand paour de sa conscience, s'il se fust gardé de rire. Il me suffit que je vous preuve, par ceste histoire, que la finesse des hommes est aussi prompte et secourable au besoing que celle des femmes, à fin, mes dames, que vous ne craigniez poinct de tumber entre leurs mains; car, quant vostre esperit vous defauldra, vous trouverez le leur prest à couvrir vostre honneur. » Longarine luy dist : « Vrayement, Hircan je confesse que le compte est trop plaisant et la finesse grande; mais si n'est-ce pas une exemple que les filles doyvent ensuivre. Je croy bien qu'il y en a à qui vous vouldriez le faire trouver bon; mais si n'estes vous pas si sot de vouloir que vostre femme, ne celle dont vous aymez mieulx l'honneur que le plaisir, voulussent jouer à tel jeu. Je croy qu'il n'y en a poinct ung qui de plus près les regardast, ne qui mieulx les engardast [a] que vous. — Par ma foy, dist Hircan, si celle que vous dictes avoit faict un pareil cas, et que je n'en eusse rien sceu, je ne l'en estimerois pas moins. Et si je ne sçay si quelcun en a poinct faict d'aussi bons, dont le celer mect hors de peine. » Parlamente ne se peut garder de dire : « Il est impossible que l'homme mal faisant ne soit soupsonneux; mais bien heureux celluy sur lequel on ne peult avoir soupson par occasion donnée. » Longarine dist : Je n'ai gueres veu grand feu de quoy ne vint quelque fumée;

a. les empêchât d'agir ainsi.

mais j'ay bien veu la fumée où il n'y avoit poinct de feu. Car aussi souvent est soupsonné par les mauvais le mal où il n'est poinct, que congneu là où il est. » A l'heure, Hircan luy dist : « Vrayement, Longarine, vous en avez si bien parlé en soustenant l'honneur des dames à tort soupsonnées, que je vous donne ma voix pour dire la huictiesme Nouvelle; par ainsy que vous ne nous faciez poinct pleurer, comme a faict ma dame Oisille, par trop louer les femmes de bien. » Longarine[160], en se prenant bien fort à rire, commencea à dire : « Puisque vous avez envye que je vous face rire, selon ma coustume, si ne sera-ce pas aux despens des femmes; et si diray chose pour monstrer combien elles sont aisées à tromper, quant elles mectent leur fantaisye à la jalousye, avecq une estime de leur bon sens de vouloir tromper leurs mariz. »

HUICTIESME NOUVELLE

Bornet, ne gardant telle loyauté à sa femme qu'elle à luy, eut envie de coucher avec sa chambriere, et declara son entreprinse à un sien compagnon, qui, soubz espoir d'avoir part au butin, luy porta telle faveur et ayde, que, pensant coucher avec sa chambriere, il coucha avec sa femme, au desceu de laquelle il feit participer son compagnon au plaisir qui n'appartenoit qu'à luy seul, et se feit coqu soy-mesme, sans la honte de sa femme[161].

En la comté d'Alletz[162], y avoit ung homme, nommé Bornet, qui avoit espouzé une honneste femme de bien, de laquelle il aymoit l'honneur et la reputation, comme je croys que tous les mariz qui sont icy[163] font de leurs femmes. Et combien qu'il voulust que la sienne luy gardast loyaulté, si[164] ne vouloit-il pas que la loy fust esgalle à tous deux; car il alla estre amoureux de sa chamberiere, auquel change il ne gaignoit que le plaisir qu'apporte quelquefois la diversité des viandes[165]. Il avoit ung voisin, de pareille condition que luy, nommé Sandras, tabourin et cousturier; et y avoit entre eulx telle amytié que, horsmis la femme, n'avoient rien party ensemble. Parquoy il declaira à son amy l'entreprinse qu'il avoit sur sa chamberiere, lequel non seullement le trouva bon, mais ayda de tout son povoir à la parachever, esperant avoir part au butin [166]. La chamberiere, qui ne s'y voulut consentir, se voyant pressée de tous costez, le alla dire à sa maistresse, la priant de luy donner congé de s'en aller chez ses parens; car elle ne povoit plus vivre en ce torment. La maistresse, qui aymoit bien fort son mary, duquel souvent elle avoit eu soupson, fut bien aise d'avoir gaigné ce poinct sur luy, et de luy povoir monstrer justement qu'elle en avoit eu doubte. Dist à sa chamberiere : « Tenez bon, m'amye; tenez peu à peu bons propos à mon mary, et puis après luy donnez assignation de coucher avecq vous en ma garde-robbe; et ne faillez à me dire la nuict qu'il devra venir, et gardez que nul n'en sçache rien. » La chamberiere feit tout ainsy que sa maistresse luy avoit commandé, dont le maistre fut si aise, qu'il en alla faire la feste à son compaignon, lequel le pria, veu qu'il avoit esté du marché, d'en avoir le demorant. La promesse faicte et l'heure venue, s'en alla coucher le maistre, comme il cuydoit, avecq sa chamberiere. Mais sa femme, qui avoit renoncé à l'auctorité de commander, pour le plaisir de servir, s'estoit mise en la place de sa chambriere; et receut son mary non comme femme, mais faignant la contenance d'une fille estonnée, si bien que son mary ne s'en apparceut poinct.

Je ne vous sçaurois dire lequel estoit plus aise des deux, ou luy de penser tromper sa femme, ou elle de tromper son mary. Et quant il eut demouré avec elle, non selon son vouloir, mais selon sa puissance, qui sentoit le viel marié, s'en alla hors de la maison, où il trouva son compaignon, beaucoup plus jeune et plus fort que luy; et luy feit la feste d'avoir trouvé la meilleure robbe [a] qu'il avoit point veue. Son compaignon luy dist : « Vous sçavez que vous m'avez promis ? — Allez doncques vistement, dict le maistre, de paour qu'elle ne se lieve, ou que ma femme ayt affaire d'elle. » Le compaignon s'y en alla, et trouva encores ceste mesme chamberiere que le mary avoit mescongneue, laquelle, cuydant [b] que ce fust son mary, ne le refusa de chose que luy demandast (j'entends *demander* pour *prandre*, car il n'osoit parler). Il y demoura bien plus longuement que non pas le mary; dont la femme s'esmerveilla fort

a. chose (de l'italien *roba*). — *b.* croyant.

car elle n'avoit poinct accoustumé d'avoir telles nuictées [167] : toutesfoys, elle eut patience, se reconfortant aux propos qu'elle avoit deliberé de luy tenir le lendemain, et à la mocquerie qu'elle luy feroit recepvoir. Sur le poinct de l'aube du jour, cest homme se leva d'auprès d'elle, et, en se jouant à elle, au partir [168] du lict, luy arracha ung anneau qu'elle avoit au doigt, duquel son mary l'avoit espousée; chose que les femmes de ce païs gardent en grande superstition, et honorent fort une femme qui garde tel anneau jusques à la mort. Et, au contraire, si par fortune le perd, elle est desestimée, comme ayant donné sa foy à aultre que à son mary. Elle fut très contante qu'il luy ostast, pensant qu'il seroit seur tesmoignage de la tromperye qu'elle luy avoit faicte.

Quant le compaignon fut retourné devers le maistre, il luy demanda : « Et puis ? » Il luy respondit qu'il estoit de son oppinion, et que, s'il n'eust crainct le jour, encores y fut-il demouré. Ilz se vont tous deux reposer le plus longuement [169] qu'ilz peurent. Et, au matin, en s'habillant, apperceut le mary l'anneau que son compaignon avoit au doigt, tout pareil de celluy qu'il avoit donné à sa femme en mariaige, et demanda, à son compaignon, qui le luy avoit donné. Mais, quant il entendit qu'il l'avoit arraché du doigt de la chamberiere, fut fort estonné; et commencea à donner de la teste contre la muraille, disant : « Ha ! vertu Dieu ! me serois-je bien faict coqu [170] moy-mesme, sans que ma femme en sceut rien ? » Son compaignon, pour le conforter, luy dist : « Peult-estre que votre femme baille son anneau en garde au soir à sa chamberiere ? » Mais, sans rien respondre, le mary s'en vat à la maison, là où il trouva sa femme plus belle, plus gorgiase [a] et plus joieuse qu'elle n'avoit accoustumé, comme celle qui se resjouyssoit d'avoir saulvé la conscience de sa chamberiere, et d'avoir experimenté jusques au bout son mary, sans rien y perdre que le dormir d'une nuict. Le mary, la voyant avecq ce bon visaige, dist en soy-mesmes : « Si elle sçavoit ma bonne fortune, elle ne me feroit pas si bonne chere. » Et, en parlant à elle plusieurs propos, la print par la main, et advisa qu'elle n'avoit poinct l'anneau, qui jamais ne luy partoit du doigt; dont il devint tout transy; et luy demanda

a. élégante.

en voix tremblante : « Qu'avez-vous faict de vostre anneau ? » Mais elle, qui fut bien aise qu'il la mectoit au propos qu'elle avoit envye de luy tenir, luy dist : « O le plus meschant de tous les hommes ! A qui est-ce que vous le cuydez avoir osté ? Vous pensiez bien que ce fut à ma chamberiere, pour l'amour de laquelle avez despendu plus de deux pars de voz biens, que jamays vous ne feistes pour moy; car, à la premiere fois que vous y estes venu coucher, je vous ay jugé tant amoureux d'elle qu'il n'estoit possible de plus. Mais, après que vous fustes sailly dehors et puis encores retourné, sembloit que vous fussiez ung diable sans ordre ne mesure. O malheureux ! pensez quel aveuglement vous a prins de louer tant mon corps et mon embonpoinct, dont par si longtemps avez esté jouyssant, sans en faire grande estime ? Ce n'est doncques pas la beaulté ne l'embonpoinct de vostre chamberiere qui vous a faict trouver ce plaisir si agreable, mais c'est le peché infame de la villaine concupissence qui brusle vostre cueur, et vous rend tous les sens si hebestez, que par la fureur en quoy vous mectoit l'amour de ceste chamberiere, je croy que vous eussiez prins une chevre coiffée pour une belle fille. Or, il est temps, mon mary, de vous corriger, et de vous contanter autant de moy, en me cognoissant vostre et femme de bien, que vous avez faict, pensant que je fusse une pauvre meschante. Ce que j'ay faict a esté pour vous retirer de vostre malheurté, afin que, sur vostre viellesse, nous vivions en bonne amityé et repos de conscience. Car, si vous voulez continuer la vie passée, j'ayme mieulx me separer de vous, que de veoir de jour en jour la ruyne de vostre ame, de vostre corps et de voz biens, devant mes oeils. Mais, s'il vous plaist congnoistre vostre faulce oppinion, et vous deliberer de vivre selon Dieu, gardant ses commandemens, j'oblieray toutes les faultes passées, comme je veulx que Dieu oblye l'ingratitude à ne l'aymer comme je doibz. » Qui fut bien desesperé, ce fut ce pauvre mary, voyant sa femme tant saige, belle et chaste, avoir esté delaissée de luy pour une qui ne l'aymoit pas et, qui pis est, avoit esté si malheureux, que de la faire meschante sans son sceu, et que faire participant ung autre au plaisir qui n'estoit que pour luy seul, se forgea en luymesmes les cornes de perpetuelle mocquerie. Mays, voyant sa femme assez courroucée de l'amour qu'il avoit porté à sa chamberiere, se garda bien de luy dire le meschant tour qu'il luy avoit faict; et, en luy demandant pardon, avecq promesse de changer entierement sa mauvaise vie, luy rendit l'anneau qu'il avoit reprins de son compaignon, auquel il pria de ne reveler sa honte. Mais, comme toutes choses dictes à l'oreille et preschées sur le doigt [171], quelque temps après, la verité fut congneue et l'appeloit on *coqu*, sans honte de sa femme.

« Il me semble, mes dames, que, si tous ceulx qui ont faict de pareilles offences à leurs femmes estoient pugniz de pareille pugnition, Hircan et Saffredent devroient avoir belle paour. Saffredent luy dist [172] : « Et dea [a], Longarine, n'y en a-il poinct d'autre en la compaignye mariez, que Hircan et moy ? — Si a bien, dist-elle, mais non pas qui voulsissent jouer ung tel tour. — Où avez-vous veu, respondit [173] Saffredent, que nous ayons pourchassé les chamberieres de noz femmes ? — Si celles à qui il touche [b] [174], dit Longarine, vouloient dire la verité, l'on trouveroit bien chamberiere à qui l'on a donné congé avant son quartier. — Vrayement, ce dist Geburon, vous estes une bonne dame, qui, en lieu de faire rire la compaignye, comme vous aviez promis, mectez ces deux pauvres gens en collere. — C'est tout ung, dist Longarine; mais qu'ilz ne viennent poinct à tirer leurs espées, leur collere ne fera que redoubler nostre rire. — Mais il est bon, dit Hircan, que, si noz femmes vouloient croire ceste dame, elle brouilleroit le meilleur mesnaige qui soyt en la compaignye. — Je sçay bien devant qui je parle, dist Longarine; car voz femmes sont si saiges et vous ayment tant, que, quant vous leur feriez des cornes aussi puissantes que celles d'un daing, encores vouldroient-elles persuader elles et tout le monde, que ce sont chappeaulx de roses. » La [175] compaignye et mesmes ceulx à qui il touchoit se prindrent tant à rire, qu'ilz misrent fin en leurs propos. Mais Dagoucin, qui encores n'avoit sonné mot, ne se peut tenir de dire : « L'homme est bien desraisonnable quant il a de quoy se contanter, et veult chercher autre chose. Car j'ay veu souvent, pour cuyder mieulx avoir et ne se contanter de la suffisance, que l'on tombe au pis; et si n'est l'on poinct

a. Interjection (oui-da). — *b.* les intéressées.

plainct, car l'inconstance est toujours blasmée. » Simontault luy dist : « Mais que ferez-vous à ceulx qui n'ont pas trouvé leur moictyé[176] ? Appellez-vous inconstance, de la chercher en tous les lieux où l'on peut la trouver ? — Pour ce que l'homme ne peult sçavoir, dist Dagoucin, où est cette moictyé dont l'unyon est si esgalle que l'un ne differe de l'autre, il faut qu'il s'arreste où l'amour le contrainct; et que, pour quelque occasion qu'il puisse advenir, ne change le cueur ne la volunté; car, si celle que vous aymez est tellement semblable à vous et d'une mesme volunté, ce sera vous que vous aymerez, et non pas elle. — Dagoucin, dist Hircan, vous voulez tomber en une faulse opinion; comme si nous devions aymer les femmes sans estre aymés ! — Hircan, dist Dagoucin[177], je veulx dire que, si nostre amour est fondée sur la beaulté, bonne grace, amour et faveur d'une femme, et nostre fin soit plaisir, honneur ou proffict, l'amour ne peult longuement durer; car, si la chose sur quoy nous la fondons default, nostre amour s'envolle hors de nous. Mais je suis ferme à mon oppinion, que celluy qui ayme, n'ayant autre fin ne desir que bien aymer[178], laissera plus tost son ame par la mort, que ceste forte amour saille de son cueur. — Par ma foy, dist Symontault, je ne croys pas que jamais vous ayez esté amoureux; car, si vous aviez senty le feu comme les autres, vous ne nous paindriez icy la chose publicque[179] de Platon, qui s'escript et ne s'experimente poinct. — Si j'ay aymé, dist Dagoucin, j'ayme encores, et aymeray tant que vivray. Mais j'ay si grand paour que la demonstration face tort à la perfection de mon amour, que je crainctz que celle de qui je debvrois desirer l'amityé semblable, l'entende; et mesmes je n'ose penser[180] ma pensée, de paour que mes oeilz en revelent quelque chose; car, tant plus je tiens ce feu celé et couvert, et plus en moy croist le plaisir de sçavoir que j'ayme parfaictement. — Ha, par ma foy, dist Geburon, si ne croy-je pas que vous ne fussiez bien aise d'estre aymé. — Je ne dis pas le contraire, dist Dagoucin; mais, quant je seroys tant aymé que j'ayme, si n'en sçauroit croistre mon amour, comme elle ne sçauroit diminuer pour n'estre si très aymé que j'ayme fort. » A l'heure, Parlamente, qui soupsonnoit ceste fantaisye, luy dist : « Donnez-vous garde, Dagoucin; car j'en ay veu d'aultres que vous, qui ont mieulx aymé mourir que parler. — Ceulx-là, ma dame, dist Dagoucin, estimay-je très heureux. — Voire, dit Saffredent, et dignes d'estre mis au rang des Innocens, desquels l'Eglise [181] chante : *Non loquendo, sed moriendo confessi sunt*. J'en ay ouy tant parler de ces transiz d'amours, mais encores jamays je n'en veis mourir ung. Et puis que je suis eschappé, veu les ennuiz que j'en ay porté, je ne pensay jamais que autre en puisse mourir. — Ha, Saffredent ! dist Dagoucin, où voulez-vous doncques estre aymé ? Et ceulx de vostre oppinion ne meurent jamais. Mais j'en sçay assez bon nombre qui ne sont mortz d'autre maladye que d'aymer parfaictement. — Or, puisque en sçavez des histoires, dist Longarine, je vous donne ma voix pour nous en racompter quelque belle, qui sera la neufviesme de ceste Journée. — A fin, dist Dagoucin, que les signes et miracles, suyvant ma veritable parolle, vous puissent induire à y adjouster foy [182], je vous allegueray ce qui advint il n'y a pas trois ans [183]. »

NEUFVIESME NOUVELLE

La parfaicte amour qu'un gentil homme portoit à une damoyselle, par estre trop celée et meconnue, le mena à la mort, au grand regret de s'amye [184].

Entre Daulphiné et Provence, y avoit ung gentil homme beaucoup plus riche de vertu, beaulté et honnesteté que d'autres biens, lequel tant ayma une damoyselle, dont je ne diray le nom, pour l'amour de ses parens qui sont venuz de bonnes et grandes maisons [185]; mais asseurez-vous que la chose est veritable. Et, à cause qu'il n'estoit de maison de mesmes elle, il n'osoit descouvrir son affection; car l'amour qu'il luy portoit estoit si grande et parfaicte, qu'il eut mieulx aymé mourir que desirer une chose qui eust esté à son deshonneur. Et, se voiant de si bas lieu au pris d'elle, n'avoit nul espoir de l'espouser. Parquoy son amour n'estoit fondée sur nulle fin, synon de l'aymer de tout son pouvoir le plus parfaictement qu'il luy estoit possible; ce qu'il feyt si longuement que à la fin elle en eut quelque congnoissance. Et, voiant l'honneste amityé qu'il luy portoit tant plaine de vertu et bon propos, se sentoit estre honorée d'estre aymée d'un si vertueux personnaige; et luy faisoit tant de bonne chere, qu'il n'y avoit nulle pretente [a] à mieulx se contenter [186]. Mais la malice, ennemye de tout repos [187], ne peut souffrir ceste vie honneste et heureuse; car quelques ungs allerent dire à la mere de la fille qu'ilz se esbahissoient que ce gentil homme pouvoit tant faire en sa maison, et que l'on soupsonnoit que la fille [188] le y tenoit plus que aultre chose, avecq laquelle on le voyoit souvent parler. La mere, qui ne doubtoit en nulle façon de l'honnesteté du gentil homme, dont elle se tenoit aussi asseurée que nul de ses enffans, fut fort marrye d'entendre que on le prenoit en mauvaise part; tant que à la fin, craingnant le scandale par la malice des hommes, le pria pour quelque temps de ne hanter pas sa maison, comme il avoit accoustumé, chose qu'il trouva de dure digestion, sachant que les honnestes propos qu'il tenoit à sa fille ne merytoient poinct tel esloignement. Toutesfois, pour faire taire les mauvaises langues, se retira tant de temps, que le bruict cessa; et y retourna comme il avoit accoustumé; l'absence duquel n'avoit amoindry sa bonne volunté. Mais, estant en sa maison, entendit que l'on parloit de marier ceste fille avecq un gentil homme qui luy sembla n'estre poinct si riche, qu'il luy deust tenir de tort d'avoir s'amye plus tost [189] que luy. Et commancea à prandre cueur et emploier ses amys pour parler de sa part, pensant que, si le choix estoit baillé à la damoiselle, qu'elle le prefereroit à l'autre. Toutesfois, la mere de la fille et les parens, pource que l'autre estoit beaucoup plus riche, l'esleurent; dont le pauvre gentil homme print tel desplaisir, sachant que s'amye perdoit autant de contentement que luy, que peu à peu, sans autre maladye, commencea à diminuer, et en peu de temps changea de telle sorte qu'il sembloit qu'il couvrist la beaulté de son visaige du masque de la mort, où d'heure en heure il alloyt joyeusement.

Si est-ce qu'il ne se peut garder le plus souvent d'aller parler à celle qu'il aymoit tant. Mais, à la fin, que la force luy defailloit, il fut contrainct de garder le lict, dont il ne voulut advertir celle qu'il aymoit, pour ne luy donner part de son ennuy. Et, se laissant ainsy aller au desespoir et à la tristesse, perdit le boire et le manger, le dormir et le repos, en sorte qu'il n'estoit possible de le recongnoistre,

a. prétention.

pour la meigreur et estrange visaige qu'il avoit. Quelcun en advertit la mere de s'amye, qui estoit dame fort charitable, et d'autre part aymoit tant le gentil homme, que, si tous leurs parens eussent esté de l'oppinion d'elle et de sa fille, ilz eussent preferé l'honnesteté de luy à tous les biens de l'autre; mais les parens du costé du pere n'y vouloient entendre. Toutesfois, avecq sa fille, alla visiter le pauvre malheureux, qu'elle trouva plus mort que vif. Et, congnoissant la fin de sa vye approcher, s'estoit le matin confessé et receu le sainct sacrement, pensant mourir sans plus veoir personne. Mais, luy, à deux doigtz de la mort, voyant entrer celle qui estoit sa vie et resurrection, se sentit si fortiffié, qu'il se gecta en sursault sur son lict, disant à la dame : « Quelle occasion vous a esmeue, ma dame, de venir visiter celluy qui a desja le pied en la fosse, et de la mort duquel vous estes la cause ? — Comment, ce dist la dame, seroyt-il bien possible que celluy que nous aymons tant peust recevoir la mort par nostre faulte ? Je vous prie, dictes-moy pour quelle raison vous tenez ces propos ? — Ma dame, ce dist-il, combien que tant qu'il m'a esté possible j'ay dissimulé l'amour que j'ay porté à ma damoyselle vostre fille, si est-ce que mes parens, parlans du mariage d'elle et de moy, en ont plus declairé que je ne voulois, veu le malheur qui m'est advenu d'en perdre l'esperance, non pour mon plaisir particulier, mais pour ce que je sçay que avecq nul autre ne sera jamais si bien traictée ne tant aymée qu'elle eust esté avecq moy. Le bien que je voys qu'elle pert du meilleur et plus affectionné amy qu'elle ayt en ce monde, me faict plus de mal que la perte de ma vie, que pour elle seule je voulois conserver; toutesfois, puis qu'elle ne luy peult de rien servir, ce n'est grand gaing de la perdre ». La mere et la fille, oyans ces propos, meirent peyne de le reconforter; et luy dist la mere : « Prenez bon couraige, mon amy, et je vous promectz ma foy que, si Dieu vous redonne santé, jamais ma fille n'aura autre mary que vous. Et voylà cy presente, à laquelle je commande de vous en faire la promesse ». La fille, en pleurant, meit peyne de luy donner seurté de ce que sa mere promectoit. Mais luy, congnoissant bien que quand il auroit la santé, il n'auroit pas s'amye, et que les bons propos qu'elle tenoit n'estoient seullement que pour essaier à le faire ung peu revenir, leur dist que, si ce langaige luy eust esté tenu il y avoit trois mois, il eust esté le plus sain et le plus heureux gentil homme de France; mais que le secours venoit si tard qu'il ne povoit plus estre creu ne esperé. Et, quant il veid qu'elles s'esforçoient de le faire croyre, il leur dist : « Or, puis que je voy que vous me promectez le bien que jamais ne peult advenir, encores que vous le voulsissiez, pour la foiblesse où je suys, je vous en demande ung beaucoup moindre que jamays je n'euz la hardiesse de requerir ». A l'heure, toutes deux le luy jurerent, et qu'il demandast hardiment. « Je vous supplie, dist-il, que vous me donnez entre mes bras celle que vous me promectez pour femme; et luy commandez qu'elle m'embrasse et baise. » La fille, qui n'avoit accoustumé telles privaultez, en cuyda faire difficulté; mais la mere le luy commanda expressement, voiant qu'il n'y avoit plus en luy sentiment ne force d'homme vif. La fille doncques, par ce commandement, s'advancea sur le lict du pauvre malade, luy disant : « Mon amy, je vous prie, resjouyssez-vous ! » Le pauvre languissant, le plus fortement qu'il peut, estendit [190] ses bras tous desnuez de chair et de sang, et avecq toute la force de ses os embrassa la cause de sa mort; et, en la baisant de sa froide et pasle bouche, la tint le plus longuement qu'il luy fut possible; et puis luy dist : « L'amour que je vous ay portée a esté si grande et honneste, que jamais, hors mariage, ne soubzhaictay de vous que le bien que j'en ay maintenant; par faulte duquel et avecq lequel je rendray joyeusement mon esperit à Dieu, qui est parfaicte amour et charité, qui congnoist la grandeur de mon amour et honnesteté de mon desir; le suppliant, ayant mon desir entre mes bras, recepvoir entre les siens mon esperit ». Et, en ce disant, la reprint entre ses bras par une telle vehemence, que, le cueur affoibly ne pouvant porter cest esfort, fut habandonné de toutes ses vertuz et esperitz; car la joye les feit tellement dilater que le siege de l'ame luy faillyt, et s'envolla à son Createur. Et, combien que le pauvre corps demorast sans vie longuement et, par ceste occasion, ne pouvant plus tenir sa prinse, l'amour que la demoiselle avoit tousjours celée se declaira à l'heure si fort, que la mere et les serviteurs du mort eurent bien affaire à separer ceste union; mais à force osterent la vive, pire que morte, d'entre les bras du mort [191], lequel ils feirent honnorablement enterrer. Et le triomphe des obseques furent les larmes, les pleurs et les crys de ceste pauvre damoiselle, qui d'autant plus se declaira après la mort, qu'elle s'estoit dissimullée durant la vie, quasi comme satisfaisant au tort qu'elle luy avoit tenu. Et depuis (comme j'ay oy dire), quelque mary qu'on luy donnast pour l'appaiser, n'a jamays eu joye en son cueur.

« Que vous semble-t-il, Messieurs, qui n'avez voulu croyre à ma parole, que cest exemple ne soit pas suffisant pour vous faire confesser que parfaicte amour mene les gens à la mort, par trop estre celée et mescongneue. Il n'y a nul de vous qui ne congnoisse les parens d'un cousté et d'autre; parquoy n'en pouvez plus doubter, et nul qui ne l'a experimenté ne le peult croire. » Les dames, oyans cella, eurent toutes la larme à l'oeil; mais Hircan leur dist : « Voylà le plus grand fol dont je ouys jamais parler ! Est-il raisonnable, par vostre foy, que nous morions pour les femmes, qui ne sont faictes que pour nous, et que nous craignions leur demander ce que Dieu leur commande de nous donner ? Je n'en parle pour moy ne pour tous les mariez; car j'ay autant ou plus de femmes qu'il m'en fault : mais je deiz cecy pour ceulx qui en ont necessité, lesquelz il me semble estre sotz de craindre celles à qui ilz doyvent faire paour. Et ne voyez-vous pas bien le regret que ceste pauvre damoiselle avoit de sa sottise ? Car, puis qu'elle embrassoit le corps mort (chose repugnante à nature), elle n'eut poinct refusé le corps vivant, s'il eut usé d'aussi grande audace qu'il feit pitié en mourant. — Toutesfoys, dist Oisille, si monstra bien le gentil homme l'honneste amitye qu'il luy portoit, dont il sera à jamays louable devant tout le monde; car trouver chasteté en ung cueur amoureux, c'est chose plus divine que humaine. — Ma dame, dist Saffredent, pour confirmer le dire de Hircan, auquel je me tiens, je vous supplye croire que Fortune ayde aux audatieux, et qu'il n'y a homme, s'il est aymé d'une dame (mais qu'il le saiche poursuivre saigement et affectionnement), que à la fin n'en ayt du tout ce qu'il demande en partye; mais l'ignorance et la folle craincte font perdre aux hommes beaucoup de bonnes advantures, et fondent leur perte sur la vertu de leur amye, laquelle n'ont jamais experimentée du bout du doigt seullement; car oncques place bien assaillye ne fut, qu'elle ne fust prinse. — Mais, dist Parlamente, je m'esbahys de vous deux comme vous osez tenir telz propos ! Celles que vous avez aymées ne vous sont gueres tenues [a], ou vostre addresse a esté en si meschant lieu que [192] vous estimez les femmes toutes pareilles ? — Ma damoiselle, dist Saffredent, quant est de moy, je suis si malheureux que je n'ay de quoy me vanter; mais si ne puis-je tant attribuer mon malheur à la vertu des dames que à la faulte de n'avoir assez saigement entreprins ou bien prudemment conduict mon affaire; et n'allegue pour tous docteurs, que la vielle du *Romant de la Roze*, laquelle dict :

> Nous sommes faictz, beaulx filz, sans doubtes,
> Toutes pour tous, et tous pour toutes [193].

Parquoy je ne croiray jamais que, si l'amour est une fois au cueur d'une femme, l'homme n'en ayt bonne yssue, s'il ne tient à sa besterie [b]. » Parlamente dist : « Et si je vous en nommois une, bien aymante, bien requise, pressée et importunée, et toutesfois femme de bien, victorieuse de son cueur, de son corps, d'amour et de son amy, advoueriez-vous que la chose veritable seroit possible [194] ? — Vrayment, dist-il, ouy. — Lors, dist Parlamente, vous seriez tous de dure foy, si vous ne croyez cest exemple ». Dagoucin [195] luy dist : « Ma dame, puis que j'ay prouvé par exemple l'amour vertueuse d'un gentil homme jusques à la mort, je vous supplye, si vous en sçavez quelcune autant à l'honneur de quelque dame, que vous la nous veuillez dire pour la fin de ceste Journée; et ne craignez poinct à parler longuement, car il y a encores assez de temps pour dire beaucoup de bonnes choses. — Et puis que le dernier reste m'est donné, dist Parlamente, je ne vous tiendray poinct longuement en parolles; car mon histoire est si belle et si veritable, qu'il me tarde que vous ne la sachiez comme moy. Et, combien que je ne l'aye veue, si m'a-elle esté racomptée par ung de mes plus grands et entiers amys, à la louange de l'homme du monde qu'il avoit le plus aymé. Et me conjura que, si jamais je venois à la racompter, je voulusse changer le nom des personnes; parquoy tout cela est veritable, hormys les noms, les lieux et le pays. »

a. attachées. — *b.* bêtise.

DIXIESME NOUVELLE

Floride, après le decès de son mary, et avoir vertueusement resisté à Amadour, qui l'avoit pressée de son honneur jusques au bout, s'en ala rendre religieuse au monastere de Jesus [196].

En la comté d'Arande [197] en Arragon, y avoit une dame qui, en sa grande jeunesse, demoura vefve du comte d'Arande avecq ung filz et une fille, laquelle fille senommoit Floride [198]. La dicte dame meyt peine de nourrir ses enfans en toutes les vertuz et honestetez qui appartiennent à seigneurs et gentilz hommes; en sorte que sa maison eut le bruict d'une des honnorables qui fust poinct en toutes les Espaignes. Elle alloit souvent à Tollette [a], où se tenoit le roi d'Espaigne [199]; et quant elle venoit à Sarragosse, qui estoit près de sa maison, demoroit longuement avecq la Royne et à la cour, où elle estoit autant estimée que dame pourroit estre. Une fois, allant devers le Roy, selon sa coustume, lequel estoit à Sarragosse, en son chasteau de la Jasserye [200], ceste dame passa par ung villaige qui estoit au Vi-Roy [b] de Cathaloigne [201], lequel ne bougeoit poinct de dessus la frontiere de Parpignan, à cause des grandes guerres qui estoient entre les Roys de France et d'Espaigne; mais, à ceste heure là, y estoit la paix [202], en sorte que le Vi-Roy avecq tous les cappitaines estoient venuz faire la reverence au Roy. Sçachant ce Vi-Roy que la contesse d'Arande passoit par sa terre, alla au devant d'elle, tant pour l'amityé antienne qu'il luy portoit que pour l'honorer comme parente du Roy. Or, il avoit en sa compaignye plusieurs honnestes gentilz hommes qui, par la frequentation [203] de longues guerres, avoient acquis tant d'honneur et de bon bruict, que chascun qui les pouvoit veoir et hanter se tenoit heureux. Et, entre les autres, y en avoit ung nommé Amadour, lequel, combien qu'il n'eust que dix huict ou dix neuf ans, si avoit-il grace tant asseurée et le sens si bon, que on l'eust jugé entre mil digne de gouverner une chose publicque. Il est vray que ce bon sens là estoit accompaigné d'une si grande et naïfve beaulté, qu'il n'y avoit oeil qui ne se tint contant de le regarder; et

a. Tolède. — *b.* Vice-Roy.

si la beaulté estoit tant exquise, la parolle la suyvoit de si près que l'on ne sçavoit à qui donner l'honneur, ou à la grace, ou à la beaulté, ou au bien parler. Mais ce qui le faisoit encores plus estimer, c'estoit sa grande hardiesse, dont le bruict n'estoit empesché pour sa jeunesse; car en tant de lieux avoit deja monstré ce qu'il sçavoit faire, que non seullement les Espaignes, mais la France et l'Ytallie estimerent grandement ses vertuz, pource que, à toutes les guerres qui avoient esté, il ne se estoit poinct espargné; et, quand son païs estoit en repos, il alloit chercher la guerre aux lieux estranges, où il estoit aymé et estimé d'amys et d'ennemys.

Ce gentil homme, pour l'amour de son cappitaine, se trouva en ceste terre où estoit arrivée la contesse d'Arande; et, en regardant la beaulté et bonne grace de sa fille Floride, qui, pour l'heure, n'avoit que douze ans, se pensa en luy-mesmes que c'estoit bien la plus honneste personne qu'il avoit jamais veue, et que, s'il povoit avoir sa bonne grace, il en seroit plus satisfaict que de tous les biens et plaisirs qu'il pourroit avoir d'une autre. Et, après l'avoir longuement regardée, se delibera de l'aymer, quelque impossibilité que la raison luy meist au devant, tant pour la maison dont elle estoit, que pour l'aage, qui ne povoit encores entendre telz propos. Mais contre ceste craincte se fortisfioit d'une bonne esperance, se promectant à luy-mesmes que le temps et la patience apporteroient heureuse fin à ses labeurs. Et, dès ce temps, l'amour gentil qui, sans occasion que par force de luy mesmes, estoit entré au cueur d'Amadour, luy promist de luy donner toute faveur et moyen pour y attaindre. Et, pour parvenir [204] à la plus grande difficulté, qui estoit la loingtaineté du païs où il demeuroit, et le peu d'occasion qu'il avoit de reveoir Floride, se pensa de se marier, contre la deliberation qu'il avoit faicte avecq les dames de Barselonne et Parpignan, où il avoit tel credit que peu ou riens luy estoit refusé; et avoit tellement hanté ceste frontiere, à cause des guerres, qu'il sembloit mieulx Cathelan [a] que Castillan, combien qu'il fust natif d'auprès de Tollette [b], d'une maison riche et honnorable; mais, à cause qu'il estoit puisné, n'avoit riens de son patrimoyne. Si est-ce que Amour et Fortune,

a. Catalan. — *b*. Tolède.

le voyans delaissé de ses parens, delibererent de y faire leur chef d'euvre, et luy donnerent, par le moyen de la vertu, ce que les loys du païs luy refusoient. Il estoit fort adonné en l'estat de la guerre, et tant aymé de tous seigneurs et princes, qu'il refusoit plus souvent leurs biens, qu'il n'avoit soulcy de leur en demander.

La contesse dont je vous parle arriva aussi en Sarragosse, et fut très bien receue du Roy et de toute sa court. Le gouverneur de Cathaloigne la venoit souvent visiter, et Amadour n'avoit garde de faillir à l'accompaigner, pour avoir seullement le loisir de regarder Floride, car il n'avoit nul moyen de parler à elle [205]. Et, pour se donner à congnoistre en telle compaignie, s'adressa à la fille d'un vieil chevalier voisin de sa maison, nommée Avanturade, laquelle avoit avecq Floride tellement conversé, qu'elle sçavoit [206] tout ce qui estoit caché en son cueur. Amadour, tant pour l'honnesteté qu'il trouva en elle que pour ce qu'elle avoit trois mille ducatz de rente en mariage, delibera de l'entretenir comme celuy qui la vouloit espouser. A quoy voluntiers elle presta l'oreille; et, pour ce qu'il estoit pauvre et son pere riche, pensa que jamais il ne s'accorderoit à ce mariage, sinon par le moyen de la contesse d'Arande. Dont s'adressa à madame Floride et luy dist : « Ma dame, vous voyez ce gentil homme castelain qui si souvent parle à moy; je croy que toute sa pretente [a] n'est que de m'avoir en mariage. Vous sçavez quel pere j'ay, lequel jamais ne s'y consentira, si, par la contesse et par vous, il n'en est bien fort prié. » Floride, qui aymoit la damoiselle comme elle-mesme, l'asseura de prendre ceste affaire à cueur comme son bien propre. Et feit tant Avanturade, qu'elle luy presenta Amadour, lequel, luy baisant la main, cuyda s'esvanouyr d'aise; là où il estoit estimé le mieulx parlant qui fust en Espaigne, devint muet devant Floride, dont elle fust fort estonnée; car, combien qu'elle n'eust que douze ans, si avoit-elle desja bien entendu qu'il n'y avoit homme en l'Espaigne mieulx [207] disant ce qu'il vouloit et de meilleure grace. Et, voyant qu'il ne luy tenoit nul propos, commencea à luy dire : « La renommée que vous avez, seigneur Amadour, par toutes les Espaignes, est telle, qu'elle vous rend congneu en toute ceste compaignie, et

a. prétention.

donne desir à ceulx qui vous congnoissent de s'employer à vous faire plaisir; parquoy, si en quelque endroict je vous en puis faire, vous me y pouvez emploier. » Amadour, qui regardoit la beaulté de sa dame, estoit si très ravy, que à peyne luy peut-il dire grand mercy; et, combien que Floride s'estonnast de le veoir [208] sans response, si est-ce qu'elle l'attribua plustost à quelque sottise, que à la force d'amour, et passa oultre, sans parler davantaige.

Amadour, cognoissant la vertu qui en si grande jeunesse commençoit à se monstrer en Floride, dist à celle qu'il vouloit espouser : « Ne vous esmerveillez poinct si j'ay perdu la parolle devant madame Floride; car les vertus et la saige parolle qui sont cachez soubz ceste grande jeunesse m'ont tellement estonné, que je ne luy ay sceu que dire. Mais je vous prie, Avanturade, comme celle qui sçavez ses secretz, me dire s'il est possible que en ceste court elle n'ayt tous les cueurs des gentils hommes; car ceulx qui la congnoistront et ne l'aymeront, sont pierres ou bestes. » Avanturade, qui desja aymoit Amadour plus que tous les hommes du monde, ne luy voulut rien celer, et luy dist que madame Floride estoyt aymée de tout le monde; mais, à cause de la coustume du pays, peu de gens parloient à elle; et n'en avoit [209] poinct encores veu nul qui en feist grant semblant, sinon deux princes d'Espaigne, qui desiroient de l'espouser, l'un desquels estoit le fils de l'Infant Fortuné [210], l'aultre estoit le jeune duc de Cardonne [211]. « Je vous prie, dist Amadour, dictes-moy lequel vous pensez qu'elle ayme le mieulx ? — Elle est si saige, dist Avanturade, que pour riens elle ne confesseroit avoir autre volunté que celle de sa mere; toutesfois, ad ce que nous en debvons juger, elle ayme trop mieulx le filz de l'Infant Fortuné, que le jeune duc de Cardonne. Mais sa mere, pour l'avoir plus près d'elle, l'aymeroit mieulx à Cardonne. Et je vous tiens homme de si bon jugement, que, si vous voulliez, dès aujourd'hui, vous en pourriez juger la verité; car le filz de l'Infant Fortuné est nourry en ceste court, qui est un des plus beaulx et parfaicts jeunes princes qui soit en la Chrestienté. Et si le mariaige se faisoit, par l'opinion d'entre nous filles, il seroit asseuré d'avoir madame Floride, pour veoir ensemble le plus beau couple de toute l'Espaigne [212]. Il fault que vous entendiez que, combien qu'ilz soient tous deux jeunes, elle de douze, et luy de quinze ans, si a-il desja trois ans que l'amour est commancée; et, si vous voulez avoir la bonne grace d'elle, je vous conseille de vous faire amy et serviteur de luy.

Amadour fut fort aise de veoir que sa dame aymoit quelque chose, esperant que à la longue il gaingneroit le lieu, non de mary, mais de serviteur; car il ne craingnoit, en sa vertu, sinon qu'elle ne voulsist aymer. Et après ces propos, s'en alla Amadour hanter le filz de l'Infant Fortuné, duquel il eut aisement la bonne grace, pource que tous les passetemps que le jeune prince aymoit, Amadour les sçavoit tous faire; et sur tout estoit fort adroict à manier les chevaulx, et s'ayder de toutes sortes d'armes, et à tous les passetemps et jeux que ung jeune homme doibt sçavoir. La guerre recommencea en Languedoc, et fallut que Amadour retournast avecques le gouverneur; qui ne fut sans grand regret, car il n'y avoit moyen par lequel il peust retourner en lieu où il peust veoir Floride; et pour ceste occasion, à son partement, parla à ung sien frere, qui estoit maieurdonne [a] de la Royne [213] d'Espaigne, et luy dist le bon party, qu'il avoit trouvé en la maison de la contesse d'Arande, de la damoiselle Avanturade, luy priant que en son absence feist tout son possible que le mariaige vint à execution, et qu'il y employast le credit de la Royne, et du Roy, et de tous ses amys. Le gentil homme qui aymoit son frere, tant pout le lignaige que pour ses grandes vertuz, luy promist y faire son debvoir; ce qu'il feit; en sorte que le pere, vieulx et avaritieux, oblia son naturel pour garder les vertuz d'Amadour, lesquelles la contesse d'Arande, et sur toutes la belle Floride, luy paingnoient devant les oeilz; pareillement le jeune conte d'Arande, qui commençoit à croistre, et, en croissant, à aymer les gens vertueulx. Quant le mariage fut accordé entre les parens, le maieurdonne [214] de la Royne envoya querir son frere, tandis que les trefves duroient entre les deux Roys.

Durant lequel temps, le Roy d'Espaigne se retira à Madric, pour eviter le maulvays air qui estoit en plusieurs lieux; et, par l'advis de ceulx de son conseil, à la requeste aussy de la contesse d'Arande, feit le mariage de l'heritiere duchesse de Medinaceli avecq le petit conte d'Arande, tant pour le bien et union de leur maison, que pour l'amour

a. majordome.

qu'il portoit à la contesse d'Arande; et voulut faire les nopces au chasteau de Madric. A ces nopces se trouva Amadour, qui poursuivyt si bien les siennes qu'il espouza celle dont il estoit plus aymé qu'il n'y avoit d'affection, sinon d'autant que ce mariage luy estoit très heureuse couverture et moyen de hanter le lieu où son esperit demoroit incessamment. Après qu'il fut maryé, print telle hardiesse et privaulté en la maison de la contesse d'Arande, que l'on ne se gardoit de luy non plus que d'une femme. Et combien que à l'heure il n'eust que vingt deux ans, il estoit si saige que la contesse d'Arande luy communicquoit tous ses affaires, et commandoit à son filz et à sa fille de l'entretenir et croire ce qu'il leur conseilleroit. Ayant gaingné ce poinct-là de ceste grande estime, se conduisoit si saigement et froidement, que mesmes celle qu'il aymoit ne congnoissoit poinct son affection. Mais, pour l'amour de sa femme, qu'elle aymoit plus que nulle autre, elle estoit si privée de luy, qu'elle ne luy dissimulloit chose qu'elle pensast; et eut cest heur qu'elle luy declaira [215] toute l'amour qu'elle portoit au filz de l'Infant Fortuné. Et luy, qui ne taschoit que à la gaingner entierement, luy en parloit incessamment; car il ne luy challoit [a] quel propos il luy tint, mais qu'il eut moyen de l'entretenir longuement. Il ne demora poinct ung mois en la compagnye après ses nopces, qu'il fust contrainct de retourner à la guerre, où il demoura plus de deux ans, sans retourner veoir sa femme, laquelle se tenoit tousjours où elle avoit esté nourrye.

Durant ce temps, luy escripvoit souvent Amadour [216]; mais le plus fort de la lettre estoit des recommandations à Floride, qui, de son costé, ne falloit à luy en randre, et mectoit quelque bon mot de sa main en la lettre que Avanturade faisoit, qui estoit l'occasion de rendre son mary très soigneux de luy rescrire. Mays, en tout cecy, ne congnoissoit riens Floride, sinon qu'elle l'aymoit comme s'il eust été son propre frere. Plusieurs foys alla et vint Amadour, en sorte que en cinq ans ne veit pas Floride deux moys durant; et toutesfois l'amour, en despit de l'esloignement et de la longueur de l'absence, ne laissoit pas de croistre. Et advint qu'il feit ung voiage pour venir veoir sa femme; et trouva

a. importait.

la contesse bien loing de la court, car le Roy d'Espaigne s'en estoit allé à l'Andelouzie, et avoit mené avecq luy le jeune conte d'Arande, qui desja commenceoit à porter les armes. La contesse d'Arande s'estoit retirée en une maison de plaisance qu'elle avoit sur la frontiere d'Arragon et de Navarre; et fut fort aise, quand elle veit revenir Amadour, lequel près de trois ans avoit esté absent. Il fut bien venu d'un chascun, et commanda la contesse qu'il fut traicté comme son propre filz. Tandis qu'il fut avecq elle, elle luy communicqua toutes ses affaires de sa maison, et en remectoit la plus part à son oppinion; et gaigna ung si grand credit en ceste maison, que, en tous les lieux où il vouloit venir, on luy ouvroit tousjours la porte, estimant sa preud'hommye si grande, que l'on se fyoit en luy de toutes choses comme ung sainct ou ung ange. Floride, pour l'amitié qu'elle portoit à sa femme Avanturade et à luy, le chercheoit [217] en tous lieux où elle le voioit; et ne se doubtoit en riens de son intention : parquoy elle ne se gardoit de nulle contenance, pour ce que son cueur ne souffroit nulle passion, sinon qu'elle sentoit ung très grand contentement, quant elle estoit auprès de luy, mais autre chose n'y pensoit. Amadour, pour eviter le jugement de ceulx qui ont experimenté la difference du regard des amans au pris des aultres, fut en grande peyne. Car quant Floride venoit parler à luy privement, comme celle qui n'y pensoit en nul mal, le feu caché en son cueur le brusloit si fort qu'il ne pouvoit empescher que la couleur ne luy montast au visaige, et que les estincelles saillissent par ses oeilz. Et à fin que, par frequentation, nul ne s'en peust apparcevoir, se meist à entretenir une fort belle dame, nommée Poline, femme qui en son temps fut estimée si belle, que peu d'hommes qui la veoyent eschappoient de ses lyens. Ceste Poline, ayant entendu comme Amadour avoit mené l'amour à Barselonne et à Parpignan, en sorte qu'il estoit aymé des plus belles et honnestes dames du païs, et, sur toutes, d'une contesse de Palamos, que l'on estimoit la premiere en beaulté de toutes les dames d'Espaigne et de plusieurs aultres, luy dist qu'elle avoit grande pitié de luy, veu que après tant de bonnes fortunes, il avoit espouzé une femme si layde que la sienne. Amadour, entendant bien par ces parolles qu'elle avoit envye de remedier à sa necessité, luy en tint les meilleurs propos qu'il fut possible, pensant que, en luy faisant acroyre une mensonge, il luy couvriroit [218] une verité. Mais elle, fine, experimentée en amour, ne se contenta de parolles; toutesfoys, sentant très bien que son cueur n'estoit satisfaict de cest amour, se doubta qu'il la voulsist faire servir de couverture, et, pour ceste occasion, le regardoit de si près qu'elle avoit tousjours le regard à ses oeilz, qui sçavoyent si bien faindre qu'elle ne povoit juger que par bien obscur soupson; mais ce n'estoit-ce sans grande peyne au gentilhomme, auquel Floride, ignorant toutes ces malices, s'adressoit souvent devant Poline si priveement qu'il avoit une merveilleuse peyne à contraindre son regard contre son cueur; et, pour eviter qu'il n'en vint inconvenient ung jour, parlant à Floride, appuyé sur une fenestre, luy tint tel propos : « M'amye, je vous supplie me conseiller lequel vault mieulx parler ou mourir ? » Floride luy respondit promptement : « Je conseilleray tousjours à mes amys de parler, et non de morir; car il y a peu de parolles qui ne se puissent amender, mais la vie perdue ne se peult recouvrer. — Vous me promectrez doncques, dist Amadour, que vous ne serez non seullement marrye des propos que je vous veulx dire, mais estonnée jusques à temps que vous entendiez la fin ? » Elle luy respondit : « Dictes ce qu'il vous plaira; car, si vous m'estonnez, nul autre ne m'asseurera. » Il commencea à luy dire : « Ma dame, je ne vous ay encores voulu dire la très grande affection que je vous porte, pour deux raisons : l'une, que j'entendois par long service vous en donner l'experience; l'autre, que je doubtois que vous estimissiez gloire en moy [219], qui suis ung simple gentil homme, de m'addresser en lieu qu'il ne m'appartient de regarder. Et encores, quant je serois prince comme vous, la loyaulté de vostre cueur ne permectroit que aultre que celluy qui en a prins la possession, filz de l'Infant Fortuné, vous tienne propos d'amityé. Mais, ma dame, tout ainsy que la necessité en une forte guerre contrainct faire le degast de son propre bien, et ruyner le bled en herbe, de paour que l'ennemy n'en puisse faire son proffict, ainsi prens-je le hazard de advancer le fruict que avecq le temps j'esperois cueillir, pour garder que les ennemys de vous et de moy n'en peussent faire leur proffict à vostre dommaige. Entendez, ma dame, que, des l'heure de vostre grande jeunesse, je me suis tellement dedié à vostre service, que je n'ay cessé de chercher les moyens pour acquerir vostre bonne grace; et, pour ceste occasion seulle, me suis maryé à celle que je pensoys que vous aymiez le mieulx. Et sçachant l'amour que vous portiez au filz de l'Infant Fortuné, ay mis peine de le servir et hanter comme vous sçavez; et tout ce que j'ay pensé vous plaire, je l'ay cherché de tout mon pouvoir. Vous voyez que j'ay acquis la grace de la contesse vostre mere, et du conte vostre frere et de tous ceulx que vous aymez, tellement que je suys en ceste maison tenu non comme serviteur, mais comme enffant; et tout le travail que j'ay prins il y a cinq ans, n'a esté que pour vivre toute ma vie avecq vous. Entendez, ma dame, que je ne suys poinct de ceulx qui pretendent par ce moyen avoir de vous ne bien ne plaisir autre que vertueux. Je sçay que je ne vous puis espouser; et, quand je le pourrois, je ne le vouldrois, contre l'amour que vous portez à celluy que je desire vous veoir pour mary. Et, aussy, de vous aimer d'une amour vitieuse, comme ceulx qui esperent de leur long service une recompense au deshonneur des dames, je suis si loing de ceste affection, que j'aymerois mieulx vous veoir morte, que de vous sçavoir moins digne d'estre aymée, et que la vertu fust admoindrye en vous, pour quelque plaisir qui m'en sceust advenir. Je ne pretends, pour la fin et recompense de mon service, que une chose : c'est que vous me voulliez estre maistresse si loyalle que jamais vous ne m'esloigniez de vostre bonne grace, que vous me continuiez au degré où je suis, vous fiant en moy plus que en nul aultre, prenant ceste seurté de moy, que, si, pour vostre honneur ou chose qui vous touchast, vous avez besoing de la vie d'un gentil homme, la myenne y sera de très bon cueur employée, et en pouvez faire estat, pareillement, que toutes les choses honnestes et vertueuses que je feray seront faictes seullement pour l'amour de vous. Et, si j'ay faict, pour dames moindres que vous, chose dont on ayt faict estime, soyez seure que, pour une telle maistresse, mes entreprinses croistront de telle sorte que les choses que je trouvois impossibles me seront très facilles. Mais, si vous ne m'acceptez pour du tout vostre, je delibere de laisser les armes, et renoncer à la vertu qui ne m'aura secouru à mon besoing. Parquoy, ma dame, je vous supplie que ma juste requeste me soit octroyée, puisque vostre honneur et conscience ne me la peuvent refuser. »

La jeune dame, oyant ung propos non accoustumé, commencea à changer de couleur et baisser les oeils comme femme estonnée. Toutesfoys, elle, qui estoit saige, luy dist : « Puis que ainsy est, Amadour, que vous demandez de moy ce que vous en avez, pourquoy est-ce que vous me faictes une si grande et longue harangue ? J'ay si grand paour que, soubz voz honnestes propos, il y ayt quelque malice cachée pour decepvoir l'ingnorance joincte à ma jeunesse, que je suis en grande perplexité de vous respondre. Car, de refuser l'honneste amityé que vous m'offrez, je ferois le contraire de ce que j'ay faict jusques icy, que je me suis plus fyée en vous, que en tous les hommes du monde. Ma conscience ny mon honneur ne contreviennent poinct à vostre demande, ny l'amour que je porte au filz de l'Infant Fortuné; car elle est fondée sur mariage, où vous ne pretendez riens. Je ne sçaiche chose qui me doibve empescher de faire response selon vostre desir, sinon une craincte que j'ay en mon cueur, fondée sur le peu d'occasion que vous avez de me tenir telz propos; car, si vous avez ce que vous demandez, qui vous contrainct d'en parler si affectionnement ? » Amadour, qui n'estoit sans response, luy dist : « Ma dame, vous parlez très prudemment, et me faictes tant d'honneur de la fiance que vous dictes avoir en moy, que, si je ne me contante d'un tel bien, je suys indigne de tous les autres. Mais entendez, ma dame, que celluy qui veult bastir ung edifice perpetuel, il doibt regarder à prendre ung seur et ferme fondement : parquoy, moy, qui desire perpetuellement demorer en vostre service, je doibs regarder non seullement les moyens pour me tenir près de vous, mais empescher qu'on ne puisse congnoistre la très grande affection que je vous porte; car, combien qu'elle soyt tant honneste qu'elle se puisse prescher partout, si est-ce que ceulx qui ignorent le cueur des amans ont souvent jugé contre verité. Et de cella vient autant mauvais bruict, que si les effects estoient meschans. Ce qui me faict dire cecy, et ce qui m'a faict advancer de le vous declairer, c'est Poline, laquelle a prins ung si grand soupson sur moy, sentant bien à son cueur que je ne la puis aymer, qu'elle ne faict en tous lieux que espier ma contenance. Et quant vous venez parler à moy devant elle si privement, j'ay si grand paour de faire quelque signe où elle fonde jugement, que je tumbe en inconvenient dont je me veulx garder;

en sorte que j'ay pensé vous supplier que, devant elle et devant celles que vous congnoissez aussi malitieuses, ne veniez parler à moy ainsy soubzdainement; car j'aymerois mieulx estre mort, que creature vivante en eust la congnoissance. Et n'eust esté l'amour que j'avoys à vostre honneur, je n'avois poinct proposé de vous tenir ces propos, d'autant que je me tiens assez heureux de l'amour et fiance que vous me portez, où je ne demande rien davantaige que perseverance. »

Floride, tant contante qu'elle n'en pouvoit plus porter, commencea en son cueur à sentir quelque chose plus qu'elle n'avoit accoustumé; et, voyant les honnestes raisons qu'il luy alleguoit, luy dist que la vertu et l'honnesteté respondroient pour elle, et lui accordoit ce qu'il demandoit; dont si Amadour fut joyeulx, nul qui ayme ne le peult doubter. Mais Floride creut trop plus son conseil qu'il ne vouloit; car elle, qui estoit craintifve non seullement devant Poline, mais en tous autres lieux, commencea à ne le chercher pas, comme elle avoit accoustumé; et, en cest esloignement, trouva mauvais la grande frequentation qu'Amadour avoit avecq Poline, laquelle elle voyoit tant belle qu'elle ne pouvoit croyre qu'il ne l'aymast. Et, pour passer sa grande tristesse, entretint tousjours Advanturade, laquelle commençoit fort à estre jalouse de son mary et de Poline; et s'en plaignoit souvent à Floride, qui la consoloit le mieulx qu'il luy estoit possible, comme celle qui estoit frappée d'une mesme peste. Amadour s'apparceut bientost de la contenance de Floride, et non seulement pensa qu'elle s'esloignoit de luy par son conseil, mais qu'il y avoit quelque fascheuse oppinion meslée. Et ung jour, venant de vespres d'un monastaire, luy dist : « Ma dame, quelle contenance me faictes-vous ? — Telle que je pense que vous la voulez, respondit Floride. » A l'heure, soupsonnant la verité, pour sçavoir s'il estoit vray, vat dire : « Ma dame, j'ay tant faict par mes journées, que Poline n'a plus d'opinion de vous. » Elle luy respondit : « Vous ne sçauriez mieulx faire, et pour vous et pour moy; car, en faisant plaisir à vous-mesme, vous me faites honneur. » Amadour estima, par ceste parolle, qu'elle estimoit qu'il prenoit plaisir à parler à Poline, dont il fut desesperé qu'il ne se peut tenir de luy dire en collere : « Ha ! ma dame, c'est bien tost commancé de tormenter ung serviteur, et le lapider de bonne heure; car je ne pense poinct avoir porté peyne qui m'ayt esté plus ennuyeuse que la contraincte de parler à celle que je n'ayme poinct. Et puis que ce que faictz pour vostre service est prins de vous en autre part, je ne parleray jamais à elle; et en advienne ce qu'il en pourra advenir ! Et à fin de dissimuller mon courroux, comme j'ay faict mon contentement, je m'en voys en quelque lieu icy auprès, en actendant que vostre faintaisie soit passée. Mais j'espere que là j'auray quelques nouvelles de mon cappitaine de retourner à la guerre, où je demoreray si long temps, que vous congnoistrez que autre chose que vous ne me tient en ce lieu. » Et, en ce disant, sans actendre aultre responce d'elle, partit incontinant. Floride demora tant ennuyée et triste, qu'il n'estoit possible de plus. Et commencea l'amour, poulcée de son contraire, à monstrer sa très grande force, tellement que elle, congnoissant son tort, escripvoit incessamment à Amadour, le priant de vouloir retourner; ce qu'il feyt après quelques jours, que sa grande collere lui estoit diminuée.

Je ne sçaurois entreprendre de vous compter par le menu [220] les propos qu'ilz eurent pour rompre ceste jalousie. Toutesfoys, il gaingna la bataille, tant qu'elle luy promist que jamais elle ne croyroit non seullement qu'il aymast Poline, mais qu'elle seroit toute asseurée que ce luy estoit ung martire trop importable [a] de parler à elle ou à aultre, sinon pour luy faire service.

Après que l'amour eust vaincu ce premier soupson, et que les deux amans commencerent à prandre plus de plaisir que jamais à parler ensemble, les nouvelles vindrent que le Roy d'Espaigne envoyoit toute son armée à Sauce [b] [221]. Parquoy, celluy qui avoit accoustumé d'y estre le premier, n'avoit garde de faillyr à pourchasser son honneur; mais il est vray que c'estoit avecq ung aultre regret, qu'il n'avoit accoustumé, tant de perdre son plaisir qu'il avoit que de paour de trouver mutation à son retour, pource qu'il voyoit Floride pourchassée de grans princes et seigneurs, et desjà parvenue à l'aage de quinze ou seize ans; parquoy pensa que, si elle estoit en son absence maryée, il n'auroit plus d'occasion de la veoir, sinon que la contesse d'Arande luy donnast Avanturade, sa femme,

a. insupportable. — *b*. Salces.

pour compaignye. Et mena si bien son affaire envers ses amys, que la comtesse et Floride luy promirent [222] que, en quelque lieu qu'elle fust mariée, sa femme Avanturade yroit. Et combien qu'il fust question à l'heure de marier Floride en Portugal, si estoit-il deliberé qu'elle ne l'habandonneroit jamais; et, sur ceste asseurance, non sans ung regret indicible, s'en partit Amadour, et laissa sa femme avecq la contesse. Quant Floride seulle ouyt le departement [223] de son bon serviteur, elle se mect à faire toutes choses si bonnes et vertueuses, qu'elle esperoit par cella actaindre le bruict [a] des plus parfaictes dames, et d'estre reputée digne d'avoir ung tel serviteur que Amadour. Lequel, estant arrivé à Barselonne, fut festoyé des dames comme il avoit accoustumé; mais elles le trouverent tant changé, qu'elles n'eussent jamais pensé que mariage eust telle puissance sur ung homme qu'il avoit sur luy; car il sembloit qu'il se faschoit de veoir les choses que austresfois il avoit desirées; et mesme la contesse de Palamos, qu'il avoit tant aymée, ne sceut trouver moyen de le faire aller seullement jusques à son logis, qui fut cause qu'il n'arresta à Barselonne que le moins qu'il luy fut possible, comme celluy à qui l'heure tardoit d'estre au lieu où l'on n'esperoit que luy. Et quant il fut arrivé à Sauce, commencea la guerre grande et cruelle entre les deux Roys, laquelle ne suis deliberé de racompter, ne aussy les beaulx faictz que feit Amadour, car mon compte seroit assez long pour employer toute une journée [224]. Mais sçachez qu'il emportoit le bruict par dessus tous ses compaignons. Le duc de Nageres [225] arriva à Parpignan, ayant charge de deux mil hommes et pria Amadour d'estre son lieutenant, lequel avecq ceste bande feit tant bien son debvoir, que l'on n'oyoit en toutes les escarmouches crier que *Nageres !*

Or, advint que le Roy de Thunis, qui de long temps faisoit la guerre aux Espaignols, entendit comme les Roys de France et d'Espaigne faisoient la guerre guerroyable sur les frontieres de Parpignan et Narbonne; se pensa que en meilleure saison ne pourroit-il faire desplaisir au Roy d'Espaigne, et envoya un grand nombre de fustes [b] et autres vaisseaux, pour piller et destruire tout ce qu'ils

a. la renommée. — *b*. On dit plus communément *flûtes*, petits bâtiments légers.

pourroient trouver mal gardé sur les frontières d'Espaigne [226]. Ceulx de Barselonne, voyans passer devant eulx une grande quantité de voilles, en advertirent le Vis-Roy, qui estoit à Sauce, lequel incontinant envoya le duc de Nageres à Palamos. Et quant les Maures [227] veirent que le lieu estoit si bien gardé, faingnirent de passer oultre; mais, sur l'heure de minuict, retournerent, et meirent tant de gens en terre, que le duc de Nageres, surprins de ses ennemys, fut emmené prisonnier. Amadour, qui estoit fort vigillant, entendit le bruict, assembla incontinant le plus grand nombre qu'il peut de ses gens, et se defendit si bien que la force de ses ennemys fut long temps sans luy pouvoir nuyre. Mais, à la fin, sçachant que le duc de Nageres estoit prins, et que les Turcs estoient deliberez de mectre le feu à Palamos, et le brusler en la maison qu'il tenoit forte [228] contre eulx, ayma mieulx se rendre que d'estre cause de la perdition des gens de bien qui estoient en sa compaignye; et aussy que, se mectant à rançon, espereroit encores reveoir Floride. A l'heure, se rendit à ung Turc, nommé Dorlin, gouverneur du Roy de Thunis, lequel le mena à son maistre, où il fut le très bien receu et encores mieux gardé; car il pensoit bien, l'ayant entre ses mains, avoir l'Achilles de toutes les Espaignes.

Ainsi demoura Amadour près de deux ans au service [229] du Roy de Thunis. Les nouvelles vindrent en Espaigne de ceste prinse, dont les parens du duc de Nageres feirent ung grand dueil; mais ceulx qui aymoient l'honneur du pays estimerent plus grande la perte de Amadour. Le bruict en vint dans la maison de la contesse d'Arande, où pour l'heure estoit la pauvre Avanturade griefvement mallade. La contesse, qui se doubtoit bien fort de l'affection que Amadour portoit à sa fille, laquelle elle souffroit et dissimulloit pour les vertuz qu'elle congnoissoit en luy, appella sa fille à part et luy dist les piteuses nouvelles. Floride, qui sçavoit bien dissimuller, luy dist que c'estoit grande perte pour toute leur maison, et que surtout elle avoit pitié de sa pauvre femme, veu mesmement la maladye où elle estoit. Mais, voyant sa mere pleurer très fort, laissa aller quelques larmes pour luy tenir compaignye, afin que, par trop faindre, sa faincte [230] ne fust descouverte. Depuis ceste heure-là, la contesse luy en parloit souvent, mais jamais ne sceut tirer contenance où elle peust asseoir jugement.

Je laisseray à dire les voiages, prieres, oraisons et jeusnes, que faisoit ordinairement Floride pour le salut de Amadour; lequel, incontinant qu'il fut à Thunis, ne faillit d'envoyer de ses nouvelles à ses amys, et, par homme fort seur, advertir Floride qu'il estoit en bonne santé et espoir de la reveoir : qui fut à la pauvre dame le seul moyen de soustenir son ennuy. Et ne doubtez, puisqu'il luy estoit permis d'escripre, qu'elle s'en acquicta si dilligemment, que Amadour n'eut poinct faulte de la consolation de ses lettres et epistres.

Et fut mandée la contesse d'Arande, pour aller à Sarragosse, où le Roy estoit arrivé; et là se trouva le jeune duc de Cardonne, qui feit poursuicte si grande envers le Roy et la Royne, qu'ilz prierent la contesse de faire le mariaige de luy et de sa fille. La contesse, comme celle qui en riens ne leur voulloit desobeyr, l'accorda, estimant que en sa fille, qui estoit si jeune, n'y avoit volunté que la sienne. Quant tout l'accord fut faict, elle dist à sa fille, comme elle luy avoit choisy le party qui luy sembloit le plus necessaire. La fille, sçachant que en une chose faicte ne falloit poinct de conseil, luy dist que Dieu fust loué du tout; et, voyant sa mere si estrange envers elle, ayma mieulx luy obeyr, que d'avoir pitié de soy mesmes. Et, pour la resjouyr de tant de malheurs, entendit que l'Infant Fortuné estoit malade à la mort; mais jamais, devant sa mere ne nul autre, n'en feit ung seul semblant, et se contraingnit si fort, que les larmes, par force retirées en son cueur, feirent sortir le sang par le nez en telle abondance, que la vie fut en dangier de s'en aller quant et quant [a]; et, pour la restaurer, espouza celuy qu'elle eut voluntiers changé à la mort. Après les nopces faictes, s'en alla Floride avecq son mary en la duché de Cardonne, et mena avecq elle Avanturade, à laquelle elle faisoit privement ses complainctes, tant de la rigueur que sa mere luy avoit tenue, que du regret d'avoir perdu le filz de l'Infant Fortuné; mais du regret d'Amadour, ne luy en parloit que par maniere de la consoler. Ceste jeune dame doncques se delibera de mectre Dieu et l'honneur devant ses œilz, et dissimulla si bien ses ennuyz, que jamais nul des siens ne s'apparceut que son mary luy despleust.

Ainsy passa ung long temps Floride, vivant d'une vie

a. en même temps, aussitôt.

moins belle que la mort; ce qu'elle ne faillit de mander à son serviteur Amadour, lequel, congnoissant son grand et honneste cueur, et l'amour qu'elle portoit au filz de l'Infant Fortuné, pensa [231] qu'il estoit impossible qu'elle sceust vivre longuement, et la regretta comme celle qu'il tenoit pis que morte. Ceste peyne augmènta celle qu'il avoyt; et eut voulu demorer toute sa vye esclave comme il estoit, et que Floride eust eu ung mary selon son desir, oubliant son mal pour celluy qu'il sentoit que portoit s'amye. Et, pour ce qu'il entendit, par ung amy qu'il avoit acquis à la court du Roy de Thunis, que le Roy estoit deliberé de luy faire presenter le pal, ou qu'il eust à renoncer sa foy, pour l'envye qu'il avoit, s'il le pouvoit randre bon Turc, de le tenir avecq luy, il feit tant avecq le maistre qui l'avoit prins, qu'il le laissa aller sur sa foy, le mectant à si grande rançon qu'il ne pensoit poinct que ung homme de si peu de biens la peust trouver. Et ainsy, sans en parler au Roy, le laissa son maistre aller sur sa foy [232]. Luy, venu à la court devers le Roy d'Espaigne, s'en partit bien tost pour aller chercher sa rançon à tous ses amys; et s'en alla tout droict à Barselonne, où le jeune duc de Cardonne, sa mere et Floride, estoient allez pour quelque affaire. Sa femme Avanturade, si tost qu'elle ouyt les nouvelles que son mary estoit revenu, le dist à Floride, laquelle s'en resjouyt comme pour l'amour d'elle. Mais, craingnant que la joye qu'elle avoit de le veoir luy fist changer de visaige, et que ceulx qui ne la congnoissoient poinct en prinssent [233] mauvaise opinion, se tint à une fenestre, pour le veoir venir de loing. Et, si tost qu'elle l'advisa [a], descendit par ung escallier tant obscur que nul ne pouvoit congnoistre si elle changeoit de couleur; et ainsy, ambrassant Amadour, le mena en sa chambre, et de là à sa belle mere, qui ne l'avoit jamais veu. Mais il n'y demoura poinct deux jours, qu'il se feit autant aymer dans leur maison, qu'il estoit en celle de la contesse d'Arande.

Je vous laisseray à penser les propos que Floride et luy peurent avoir ensemble, et les complainctes qu'elle luy feit des maulx qu'elle avoit receuz en son absence. Après plusieurs larmes gectées du regret qu'elle avoit, tant d'estre mariée contre son cueur, que d'avoir perdu

a. l'aperçut.

celluy qu'elle aimoit tant, lequel jamais n'esperoit de reveoir, se delibera de prendre sa consolation en l'amour et seurté qu'elle portoit à Amadour, ce que toutesfois elle ne luy osoit declairer; mais, luy, qui s'en doubtoit bien, ne perdoit occasion ne temps pour luy faire congnoistre la grande amour qu'il luy portoit. Sur le poinct qu'elle estoit presque toute gaingnée de le recepvoir, non à serviteur, mais à seur et parfaict amy, arriva une malheureuse fortune; car le Roy, pour quelque affaire d'importance, manda incontinant Amadour; dont sa femme eut si grand regret, que, en oyant ces nouvelles, elle s'esvanouyt, et tumba d'un degré où elle estoit, dont elle se blessa si fort, que oncques puis n'en releva. Floride, qui, par ceste mort, perdoit toute consolation, feyt tel dueil que peult faire celle qui se sent destituée [a] de ses parens et amys. Mais encores le print plus mal en gré Amadour; car, d'un costé, il perdoit l'une des femmes de bien qui oncques fut, et de l'autre, le moyen de povoir jamais reveoir Floride; dont il tomba en telle tristesse, qu'il cuida soubdainement morir. La vielle duchesse de Cardonne incessamment le visitoit, luy allegant les raisons des philosophes, pour luy faire porter ceste mort patiemment. Mais riens ne servoit; car, si la mort, d'un costé, le tourmentoit, l'amour, de l'autre costé, augmentoit le martire. Voyant Amadour que sa femme estoit enterrée, et que son maistre le mandoit, parquoy il n'avoit plus occasion de demorer, eut tel desespoir en son cueur, qu'il cuyda perdre l'entendement. Floride, qui, en le cuydant consoler, estoit sa desolation, fut toute une après disnée à luy tenir les plus honnestes propos qu'il luy fut possible, pour luy cuyder diminuer la grandeur de son dueil, l'asseurant qu'elle trouveroit moyen de le povoir veoir [234] plus souvent qu'il ne cuydoit. Et, pour ce que le matin debvoit partyr, et qu'il estoit si foible qu'il ne se povoit bouger de dessus son lict, la suplia de le venir veoir au soir, après que chascun y auroit esté; ce qu'elle luy promist, ignorant que l'extremité de l'amour ne congnoist nulle raison. Luy, que se voyoit du tout desesperé de jamais la povoir recepvoir, que si longuement l'avoit servie et n'en avoit jamais eu nul autre traictement que vous avez oy, fut tant combatu de l'amour dissimullée

a. privée.

et du desespoir qui luy monstroit tous les moyens de la hanter perduz, qu'il se delibera de jouer à quicte ou à double, pour du tout la perdre ou du tout la gaingner, et se payer en une heure du bien qu'il pensoit avoir merité. Il feit encourtiner [a] son lict, de sorte que ceulx qui venoient à la chambre ne le povoient veoir, et se plaingnit beaucoup plus qu'il n'avoit accoustumé, tant que tous ceulx de ceste maison ne pensoient pas que il deust vivre vingt quatre heures.

Après que chascun l'eut visité, au soir, Floride, à la requeste mesmes de son mary, y alla, esperant, pour le consoler [235], luy declarer son affection, et que du tout elle le vouloit aymer, ainsy que l'honneur le peult permectre. Et se vint seoir en une chaise qui estoit au chevet de son lict, et commencea son reconfort par pleurer avecq luy. Amadour, la voyant remplye de tel regret, pensa que en ce grand torment pourroit plus facillement venir à bout de son intention, et se leva de dessus son lict; dont Floride, pensant qu'il fust trop foible, le voulut engarder. Et se meist à deux genoulx devant elle, luy disant : « Faut-il que pour jamais je vous perde de veue ? » Se laissa tumber entre ses bras, comme ung homme à qui force default [b]. La pauvre Floride l'embrassa et le soustint longuement, faisant tout ce qui lui estoit possible pour le consoler; mais la medecine qu'elle luy bailloit, pour amender sa douleur, la luy rendoit beaucoup plus forte; car, en faisant le demy mort et sans parler, s'essaya à chercher ce que l'honneur des dames deffend. Quant Floride s'apparceut de sa mauvaise volunté, ne la pouvoit croire, veu les honnestes propos que tousjours luy avoit tenuz; luy demanda que c'estoit qu'il vouloit; mais Amadour, craignant d'ouyr sa response, qu'il sçavoit bien ne povoir estre que chaste et honneste, sans luy dire riens, poursuivit, avecq toute la force qu'il luy fut possible, ce qu'il chercheoit; dont Floride, bien estonnée, soupsonna plus tost qu'il fust hors de son sens, que de croyre qu'il pretendist à son deshonneur. Parquoy elle appela tout hault ung gentil homme qu'elle sçavoit bien estre en la chambre avecq elle; dont Amadour, desesperé jusques au bout, se regecta dessus son lict si soubdainement, que le gentil homme cuydoit qu'il fust tres-

a. entourer de rideaux. — *b.* manque.

passé. Floride, qui s'estoyt levée de sa chaise, luy dist : « Allez, et apportez vistement quelque bon vinaigre. » Ce que le gentil homme feyt. A l'heure, Floride commencea à dire : « Amadour, quelle follye est montée en vostre entendement ? et qu'est-ce qu'avez pensé et voulu faire ? » Amadour, qui avoit perdu toute raison par la force d'amour, luy dist : « Ung si long service merite-il recompense de telle cruaulté ? — Et où est l'honneur, dist Floride, que tant de foys vous m'avez presché ? — Ha ! ma dame, dist Amadour, il n'est possible de plus aymer pour vostre honneur que je faictz; car, avant que fussiez mariée, j'ay sceu si bien vaincre mon cueur, que vous n'avez sceu congnoistre ma volunté; mais, maintenant que vous l'estes, et que vostre honneur peult estre couvert, quel tort vous tiens-je de demander ce qui est mien ? Car, par la force d'amour, je vous ay si bien gaignée que celluy qui premier a eu vostre cueur a si mal poursuivy le corps, qu'il a merité de perdre le tout ensemble. Celluy qui possede vostre corps n'est pas digne d'avoir vostre cueur : parquoy, mesmes le corps ne luy appartient. Mais, moy, ma dame, qui durant cinq ou six ans, ay porté tant de peynes et de maulx pour vous, que vous ne pouvez ignorer que à moy seul appartiennent le corps et le cueur, pour lequel j'ay oblyé le mien. Et si vous vous cuydez defendre par la conscience, ne doubtez poinct que, quant l'amour force le corps et le cueur, le peché soyt jamais imputé [a]. Ceulx qui, par fureur, mesmes viennent à se tuer, ne peuvent pecher quoiqu'ils fassent [236]; car la passion ne donne lieu à la raison. Et, si la passion d'amour est la plus importable [b] de tous les autres, et celle qui plus aveugle tous les sens, quel peché vouldriez-vous attribuer à celluy qui se laisse [237] conduire par une invincible puissance ? Je m'en voys, et n'espere jamais de vous veoir [238]. Mais, si j'avoys avant mon partement la seurté de vous que ma grande amour merite, je serois assez fort pour soustenir en patience les ennuictz de ceste longue absence. Et, s'il ne vous plaist m'octroyer ma requeste, vous orrez bien tost dire que vostre rigueur m'aura donné une malheureuse et cruelle mort. »

Floride, non moins marrye que estonnée de oyr tenir

a. on puisse jamais dire qu'il y ait péché. — *b.* insupportable.

telz propos à celluy duquel jamais n'eust eu soupson de chose semblable, luy dist en pleurant : « Helas ! Amadour, sont-ce icy les vertueux propos que durant ma jeunesse m'avez tenuz ? Est-ce cy l'honneur et la conscience que vous m'avez maintesfoys conseillé plustost mourir que de perdre mon ame ? Avez-vous oblyé les bons exemples que vous m'avez donnez des vertueuses dames qui ont resisté à la folle amour, et le despris que vous avez tousjours faict des folles ? Je ne puis croire, Amadour, que vous soyez si loing de vous-mesmes, que Dieu, vostre conscience et mon honneur soient du tout mortz en vous. Mais, si ainsy est que vous le dictes, je loue la Bonté divine, qui a prevenu le malheur où maintenant je m'alloys precipiter, en me monstrant par vostre parolle le cueur que j'ay tant ignoré. Car, ayant perdu le filz de l'Infant Fortuné, non seullement pour estre marié ailleurs, mais pour ce que je sçay qu'il en ayme une autre, et, me voyant mariée à celluy que je ne puis, (quelque peine que je y mecte), aymer et avoir agreable, j'avois pensé et deliberé de entierement et du tout mectre mon cueur et mon affection à vous aymer, fondant ceste amityé sur la vertu que j'ay tant congneue en vous, et laquelle, par vostre moyen, je pense avoir attaincte : c'est d'aymer plus mon honneur et ma conscience que ma propre vie. Sur ceste pierre d'honnesteté, j'estois venue icy, deliberée de y prendre ung très seur fondement; mais, Amadour, en un moment, vous m'avez monstré que en lieu d'une pierre necte et pure, le fondement de cest ediffice seroit sur sablon legier ou sur la fange infame. Et combien que desja j'avois commencé grande partie du logis ou j'esperois faire perpetuelle demeure, vous l'avez soubdain du tout ruyné. Parquoy, il fault que vous vous deportiez de l'esperance que avez jamays eue en moy, et vous deliberez, en quelque lieu que je sois, ne me chercher ne par parolle, ne par contenance, ny esperer que je puisse ou vuelle jamays changer ceste opinion. Je le vous dictz avecq tel regret, qu'il ne peult estre plus grand; mais, si je fusse venue jusque à avoir juré parfaicte amityé avecq vous, je sens bien mon cueur tel, qu'il fust mort en ceste rancontre [239]; combien que l'estonnement que j'ay de me veoir deceue est si grand, que je suis seure qu'il rendra ma vie ou briefve ou doloreuse. Et, sur ce mot, je vous dictz à Dieu, mais c'est pour jamais ! »

Je n'entreprendz poinct vous dire la douleur que sentoit Amadour escoutant ces parolles; car elle n'est seullement impossible à escripre, mais à penser, sinon à ceulx qui ont experimenté la pareille. Et, voiant que, sur ceste cruelle conclusion, elle s'en alloit, l'arresta par le bras, sçachant très bien que, s'il ne luy ostoit la mauvaise oppinion qu'il luy avoit donnée, à jamays il la perdroit. Parquoy, il luy dist avecq le plus fainct visaige qu'il peut prendre : « Ma dame, j'ay toute ma vie desiré d'aymer une femme de bien; et pour ce que j'en ay trouvé si peu, j'ay bien voulu vous experimenter, pour veoir si vous estiez, par vostre vertu, digne d'estre autant estimée que aymée [240]. Ce que maintenant je sçay certainement, dont je loue Dieu, qui addresse mon cueur à aymer tant de perfection; vous suppliant me pardonner ceste follye et audatieuse entreprinse, puis que vous voyez que la fin en tourne à vostre honneur et à mon grand contentement. » Floride, qui commançoit à congnoistre la malice des hommes par luy, tout ainsy qu'elle avoyt esté difficille à croire le mal où il estoit, ainsi fut-elle et encores plus, à croyre le bien où il n'estoit pas, et luy dist : « Pleust à Dieu que eussiez dict la verité ! Mais je ne puis estre si ignorante, que l'estat de mariage où je suis ne me face congnoistre clerement que forte passion et aveuglement vous a faict faire ce que vous avez faict. Car, si Dieu m'eust lasché la main, je suis seure que vous ne m'eussiez pas retiré la bride. Ceulx qui tentent pour chercher la vertu n'ont accoustumé prendre le chemin que vous avez prins. Mais c'est assez : si j'ay creu legierement quelque bien en vous, il est temps que j'en congnoisse la verité, laquelle maintenant me delivre de voz mains. » Et, en ce disant, se partit Floride de la chambre, et, tant que la nuict dura, ne feit que pleurer, sentant si grande douleur en ceste mutation, que son cueur avoit bien à faire à soustenir les assaulx du regret que amour luy donnoit. Car, combien que, selon la raison, elle estoit deliberée de jamays plus l'aymer, si est-ce que le cueur, qui n'est poinct subject à nous, ne s'y voulut oncques accorder : parquoy, ne le pouvant moins aymer qu'elle avoit accoustumé, sçachant qu'amour estoit cause de ceste faulte, se delibera, satisfaisant à l'amour, de l'aymer de tout son cueur, et, obeissant à l'honneur, n'en faire jamays à luy ne à autre semblant.

Le matin, s'en partyt Amadour, ainsy fasché que vous

avez oy; toutesfois, son cueur, qui estoit si grand qu'il n'avoit au monde son pareil, ne le souffryt desesperer, mais luy bailla nouvelle invention de reveoir encores Floride et avoir sa bonne grace. Doncques, en s'en allant devers le roy d'Espaigne, lequel estoit à Tollede [a], print son chemyn par la conté d'Arande, où, ung soir, bien tard, il arriva; et trouva la contesse fort malade d'une tristesse qu'elle avoit de l'absence de sa fille Floride. Quant elle veid Amadour, elle le baisa et embrassa, comme si ce eut esté son propre enfant, tant pour l'amour qu'elle luy portoit, que pour celle qu'elle doubtoit qu'il avoit à Floride, de laquelle elle luy demanda bien soingneusement des nouvelles; qui luy en dist le mieulx qu'il luy fut possible, mais non toute la verité; et luy confessa l'amityé d'eulx deux, ce que Floride avoit tousjours celé, la priant luy vouloir ayder d'avoir souvent de ses nouvelles, et de retirer bien tost Floride avecq elle. Et dès le matin s'en partyt; et après avoir faict ses affaires avecq le Roy, s'en alla à la guerre, si triste et si changé de toutes conditions, que dames, cappitaines, et tous ceulx qu'il avoit accoustumé de hanter, ne le congnoissoient plus; et ne se habilloit que de noir, mais c'estoit d'une frize [b] beaucoup plus grosse qu'il ne la failloit pour porter le deuil de sa femme, duquel il couvroit celluy qu'il avoit au cueur. Et ainsy passa Amadour trois ou quatre années, sans revenir à la court. Et la comtesse d'Arande, qui ouyt dire que Floride estoit changée, et que c'estoit pitié de la veoir, l'envoya querir, esperant qu'elle reviendroit auprès d'elle. Mais ce fut le contraire; car, quant Floride sceut que Amadour avoit declairé à sa mere leur amityé, et que sa mere, tant saige et vertueuse, se confiant en Amadour, la trouva bonne, fut en une merveilleuse perplexité, pour ce que, d'un cousté, elle voyoit qu'elle l'estimoit tant, que, si elle luy disoit la verité, Amadour en pourroit recepvoir mal [241], ce que pour morir n'eust voulu, veu qu'elle se sentoit assez forte pour le pugnir de sa follye, sans y appeller ses parens; d'autre costé, elle veoyoit que, dissimullant le mal que elle y sçavoit, elle seroit contraincte de sa mere et de tous ses amys de parler à luy et luy faire bonne chere, par laquelle elle craignoit fortiffier sa mauvaise oppinion. Mais, voyant

a. Tolède. — *b.* étoffe de Frise, gros drap.

qu'il estoit loing, n'en feit grand semblant, et luy escrivoit quant la contesse le luy commandoit; toutesfois, c'estoient lettres qu'il povoit bien congnoistre venir plus d'obeissance que de bonne volunté; dont il estoit autant ennuyé en les lisant, qu'il avoit accoustumé se resjouyr des premieres.

Au bout de deux ou trois ans, après avoir faict tant de belles choses que tout le papier d'Espaigne ne les sçauroit soustenir, imagina une invention très grande, non pour gaingner le cueur de Floride, car il le tenoit pour perdu, mais pour avoir la victoire de son ennemye, puis que telle se faisoit contre luy. Il meit arriere tout le conseil de raison [242], et mesme la paour de la mort, dont il se mectoit en hazard; delibera et conclud d'ainsy le faire [243]. Or feit tant envers le grand gouverneur, qu'il fut par luy deputé pour venir parler au Roy de quelque entreprinse secrette qui se faisoit sur Locatte [a]; et se feit commander de communiquer son entreprinse à la contesse d'Arande, avant que la declairer au Roy, pour en prendre son bon conseil. Et vint en poste tout droict en la conté d'Arande, où il sçavoit qu'estoit Floride, et envoya secretement à la contesse ung sien amy luy declarer sa venue, luy priant la tenir secrette, et qu'il peust parler à elle la nuict, sans que personne en sceust riens. La contesse, fort joyeuse de sa venue, le dist à Floride, et l'envoya deshabiller en la chambre de son mary, afin qu'elle fust preste quant elle la manderoit et que chacun fut retiré. Floride, qui n'estoit pas encores asseurée de sa premiere paour, n'en feyt semblant à sa mere, mais s'en alla en ung oratoire se recommander à Nostre Seigneur, et luy priant vouloir conserver son cueur de toute meschante affection, pensa que souvent Amadour l'avoit louée de sa beaulté, laquelle n'estoit poinct diminuée, nonosbtant qu'elle eust esté longuement malade; parquoy, aymant mieulx faire tort à son visaige, en le diminuant [244], que de souffrir par elle le cueur d'un si honneste homme brusler d'un si meschant feu, print une pierre qui estoit en la chappelle, et s'en donna par le visaige si grand coup, que la bouche, le nez et les oeilz en estoient tout difformez. Et, à fin que l'on ne soupsonnast qu'elle l'eut faict, quant la contesse l'envoya querir, se laissa tomber en sortant de

a. Leucate.

la chappelle le visaige contre terre et en cryant bien hault. Arriva la contesse, qui la trouva en ce piteux estat, et incontinant fut pansée et bandée par tout le visaige.

Après, la contesse la mena en sa chambre, et luy dist qu'elle la prioit d'aller en son cabinet entretenir Amadour, jusques ad ce qu'elle se fut deffaicte de toute sa compaignye; ce que feit Floride, pensant qu'il y eust quelques gens avecq luy. Mais, se trouvant toute seulle, la porte fermée sur elle, fut autant marrie que Amadour content, pensant que, par amour ou par force, il auroit ce qu'il avoit tant desiré. Et, après avoir parlé à elle, et l'avoir trouvée au mesme propos en quoy il l'avoit laissée, et que pour mourir elle ne changeroit son oppinion, luy dist, tout oultré de desespoir : « Par Dieu ! Floride, le fruict de mon labeur ne me sera poinct osté par vos scrupules; car, puis que amour, patience et humble priere ne servent de riens, je n'espargneray poinct ma force pour acquerir le bien qui, sans l'avoir, me la feroit perdre. » Et, quant Floride veit son visaige et ses oeilz tant alterez, que le plus beau tainct du monde estoit rouge comme feu, et le plus doulx et plaisant regard si orrible et furieux qu'il sembloit que ung feu très ardant estincellast dans son cueur et son visaige; et en ceste fureur, d'une de ses fortes et puissantes mains, print les deux delicates et foibles de Floride. Mais elle, voyant que toute defense lui defailloit, et que piedz et mains estoient tenuz en telle captivité, qu'elle ne povoit fuyr, encores moins se defendre, ne sceut quel meilleur remede trouver, sinon chercher s'il n'y avoit poinct encores en luy quelque racine de la premiere amour, pour l'honneur de laquelle il obliast sa cruaulté : parquoy, elle luy dist : « Amadour, si maintenant vous m'estimez comme ennemye, je vous supplie, par l'honneste amour que j'ay autresfoys pensée estre en vostre cueur, me voulloir escouter avant que me tourmenter ! » Et, quant elle veid qu'il luy prestoit l'oreille, poursuivyt son propos, disant : « Helas ! Amadour, quelle occasion vous meut de chercher une chose dont vous ne povez avoir contentement, et me donner ennuy le plus grand que je sçaurois recepvoir ? Vous avez tant experimenté ma volunté, du temps de ma jeunesse et de ma plus grande beaulté, sur quoy vostre passion povoit prendre excuse, que je m'esbahys que en l'aage et grande laydeur où je suys, oultrée d'extreme ennuy, vous cherchez ce que vous sçavez ne povoir trouver. Je suis seure que vous ne doubtez poinct que ma volunté ne soyt telle qu'elle a accoustumé; parquoy ne povez avoir par force ce que vous demandez. Et, si vous regardez comme mon visaige est accoustré, vous, en obliant la memoire du bien que vous y avez veu, n'aurez poinct d'envye d'en approcher de plus près. Et s'il y a encores en vous quelques reliques [245] de l'amour passée, il est impossible que la pitié ne vaincque votre fureur. Et, à icelle [246] que j'ay tant experimentée en vous, je faictz ma plaincte et demande grace, à fin que vous me laissez vivre en paix et en l'honnesteté que, selon vostre conseil, j'ay deliberé garder. Et, si l'amour que vous m'avez portée est convertye en hayne, et que, plus par vengeance que par affection, vous vueillez me faire la plus malheureuse femme du monde, je vous asseure qu'il n'en sera pas ainsy, et me contraindrez, contre ma deliberation, de declairer vostre meschante [247] volunté à celle qui croyt tant de bien de vous; et, en ceste congnoissance, povez penser que vostre vie ne seroit pas en seureté. » Amadour, rompant son propos, luy dist : « S'il me fault mourir, je seray plustost quicte de mon torment; mais la difformité de vostre visaige, que je pense estre faicte de vostre volunté, ne m'empeschera poinct de faire la mienne; car quant je ne pourrois avoir de vous que les oz, si les vouldrois-je tenir auprès de moy. » Et quant Floride veid que prieres, raison ne larmes ne luy servoient, et que en telle cruaulté poursuivoit son meschant desir, qu'elle n'avoit enfin force de y resister [248], se ayda du secours qu'elle craingnoit autant que perdre sa vie, et, d'une voix triste et piteuse, appella sa mere le plus hault qu'il luy fut possible. Laquelle oyant sa fille l'appeller d'une telle voix, eut merveilleusement grand paour de ce qui estoit veritable, et courut le plus tost qu'il luy fut possible, en la garde-robbe. Amadour, qui n'estoit pas si prest à morir qu'il disoit, laissa de si bonne heure son entreprinse, que la dame, ouvrant le cabinet, le trouva à la porte, et Floride assez loing de là. La contesse luy demanda : « Amadour, qui a-il ? Dictes-moy la verité. » Et, comme celluy qui n'estoit jamais desporveu d'inventions, avecques un visaige pasle et transy, luy dist : « Helas ! ma dame, de quelle condition est devenue madame Floride ? Je ne fuz jamais si estonné que je suis; car, comme je vous ay dict, je pensois avoir part en sa bonne grace; mais je congnois bien que je n'y ay plus riens. Il me semble, ma dame, que du temps qu'elle estoit nourrye avecq vous, elle n'estoit moins sage ne vertueuse qu'elle est; mais elle ne faisoit poinct de conscience de parler et veoir ung chascun; et, maintenant que je l'ay voulu regarder, elle ne l'a voulu souffrir. Et quand j'ay veu ceste contenance, pensant que ce fust ung songe ou une resverie, luy ay demandé sa main pour la baiser à la façon du païs, ce qu'elle m'a du tout refusé. Il est vray, ma dame, que j'aye eu tort, dont je vous demande pardon : c'est que je luy ay prins la main quasi par force, et la luy ay baisée, ne luy demandant autre contentement; mais elle, qui a, comme je croy, deliberé ma mort, vous a appellée, ainsy comme vous avez veu. Je ne sçauroys dire pourquoy, sinon qu'elle ayt eu paour que j'eusse autre volunté que je n'ay. Toutesfois, ma dame, en quelque sorte que ce soit, j'advoue le tort estre mien; car, combien qu'elle debvroit aymer tous voz bons serviteurs, la fortune veult que, moy seul plus affectionné, soys mis hors de sa bonne grace. Si est-ce que je demoureray tousjours tel envers vous et elle que je suis tenu, vous suppliant me vouloir tenir en la vostre, puis que, sans mon demerite, j'ay perdu la sienne. » La contesse, qui, en partye le croyoit et en partie doubtoit, s'en alla à sa fille et luy dist : « Pourquoy m'avez-vous appellée si haut ? » Floride respondit qu'elle avoit eu paour. Et combien que la contesse l'interrogeast de plusieurs choses par le menu, si est-ce que jamays ne luy feit aultre responce; car, voyant qu'elle estoit eschappée d'entre les mains de son ennemy, le tenoit assez pugny de luy avoir rompu son entreprinse.

Après que la contesse eut longuement parlé à Amadour, le laissa encores devant elle parler à Floride, pour veoir quelle contenance il tiendroit; à laquelle il ne tint pas grandz propos, sinon qu'il [249] la mercia de ce qu'elle n'avoit confessé verité à sa mere, et la pria que, au moins, puis qu'il estoit hors de son cueur, ung autre ne tinst poinct sa place. Elle luy respondit, quant au premier propos : « Si j'eusse eu autre moyen de me defendre de vous que par la voix, elle n'eust jamais esté oye; mais, par moy, vous n'aurez pis, si vous ne me y contraingnez comme vous avez faict. Et n'ayez pas paour que j'en sceusse aymer d'autre; car, puisque je n'ay trouvé au cueur que je sçavois le plus vertueux du monde le bien que je desirois, je ne croiray poinct qu'il soit en nul homme. Ce malheur sera cause que je seray [250], pour l'advenir, en liberté des passions que l'amour peult donner. » En ce disant, print congé d'elle. La mere, qui regardoit sa contenance, n'y sceut rien juger, sinon que, depuis ce temps là, congneut très bien que sa fille n'avoit plus d'affection à Amadour, et pensa pour certain qu'elle fust si desraisonnable qu'elle haïst toutes les choses qu'elle aymoit. Et, dès ceste heure-là, luy mena la guerre si estrange, qu'elle fut sept ans sans parler à elle, si elle ne s'y courrouçoit, et tout à la requeste d'Amadour. Durant ce temps-là, Floride tourna la craincte qu'elle avoit d'estre avecq son mary en volunté de n'en bouger [251], pour les rigueurs que luy tenoit sa mere. Mais, voyant que riens ne luy servoit, delibera de tromper Amadour; et, laissant pour ung jour ou pour deux son visaige estrange, luy conseilla de tenir propos d'amityé à une femme qu'elle disoit avoir parlé de leur amour. Ceste dame demoroit avecq la Royne d'Espaigne, et avoit nom Lorette. Amadour la creut, et, pensant par ce moyen retourner encores en sa bonne grace, feit l'amour à Lorette, qui estoit femme d'un cappitaine, lequel estoit des grands gouverneurs du Roy d'Espaigne [252]. Lorette, bien aise d'avoir gaingné ung tel serviteur, en feit tant de mynes, que le bruict en courut partout; et mesmes la contesse d'Arande, estant à la cour, s'en apperceut : parquoy depuis ne tormentoit tant Floride, qu'elle avoit accoustumé. Floride oyt ung jour dire que le cappitaine mary de Lorrette estoit entré en une si grande jalousie, qu'il avoit deliberé, en quelque sorte que ce fust, de tuer Amadour; et elle qui, nonobstant son dissimulé visaige, ne povoit vouloir mal à Amadour, l'en avertyt incontinant. Mais, luy, qui facilement fut retourné à ses premières brisées, luy respondit s'il luy plaisoit l'entretenir trois heures tous les jours, que jamais il ne parleroit à Lorette; ce qu'elle ne voulut accorder. « Doncques, ce luy dist Amadour, puisque ne me voulez faire vivre, pourquoy me voulez-vous garder de morir ? Sinon que vous esperez me tormenter plus en vivant que mille morts ne sçauroit faire. Mais combien que la mort me fuye, si la chercheray-je tant, que je la trouveray; car, en ce jour-là seullement, j'auray repos. »

Durant qu'ilz estoient en ces termes, vint nouvelles que

le Roy de Grenade commençoit une grande guerre contre le Roy d'Espaigne, tellement que le Roy y envoya le prince son fils, et avecq luy le connestable de Castille et le duc d'Albe, deux vieilz et saiges seigneurs. Le duc de Cardonne et le conte d'Arande ne voulurent pas demorer et supplierent au Roy leur donner quelque charge; ce qu'il feit selon leurs maisons, et leur bailla, pour les conduire seurement, Amadour, lequel, durant la guerre, feit des actes si estranges, que sembloient autant de desespoir que de hardiesse. Et, pour venir à l'intention de mon compte, je vous diray que sa trop grande hardiesse fut esprouvée par la mort; car, ayans les Maures faict demonstrance de donner la bataille, voyans l'armée des Chrestiens si grande, feirent semblant de fuyr. Les Espaignolz se meirent à la chasse; mais le viel connestable et le duc d'Albe, se doubtans de leur finesse, retindrent contre sa volunté le prince d'Espaigne, qu'il ne passast la riviere; ce que feirent, nonobstant la desfense, le conte d'Arande et le duc de Cardonne. Et quant les Maures veirent qu'ils n'estoient suiviz que de peu de gens, se retournerent, et d'un coup de symeterre abbatirent tout mort le duc de Cardonne, et fut le conte d'Arande si fort blessé, que l'on le laissa comme tout mort en la place. Amadour arriva sur ceste defaicte, tant enraigé et furieux, qu'il rompit toute la presse; et feit prendre les deux corps [253] qui estoient mortz et porter au camp du prince, lequel en eut autant de regret que de ses propres freres. Mais, en visitant leurs playes, se trouva le conte d'Arande encores vivant, lequel fut envoyé en une lictiere en sa maison, où il fut longuement malade. De l'autre costé, renvoya à Cardonne le corps du mort. Amadour, ayant faict son effort de retirer ces deux corps, pensa si peu pour luy, qu'il se trouva environné d'un grand nombre de Mores; et luy, qui ne vouloit non plus estre prins qu'il n'avoit sceu prendre s'amye, ne faulser sa foy envers Dieu, qu'il avoit faulsée envers elle, sçachant que, s'il estoit mené au Roy de Grenade, il mourroit cruellement ou renonceroit la chrestienté, delibera ne donner la gloire ne de sa mort ne de sa prinse à ses ennemys; et, en baisant la croix de son espée, rendant corps et ame à Dieu, s'en donna ung tel coup, qu'il ne luy en fallut poinct de secours [254]. Ainsy morut le pauvre Amadour, autant regretté que ses vertuz le meritoient. Les nouvelles en coururent par toute l'Espaigne, tant que Floride, laquelle estoit à Barselonne, où son mary autresfois avoit ordonné estre enterré, en oyt le bruict [255]. Et, après qu'elle eut faict ses obseques honorablement, sans en parler à mere ne à belle-mere, s'en alla randre religieuse au monastere de Jesus, prenant pour mary et amy Celuy [256] qui l'avoit delivrée d'une amour si vehemente que celle d'Amadour, et d'un ennuy si grand que de la compagnye d'un tel mary. Ainsy tourna toutes ses affections à aymer Dieu si parfaictement, que après avoir vescu longuement religieuse, luy rendit son ame en telle joye, que l'espouse a d'aller veoir son espoux.

« Je sçay bien, mes dames, que ceste longue nouvelle pourra estre à aucuns fascheuse; mais, si j'eusse voulu satisfaire à celluy qui la m'a comptée, elle eut esté trop plus que longue, vous suppliant, en prenant exemple de la vertu de Floride, diminuer ung peu de sa cruaulté, et ne croire poinct tant de bien aux hommes, qu'il ne faille, par la congnoissance du contraire, à eulx donner cruelle mort et à vous une triste vie. »

Et, après que Parlamente eut eu bonne et longue audience, elle dist à Hircan : « Vous semble-il pas que ceste femme ayt esté pressée jusques au bout, et qu'elle ayt vertueusement resïsté ? — Non, dist Hircan; car une femme ne peult faire moindre resistance que de crier; mais, si elle eust esté en lieu où on ne l'eust peu oyr, je ne sçay qu'elle eust faict; et si Amadour eut esté plus amoureux que crainctif, il n'eust pas laissé pour si peu son entreprinse. Et, pour cest exemple icy, je ne me departiray de la forte opinion que j'ay, que oncques homme qui aymast parfaictement, ou qui fust aymé d'une dame, ne failloit d'en avoir bonne yssue, s'il a faict la poursuicte comme il appartient. Mais encores fault-il que je loue Amadour de ce qu'il feit une partie de son debvoir. — Quel debvoir ? ce dist Oisille. Appellez-vous faire son debvoir à ung serviteur qui veult avoir par force sa maistresse, à laquelle il doibt toute reverence et obeissance ? » Saffredent print la parolle et dist : « Ma dame, quant noz maistresses tiennent leur ranc en chambres ou en salles, assises à leur ayse comme noz juges, nous sommes à genoulx devant elles; nous [257] les menons dancer en craincte; nous les servons si diligemment, que nous prevenons leurs demandes; nous semblons estre tant craintifs de les offenser et tant desirans de les servir, que ceulx qui nous voient ont pitié de nous, et bien souvent nous estiment plus sotz que bestes, transportez d'entendement ou transiz, et donnent la gloire à noz dames, desquelles les contenances sont tant audatieuses et les parolles tant honnestes, qu'elles se font craindre, aymer et estimer de ceulx qui n'en veoient que le dehors. Mais, quant nous sommes à part, où amour seul est juge de noz contenances, nous sçavons très bien qu'elles sont femmes et nous hommes; et à l'heure, le nom de *maistresse* est converti en *amye*, et le nom de *serviteur* en *amy*. C'est là où le commung proverbe dist :

De bien servir et loyal estre,
De serviteur l'on devient maistre [258].

Elles ont l'honneur autant que les hommes, qui le leur peuvent donner et oster, et voyent ce que nous endurons patiemment; mais c'est raison aussy que nostre souffrance soit recompensée quand l'honneur ne peult estre blessé. — Vous ne parlez pas, dist Longarine, du vray honneur qui est le contentement de ce monde; car, quant tout le monde me diroit femme de bien, et je sçaurois seulle le contraire, la louange augmenteroit ma honte et me rendroit en moy-mesme plus confuse; et aussy, quant il me blasmeroit et je sentisse mon innocence, son blasme tourneroit à contentement; car nul n'est content que de soy-mesme. — Or, quoy que vous ayez tous dict, ce dist Geburon, il me semble qu'Amadour estoit ung aussy honneste et vertueulx chevalier qu'il en soit poinct; et, veu que les noms sont supposez, je pense le recongnoistre. Mais, puis que Parlamente ne l'a voulu nommer, aussi ne feray-je. Et contentez-vous que, si c'est celluy que je pense, son cueur ne sentit jamais nulle paour, ny ne fut jamais vuyde d'amour ni de hardiesse. »

Oisille leur dist : « Il me semble que ceste Journée soyt passée si joyeusement, que, si nous continuons ainsi les aultres, nous accoursirons [a] le temps à faire d'honnestes propos. Mais voyez où est le soleil, et oyez la cloche de l'abbaye, qui, long temps a, nous appelle à vespres, dont je

a. raccourcirons.

ne vous ay point advertiz; car la devotion d'oyr la fin du compte estoit plus grande que celle d'oyr vespres. » Et, en ce disans, se leverent tous, et, arrivans à l'abbaye, trouverent les religieux qui les avoient attenduz plus d'une grosse heure. Vespres oyes, allerent souper, qui ne fut tout le soir sans parler des comptes qu'ilz avoient oyz, et sans chercher par tous les endroictz de leurs memoires, pour veoir s'ilz pourroyent faire la Journée ensuyvante aussi plaisante que la premiere. Et, après avoir joué de mille jeux dedans le pré, s'en allerent coucher, donnans fin très joyeuse et contente [259] à leur premiere Journée.

FIN DE LA PREMIERE JOURNÉE.

LA DEUXIESME JOURNÉE

EN LA DEUXIESME JOURNÉE, ON DEVISE DE CE QUI PROMPTEMENT TOMBE EN LA FANTAISIE D'UN CHACUN.

PROLOGUE

LE lendemain, se leverent en grand desir de retourner au lieu où le jour precedent avoyent eu tant de plaisir; car chascun avoit son compte si prest, qu'il leur tardoit qu'il ne fust mis en lumiere. Après qu'ilz eurent ouy la leçon [260] de madame Oisille, et la messe, où chascun recommanda à Dieu son esperit, afin qu'il leur donnast parolle et grace de continuer l'assemblée, s'en allerent disner, ramentevans [a] les ungs aux autres plusieurs histoires passées.

Et, après disner, qu'ilz se fussent reposez en leurs chambres, s'en retournerent, à l'heure ordonnée, dedans le pré, où il sembloit que le jour et le temps favorisast leur entreprinse. Et, après qu'ilz se furent tous assis sur le siege naturel de l'herbe verte, Parlamente dist : « Puis [261] que je donnay hier soir fin à la dixiesme, c'est à moy à eslire celle qui doibt commencer aujourd'huy. Et, pour ce que madame Oisille fut la premiere des femmes qui parla, comme la plus saige et antienne, je donne ma voix à la plus jeune, je ne dictz pas à la plus folle, estant asseurée que, si nous la suyvons toutes, ne ferons pas actendre vespres si longuement que nous feismes hier. Parquoy, Nomerfide, vous tiendrez aujourd'huy les rancs de bien dire. Mais, je vous prie, ne nous faictes point recommancer nostre Journée par larmes. — Il ne m'en falloit poinct prier, dist Nomerfide; car [262] une de nos compaignes me feit choisir ung compte que j'ay si bien mis en ma teste que je n'en puis dire d'autre; et, s'il vous engendre tristesse, vostre naturel sera bien melancolicque. »

a. rappelant.

ONZIESME NOUVELLE [263]

Madame de Roncex, estant aux Cordeliers de Thouars, fut si pressée d'aler à ses affaires, que, sans regarder si les anneaux du retraict [a] estoyent netz, s'ala seoir en lieu si ord [b], que ses fesses et abillemens en furent souillez, de sorte que, cryant à l'aide et desirant recouvrer quelque femme pour la netoyer, fut servye d'hommes, qui la veirent nue et au pire estat que femme ne sçauroit montrer.

En la maison de madame de la Trimoïlle, y avoit une dame nommée Roncex, laquelle, ung jour que sa maistresse estoit allée aux Cordeliers de Thouars, eut une grande necessité d'aller au lieu où on ne peult envoyer sa chamberiere. Et appella avecq elle une fille, nommée La Mothe, pour luy tenir compaignye; mais, pour estre honteuse et secrette, laissa ladite Mothe en la chambre, et entra toute seulle en un retraict assez obscur, lequel estoit commung à tous les Cordeliers, qui avoient si bien randu compte en ce lieu de toutes leurs viandes [c] [264], que tout le retraict, l'anneau et la place et tout ce qui estoit estoient tout couvert de moust de Bacchus et de la deesse Cerès [265], passé par le ventre des Cordeliers. Ceste pauvre femme, qui estoit si pressée, que à peyne eut-elle le loisir de lever sa robbe pour se mectre sur l'anneau, de fortune, s'alla asseoir sur le plus ord et salle endroict qui fust en tout le retraict. Où elle se trouva prinse mieulx que à la gluz, et toutes ses pauvres fesses, habillemens et piedz si merveilleusement gastez, qu'elle n'osoit marcher ne se tourner de nul cousté, de paour d'avoir encores pis. Dont elle se print à crier tant qu'il luy fut possible : « La Mothe, m'amye, je suis perdue et deshonorée ! » La pauvre fille, qui avoit oy autresfois faire des comptes de la malice des Cordeliers, soupsonnant que quelques ungs fussent cachez là dedans, qui la voulsissent prendre par force, courut tant qu'elle peut, disant à tous ceulx qu'elle trouvoit : « Venez secourir madame de Roncex, que les Cordeliers veullent prendre par force en ce retraict. » Lesquelz y coururent en grande diligence; et trouverent la pauvre

a. cabinets d'aisances. — *b.* sale. — *c.* leur nourriture.

dame de Roncex, qui cryoit à l'ayde, desirant avoir quelque femme qui la peust nectoier. Et avoit le derriere tout descouvert, craingnant en approcher ses habillemens, de paour de les gaster. A ce cry-là, entrerent les gentilz hommes, qui veirent ce beau spectacle, et ne trouverent autre Cordelier qui la tormentast, sinon l'ordure dont elle avoit toutes les fesses engluées. Qui ne fut pas sans rire de leur costé, ni sans grande honte du cousté d'elle; car, en lieu d'avoir des femmes pour la nectoier, fut servie d'hommes qui la veirent nue, au pire estat que une femme se porroit monstrer. Parquoy, les voiant, acheva de souiller ce qui estoit nect et abessa ses habillemens, pour se couvrir, obliant l'ordure où elle estoit pour la honte qu'elle avoit de veoir les hommes. Et, quant elle fut hors de ce villain lieu, la fallut despouiller toute nue et changer de tous habillemens, avant qu'elle partist du couvent. Elle se fut voluntiers corroucée du secours que luy amena La Mothe; mais, entendant que la pauvre fille cuydoit qu'elle eust beaucoup pis, changea sa collerre à rire comme les autres.

« Il me semble, mes dames, que ce compte n'a esté ne long, ne melencolicque, et que vous avez eu de moy ce que vous en avez esperé ? » Dont la compaignie se print bien fort à rire. Et luy dist Oisille : « Combien que le compte soyt ord et salle, congnoissant les personnes à qui il est advenu, on ne le sçauroit trouver fascheux. Mais j'eusse bien voulu veoir la myne de La Mothe et de celle à qui elle avoit admené si bon secours ! Mais, puis que vous avez si tost finy, ce dit-elle à Nomerfide, donnez vostre voix à quelqu'un qui ne passe pas si legierement. » Nomerfide respondit : « Si vous voullez que ma faulte soyt rabillée, je donne ma voix à Dagoucin, lequel est si saige, que, pour mourir, ne diroit une follye. » Dagoucin[266] la remercia de la bonne estime qu'elle avoit de son bon sens et commencea à dire : « L'histoire que j'ay deliberé de vous racompter, c'est pour vous faire veoir comme amour aveuglist les plus grands et honnestes cueurs, et comme meschanceté est difficille à vaincre par quelque benefice ne biens que ce soit. »

DOUZIESME NOUVELLE

Le duc de Florence, n'ayant jamais peu faire entendre à une dame l'affection qu'il luy portoit, se decouvrit à un gentil homme frere d'elle, et le pria l'en faire jouyr : ce qu'après plusieurs remontrances au contraire, luy accorda de bouche seulement; car il le tua dedans son lit, à l'heure qu'il esperoit avoir victoire de celle qu'il avoit estimée invincible. Et ainsi, delivrant sa patrie d'un tel tyran, sauva sa vie et l'honneur de sa maison [267].

Depuis dix ans en ça, en la ville de Florence, y avoit un duc de la maison de Medicis [268], lequel avoit espousé madame Marguerite, fille bastarde de l'Empereur [269]. Et, pour ce qu'elle estoit encores si jeune, qu'il ne luy estoit licite de coucher avecq elle, actendant son aage plus meur [270], la traicta fort doulcement; car, pour l'espargner, fut amoureux de quelques autres dames de la ville que la nuict il alloit veoir, tandis que sa femme dormoit. Entre autres, le fut d'une fort belle, saige et honneste dame, laquelle estoit seur d'un gentil homme que le duc aymoit comme luy-mesme, et auquel il donnoit tant d'autorité en sa maison, que sa parolle estoit obeye et craincte comme celle du duc. Et n'y avoit secret en son cueur qu'il ne luy declarast, en sorte que l'on le pouvoit nommer le second luy-mesmes.

Et voyant le duc sa seur estre tant femme de bien qu'il n'avoit moien de luy declairer l'amour qu'il luy portoit, après avoir cherché toutes occasions à luy possibles, vint à ce gentil homme qu'il aymoit tant, en luy disant : « S'il y avoit chose en ce monde, mon amy, que je ne voulsisse faire pour vous, je craindrois à vous declarer ma fantaisye, et encores plus à vous prier m'y estre aydant. Mais je vous porte tant d'amour, que, si j'avois femme, mere ou fille qui peust servir à saulver vostre vie, je les y emploirois, plustost que de vous laisser mourir en torment; et j'estime que l'amour que vous me portez est reciprocque à la mienne; et que si moy, qui suys vostre maistre, vous portois telle affection, que pour le moins ne la sçauriez porter moindre. Parquoy, je vous declaireray un secret, dont le taire me met en l'estat que vous voyez, duquel je n'espere amandement que par la mort ou par le service que vous me pouvez faire. »

Le gentil homme, oyant les raisons de son maistre, et voyant son visaige non fainct, tout baigné de larmes, en eut si grande compassion, qu'il luy dist : « Monsieur, je suis vostre creature; tout le bien et l'honneur que j'ay en ce monde vient de vous : vous pouvez parler à moy comme à vostre ame, estant seur que ce qui sera en ma puissance est en vos mains. » A l'heure, le duc commença à luy declairer l'amour qu'il portoit à sa seur, qui estoit si grande et si forte, que, si par son moyen n'en avoit la jouissance, il ne voyoit pas qu'il peust vivre longuement. Car il sçavoit bien que envers elle prieres ne presens ne servoient de riens. Parquoy, il le pria que, s'il aymoit sa vie autant que luy la sienne, luy trouvast moyen de luy faire recouvrer le bien que sans luy il n'esperoit jamais d'avoir. Le frere, qui aymoit sa seur et l'honneur de sa maison plus que le plaisir du duc, luy voulut faire quelque remonstrance, luy suppliant en tous autres endroictz l'employer, horsmys en une chose si cruelle à luy, que de pourchasser le deshonneur [271] de son sang; et que son sang, son cueur ne son honneur ne se povoient accorder à luy faire ce service. Le duc, tout enflambé [a] d'un courroux importable [b], mint le doigt à ses dentz, se mordant l'ungle, et luy respondit par une grande fureur : « Or bien, puisque je ne treuve en vous nulle amityé, je sçay que j'ay à faire. » Le gentil homme, congnoissant la cruaulté de son maistre, eut craincte et luy dist : « Mon seigneur, puis qu'il vous plaist, je parleray à elle et vous diray sa reponse. » Le duc luy respondit, en se departant : « Si vous aymez ma vie, aussi feray-je la vostre. »

Le gentil homme entendit bien que ceste parolle vouloit dire. Et fut ung jour ou deux sans veoir le duc, pensant à ce qu'il avoit à faire. D'un costé, luy venoit au devant l'obligation qu'il devoit à son maistre, les biens et les honneurs qu'il avoit receuz de luy; de l'autre costé, l'honneur de sa maison, l'honnesteté et chasteté de sa seur, qu'il sçavoit bien jamais ne se consentir à telle meschanceté, si par sa tromperie elle n'estoit prinse ou par force; chose si estrange que à jamays luy et les siens en seroient diffamez. Si print conclusion de ce different, qu'il aymoit mieulx mourir que de faire ung si meschant tour à sa seur,

a. enflammé. — *b.* insupportable.

l'une des plus femmes de bien qui fust en toute l'Itallie; mais que plustost debvoit delivrer sa patrye d'un tel tyran, qui par force vouloit mettre une telle tache en sa maison; car il tenoit tout asseuré que, sans faire mourir le duc, la vie de luy et des siens n'estoit pas asseurée. Parquoy, sans en parler à sa seur, ny à creature du monde, delibera de saulver sa vie et venger sa honte par ung mesme moyen. Et, au bout de deux jours, s'en vint au duc et luy dist comme il avoit tant bien practicqué sa seur, non sans grande peyne, que à la fin elle s'estoit consentye à faire sa volunté, pourveu qu'il luy pleust tenir la chose si secrette, que nul que son frere n'en eust congnoissance.

Le duc, qui desiroit ceste nouvelle, la creut facillement. Et, en ambrassant le messaigier, luy promectoit tout ce qu'il luy sçauroit demander; le pria de bien tost executer son entreprinse, et prindrent le jour ensemble. Si le duc fut ayse, il ne le fault poinct demander. Et, quand il veid approcher la nuict tant desirée où il esperoit avoir la victoire de celle qu'il avoit estimée invincible, se retira de bonne heure avecq ce gentil homme tout seul; et n'oblia pas de s'acoustrer de coeffes et chemises perfumées le mieulx qu'il luy fut possible. Et, quant chascun fut retiré, s'en alla avecq ce gentil homme au logis de sa dame, où il arriva en une chambre bien fort en ordre. Le gentil homme le despouilla de sa robbe de nuict et le meyt dedans le lict, en luy disant : « Mon seigneur, je vous vois querir celle qui n'entrera pas en ceste chambre sans rougir; mais j'espere que, avant le matin, elle sera asseurée de vous. » Il laissa le duc et s'en alla en sa chambre, où il ne trouva que ung seul homme de ses gens, auquel il dist : « Aurois-tu bien le cueur de me suyvre en ung lieu où je me veulx venger du plus grand ennemy que j'aye en ce monde ? » L'autre, ignorant ce qu'il vouloit faire, luy respondit : « Ouy, Monsieur, fust-ce contre le duc mesmes. » À l'heure le gentil homme le mena si soubdain, qu'il n'eut loisir de prendre autres armes que ung poignart qu'il avoit. Et, quant le duc l'ouyt revenir, pensant qu'il luy amenast celle qu'il aymoit tant, ouvrit son rideau et ses oeilz, pour regarder et recepvoir le bien qu'il avoit tant actendu; mais, en lieu de veoir celle dont il esperoit la conservation de sa vie, va veoir la precipitation de sa mort, qui estoit une espée toute nue que le gentil homme avoit tirée, de laquelle il frappa le duc qui estoit tout en chemise; lequel, denué d'armes et non de cueur, se mest en son seant, dedans le lict, et print le gentil homme à travers le corps, en luy disant : « Est-ce cy la promesse que vous me tenez ? » Et, voiant qu'il n'avoit autres armes que les dentz et les ongles, mordit le gentil homme au poulce, et à force de bras se defendit, tant que tous deux tomberent en la ruelle du lict. Le gentil homme, qui n'estoit trop asseuré, appela son serviteur; lequel, trouvant le duc et son maistre si liez ensemble qu'il ne sçavoit lequel choisir, les tira tous deux par les piedz, au millieu de la place, et avecq son poignard s'essaya à couper la gorge du duc, lequel se defendit jusques ad ce que la perte de son sang le rendist si foible qu'il n'en povoit plus. Alors le gentil homme et son serviteur le meirent dans son lict, ou à coups de poignart le paracheverent de tuer. Puis tirans le rideau, s'en allerent et enfermerent le corps mort en la chambre.

Et, quant il se veid victorieux de son grand ennemy, par la mort duquel il pensoit mettre en liberté la chose publicque, se pensa que son euvre seroit imparfaict, s'il n'en faisoit autant à cinq ou six de ceulx qui estoient les prochains du duc. Et, pour en venir à fin, dist à son serviteur, qu'il les allast querir l'un après l'autre, pour en faire comme il avoit faict au duc. Mais le serviteur, qui n'estoit ne hardy ne fol, luy dist : « Il me semble, monsieur, que vous en avez assez faict pour ceste heure, et que vous ferez mieulx de penser à saulver vostre vie, que de la vouloir oster à aultres. Car, si nous demeurions autant à deffaire chascun d'eulx, que nous avons faict à deffaire le duc, le jour descouvriroit plustost nostre entreprinse, que ne l'aurions mise à fin, encores que nous trouvassions noz ennemys sans deffense. » Le gentil homme, la mauvaise conscience duquel le rendoit crainctif, creut son serviteur, et, le menant seul avecq luy, s'en alla à ung evesque qui avoit la charge de faire ouvrir les portes de la ville et commander aux postes. Ce gentil homme luy dist : « J'ay eu ce soir des nouvelles que ung mien frere est à l'article de la mort; je viens de demander mon congé au duc, lequel le m'a donné : parquoy, je vous prie mander aux postes me bailler deux bons chevaulx, et au portier de la ville m'ouvrir. » L'evesque, qui n'estimoit moins sa priere que le commandement du duc son maistre, luy bailla incontinant ung bulletin, par la vertu duquel la porte luy fut ouverte et les chevaulx baillez, ainsi qu'il demandoit. Et, en lieu d'aller voir son frere, s'en alla droict à Venise, où il se feyt guerir des morsures que le duc luy avoit faictes, puis s'en alla en Turquie.

Le matin, tous les serviteurs du duc, qui le voyoient si tard demorer à revenir, soupsonnerent bien qu'il estoit allé veoir quelque dame; mais, voyans qu'il demeuroit tant, commencerent à le chercher par tous costez. La pauvre duchesse, qui commençoit fort à l'aymer, sçachant qu'on ne le trouvoit poinct, fut en grande peyne. Mais, quant le gentil homme qu'il aymoit tant ne fut veu non plus que luy, on alla en sa maison le chercher. Et, trouvant du sang à la porte de sa chambre, l'on entra dedans; mais il n'y eut homme ne serviteur qui en sceust dire nouvelles. Et, suivans les trasses du sang, vindrent les pauvres serviteurs du duc à la porte de la chambre où il estoit qu'ilz trouverent fermée; mais bien tost eurent rompu l'huys. Et, voyans la place toute plaine de sang, tirerent le rideau du lict et trouverent le pauvre corps, endormy, en son lict, du dormir sans fin. Vous pouvez penser quel deuil menerent ses pauvres serviteurs, qui apporterent le corps en son pallais, où arriva l'evesque, qui leur compta comme le gentil homme estoit party la nuict en dilligence, soubz couleur d'aller veoir son frere. Parquoy fut congneu clairement que c'estoit luy qui avoit faict ce meurdre. Et fut aussy prouvé que sa pauvre seur jamais n'en avoit oy parler; laquelle, combien qu'elle fust estonnée du cas advenu, si est-ce qu'elle en ayma davantaige son frere, qui n'avoit pas espargné le hazard de sa vie, pour la delivrer d'un si cruel prince ennemy. Et continua de plus en plus sa vie honneste en ses vertuz, tellement que, combien qu'elle fust pauvre, pour ce que leur maison fut confisquée, si trouverent sa seur et elle des mariz autant honnestes hommes et riches qu'il y en eust poinct en Itallie; et ont toujours depuis vescu en grande et bonne reputation.

« Voylà, mes dames, qui vous doibt bien faire craindre ce petit dieu, qui prent son plaisir à tormenter autant les princes que les pauvres, et les fortz que les foibles, et qui les aveuglit jusque là d'oblier Dieu et leur conscience, et à a fin leur propre vie. Et doibvent bien craindre les princes et ceulx qui sont en auctorité, de faire desplaisir à moindres que eulx; car il n'y a nul qui ne puisse nuyre, quand Dieu se veult venger du pecheur, ne si grand qui sceust mal faire à celuy qui est en sa garde. »

Ceste histoire fut bien ecoutée [272] de toute la compaignye, mais elle luy engendra diverses oppinions; car les ungs soustenoient que le gentil homme avoit faict son debvoir de saulver sa vie et l'honneur de sa seur, ensemble d'avoir delivré sa patrie d'un tel tirant; les autres disoient que non, mais que c'estoit trop grande ingratitude de mectre à mort celluy qui luy avoit faict tant de bien et d'honneur. Les dames disoient qu'il estoit bon frere et vertueux citoyen; les hommes, au contraire, qu'il estoit traistre et meschant serviteur; et faisoit fort bon oyr les raisons alleguées des deux costez [273]. Mais les dames, selon leur coustume, parloient autant par passion que par raison, disans que le duc estoit si digne de mort, que bien heureux estoit celluy qui avoit faict le coup. Parquoy, voyant Dagoucin le grand debat qu'il avoit esmeu, leur dist : « Pour Dieu, mes dames, ne prenez poinct querelle d'une chose desja passée; mais gardez que voz beaultez ne facent poinct faire de plus cruels meurdres que celluy que j'ay compté. » Parlamante luy dist : « La *Belle dame sans mercy* [a] nous a aprins à dire que si gratieuse malladye ne mect gueres de gens à mort [274]. — Pleust à Dieu, ma dame, ce luy dist Dagoucin, que toutes celles qui sont en ceste compaignye sceussent combien ceste opinion est faulse ! Et je croy qu'elles ne vouldroient poinct avoir le nom d'estre sans mercy, ne resembler à ceste incredule, qui laissa morir un bon serviteur par faulte d'une gratieuse response. — Vous vouldriez doncques, dist Parlamente, pour saulver la vie d'un qui dict nous aymer, que nous meissions nostre honneur et nostre conscience en dangier ? — Ce n'est pas ce que je vous dis, respondit Dagoucin, car celluy qui ayme parfaictement craindroit plus de blesser l'honneur de sa dame, que elle-mesme [275]. Parquoy il me semble bien que une response honneste et gratieuse, telle que parfaicte et honneste amityé requiert, ne pourroit qu'accroistre l'honneur et amender la conscience; car il n'est pas vray serviteur, qui cherche le contraire. — Toutesfois, dist Ennasuite, si est-ce tousjours

a. sans pitié.

la fin de voz oraisons, qui commencent par l'honneur et finissent par le contraire. Et si tous ceulx qui sont icy en veullent dire la verité, je les en croy en leur serment. » Hircan jura, quant à luy, qu'il n'avoit jamais aymé femme, horsmis la sienne, à qui il ne desirast faire offenser Dieu bien lourdement. Autant en dist Simontault, et adjousta qu'il avoit souvent souhaicté toutes les femmes meschantes, hormis la sienne. Geburon luy dist : « Vrayment, vous meritez que la vostre soyt telle que vous desirez les autres; mais, quant à moy, je puis bien vous jurer que j'ay tant aymé une femme, que j'eusse mieulx aymé mourir, que pour moy elle eust faict chose dont je l'eusse moins estimée. Car mon amour estoit fondée en ses vertuz, tant que, pour quelque bien que je en eusse sceu avoir, je n'y eusse voulu veoir une tache. » Saffredent se print à rire, en luy disant : « Geburon, je pensoys que l'amour de vostre femme et le bon sens que vous avez, vous eussent mis hors du dangier d'estre amoureux, mais je voys bien que non; car vous usez encores des termes, dont nous avons accoustumé tromper les plus fines et d'estre escoutez des plus saiges. Car qui est celle qui nous fermera ses oreilles quant nous commancerons à l'honneur et à la vertu ? Mais, si nous leur monstrons nostre cueur tel qu'il est, il y en a beaucoup de bien venuz entre les dames, de qui elles ne tiendront compte. Mais nous couvrons nostre diable [276] du plus bel ange que nous pouvons trouver. Et, soubz ceste couverture, avant que d'estre congneuz, recepvons beaucoup de bonnes cheres. Et peut-estre tirons les cueurs des dames si avant que, pensans aller droict à la vertu, quand elles congnoissent le vice, elles n'ont le moyen ne le loisir de retirer leurs pieds. — Vrayement, dist Geburon, je vous pensois autre que vous ne dictes, et que la vertu vous feust plus plaisante que le plaisir. — Comment ! dist Saffredent, est-il plus grande vertu que d'aymer comme Dieu le commande ? Il me semble que c'est beaucoup mieulx faict d'aymer une femme comme femme, que d'en ydolatrer plusieurs [277] comme on fait d'une ymaige. Et quant à moy, je tiens ceste oppinion ferme, qu'il vault mieulx en user que d'en abuser. » Les dames furent toutes du costé de Geburon, et contraignirent Saffredent de se taire; lequel dist : « Il m'est bien aisé de n'en parler plus, car j'en ay esté si mal traicté, que je n'y veulx plus retourner. — Vostre malice, ce luy dist Longarine, est cause de vostre mauvais traictement; car qui est l'honneste femme qui vous vouldroit pour serviteur, après les propos que nous avez tenuz ? — Celles qui ne m'ont poinct trouvé fascheux, dist Saffredent, ne changeroient pas leur honnesteté à la vostre; mais n'en parlons plus [278], afin que ma collere ne face desplaisir, ny à moy, ny à autre. Regardons à qui Dagoucin donnera sa voix. » Lequel dist : « Je la donne à Parlamente; car je pense qu'elle doibt sçavoir plus que nul autre, que c'est que d'honneste et parfaicte amityé. — Puis que je suis choisye, dist Parlamante, pour dire la tierce histoire, je vous en diray une advenue à une dame qui a esté toujours bien fort de mes amyes et de laquelle la pensée ne me fut jamais celée. »

TREIZIESME NOUVELLE

Un capitaine de galeres, fort serviteur d'une dame, lui envoya un dyamant qu'elle renvoya à sa femme, et le feit si bien profiter à la decharge de la conscience du capitaine, que, par son moyen, le mary et la femme furent reunis en bonne amytié [279].

En la maison de madame la Regente [280], mere du Roy François, y avoit une dame fort devote, maryée à un gentil homme de pareille volunté. Et, combien que son mary fust viel, et elle, belle et jeune, si est ce qu'elle le servoit et aymoit comme le plus beau et le plus jeune homme du monde. Et, pour luy oster toute occasion d'ennuy, se meist à vivre comme une femme de l'aage dont il estoit, fuyant toute compaignye, accoustremens, danses et jeuz, que les jeunes femmes ont accoustumé d'aymer; mectant tout son plaisir et recreation au service de Dieu. Parquoy, le mary meist en elle une si grande amour et seureté, qu'elle gouvernoit luy et sa maison, comme elle vouloit. Et advint, ung jour, que le gentil homme luy dist que, dès sa jeunesse, il avoit eu desir de faire le voyage de Jerusalem, luy demandant ce qu'il luy en sembloit. Elle, qui ne demandoit qu'à luy complaire, luy dist : « Mon amy, puisque Dieu nous a privez d'enfans et donné assez de biens, je vouldrois que nous en missions une partye à faire ce sainct voyage; car, là ny ailleurs que vous allez, je ne suis pas deliberée de jamais vous habandonner. » Le bon homme en fut si ayse, qu'il luy sembloit desjà estre sur le mont du Calvaire.

Et, en ceste deliberation, vint à la court un gentil homme, qui souvent avoit esté à la guerre sur les Turcs, et pourchassoit envers [a] le Roy de France une entreprinse sur une de leurs villes, dont il povoit venir grand proffict à la chrestienté. Ce viel gentil homme luy demanda de son voyage. Et, après qu'il eut entendu ce qu'il estoit deliberé de faire, luy demanda si après son voyage il en vouldroit bien faire ung aultre en Jerusalem, où sa femme et luy avoient grand desir d'aller. Ce capitaine fut fort ayse d'oyr ce bon desir et luy promist de l'y mener et de tenir l'affaire secret. Il luy tarda bien qu'il ne trouvast sa bonne femme, pour luy compter ce qu'il luy avoit faict; laquelle n'avoit gueres moins d'envie que le voyage se parachevast, que son mary. Et, pour ceste occasion, parloit souvent au cappitaine, lequel, regardant plus à elle que à sa parolle, fut si fort amoureux d'elle, que, souvent, en luy parlant des voyages qu'il avoit faictz sur la mer, mesloit l'embarquement de Marseille avecques l'Archipelle, et, en voulant parler d'un navire, parloit d'un cheval, comme celluy qui estoit ravy et hors de son sens; mais il la trouva telle, qu'il ne luy en osoit faire semblant. Et sa dissimullation luy engendra ung tel feu dans le cueur, que souvent il tomboit malade, dont la dicte dame estoit aussy soingneuse comme de la croix et de la guyde de son chemin [b]; et l'envoyoit visiter si souvent que, congnoissant qu'elle avoit soing de luy, il guerissoit sans aultre medecine. Mais plusieurs personnes, voyans ce cappitaine qui avoit eu le bruict d'estre plus hardy et gentil compaignon que bon chrestien, s'emerveillerent comme ceste dame l'accointoit [c] si fort. Et, voyans qu'il avoit changé de toutes conditions, qu'il frequentoit les eglises, les sermons et confessions, se douterent que c'estoit pour avoir la bonne grace de la dame; ne se peurent tenir de luy en dire quelques paroles. Ce cappitaine, craingnant que, si la dame en entendoit quelque

a. pour le compte du. — *b*. parce qu'il était celui qui devait lui servir de signe de ralliement et de guide pour son voyage. — *c*. avait avec lui de si fréquentes relations.

chose, cella le separast de sa presence, dist à son mary et à elle comme il estoit prest d'estre despesché du Roy et de s'en aller, et qu'il avoit plusieurs choses à luy dire; mais, à fin que son affaire fust tenu plus secret, il ne vouloit plus parler à luy et à sa femme devant les gens, mais les pria de l'envoyer querir, quand ilz seroient retirez tous deux. Le gentil homme trouva son oppinion bonne, et ne falloit [a] tous les soirs de se coucher de bonne heure et faire deshabiller sa femme.

Et, quant tous leurs gens estoient retirez, envoyoient querir le cappitaine, et devisoient là du voyage de Jerusalem, où souvent le bon homme en grande devotion s'endormoit. Le cappitaine, voyant ce gentil homme viel endormy dans un lict, et luy dans une chaize auprès elle qu'il trouvoit la plus belle et la plus honneste du monde, avoit le cueur si serré entre craincte de parler et desir, que souvent il perdoit la parolle. Mais, à fin qu'elle ne s'en apperceust, se mectoit à parler des sainctz lieux de Jerusalem, où estoient les signes de la grande amour que Jesus-Christ nous a portée. Et, en parlant de ceste amour couvroit la sienne, regardant ceste dame avecq larmes et souspirs, dont elle ne s'apperceust jamais. Mais, voyant sa devote contenance, l'estimoit si sainct homme, qu'elle le pria de luy dire quelle vie il avoit menée, et comme il estoit venu à ceste amour de Dieu. Il luy declaira comme il estoit un pauvre gentil homme, qui, pour parvenir à richesse et honneur, avoit oblyé sa conscience et avoit espousé une femme trop proche son alliée, pource qu'elle estoit riche, combien qu'elle fust layde et vielle et qu'il ne l'aymast poinct; et, après avoir tiré tout son argent, s'en estoit allé sur la marine chercher ses advantures et avoit tant faict par son labeur, qu'il estoit venu en estat honorable. Mais, depuis qu'il avoit eu congnoissance d'elle, elle estoit cause, par ses sainctes parolles et bon exemple, de luy avoir faict changer sa vie, et que du tout se deliberoit, s'il povoit retourner de son entreprinse, de mener son mary et elle en Jerusalem, pour satisfaire en partie à ses grandz pechez où il avoit mis fin, sinon que encores n'avoit satisfaict à sa femme à laquelle il esperoit bientost se reconcilier. Tous ses propos pleurent à ceste dame, et surtout se

a. manquait.

resjouyst d'avoir tiré ung tel homme à l'amour et craincte de Dieu. Et, jusques ad ce qu'il partist de la court, continuerent tous les soirs ces longs parlemens, sans que jamais il ausast declarer son intention. Et luy fit present de quelque crucifix de Nostre Dame de Pitié [281], la priant que en le voyant elle eust tous les jours memoire de luy.

L'heure de son partement vint, et, quant il eut prins congé du mary, lequel s'endormyt, il vint dire adieu à sa dame, à laquelle il veid les larmes aux oeilz pour l'honneste [282] amityé qu'elle luy portoit, qui luy randoit sa passion si importable [a], que, pour ne l'oser declarer, tomba quasi esvanouy, en luy disant adieu, en une si grande sueur universelle [b], que non ses oeilz seullement, mais tout le corps, jectoient larmes. Et, ainsy, sans parler, se departyt, dont la dame demora fort estonnée; car elle n'avoit jamais veu ung tel signe de regret. Toutesfois, poinct ne changea son bon jugement envers luy et l'accompaigna de prieres et oraisons. Au bout d'un mois, ainsy que la dame retournoit en son logis, trouva ung gentil homme qui luy presenta une lettre de par le cappitaine, la priant qu'elle la voulust veoir à part; et luy dist comme il l'avoit veu embarquer, bien deliberé de faire chose agreable au Roy et à l'augmentation de la chrestienté; et que, de luy, il s'en retournoit à Marseille, pour donner ordre aux affaires du dict cappitaine. La dame se retira à une fenestre à part, et ouvrit sa lettre, de deux feuilles de papier escriptes de tous costez, en laquelle y avoit l'epistre qui s'ensuict :

Mon long celer [c], ma taciturnité
Apporté m'a telle necessité,
Que je ne puis trouver nul reconfort,
Fors [d] de parler ou de souffrir la mort
Ce Parler-là, auquel j'ay defendu
De se monstrer à toy, a actendu
De me veoir seul et de mon secours loing;
Et lors m'a dict qu'il estoit de besoing
De le laisser aller s'esvertuer,
De se monstrer ou bien de me tuer.
Et a plus faict, car il s'est venu mectre
Au beau millieu de ceste myenne lettre,

a. insupportable. — *b.* générale. — *c.* ma longue dissimulation. — *d.* sinon.

Et dit que, puis que mon oeil ne peult veoir
Celle qui tient ma vie en son povoir,
Dont le regard sans plus me contantoit,
Quand son parler mon oreille escoutoit,
Que maintenant par force il saillira
Devant tes oeilz, où poinct ne faillira
De te monstrer mes plainctes et mes clameurs [283],
Dont le celer est cause que je meurs.
Je l'ay voulu de ce papier oster,
Craingnant que poinct ne voulusse escouter
Ce sot Parler, qui se monstre en absence,
Qui trop estoit craintif en ta presence;
Disant : « Mieulx vault, en me taisant, mourir,
Que de vouloir ma vie secourir
Pour ennuyer celle que j'aime tant
Que de mourir pour son bien suis content ! »
D'autre costé, ma mort pourroit porter
Occasion de trop desconforter
Celle pour qui seullement j'ay envye
De conserver ma santé et ma vye.
Ne t'ay-je pas, o ma dame, promis
Que, mon voiage à fin heureuse mis,
Tu me verrois devers toy retourner,
Pour ton mary avecq toy emmener
Au lieu où tant as de devotion,
Pour prier Dieu sur le mont de Syon ?
Si je me meurs, nul ne t'y menera,
Trop de regret ma mort ramenera,
Voyant à riens tournée l'entreprinse,
Qu'avecques tant d'affection as prinse.
Je vivray doncq, et lors t'y meneray
Et en brief temps à toy retourneray.
La mort pour moy est bonne, à mon advis,
Mais seullement pour toy seulle je veiz.
Pour vivre doncq, il me fault alleger
Mon pauvre cueur, et du faiz soulager,
Qui est à luy et à moy importable,
De te monstrer mon amour veritable
Qui est si grande et si bonne et si forte,
Qu'il n'y en eut oncques de telle sorte.
Que diras-tu ? O Parler trop hardy,
Que diras-tu ? Je te laisse aller, dy ?
Pourras-tu bien luy donner congnoissance
De mon amour ? Las ! tu n'as la puissance
D'en demonstrer la milliesme part :
Diras-tu point, au moins, que son regard
A retiré mon cueur de telle force,

Que mon corps n'est plus qu'une morte escorce,
Si par le sien je n'ay vie et vigueur ?
Las ! mon Parler foible et plein de langueur,
Tu n'as povoir de bien au vray luy paindre
Comment son oeil peult un bon cueur contraindre ?
Encores moins à louer sa parolle
Ta puissance est pauvre, debille et molle,
Si tu pouvois au moins luy dire ung mot,
Que, bien souvent, comme muet et sot,
Sa bonne grace et vertu me randoit,
Et, à mon oeil qui tant la regardoit,
Faisoit gecter par grande amour les larmes,
Et à ma bouche aussy changer ses termes;
Voire et en lieu dire que je l'aymois,
Je luy parlois des signes et des mois
Et de l'estoille Arcticque et Antarcticque.
O mon Parler ! tu n'as pas la practicque
De luy compter en quel estonnement
Me mectoit lors mon amoureux torment,
De dire aussy mes maulx et mes douleurs !
Il n'y a pas en toi tant de valleurs,
De declairer ma grande et forte amour,
Tu ne sçaurois me faire ung si bon tour ?
A tout le moins, si tu ne peuls le tout
Luy racompter, prens-toy à quelque bout,
Et diz ainsy : « Craincte de te desplaire
M'a faict longtemps, maulgré mon vouloir, taire
Ma grande amour qui devant ton merite
Et devant Dieu ne peult estre descrite [284]
Car ta vertu en est le fondement,
Qui me rend doulx mon trop cruel tourment,
Veu que l'on doibt ung tel tresor ouvrir
Devant chascun et son cueur descouvrir.
Car qui pourroit ung tel amant reprendre
D'avoir osé et voulu entreprendre
D'acquerir dame, en qui la vertu toute
Voire et l'honneur faict son sejour sans doubte ?
Mais, au contraire, on doibt bien fort blasmer
Celluy qui voyt ung tel bien, sans l'aymer.
Or, l'ay je veu et l'ayme d'un tel cueur,
Qu'amour sans plus en a esté vaincqueur.
Las ! ce n'est poinct amour legier ou fainct
Sur fondement de beaulté fol et painct :
Encores moins cest amour qui me lye
Regarde en riens la villaine follye.
Poinct n'est fondée en villaine esperance
D'avoir de toy aucune joissance;

Car rien n'y a au fondz de mon desir,
Qui contre toy soubzhaicte nul plaisir.
J'aymerois mieulx morir en ce voyage,
Que de te sçavoir moins vertueuse ou saige,
Ne que pour moy fust moindre la vertu
Dont ton corps est et ton cueur revestu.
Aymer te veulx comme la plus parfaicte
Qui oncques fut; pourquoy, rien ne soubhaicte
Qui puisse [285] oster ceste perfection,
La cause et fin de mon affection;
Car plus de moy tu es saige estimée,
Et plus aussy parfaictement aymée.
Je ne suis pas celui qui se console
En son amour et en sa dame folle.
Mon amour est très saige et raisonnable;
Car je l'ay mis en dame tant aymable,
Qu'il n'y a nul Dieu, ne ange de paradis,
Qu'en te voyant ne dist ce que je diz
Et si de toy je ne puis estre aymé
Il me suffit au moins d'estre estimé
Le serviteur plus parfaict qui fut oncques;
Ce que croyras, j'en suis très seur, adoncques
Que la longueur du temps te fera veoir
Que de t'aymer je faictz loyal debvoir.
Et si de toy je n'en reçois autant,
A tout le moins de t'aymer suis content,
En t'asseurant que rien ne te demande,
Fors seullement que je te recommande
Le cueur et corps bruslant pour ton service
Dessus l'autel d'amour pour sacrifice.
Croy hardiment que, si je reviens vif,
Tu reverras ton serviteur naïf [a],
Et, si je meurs, ton serviteur mourra,
Que jamais dame ung tel n'en trouvera.
Ainsy, de toy s'en va emporter l'unde
Le plus parfaict serviteur de ce monde.
La mer peult bien ce mien corps emporter,
Mais non le cueur que nul ne peult oster
D'avecq toy, où il faict sa demeure,
Sans plus vouloir à moy venir une heure.
Si je pouvois avoir, par juste eschange,
Ung peu du tien, pur et clair comme ung ange,
Je ne craindrois d'emporter la victoire,
Dont ton seul cueur en gaigneroit la gloire.
Or vienne doncques ce qu'il en adviendra !

a. naturel.

J'en ay gecté le dé, là se tiendra
Ma volunté sans aucun changement.
Et pour mieulx peindre au tien entendement
Ma loiaulté, ma ferme seureté,
Ce diamant, pierre de fermeté [a],
En ton doigt blanc, je te suplie prendre :
Par qui pourras trop plus qu'heureux me rendre :
O diamant, dy : « Amant si m'envoye,
Qui entreprend ceste doubteuse voye,
Pour meriter, par ses œuvres et faictz,
D'estre du rang des vertueux parfaictz;
A fin que ung jour il puisse avoir sa place
Au desiré lieu de ta bonne grace. »

La dame leut l'epistre tout du long, et de tant plus s'esmerveilloit de l'affection du cappitaine, que moins elle en avoit eu de soupson. Et, en regardant la table du diamant grande et belle, dont l'anneau estoit emmaillé de noir, fut en grande peyne de ce qu'elle en avoit à faire. Et, après avoir resvé toute la nuict sur ces propos, fut très aise d'avoir occasion de ne luy faire response par faulte de messaigier, pensant en elle-mesme, qu'avecq les peynes qu'il portoit pour le service de son maistre, il n'avoit besoing d'estre fasché de la mauvaise response qu'elle estoit deliberée de luy faire, laquelle elle remeist à son retour. Mais elle se trouva fort empeschée du diamant; car elle n'avoit poinct accoustumé de se parer aux despens d'autres que de son mary. Parquoy, elle, qui estoit de bon entendement, pensa de faire profficter cest anneau à la conscience de ce cappitaine. Elle despescha ung sien serviteur, qu'elle envoya à la desolée femme du capitaine, en faingnant que ce fust une religieuse de Tarascon qui luy escripvit une telle lettre :

« Madame, monsieur vostre mary est passé par icy bien peu avant son embarquement, et, après s'estre confessé et receu son Createur comme bon chrestien, m'a decelé [286] ung faict qu'il avoit sur sa conscience : c'est le regret de ne vous avoir tant aymée comme il debvoit. Et me pria et conjura, à son partement, de vous envoyer ceste lettre avecq ce diamant, lequel je vous prie garder pour l'amour

a. au double sens de résistance et de fidélité.

de luy, vous asseurant que, si Dieu le faict retourner en santé, jamais femme ne fut mieulx traictée que vous serez; et ceste pierre de fermeté vous en fera foy pour luy. Je vous prie l'avoir pour recommandé en voz bonnes prieres, car aux miennes il aura part toute ma vie. »

Ceste lettre, parfaicte et signée au nom d'une religieuse, fut envoyée par la dame à la femme du cappitaine. Et, quant la bonne vielle veid la lettre et l'anneau, il ne fault demander combien elle pleura de joye et de regret d'estre aymée et estimée de son bon mary, de la veue duquel elle se voyoit estre privée. Et, en baisant l'anneau plus de mille fois, l'arrousoit de ses larmes benissant Dieu qui, sur la fin de ses jours, luy avoit redonné l'amityé de son mary, laquelle elle avoit tenue longtemps pour perdue; et, remerciant la religieuse qui estoit cause de tant de bien, à laquelle feit la meilleure response qu'elle peut, que le messaigier rapporta en bonne dilligence à sa maistresse, qui ne la leut, ny n'entendit ce que lui dist son serviteur, sans rire bien fort. Et se contenta d'estre defaicte de son diamant par ung si proffitable moyen, que, de reunir le mary et la femme en bonne amityé, il luy sembla avoir gaingné ung royaulme.

Ung peu de temps après, vindrent nouvelles de la defaicte et mort du pauvre cappitaine, et comme il fut habandonné de ceulx qui le devoient secourir, et son entreprinse revelée par les Rhodiens, qui la devoient tenir secrette; en telle sorte que luy avecq tous ceulx qui descendirent en terre, qui estoient en nombre de quatre vingtz, furent tous tuez [287] : entre lesquelz estoit un gentil homme, nommé Jehan et ung Turc tenu sur les fondz par la dicte dame, lesquelz deux elle avoit donnez au cappitaine, pour faire le voyage avecq luy. Dont l'un morut auprès de luy, et le Turc, avecq quinze coups de fleche, se saulva à nouer [a] dedans les vaisseaulx françois. Et par luy seul fut entendue la verité de tout cest affaire; car ung gentil homme, que le pauvre cappitaine avoit prins pour amy et compaignon, et l'avoit advancé [b] envers le Roy et les plus grands de France, si tost qu'il veid mectre pied à terre au dict cappitaine, retira bien avant en la mer ses vaisseaulx. Et, quant le cappitaine veid son entreprinse descouverte et plus de

a. à la nage. — *b*. dépêché.

quatre mil Turcqs, se voulut retirer comme il debvoit. Mais le gentil homme, en qui il avoit eu si grande fiance, voyant que par sa mort la charge luy demouroit seulle de ceste grande armée et le proffict, meit en avant à tous les gentils hommes qu'il ne falloit pas hazarder les vaisseaulx du Roy, ne tant de gens de bien qui estoient dedans, pour saulver cent personnes seulement; et ceulx qui n'avoient pas trop de hardiesse furent de son oppinion. Et, voyant le dict cappitaine que plus il les appelloit et plus ils s'esloignoient de son secours, se retourna devers les Turcqs, estant au sablon [a] jusques au genoil [b], où il feit tant de faictz d'armes et de vaillances, qu'il sembloit que luy seul deust deffaire tous ses ennemys, dont son traistre compaignon avoit plus de paour que desir de sa victoire. A la fin, quelques armes qu'il sceust faire, receut tant de coups de fleches de ceulx qui ne povoient approcher de luy que de la portée de leurs arcs, qu'il commencea à perdre tout son sang. Et lors les Turcs, voyans la foiblesse de ces vraiz chrestiens, les vindrent charger [288] à grands coups de cymeterre; lesquelz, tant que Dieu leur donna force et vie, se defendirent jusques au bout. Le cappitaine appella ce gentil homme, nommé Jehan, que sa dame luy avoit donné, et le Turcq aussy, et, en mectant la poincte de son espée en terre, tombant à genoil auprès, baisa et embrassa la Croix, disant : « Seigneur, prens l'ame en tes mains, de celluy qui n'a espargné sa vie pour exalter ton nom ! » Le gentil homme nommé Jehan voyant que avecq ses parolles la vie luy deffailloit, embrassa, luy et la croix de l'espée qu'il tenoit, pour le cuyder secourir; mais ung Turcq, par derriere, luy couppa les deux cuisses, et, en criant tout haut : « Allons, cappitaine, allons en paradis veoir Celluy pour qui nous mourons ! » fut compaignon à la mort, comme il avoit esté à la vie du pauvre cappitaine. Le Turcq, voyant qu'il ne povoit servir à l'un ny à l'autre, frappé de quinze flesches, se retira vers les navires, et, en demandant y estre retiré [289], combien qu'il fust seul eschappé des quatre vingtz, fut refusé par le traistre compaignon. Mais, luy, qui sçavoit fort bien nager, se gecta dedans la mer, et feit tant, qu'il fut receu à ung petit vaisseau, et, au bout de quelque temps, guery de ses plaies. Et, par ce

a. sur le sable du rivage. — *b*. genou.

pauvre estrangier, fut la verité congneue entierement à l'honneur du cappitaine et à la honte de son compaignon, duquel le Roy et tous les gens de bien, qui en oyrent le bruict, jugerent la meschanceté si grande envers Dieu et les hommes, qu'il n'y avoit mort dont il ne fust digne. Mais, à sa venue, donna tant de choses faulses à entendre, avecq force presens, que non seullement se saulva de pugnition, mais eut la charge de celluy qu'il n'estoit digne de servir de varlet.

Quant ceste piteuse nouvelle vint à la court, madame la Regente, qui l'estimoit fort, le regretta merveilleusement; aussy feit le Roy et tous les gens de bien qui le congnoissoient. Et celle qu'il aymoit le mieulx, oyant une si estrange, piteuse et chrestienne mort, changea la dureté du propos qu'elle avoit deliberé luy tenir, en larmes et lamentations; à quoy son mary luy tint compaignye, se voyans frustrez de l'espoir de leur voyage. Je ne veulx oblier que une damoiselle qui estoit à ceste dame, laquelle aymoit ce gentil homme nommé Jehan, plus que soy-mesme, le propre jour que les deux gentils hommes furent tuez, vint dire à sa maistresse, qu'elle avoit veu en songe celluy qu'elle aymoit tant, vestu de blanc, lequel luy estoit venu dire adieu, et qu'il s'en alloit en paradis avecq son cappitaine. Mais, quant elle sceut que son songe estoit veritable, elle feyt un tel deuil, que sa maistresse avoit assez à faire à la consoler. Au bout de quelque temps, la court alla en Normandye, d'où estoit le gentil homme, la femme duquel ne faillyt de venir faire la reverence à madame la Regente. Et, pour y estre presentée, s'addressa à la dame que son mary avoit tant aymée. Et, en actendant l'heure propre dedans une eglise, commencea à regretter et louer son mary, et, entre autres choses, luy dist : « Helas, ma dame ! mon malheur est le plus grand qui advint oncques à femme, car, à l'heure qu'il m'aymoit plus qu'il n'avoit jamais faict, Dieu me l'a osté. » Et, en ce disant, luy monstra l'anneau qu'elle avoit au doigt comme le signe de sa parfaicte amityé, qui ne fut sans grandes larmes : dont la dame, quelque regret qu'elle en eust, avoit tant d'envye de rire, veu que de sa tromperie estoit sailly [a] ung tel bien, qu'elle ne la voulut presenter à madame la Regente, mais la bailla à une autre

a. sorti.

et se retira en une chappelle, où elle passa l'envye qu'elle avoit de rire.

« Il me semble, mes dames, que celles à qui l'on presente de telles choses, devroient desirer en faire œuvre qui vint à aussy bonne fin que feyt ceste bonne dame; car elles trouveroient que les bienfaictz sont les joyes des bien faisans. Et ne fault poinct accuser ceste dame de tromperie, mais estimer de son bon sens, qui convertit en bien ce qui de soy ne valloit riens. — Voulez-vous dire, ce dist Nomerfide, que ung beau dyamant de deux cens escuz ne vault riens ? Je vous asseure que, s'il fust tumbé entre mes mains, sa femme ne ses parens n'en eussent riens veu. Il n'est rien mieulx à soy, que ce qui est donné. Le gentil homme estoit mort, personne n'en sçavoit rien : elle se fust bien passée de faire tant pleurer ceste pauvre vieille. — En bonne foy, ce dist Hircan, vous avez raison, car il y a des femmes qui, pour se monstrer plus excellentes que les autres, font des œuvres apparantes contre leur naturel, car nous sçavons bien tous qu'il n'est riens si avaritieux que une femme. Toutesfois, leur gloire passe souvent leur avarice, qui force leurs cueurs à faire ce qu'ilz ne veullent. Et croy que celle qui laissa ainsy le diamant n'estoit pas digne de le porter. — Holà ! holà, ce dist Oisille, je me doubte bien qui elle est; parquoy, je vous prie, ne la condannez poinct sans veoir. — Ma dame, dist Hircan, je ne la condanne poinct, mais, si le gentil homme estoit autant vertueux que vous dictes, elle estoit honorée d'avoir ung tel serviteur et de porter son anneau; mais peult-estre que ung moins digne d'estre aymé la tenoit si bien par le doigt, que l'anneau n'y pouvoit entrer. — Vrayement, ce dist Ennasuitte, elle le povoit bien garder, puisque personne n'en sçavoit rien. — Comment ? ce dist Geburon : toutes choses à ceulx qui ayment sont-elles licites, mais que [a] l'on n'en sache riens ? — Par ma foy, ce dist Saffredent, je ne veiz oncques meffaict pugny, sinon la sottise; car il n'y a meurtrier, larron, ny adultere, mais qu'il soyt aussy fin que maulvais, qui jamais soit reprins par justice, ny blasmé entre les hommes. Mais souvent la malice est si grande, qu'elle les aveugle; de sorte qu'ilz deviennent sotz et comme j'ay

a. pourvu que.

dict. Seulement les sots sont punis [290], et non les vicieux [291].
— Vous en direz ce qu'il vous plaira, ce dist Oisille : Dieu peult juger le cueur de ceste dame; mais, quant à moy, je treuve le faict très honneste et vertueux. Pour n'en debatre plus, je vous prie, Parlamente, donnez vostre voix à quelcun. — Je la donne très volontiers, ce dist-elle, à Symontault; car, après ces deux tristes nouvelles, il ne fauldra de nous en dire une qui ne nous fera poinct pleurer.
— Je vous remercye, dist Simontault; en me donnant vostre voix, il ne s'en fault gueres que ne me nommez plaisant, qui est ung nom que je trouve fort fascheux; et pour m'en venger, je vous monstreray qu'il y a des femmes qui font bien semblant d'estre chastes envers quelques ungs, ou pour quelque temps; mais la fin les monstre telles qu'elles sont, comme vous verrez par une histoire très veritable. »

QUATORZIESME NOUVELLE

Le seigneur de Bonnivet, pour se venger de la cruauté d'une dame milanoyse, s'accointa d'un gentil homme italian, qu'elle aymoit, sans qu'il en eut encores rien eu que bonnes paroles et asseurance d'estre aymé. Et, pour pervenir à son intention, luy conseilla si bien, que sa dame luy accorda ce que tant il avoit pourchassé. Dont le gentil homme avertit Bonnivet, qui, après s'estre fait couper les cheveux et la barbe, vestu d'abillemens semblables à ceux du gentil homme, s'en ala sur le mynuyt mettre sa vengeance à execution : qui fut cause que la dame (après avoir entendu de luy l'invention qu'il avoit trouvée pour la gaigner) luy promit se departir de l'amytié de ceux de sa nation et s'arreter à luy [292].

En la duché de Millan, du temps que le grand-maistre de Chaulmont [293] en estoit gouverneur, y avoit ung gentil homme, nommé le seigneur de Bonnivet [294], qui depuis, par ses merites, fut admiral de France. Estant à Millan, fort aymé du dict grand-maistre et de tout le monde pour les vertuz qui estoient en luy, se trouvoit voluntiers aux festins où toutes les dames se assembloient, desquelles il estoit mieulx voulu que ne fut oncques François, tant pour sa beaulté, bonne grace et bonne parolle, que pour le bruict que chascun luy donnoit d'estre ung des plus adroictz et hardys aux armes qui fust poinct de son temps. Ung jour, en masque, à ung carneval, mena danser une des plus braves et belles dames qui fust poinct en la ville; et, quant les hautzboys faisoient pose, ne failloit à luy tenir les propos d'amour qu'il sçavoit mieulx que nul aultre dire. Mais, elle, qui ne luy debvoit rien de luy respondre, luy voulut soubdain mectre la paille au devant et l'arrester, en l'asseurant qu'elle n'aymoit ni n'aymeroit jamais que son mary, et qu'il ne s'y attendist en aucune maniere. Pour ceste responce, ne se tint le gentil homme refusé, et la pourchassa vivement jusques à la my karesme. Pour toute resolution, il la trouva ferme en propos de n'aymer ne luy ne autre : ce qu'il ne peut croire, veu la mauvaise grace que son mary avoit et la grande beaulté d'elle. Il se delibera, puisqu'elle usoit de dissimulation, de user aussy de tromperie; et dès l'heure, laissa la poursuicte qu'il luy faisoit, et s'enquist si bien de sa vie, qu'il trouva qu'elle aymoit ung gentil homme italien, bien saige et honneste.

Le dict seigneur de Bonnivet accoincta [a] peu à peu ce gentil homme, par telle doulceur et finesse, qu'il ne s'apperceut de l'occasion, mais l'ayma si parfaictement, que après sa dame c'estoit la creature du monde qu'il aymoit le plus. Le seigneur de Bonnivet, pour luy arracher son secret du cueur, faingnit de luy dire le sien, et qu'il aymoit une dame où jamais n'avoit pensé, le priant le tenir secret, et qu'ilz n'eussent tous deux que ung cueur et une pensée. Le pauvre gentil homme, pour luy monstrer l'amour reciprocque, luy vat declairer tout du long celle qu'il portoit à la dame, dont Bonnivet se vouloit venger; et, une foys le jour, se assembloient en quelque lieu tous deux, pour rendre compte des bonnes fortunes advenues le long de la journée; ce que l'un faisoit en mensonge, et l'autre en verité [295]. Et confessa le gentil homme avoir aymé trois ans ceste dame, sans en avoir riens eu, sinon bonne parolle et asseurance d'estre aymé. Le dict de Bonnivet luy conseilla tous les moyens qu'il luy fut possible pour parvenir à son intention; dont il se trouva si bien, que, en peu de jours, elle luy accorda tout ce qu'il demanda; il ne restoit que de trouver le moyen; ce que bien tost, par le conseil du seigneur de Bonnivet, fut trouvé. Et, ung jour, avant

a. fréquenta.

soupper, luy dist le gentil homme : « Monsieur, je suis plus tenu à vous qu'à tous les hommes du monde, car, par vostre bon conseil, j'espere avoir ceste nuict ce que tant d'années j'ay desiré. — Je te prie, mon amy, ce luy dist Bonnivet, compte-moy la sorte de ton entreprinse, pour veoir s'il y a tromperie ou hazard, pour te y servir de bon amy. » Le gentil homme luy vat compter comme elle avoit moyen de faire laisser la grande porte de la maison ouverte, soubz coulleur de quelque maladie qu'avoit l'un de ses freres [296], pour laquelle à toutes heures falloit envoyer à la ville querir ses necessitez; et qu'il pourroit entrer seurement dedans la court, mais qu'il se gardast de monter par l'escallier, et qu'il passast par ung petit degré [a] qui estoit à main droicte, et entrast en la premiere gallerye qu'il trouveroit, où toutes les portes des chambres de son beau pere et de ses beaulx freres se rendoient; et qu'il choisist bien la troisiesme plus près du dict degré, et, si en la poulsant doulcement, il la trouvoit fermée, qu'il s'en allast, estant asseuré que son mary estoit revenu, lequel toutesfoys ne devoit revenir de deux jours; et que, s'il la trouvoit ouverte, il entrast doulcement, et qu'il la refermast hardyment au coureil [b], sachant qu'il n'y avoit qu'elle seulle en la chambre, et que surtout il n'obliast de faire faire des soulliers de feustre, de paour de faire bruict; et qu'il se gardast bien d'y venir plus tost que deux heures après minuict ne fussent passées, pource que ses beaulx freres, qui aymoient fort le jeu, ne s'alloient jamays coucher, qu'il ne fust plus d'une heure. Le dict de Bonnivet luy respondit : « Va, mon amy, Dieu te conduise; je le prie qu'il te garde d'inconvenient : si ma compaignie y sert de quelque chose, je n'espargneray riens qui soit en ma puissance. » Le gentil homme le mercia bien fort, et luy dist qu'en ceste affaire il ne pouvoit estre trop seul [297]; et s'en alla pour y donner ordre.

Le seigneur de Bonnivet ne dormit pas de son costé; et, veoyant qu'il estoit heure de se venger de sa cruelle dame, se retira de bonne heure en son logis, et se feit coupper la barbe de la longueur et largeur que l'avoit le gentil homme; aussy, se feit coupper les cheveulx, à fin que à le toucher on ne peust congnoistre leur difference. Il n'oblia pas les escar-

a. escalier. — *b.* verrou.

pins de feustre et le demorant des habillemens semblables au gentil homme. Et, pour ce qu'il estoit fort aymé du beau-pere de ceste femme, ne craingnit d'y aller de bonne heure, pensant que s'il estoit apperceu il yroit tout droict à la chambre du bon homme avecq lequel il avoit quelque affaire. Et, sur l'heure de minuict, entra en la maison de ceste dame, où il trouva assez d'allans et de venans; mais, parmy eulx, passa sans estre congneu et arriva en la gallerye. Et, touchant les deux premieres portes, les trouva fermées, et la troisiesme non, laquelle doulcement il poussa. Et, entré qu'il fut en la chambre de la dame, la referma au coureil, et veit toute ceste chambre tendue de linge blanc, le pavement et le dessus de mesmes, et ung lict, de thoille fort delyée [a], tant bien ouvré de blanc qu'il n'estoit possible de plus; et la dame seulle dedans avecq son scofyon [b] et la chemise toute couverte de perles et de pierreries; ce qu'il veit par ung coin du rideau, avant que d'estre apperceu d'elle; car il y avoit ung grand flambeau de cire blanche, qui rendoit la chambre claire comme le jour. Et, de paour d'estre congneu d'elle, alla premierement tuer le flambeau [298], puis se despouilla, et s'alla coucher auprès d'elle. Elle, qui cuydoit que ce fust celluy qui si longuement l'avoit aymée, luy feit la meilleure chere qui luy fut possible. Mais, luy, qui sçavoit bien que c'estoit au nom [299] d'un autre, se garda de luy dire ung seul mot, et ne pensa qu'à mectre sa vengeance à execution : c'est de luy oster son honneur et sa chasteté, sans luy en sçavoir gré ni grace. Mais, contre sa volunté et deliberation, la dame se tenoit si contente de ceste vengeance, qu'elle l'estimoit recompensé de tous ses labeurs jusques ad ce que une heure après minuyct sonna qu'il estoit temps de dire adieu. Et, à l'heure, le plus bas qu'il luy fut possible, luy demanda si elle estoit aussy contente de luy comme luy d'elle. Elle, qui cuydoit que ce fust son amy, luy dist que non seullement elle estoit contante, mais esmerveillée de la grandeur de son amour, qui l'avoit gardé une heure sans luy povoir respondre [300]. A l'heure, il se print à rire bien fort, luy disant : « Or sus, ma dame, me refuserez-vous une autre fois, comme vous avez accoustumé de faire jusques icy ? » Elle, qui le congneut à la parolle et au riz, fut si desesperée d'ennuy et de honte,

a. fine. — *b.* sorte de coiffure.

qu'elle l'appella plus de mille foys *meschant*, *traistre* et *trompeur*, se voulant gecter du lict à bas pour chercher ung cousteau, à fin de se tuer, veu qu'elle estoit si malheureuse qu'elle avoit perdu son honneur pour ung homme qu'elle n'aymoit poinct et qui, pour se venger d'elle, pourroit divulguer ceste affaire par tout le monde. Mais il la retint entre ses bras, et, par bonnes et doulces parolles, l'asseurant de l'aymer plus que celluy qui l'aymoit et de celler ce qui touchoit son honneur, si bien qu'elle n'en auroit jamais blasme. Ce que la pauvre sotte creut; et, entendant de luy l'invention qu'il avoit trouvée et la peyne qu'il avoit prinse pour la gaingner, luy jura qu'elle l'aymeroit mieulx que l'autre qui n'avoit sceu celler son secret; et qu'elle congnoissoit bien le contraire du faulx bruict que l'on donnoit aux Françoys [a]; car ilz estoient plus saiges, perseverans et secretz que les Italiens. Parquoy, doresnavant elle se departoit [b] de l'oppinion de ceulx de sa nation, pour se arrester à luy. Mais elle le pria bien fort que pour quelque temps il ne se trouvast en lieu ne festin où elle fust, sinon en masque; car elle sçavoit bien qu'elle auroit si grande honte, que sa contenance la declaireroit [c] à tout le monde. Il luy en feit promesse, et aussy la pria [301] que, quand son amy viendroit à deux heures, elle luy feist bonne chere, et puis peu à peu elle s'en pourroit deffaire. Dont elle feit si grande difficulté, que, sans l'amour qu'elle luy portoit, pour riens ne l'eust accordé. Toutesfois, en luy disant adieu, la rendit si satisfaicte qu'elle eust bien voulu qu'il y fust demoré plus longuement.

Après qu'il fut levé et qu'il eut reprins ses habillemens, saillit hors de la chambre, et laissa la porte entr'ouverte comme il l'avoit trouvée. Et, pour ce qu'il estoit près de deux heures, et qu'il avoit paour de trouver le gentil homme en son chemyn, se retira au hault du degré, où bientost après il le veid passer et entrer en la chambre de sa dame. Et, luy, s'en alla en son logis, pour reposer son travail; ce qu'il feit de sorte que neuf heures au matin le trouverent au lict : où, à son levé, arriva le gentil homme, qui ne faillit à luy compter sa fortune, non si bonne comme il l'avoit esperée, car il dist que, quant il entra en la chambre

a. qu'elle savait la fausseté de la renommée que l'on faisait aux Français. — *b*. séparait. — *c*. trahirait.

de sa dame, il la trouva levée en son manteau de nuict, avecques une bien grosse fiebvre, le poulx fort esmeu, le visaige en feu et la sueur qui commençoit fort à luy prendre, de sorte qu'elle le pria s'en retourner incontinant; car, de paour d'inconvenient, n'avoit osé appeler ses femmes, dont elle estoit si mal, qu'elle avoit plus besoing de penser à la mort que à l'amour, et d'oyr parler de Dieu que de Cupido, estant marrye du hazard [a] où il s'estoit mis pour elle, veu qu'elle n'avoit puissance en ce monde de luy rendre ce qu'elle esperoit faire en l'autre bientost. Dont il fust si estonné et marry, que son feu et sa joye s'estoient convertiz en glace et en tristesse, et s'en estoit incontinent departy. Et, au matin, au poinct du jour, avoit envoyé sçavoir de ses nouvelles, et que pour vray elle estoit très mal. Et, en racomptant ses douleurs, pleuroit si très fort, qu'il sembloit que l'ame s'en deust aller par ses larmes. Bonnivet, qui avoit autant envye de rire que l'autre de plorer, le consola le mieulx qu'il luy fut possible, luy disant que les amours de longue durée ont tousjours ung commencement difficille, et qu'amour luy faisoit ce retardement pour luy faire trouver la joissance meilleure; et, en ces propos, se departirent. La dame garda quelques jours le lict; et, en recouvrant sa santé, donna congé à son premier serviteur, le fondant sur la craincte qu'elle avoit eue de la mort et le remors de sa conscience et, s'arresta au seigneur Bonnivet, dont l'amityé dura, selon la coustume, comme la beaulté des fleurs des champs [302].

« Il me semble, mes dames, que les finesses du gentil homme vallent bien l'hypocrisie de cette dame, qui, après avoir tant contrefaict la femme de bien, se declaira si folle. — Vous direz ce qu'il vous plaira des femmes, ce dist Ennasuitte, mais ce gentil homme feit ung tour meschant. Est-il dict que si une dame en aymoit ung, l'autre la doyve avoir par finesse [b] ? — Croyez, ce dist Geburon, que telles marchandises ne se peuvent mectre en vente, qu'elles ne soient emportées par les plus offrans et derniers encherisseurs. Ne pensez pas que ceulx qui poursuyvent les dames prennent tant de peyne pour l'amour d'elles; car c'est

a. danger. — *b.* ruse.

seullement pour l'amour d'eulx êt de leur plaisir. — Par ma foy, ce dist Longarine, je vous en croy; car, pour vous en dire la verité, tous les serviteurs que j'ay jamais eu, m'ont tousjours commencé leurs propos par moy, monstrans desirer ma vye, mon bien, mon honneur; mais la fin en a esté par eulx, desirans leur plaisir et leur gloire. Parquoy, le meilleur est de leur donner congié dès la premiere partye de leur sermon; car, quant on vient à la seconde, on n'a pas tant d'honneur à les refuser, veu que le vice de soy, quant il est congneu, est refusable. — Il fauldroit doncques, ce dist Ennasuitte, que, dès que ung homme ouvre la bouche, on le refusast sans sçavoir qu'il veult dire? » Parlamente luy respondit : « Ma compaigne ne l'entend pas ainsy; car on sçaict bien que au commencement une femme ne doibt jamais faire semblant d'entendre où l'homme veult venir, ny encores, quant il le declaire, de le povoir croyre; mais, quant il vient à en jurer bien fort, il me semble qu'il est plus honneste aux dames de le laisser en ce beau chemyn, que d'aller jusques à la vallée. — Voire mais, ce dist Nomerfide, debvons-nous croyre par là qu'ils nous ayment par mal? Est-ce pas peché de juger son prochain? — Vous en croirez ce qu'il vous plaira, dist Oisille; mais il fault tant craindre qu'il soit vray, que, dès que vous en appercevez quelque estincelle, vous devez fuyr ce feu, qui a plus tost bruslé ung cueur, qu'il ne s'en est apparceu. — Vrayement, ce dist Hircan, voz loix sont trop dures. Et si les femmes vouloient, selon vostre advis, estre si rigoureuses, ausquelles la doulceur est tant seante, nous changerions aussy nos doulces supplications en finesses et forces. — Le mieulx que je y voye, dist Simontault, c'est que chacun suyve son naturel. Qui ayme ou qui n'ayme poinct le monstre dans dissimullation! — Pleust à Dieu, ce dist Saffredent, que ceste loy apportast autant d'honneur qu'elle feroit de plaisir! » Mais Dagoucin ne se sceut tenir de dire : « Ceulx qui aymeroient mieulx mourir, que leur volonté fust congneue, ne se pourroient accorder à vostre ordonnance? — Mourir! ce dist Hircan; encor est-il à naistre le bon chevalier qui pour telle chose publicque vouldroit mourir. Mais laissons ces propos d'impossibilité, et regardons à qui Simontault donnera sa voix[303]. — Je la donne, dist Simontault, à Longarine, car je la regardois tantost qu'elle parloit toute seulle; je pense qu'elle recordoit [a] quelque bon roolle, et si n'a poinct accoustumé de celler la verité soit contre femme ou contre homme. — Puis que vous m'estimez si veritable, dist Longarine, je vous racompteray une histoire, que, nonobstant qu'elle ne soit tant à la louange des femmes [304] que je vouldrois, si verrez-vous qu'il y en a ayans aussy bon cueur, aussy bon esprit, et aussy plaines de finesses que les hommes. Si mon compte est un peu long, vous aurez patience. »

QUINZIESME NOUVELLE

Par la faveur du Roy Françoys, un simple gentil homme de sa court espousa une femme fort riche, de laquelle toutesfois, tant pour sa grande jeunesse que pour ce qu'il avoit son cueur ailleurs, il teint si peu de conte, que, elle, meue de depit et vaincue de desespoir, après avoir cerché tous moyens de luy complaire, avisa de se reconforter autre part des ennuys qu'elle enduroit avec son mary [305].

En la court du Roy Françoys premier, y avoit ung gentil homme, duquel je congnois si bien le nom que je ne le veulx poinct nommer. Il estoit pauvre, n'ayant poinct cinq cens livres de rente, mais il estoit tant aymé du Roy pour les vertus dont il estoit plain, qu'il vint à espouser une femme si riche, que ung grand seigneur s'en fust bien contanté. Et, pour ce qu'elle estoit encores bien jeune, pria une des plus grandes dames de la court de la vouloir tenir avecq elle; ce qu'elle feyt très voluntiers. Or, estoyt ce gentil homme tant honneste, beau et plain de toute grace, que toutes les dames de la court en faisoient bien grand cas. Et, entre aultres, une que le Roy aymoit, qui n'estoit si jeune ne si belle que la sienne. Et, pour la grande amour qu'il luy portoit, tenoit si peu de compte de sa femme, que à peyne en ung an couchoit-il une nuict avecq elle. Et ce qui plus luy estoit importable, c'est que jamais il ne parloit à elle, ne luy faisoit signe d'amityé. Et, combien qu'il jouyst de son bien, il luy en faisoit si petite part, qu'elle n'estoit pas habillée comme il luy appartenoit,

a. se rappelait.

ne comme elle desiroit. Dont la dame avecq qui elle estoit, reprenoit souvent le gentil homme, en luy disant : « Vostre femme est belle, riche et de bonne maison, et vous ne tenez non plus compte d'elle, que si elle estoit tout le contraire; ce que son enfance et jeunesse a supporté jusques icy; mais j'ay paour que, quant elle se verra grande et telle que son mirouer luy monstrera, que quelcun qui ne vous aymera pas luy remonstre sa beaulté [306] si peu de vous prisée, et que, par despit, elle face ce que, estant de vous bien traictée, n'oseroit jamais penser. » Le gentil homme, qui avoit son cueur ailleurs, se mocqua très bien d'elle et ne laissa, pour ses enseignemens, à continuer la vie qu'il menoit. Mais, deux ou trois ans passez, sa femme commencea à devenir une des plus belles femmes qui fust poinct en France, tant qu'elle eut le bruict de n'avoir à la court sa pareille. Et plus elle se sentoit digne d'estre aymée, plus s'ennuya de veoir que son mary n'en tenoit compte : tellement, qu'elle en print ung si grand desplaisir, que, sans la consolation de sa maistresse, estoit quasi au desespoir. Et, après avoir cherché tous les moyens de complaire à son mary qu'elle pouvoit, pensa en elle-mesme qu'il estoit impossible qu'il l'aymast, veu la grande amour qu'elle luy portoit, sinon qu'il eut quelque autre fantaisie en son entendement; ce qu'elle chercha si subtillement, qu'elle trouva la verité, et qu'il estoit toutes les nuictz si empesché ailleurs, qu'il oblyoit sa conscience et sa femme.

Et, après qu'elle fut certaine de la vie qu'il menoit, print une telle melencolye, qu'elle ne se vouloit plus habiller que de noir, ne se trouver en lieu où l'on feist bonne chere. Dont sa maistresse, qui s'en apperceut, feit tout ce qui luy fust possible pour la retirer de ceste oppinion, mais elle ne peut. Et, combien que son mary en fust assez adverty, il fut plus prest à s'en mocquer, que de y donner remede. Vous sçavez, mes dames, que, ainsi que extreme joye est occupée par pleurs, aussi extreme ennuy prend fin par quelque joye [307] ? Parquoy, ung jour, advint que ung grand seigneur, parent proche de la maistresse [308] de ceste dame et qui souvent la frequentoit, entendant l'estrange façon dont le mary la traictoit, en eut tant de pitié qu'il se voulut essayer à la consoler; et, en parlant avecq elle, la trouva si belle, si saige et si vertueuse, qu'il desira beaucoup d'estre en sa bonne grace, que de luy parler de son mary sinon pour luy monstrer le peu d'occasion qu'elle avoit de l'aymer.

Ceste dame, se voyant delaissée de celluy qui la debvoit aymer, et d'autre costé aymée et requise d'un si beau prince, se tint bien heureuse d'estre en sa bonne grace. Et, combien qu'elle eust tousjours desir de conserver son honneur, si prenoit-elle grand plaisir de parler à luy et de se veoir aymée et estimée; chose dont quasi elle estoit affamée. Ceste amityé dura quelque temps, jusques à ce que le Roy s'en apparceut, qui portoit tant d'amour au gentil homme, qu'il ne vouloit souffrir que nul luy feist honte ou desplaisir. Parquoy, il pria bien fort ce prince d'en vouloir oster sa fantaisye, et que, s'il continuoit, il seroit très mal contant de luy. Ce prince, qui aymoit trop mieulx la bonne grace du Roy que toutes les dames du monde, luy promist, pour l'amour de luy, d'habandonner son entreprinse, et que dès le soir il yroit prendre congé d'elle. Ce qu'il feyt, si tost qu'il sceut qu'elle estoit retirée en son logis, où logeoit le gentil homme en une chambre sur la sienne. Et, estant au seoir à la fenestre, veid entrer ce prince en la chambre de sa femme, qui estoit soubz la sienne; mais le prince, qui bien l'advisa, ne laissa d'y entrer. Et, en disant adieu à celle dont l'amour ne faisoit que commencer, luy allegua pour toutes raisons le commandement du Roy.

Après plusieurs larmes et regretz qui durerent jusques à une heure après minuict, la dame [309] luy dist pour conclusion : « Je loue Dieu, Monseigneur, dont il luy plaist que vous perdiez ceste oppinion, puisqu'elle est si petite et foible, que vous la povez prendre et laisser par le commandement des hommes. Car, quant à moy, je n'ay poinct demandé congé ny à maistresse, ny à mary, ni à moy-mesmes, pour vous aymer; car Amour, s'aydant de vostre beaulté et de vostre honnesteté, a eu telle puissance sur moy, que je n'ay congneu autre Dieu ne autre Roy que luy. Mais, puis que vostre cueur n'est pas si remply de vray amour, que craincte n'y trouve encores place, vous ne povez estre amy parfaict, et d'un imparfaict, je ne veulx poinct faire amy aymé parfaictement, comme j'avois deliberé faire de vous. Or adieu, Monseigneur, duquel la craincte ne merite la franchise de mon amityé ! » Ainsi s'en alla pleurant ce seigneur, et, en se retournant, advisa encores le mary estant à la fenestre, qui l'avoit veu entrer et saillyr. Parquoy, le lendemain, luy compta l'occasion pourquoy il estoit allé veoir sa femme et le commandement que le Roy luy en avoit faict : dont le gentil homme en fut fort content et en remercia le Roy. Mays, voyant que sa femme tous les jours embellissoit, et luy devenoit viel et admoindrissoit sa beaulté, commencea à changer de roolle, prenant celluy que long temps il avoit faict jouer à sa femme; car il la chercheoit plus qu'il n'avoit de coustume, et prenoit garde sur elle. Mais, de tant plus elle le fuyoit, qu'elle se voyoit cherchée de luy, desirant luy rendre partye des ennuictz qu'elle avoit euz pour estre de luy peu aymé. Et, pour ne perdre si tost le plaisir que l'amour luy commençoit à donner, se vat addresser à ung jeune gentil homme, tant si très beau, bien parlant, et de tant bonne grace, qu'il estoit aymé de toutes les dames de la court. Et, en luy faisant ses complainctes de la façon comme elle avoit esté traictée, l'incita d'avoir pitié d'elle, de sorte que le gentil homme n'oblia riens pour essayer à la reconforter. Et, elle, pour se recompenser de la perte d'un prince qui l'avoit laissée, se meist à aymer si fort ce gentil homme, qu'elle oblia son ennuy passé, et ne pensa sinon à finement conduire son amityé. Ce qu'elle sceut si bien faire, que jamays sa maistresse ne s'en apperceut, car, en sa presence, se gardoit bien de parler à luy. Mais, quant elle luy vouloit dire quelque chose, s'en alloit veoir quelques dames qui demoroient à la court, entre lesquelles y en avoit une dont son mary faingnoit estre amoureux.

Or, ung soir, après soupper, qu'il faisoit obscur, se desroba la dicte dame, sans appeller nulle compaignye, et entra en la chambre des dames, où elle trouva celluy qu'elle aimoit mieulx que elle-mesmes; et, en se asseant auprès de luy, appuyez sur une table, parloient ensemble, faingnans de lire en ung livre. Quelcun que le mary avoit mis au guet, luy vint rapporter là où sa femme estoit allée; mais luy, qui estoit saige, sans en faire semblant, s'y en alla le plus tost qu'il peut. Et, entrant en la chambre, veid sa femme lisant le livre, qu'il faingnit ne veoir poinct, mais alla parler tout droict aux dames qui estoient de l'autre costé. Ceste pauvre dame, voyant que son mary l'avoit trouvée avecq celluy auquel devant luy elle n'avoit jamais parlé, fut si transportée, qu'elle perdit sa raison, et, ne pouvant passer par le banc, saulta sur la table, et s'enfuit, comme si son mary, avecq l'espée nue, l'eust poursuivye; et alla trouver sa maistresse, qui se retiroit en son logis.

Et, quant elle fut deshabillée, se retira la dicte dame, à laquelle une de ses femmes vint dire que son mary la demandoit. Elle luy respondit franchement qu'elle ne yroit point, et qu'il estoit si estrange et austere [a], qu'elle avoit paour qu'il ne luy feist ung mauvais tour. A la fin, de paour de pis, s'y en alla. Son mary ne luy en dist ung seul mot, sinon quant ilz furent dedans le lict. Elle, qui ne sçavoit pas si bien dissimuller que luy, se print à pleurer. Et, quant il y eut demandé pourquoy c'estoit, elle luy dist qu'elle avoit paour qu'il fust courroucé contre elle, pource qu'il l'avoit trouvée lisant avecq ung gentil homme. A l'heure, il luy respondit que jamais il ne luy avoit defendu de parler à homme, et qu'il n'avoit trouvé mauvais qu'elle y parlast, mais ouy bien de s'en estre enfouye devant luy, comme si elle eut faict chose digne d'estre reprinse, et que ceste fuicte seullement luy faisoit penser qu'elle aymoit le gentil homme. Parquoy il luy defendit que jamais il ne luy advint de luy parler, ny en public [310], ny en privé, luy asseurant que, la premiere fois qu'elle y parleroit, il la tueroit sans pitié ne compassion. Ce qu'elle accepta très voluntiers, faisant bien son compte de n'estre pas une autre foys si sotte. Mais, pource que les choses où l'on a volunté, plus elles sont defendues et plus elles sont desirées, ceste pauvre femme eust bientost oblyé les menaces de son mary et les promesses d'elle; car, dès le soir mesmes, elle, estant retournée coucher en une autre chambre, avec d'autres damoiselles et ses gardes [311], envoya prier le gentil homme de la venir veoir la nuict. Mais le mary, qui estoit si tormenté de jalousie qu'il ne pouvoit dormir, vat prendre une cappe et ung varlet de chambre avecq luy, ainsi qu'il avoit ouy dire que l'autre alloit la nuict, et s'en vat frapper à la porte du logis de sa femme. Elle, qui n'attendoit riens moins que luy, se leva toute seulle et print des brodequins fourrés et son manteau qui estoit auprès d'elle; et, voyant que trois ou quatre femmes qu'elle avoit estoient endormyes, saillit de sa chambre et s'en vat droict à la porte où elle ouyt frapper. Et, en demandant « Qui est-ce ? » luy fut res-

a. sévère.

pondu le nom de celluy qu'elle aymoit; mais, pour en estre plus asseurée, ouvrit ung petit guichet, en disant : « Si vous estes celluy que vous dictes, baillez-moy la main, et je la congnoistray bien. » Et quant elle toucha à la main de son mary, elle le congneut, et, en fermant vistement le guichet, se print à cryer : « Ha ! monsieur, c'est vostre main ! » Le mary luy respondit par grand courroux : « Ouy, c'est la main qui vous tiendra promesse; parquoy, ne faillez à venir, quant je le vous manderay. » En disant ceste parolle, s'en alla en son logis, et elle retourna en sa chambre, plus morte que vive, et dist tout hault à ses femmes : « Levez-vous, mes amyes; vous avez trop dormy pour moy, car, en vous cuydant tromper, je me suis trompée la premiere. » En ce disant, se laissa tumber au millieu de la chambre, toute esvanouye. Ces pauvres femmes se leverent à ce cry, tant estonnées de veoir leur maistresse, comme morte, couchée par terre, et d'ouyr ces propos, qu'elles ne sceurent que faire, sinon courir aux remedes pour la faire revenir. Et, quant elle peut parler, leur dist : « Aujourd'huy voyez-vous, mes amyes, la plus malheureuse creature qui soit sur la terre ! » et leur vat compter toute sa fortune, les prians la vouloir secourir, car elle tenoit sa vie pour perdue.

Et, en la cuydant reconforter, arriva ung varlet de chambre de son mary, par lequel il luy mandoit qu'elle allast incontinant à luy. Elle, embrassant deux de ses femmes, commencea à crier et pleurer, les prians ne la laisser poinct aller, car elle estoit seure de morir. Mais le varlet de chambre l'asseura que non et qu'il prenoit sur sa vie qu'elle n'auroit nul mal. Elle, voyant qu'il n'y avoit poinct lieu de resistence, se gecta entre les bras de ce pauvre serviteur, luy disant : « Puis qu'il le fault, porte ce malheureux corps à la mort ! » Et à l'heure, demy esvanouye de tristesse, fut emportée du varlet de chambre au logis de son maistre; aux piedz duquel tumba ceste pauvre dame, en luy disant : « Monsieur, je vous supplie avoir pitié de moy, et je vous jure la foy que je doibs à Dieu, que je vous diray la verité du tout. » A l'heure, il luy dist comme ung homme desespéré : « Par Dieu, vous me la direz ! » et chassa dehors tous ses gens. Et, pource qu'il avoit tousjours congneu sa femme devote, pensa bien qu'elle ne se oseroit parjurer sur la vraye Croix : il en demanda une fort belle, qu'il avoit; et quant ilz furent tous deux seulz, la feit jurer dessus qu'elle luy diroit la verité de ce qu'il luy demanderoit. Mais, elle, qui avoit desja passé les premieres apprehensions de la mort [312], reprint cueur, se deliberant, avant que morir, de ne luy celler la verité, et aussy de ne dire chose dont le gentil homme qu'elle aymoit peust avoir à souffrir. Et après avoir oy toutes les questions qu'il luy faisoit, luy respondit ainsy : « Je ne veulx poinct, monsieur, justiffier, ne faire moindre envers vous l'amour que j'ay portée au gentil homme dont vous avez soupson, car vous ne le pourriez ny ne devriez croire, veu l'experience que aujourd'huy vous en avez eue; mais je desire bien vous dire l'occasion de ceste amityé. Entendez, monsieur, que jamays femme n'ayma autant mary que je vous ay aymé; et depuis que je vous espousay jusques en cest aage icy, il ne sceut jamais entrer en mon cueur autre amour que la vostre. Vous sçavez que, encores estant enffant, mes parens me vouloient marier à personnaige plus riche et de plus grande maison que vous, mais jamais ne m'y sceurent faire accorder, dès l'heure que j'euz parlé à vous; car, contre toute leur oppinion, je tins ferme pour vous avoir et sans regarder ny à vostre pauvreté, ny aux remonstrances que ilz m'en faisoient. Et vous ne povez ignorer quel traictement j'ay eu de vous jusques icy, et comme vous m'avez aymée et estimée; dont j'ay porté tant d'ennui et desplaisir que, sans l'ayde de la dame avecq laquelle vous m'avez mise, je fusse desesperée. Mais, à la fin, me voyant grande et estimée belle d'un chascun, fors que de vous seul, j'ay commencé à sentir si vivement le tort que vous me tenez, que l'amour que je vous portois s'est convertye en haine, et le desir de vous obeyr en celluy de vengeance. Et sur ce desespoir me trouva ung prince, lequel, pour obeyr au Roy plus que à l'amour, me laissa à l'heure que je commençois à sentir la consolation de mes tormens par ung amour honneste. Et, au partir [313] de luy, trouvay cestuy-cy, qui n'eut poinct la peyne de me prier; car sa beaulté, son honnesteté, sa grace et ses vertuz meritoient bien estre cherchées et requises de toutes femmes de bon entendement. A ma requeste et non à la sienne, il m'a aymée avecq tant d'honnesteté, que oncques en sa vie ne me requist chose que l'honneur ne luy peust accorder. Et combien que le peu d'amour que j'ay occasion de vous porter me donnoyt excuse de ne vous tenir [314] foy ne loyaulté, l'amour seul que j'ay à Dieu seul et à mon honneur m'ont jusques icy gardée d'avoir faict chose dont j'aye besoing de confession ne[315] de honte. Je ne vous veulx poinct nyer que, le plus souvent qu'il m'estoit possible, je n'allasse parler à luy dans une garderobbe, faingnant d'aller dire mes oraisons; car jamais, en femme, ne en homme, je ne me fiay de conduire cest affaire. Je ne veulx poinct aussy nyer que, estant en ung lieu si privé et hors de tout soupson, je ne l'aye baisé de meilleur cueur que je ne faictz vous. Mais je ne demande jamais mercy[a] à Dieu, si entre nous deux il y a jamais eue autre privaulté plus avant, ne ~~si~~ jamais il m'en a pressée, ne si mon cueur en a eu le desir; car j'estois si aise de le veoir, qu'il ne me sembloit poinct au monde qu'il y eust un aultre plaisir. Et vous, monsieur, qui estes seul la cause de mon malheur, vouldriez-vous prendre vengeance d'un oeuvre, dont si, long temps a, vous m'avez donné exemple, sinon que la vostre estoit sans honneur et conscience? Car, vous le sçavez et je sçay bien que celle que vous aymez ne se contente poinct de ce que Dieu et la raison commandent. Et combien que la loy des hommes donne grand deshonneur aux femmes qui ayment autres que leurs mariz, si est-ce que la loy de Dieu n'exempte poinct les mariz qui ayment autres que leurs femmes. Et, s'il fault mectre à la balance l'offense de vous et de moy, vous estes homme saige et experimenté et d'eage, pour congnoistre et eviter le mal; moy, jeune et sans experience nulle de la force et puissance d'amour. Vous avez une femme qui vous cherche, estime et ayme plus que sa vie propre, et j'ay ung mary qui me fuit, qui me hait et me desprise plus que chamberiere. Vous aymez une femme desja d'eage et en mauvais poinct et moins belle que moy; et j'ayme ung gentil homme plus jeune que vous, plus beau que vous, et plus aymable que vous. Vous aymez la femme d'un des plus grands amys que vous ayez en ce monde et l'amye de vostre maistre[316], offensant d'un cousté l'amityé et de l'autre la reverence que vous devez à tous deux; et j'ayme ung gentil homme qui n'est à riens lyé, sinon à l'amour qu'il me porte. Or, jugez sans faveur lequel de nous deux est le plus punissable ou excusable, ou vous[317], estimé homme saige et experimenté, qui, sans occasion donnée de

a. pardon.

mon costé, avez, non seullement à moy, mais au Roy auquel vous estes tant obligé, faict ung si meschant tour; ou moy, jeune et ignorante, desprisée et contennée [a] de vous, aymée du plus beau et du plus honneste gentil homme de France, lequel j'ay aymé, par le desespoir de ne povoir jamais estre aymée de vous ? »

Le mary, oyant ces propos pleins de verité, dictz d'un si beau visaige, avecq une grace tant asseurée et audatieuse, qu'elle ne monstroit ne craindre ne meriter nulle pugnition, se trouva tant surprins d'estonnement, qu'il ne sceut que luy respondre, sinon que l'honneur d'un homme et d'une femme n'estoient pas semblables. Mais, toutesfois, puis qu'elle luy juroit qu'il n'y avoit poinct eu, entre celluy qu'elle aymoit et elle, autre chose, il n'estoit poinct deliberé de luy en faire pire chere [b]; par ainsy qu'elle n'y retournast plus, et que l'un ne [318] l'aultre n'eussent plus de recordation [c] des choses passées; ce qu'elle luy promist, et allerent coucher ensemble, par bon accord.

Le matin, une vieille damoiselle, qui avoit grand paour de la vie de sa maistresse, vint à son lever et luy demanda : « Et puis, ma dame, comment vous va ? » Elle luy respondit en riant : « Croyez, m'amye, qu'il n'est poinct ung meilleur mary que le mien, car il m'a creue à mon serment. » Et ainsy se passerent cinq ou six jours et le mary prenoit de sy près garde à sa femme, que nuict et jour il avoit guet après elle. Mais il ne la sceut si bien garder, qu'elle ne parlast encores à celluy qu'elle aymoit, en ung lieu fort obscur et suspect. Toutesfois elle conduisit son affaire si secretement, que homme ne femme n'en peut sçavoir la verité. Et ne fut que ung bruyct que quelque varlet feyt d'avoir trouvé ung gentil homme et une damoiselle en une estable soubz la chambre de la maistresse de ceste dame. Dont le mary eut si grand soupson, qu'il se delibera de faire morir le gentil homme; et assembla ung grand nombre de ses parens et amys pour le faire tuer, s'ilz le povoient trouver en quelque lieu; mais le principal de ses parens estoit si grand amy du gentil homme qu'il faisoit chercher, que en lieu de le surprendre, l'advertissoit de tout ce qu'il faisoit contre luy; lequel, d'aultre costé, estoit tant aymé en toute la court, et si bien accompaigné, qu'il

a. méprisée. — *b*. accueil, traitement. — *c*. souvenir.

ne craingnoit poinct la puissance de son ennemy; parquoy, il ne fut poinct trouvé. Mais il s'en vint en une eglise trouver la maistresse de celle qu'il aymoit, laquelle n'avoit jamais rien entendu de tous les propos passez; car, devant elle, n'avoient encores parlé ensemble. Le gentil homme [319] luy compta le soupson et mauvaise volunté que avoit contre luy le mary, et que, nonobstant qu'il en fust innocent, il estoit deliberé de s'en aller en quelque voyage loing, pour oster le bruict qui commençoit fort à croistre. Ceste princesse, maistresse de s'amye, fut fort estonnée d'ouyr ces propos; et jura bien que le mary avoit grand tort d'avoir soupson d'une si femme de bien, où jamays elle n'avoit congneu que toute vertu et honnesteté. Toutesfois, pour l'auctorité où le mary estoit et pour estaindre ce fascheux bruict, luy conseilla la princesse de s'esloingner pour quelque temps, l'asseurant qu'elle ne croyoit riens de toutes ces follyes et soupsons. Le gentil homme et la dame, qui estoient ensemble avecq elle, furent fort contens de demeurer en la bonne grace et bonne oppinion de ceste princesse. Laquelle conseilla au gentil homme, que avant son partement, il debvoit parler au mary; ce qu'il feyt selon son conseil. Et le trouva en une gallerye près la chambre du Roy, où, avecq un très asseuré visaige, luy faisant l'honneur qui appartenoit à son estat, luy dist : « Monsieur, j'ay toute ma vie eu desir de vous faire service; et pour toute recompense, j'ay entendu que hier au soir me feistes chercher pour me tuer. Je vous supplie, Monsieur, penser que vous avez plus d'auctorité et de puissance que moy, mais, toutesfois, je suis gentil homme comme vous. Il me fascheroit fort de donner ma vie pour riens. Je vous supplie penser que vous avez une si femme de bien, que, s'il y a homme qui vuelle dire le contraire, je luy diray qu'il a meschamment menty. Et quant est de moy, je ne pense avoir faict chose dont vous ayez occasion de me vouloir mal. Et, si vous voulez, je demoureray vostre serviteur, ou sinon, je le suis du Roy, dont j'ay occasion de me contanter. » Le gentil homme à qui le propos s'adressoit, luy dist que veritablement il avoit eu quelque soupson de luy, mais qu'il le tenoit si homme de bien, qu'il desiroit plus son amityé que son inimityé; et, en luy disant adieu, le bonnet au poing, l'ambrassa comme son grand amy. Vous povez penser ce que disoient ceulx qui avoient eu le soir de devant commission de le tuer, de veoir tant de signes d'honneur et d'amityé : chacun en parloit diversement. Ainsy se partyt le gentil homme; mais, pource qu'il n'estoit si bien garny d'argent que de beaulté, sa dame luy bailla une bague que son mary luy avoit donnée de la valleur de trois mil escuz, laquelle il engagea pour quinze cens.

Et, quelque temps après qu'il fut party, le gentil homme mary vint à la princesse maistresse de sa femme, et luy supplia de donner congé à sa dicte femme pour aller demorer quelque temps avecq une de ses seurs. Ce que la dicte dame trouva fort estrange; et le pria tant de luy dire les occasions, qu'il luy en dist une partye, non tout. Après que la jeune maryée eut prins congé de sa maistresse et de toute la court, sans pleurer ny faire signe d'ennuy, s'en alla où son mary voulloit qu'elle fust, à la conduicte d'un gentil homme, auquel fut donnée charge expresse de la garder soingneusement; et surtout qu'elle ne parlast poinct par les chemins à celluy dont elle estoit soupsonnée. Elle, qui sçavoyt ce commandement, leur bailloit tous les jours des alarmes, en se mocquant d'eulx et de leur mauvais soing. Et, ung jour entre les autres, elle trouva au partyr du logis ung Cordelier à cheval, et elle, estant sur sa haquenée, l'entretint par le chemyn depuis la disnée jusques à la souppee. Et, quand elle fut à ung quart de lieue du logis, luy dist : « Mon pere, pour la consolacion que vous m'avez donnée ceste après disnée, voylà deux escus que je vous donne, les quelz sont dans ung papier, car je sçay bien que vous n'y oseriez toucher; vous priant que, incontinant que vous serez party d'avecq moy, vous en alliez [320] à travers le chemyn, et vous gardez que ceulx qui sont icy ne vous voyent. Je le dis pour vostre bien et pour l'obligation que j'ay à vous. » Ce Cordelier, bien ayse de ses deux escuz, s'en vat à travers les champs le grand galop. Et quant il fut assez loing, la dame commencea à dire tout hault à ses gens : « Pensez que vous estes bons serviteurs et bien soingneux de me garder, veu que celluy qu'on vous a tant recommandé, a parlé à moy tout au jourd'huy, et vous l'avez laissé faire ! Vous meritez bien que vostre maistre, qui se fye tant à vous, vous donnast des coups de baston au lieu de voz gaiges. » Et quant le gentil homme qui avoit la charge d'elle ouyt telz propos, il eut si despit qu'il n'y povoyt respondre; picqua son cheval, appellant deux autres avecq luy, et feit tant, qu'il attaingnit le Cordelier, lequel, les voyant venir, fuyoit au mieulx qu'il povoit, mais, pource qu'ilz estoient mieulx montez que luy, le pauvre homme fut prins. Et luy, qui ne sçavoit pourquoy, leur crya mercy; et descouvrant son chapperon pour plus humblement les prier teste nue, congnurent bien que ce n'estoit pas celluy qu'ilz cherchoient, et que leur maistresse s'estoit bien mocquée d'eulx; ce qu'elle feit encores mieulx à leur retour, disant : « C'est à telles gens que l'on doit bailler dames à garder : ils les laissent parler sans sçavoir à qui, et puis, adjoustans foy à leurs parolles, vont faire honte aux serviteurs de Dieu. »

Après toutes ces mocqueries, s'en alla au lieu où son mary l'avoit ordonnée, où ses deux belles seurs et le mary de l'une la tenoient fort subjecte. Et, durant ce temps, entendit le mary comme sa bague estoit en gaige pour quinze cens escuz, dont il fut fort marry; et, pour saulver l'honneur de sa femme et la recouvrer, luy feit dire par ses seurs qu'elle la retirast et qu'il paieroit quinze cens escuz. Elle, qui n'avoit soulcy de la bague, puis que l'argent demoroit à son amy, luy escripvit comme son mary la contraingnoit de retirer sa bague, et que, à fin qu'il ne pensast qu'elle le fist par diminution de bonne volunté, elle luy envoyoit ung dyamant, que sa maistresse luy avoit donné, qu'elle aymoit plus que bague qu'elle eust. Le gentil homme luy envoya très voluntiers l'obligation du marchant, et se tint content d'avoir eu les quinze cens escuz et ung dyamant, et demeuré asseuré de la bonne grace de s'amye, combien que depuis, tant que le mary vesquit, il n'eut moyen de parler à elle que par escripture. Et, après la mort du mary, pource qu'il pensoyt la trouver telle qu'elle luy avoit promis, meist toute sa dilligence de la pourchasser en mariage; mais il trouva que sa longue absence luy avoit acquis ung compaignon myeulx aymé que luy : dont il eut si grand regret, que, en fuyant les compaignyes des dames, qu'il cherchea les lieux hazardeux, où, avecq autant d'estime que jeune homme pourroit avoir, fina ses jours.

« Voylà, mes dames, que sans espargner nostre sexe, je veulx bien monstrer aux mariz qui sçavent les femmes souvent de grand cueur sont plustost vaincues de l'ire [a] de la vengeance, que de la douleur de l'amour; à quoy ceste-cy

a. colère.

sceut long temps resister, mais à la fin fut vaincue du desespoir. Ce que ne doibt estre nulle femme de bien; pource que, en quelque sorte que ce soit, ne sçauroit trouver excuse à mal faire. Car, de tant plus les occasions en sont données grandes, de tant plus se doyvent monstrer vertueuses à resister et vaincre le mal en bien, et non pas rendre mal pour mal : d'autant que souvent le mal que l'on cuyde randre à aultry retombe sur soy. Bienheureuses celles en qui la vertu de Dieu se monstre en chasteté, doulceur, patience et longanimité ! » Hircan luy dist : « Il me semble, Longarine, que ceste dame dont vous avez parlé a esté plus menée de despit que de l'amour, car, si elle eust autant aymé le gentil homme comme elle en faisoit semblant, elle ne l'eust habandonné pour ung aultre; et, par ce discours, on la peut nommer despitte [a], vindicative, opiniastre et muable [b]. — Vous en parlez bien à vostre aise, ce dist Ennasuitte à Hircan; mais vous ne sçavez quel crevecueur c'est quant l'on ayme sans estre aymé ? — Il est vray, ce dit Hircan, que je ne l'ay guere experimenté; car l'on ne me sçauroit faire si peu de mauvaise chere, que incontinant je ne laisse l'amour et la dame ensemble. — Ouy bien, vous, ce dist Parlamente, qui n'aymez riens que votre plaisir; mais une femme de bien ne doibt ainsy laisser son mary. — Toutesfois, respondit Simontault, celle dont le compte est faict a oblyé, pour ung temps, qu'elle estoit femme; car ung homme n'en eust sceu faire plus belle vengeance. — Pour une qui n'est pas saige, ce dist Oisille, il ne fault pas que les autres soient estimées telles. — Toutesfois, dit Saffredent, si estes-vous toutes femmes, et quelques beaulx et honnestes accoustremens que vous portiez, qui vous chercheroit bien avant soubz la robbe vous trouveroit femmes [321]. » Nomerfide lui dit : « Qui vous vouldroit escouter, la Journée se passeroit en querelles. Mais il me tarde tant d'oyr encores une histoire, que je prie Longarine de donner sa voix à quelcun. » Longarine regarda Geburon et luy dist : « Si vous sçavez riens de quelque honneste femme, je vous prie maintenant le mectre en avant. « Geburon luy dist : « Puis que j'en doibtz faire ce qu'il me semble, je vous feray ung compte advenu en la ville de Millan. »

a. dépitée. — *b.* changeante.

SEIZIESME NOUVELLE

Une dame de Milan, veuve d'un conte Italien, deliberée de ne se remaryer ny aymer jamais, fut troys ans durant si vivement prouchassée d'un gentil homme Françoys, qu'après plusieurs preuves de la perseverance de son amour, luy accorda ce qu'il avoit tant desiré, et se jurerent l'un à l'autre perpetuelle amytié [322].

Du temps du grand-maistre de Chaumont [323], y avoit une dame estimée une des plus honnestes femmes qui fust de ce temps-là en la ville de Millan. Elle avoyt espousé ung conte italien et estoit demeurée vefve, vivant en la maison de ses beaulx-freres, sans jamais vouloir ouyr parler de se remarier; et se conduisoit si saigement et sainctement, qu'il n'y avoit en la duché Françoys ny Italien qui n'en feist grande estime. Ung jour que ses beaulx-freres et ses belles seurs feirent ung festin au grand-maistre de Chaulmont, fut contraincte ceste dame vefve de s'y trouver, ce qu'elle n'avoyt accoustumé en autre lieu. Et quant les François la veyrent, ilz feirent grande estime de sa beaulté et de sa bonne grace, et sur tous autres ung dont je ne diray le nom, mais il vous suffira qu'il n'y avoit Françoys en Italie plus digne d'estre aymé que cestuy-là, car il estoit accomply de toutes les beaultez et graces que gentil homme pourroit avoir. Et, combien qu'il veist ceste dame, avecq son crespe noir, separée de la jeunesse en ung coing, avecq plusieurs vielles, comme celluy à qui jamais homme ne femme ne feyt paour, se meist à l'entretenir, ostant son masque et habandonnant les dances pour demorer en sa compaignye. Et, tout le soir, ne bougea de parler à elle et aux vielles toutes ensemble, où il trouva plus de plaisir que avecq toutes les plus jeunes et braves de la court [324]; en sorte que, quant il fallut se retirer, il ne pensoit pas encores avoir eu le loisir de s'asseoir. Et, combien qu'il ne parlast à ceste dame que de propos commungs qui se peuvent dire en telles compaignyes si est-ce qu'elle congneut bien qu'il avoit envie de l'accoincter [a], dont elle delibera de se garder le mieulx qu'il luy seroit possible; en sorte que

a. fréquenter.

jamais plus en festin ny en grande compaignye ne la peut veoir. Il s'enquist de sa façon de vivre et trouva qu'elle alloit souvent aux eglises et religions [a], où il meict si bon guet qu'elle n'y pouvoit aller si secretement qu'il n'y fust premier qu'elle et qu'il ne demourast autant à l'eglise qu'il povoit avoir le bien de la veoir; et tant qu'elle y estoit, la contemploit de si grande affection, qu'elle ne povoit ignorer l'amour qu'il luy portoit. Pour laquelle eviter, se delibera pour ung temps de feindre se trouver mal et oyr la messe en sa maison : dont le gentil homme fut tant marry qu'il n'estoit possible de plus; car il n'avoit autre moyen de la veoir que cestuy-là. Elle, pensant avoir rompu [325] ceste coustume, retourna aux eglises comme paravant; ce que Amour declaira incontinant au gentil homme françoys, qui reprint ses premieres devotions; et, de paour qu'elle ne lui donnast encores empeschement, et qu'il n'eust le loisir de luy faire sçavoir sa volunté, ung matin qu'elle pensoit estre bien cachée en une chappelle, s'alla mectre au bout de l'autel où elle oyoit la messe, et, voyant qu'elle estoit peu accompaignée, ainsi que le prestre monstroit le *corpus Domini* [b], se tourna devers elle, et, avecq une voix doulce et plaine d'affection, luy dist : « Ma dame, je prends Celluy que le prebstre tient à ma dannation, si vous n'estes cause de ma mort; car, encores que vous me ostez le moyen de parolle, si ne povez-vous ignorer ma volunté, veu que la verité la vous declaire assez par mes œilz languissans, et par ma contenance morte. » La dame, faignant n'y entendre riens, luy respondit : « Dieu ne doibt point ainsy estre prins en vain; mais les poetes dient que les dieux se ryent des juremens et mensonges des amantz : parquoy, les femmes qui ayment leur honneur, ne doibvent estre credules ne piteuses [c]. » En disant cela, elle se lieve et s'en retourne en son logis.

Si le gentil homme fut courroucé de ceste parolle, ceux qui ont experimenté choses semblables diront bien que ouy. Mais, luy, qui n'avoit faulte de cueur, ayma mieulx avoir ceste mauvaise response, que d'avoir failly à declarer sa volunté : laquelle il tint ferme trois ans durans, et par lettres et par moyens la pourchassa, sans perdre heure ne temps. Mais, durant trois ans, n'en peut avoir autre

a. monastères. — *b.* à l'élévation. — *c.* se laisser aller à la pitié.

response, sinon qu'elle le fuyoit comme le loup fait le levrier [326], de quoy il doibt [327] estre prins; non par hayne qu'elle luy portast, mais pour la craincte de son honneur et reputation; dont il s'apperceut si bien, que plus vivement qu'il n'avoit faict, pourchassa son affaire. Et, après plusieurs refus, peynes, tormentz et desespoirs, voyant la grandeur et perseverance de son amour, ceste dame eut pitié de luy et luy accorda ce qu'il avoit tant desiré et si longuement actendu. Et quant ilz furent d'accord des moyens, ne faillit le gentil homme françois à se hazarder d'aller en sa maison, combien que sa vye y povoit estre en grand hazard [a], veu que les parens d'elle logeoient tous ensemble. Luy, qui n'avoit moins de finesse que de beaulté, se conduisoyt si saigement qu'il entra en sa chambre à l'heure qu'elle luy avoit assigné, où il la trouva toute seulle couchée en ung beau lict; et, ainsy qu'il se hastoit de se deshabiller pour coucher avecq elle, entendit à la porte ung grand bruict de voix, parlans bas et d'espées que l'on frottoit contre les murailles. La dame vefve luy dist, avecq ung visaige d'une femme demye-morte : « Or, à ceste heure est vostre vie et mon honneur au plus grand dangier qu'ils pourroient estre, car j'entendz bien que voylà mes freres qui vous cherchent pour vous tuer ! Parquoy, je vous prie, cachez-vous soubz ce lict; car, quant ilz ne vous trouveront poinct, j'auray occasion de me courroucer à eulx de l'alarme que, sans cause, ilz m'auront faicte. » Le gentil homme, qui n'avoit jamais encores regardé la paour, luy respondit : « Et qui sont voz freres, pour faire paour à ung homme de bien ? Quant toute leur race seroit ensemble, je suis seur qu'ilz n'actendront poinct le quatriesme coup de mon espée; parquoy, reposez en vostre lict et me laissez garder ceste porte. » A l'heure, il meist sa cappe à l'entour de son bras et son espée nue en la main, et alla ouvrir la porte, pour veoir de plus près les espées dont il oyoit le bruict. Et quant elle fut ouverte, il veit deux chamberieres, qui, avecq deux espées en chascune main, lui faisoient ceste alarme, lesquelles luy dirent : « Monsieur, pardonnez-nous, car nous avons commandement de nostre maistresse de faire ainsi, mais vous n'aurez plus de nous d'autres empeschemens. » Le gentil

a. danger.

homme, voyant que c'estoient femmes, ne leur sceut pis faire que, en les donnant à tous les diables, leur fermer la porte au visaige; et s'en alla le plus tost qu'il luy fut possible coucher avecq sa dame, de laquelle la paour n'avoit en rien diminué l'amour; et, oblyant lui demander la raison de ces escarmouches, ne pensa que à satisfaire à son desir. Mais, voyant que le jour approchoit, la pria de luy dire pourquoy elle luy avoit faict de si mauvais tours, tant de la longueur du temps qu'il avoit actendu, que de ceste derniere entreprinse. Elle, en riant, lui respondit : « Ma deliberation estoit de jamais n'aymer; ce que depuis ma viduité [a] j'avois très bien sceu garder; mais vostre honnesteté, dès l'heure que vous parlastes à moy au festin, me feyt changer propos et vous aymer autant que vous faisiez moy. Il est vray que l'honneur, qui tousjours m'avoit conduicte, ne vouloit permectre que amour me feist faire chose dont ma reputation peust empirer. Mais, ainsy comme la bische navrée [b] à mort cuyde [c], en changeant de lieu, changer le mal qu'elle porte avecq soy, ainsi m'en allois-je d'eglise en eglise, cuydant fuyr celluy que je portois en mon cueur, duquel a esté la preuve de la parfaicte amityé qui a faict accorder l'honneur avecq l'amour. Mais, à fin d'estre plus asseurée de mectre mon cueur et mon amour en ung parfaict homme de bien, je vouluz faire ceste derniere preuve de mes chamberieres, vous asseurant que, si, pour paour de vostre vye ou de nul autre regard, je vous eusse trouvé craintif jusques à vous coucher soubz mon lict, j'avois deliberé de m'en lever et aller dans une aultre chambre, sans jamais de plus près vous veoir. Mais, pource que j'ay trouvé en vous plus de beaulté, de grace, de vertu et de hardiesse que l'on ne m'en avoit dict, et que la paour n'a eu puissance en riens de toucher à vostre cueur, ny à reffroidir tant soy peu l'amour que vous me portez, je suis deliberée de m'arrester à vous pour la fin de mes jours; me tenant seure que je ne sçaurois en meilleure main mectre ma vie, et mon honneur, que en celluy que je ne pense avoir veu son pareil en toutes vertuz. » Et, comme si la volunté de l'homme estoit immuable, se jurerent et promirent ce qui n'estoit en leur puissance : c'est une amityé perpetuelle, qui ne peult naistre ne demorer au cueur de l'homme; et celles

a. mon veuvage. — *b.* blessée. — *c.* pense.

seulles le sçavent, qui ont experimenté combien durent telles oppinions !

« Et pour ce, mes dames, si vous estes saiges, vous garderez de nous, comme le cerf, s'il avoit entendement, feroit de son chasseur. Car nostre gloire, nostre felicité et nostre contentement, c'est de vous veoir prises et de vous oster ce qui vous est plus cher que la vie. — Comment, Geburon ? dist Hircan : depuis quel temps estes-vous devenu prescheur ? J'ay bien veu que vous ne teniez pas ces propos. — Il est bien vray, dist Geburon, que j'ay parlé maintenant contre ce que j'ay toute ma vie dict, mais pour ce que j'ay les dentz si foibles que je ne puis plus mascher la venaison, je advertiz les pauvres bisches de se garder des veneurs, pour satisfaire sur ma viellesse aux maulx que j'ay desiré en ma jeunesse. — Nous vous mercions, Geburon, dist Nomerfide, de quoy vous nous advertissez de nostre proffict; mais si ne nous en sentons pas trop tenues à vous, car vous n'avez poinct tenu pareil propos à celle que vous avez bien aymée : c'est doncques signe que vous ne nous aymez gueres, ny ne voullez encores souffrir que nous soyons aymées. Si pensions-nous estre aussy saiges et vertueuses que celles que vous avez si longuement chassées en vostre jeunesse; mais c'est la gloire des vielles gens qui cuydent tousjours avoir esté plus saiges que ceulx qui viennent après eulx. — Et bien, Nomerfide, dist Geburon, quant la tromperie de quelcun de voz serviteurs vous aura faict congnoistre la malice des hommes, à ceste heure-là croirez-vous que je vous auray dict vray ? » Oisille dist à Geburon : « Il me semble que le gentil homme, que vous louez tant de hardiesse, devroit plus estre loué de fureur d'amour, qui est une puissance si forte, qu'elle faict entreprendre aux plus couartz du monde ce à quoi les plus hardiz penseroient deux foys. » Saffredent lui dist : « Ma dame, si ce n'estoit qu'il estimast les Italiens gens de meilleur discours que de grand effect, il me semble qu'il avoit occasion d'avoir paour. — Ouy, ce dist Oisille, s'il n'eust poinct eu en son cueur le feu qui brusle craincte. — Il 328 me semble, ce dist Hircan, puis que vous ne trouvez la hardiesse de cestuy-cy assez louable, qu'il fault que vous en sçachiez quelque autre qui est plus digne de louange. — Il est vray, dist Oisille, que cestuy-cy est louable; mais j'en sçay ung qui est plus admirable. — Je vous suplie, ma dame, ce dist Gesburon, s'il est ainsy, que vous prenez ma place et que vous le dictes. » Oisille commencea : « Si ung homme [329], pour sa vie et l'honneur de sa dame s'estant montré asseuré contre les Milannois, est estimé tant hardy, que doibt estre ung qui, sans necessité, mais par vraie et naifve hardiesse, a faict le tour que je vous diray ? »

DIX SEPTIESME NOUVELLE

Le Roy Françoys, requis de chasser hors son royaume le comte Guillaume que l'on disoit avoir prins argent pour le faire mourir, sans faire semblant qu'il eut soupçon de son entreprinse, luy joua un tour si subtil que luy-mesme se chassa, prenant congé du Roy [330].

En la ville de Dijon, au duché de Bourgoingne, vint au service du Roy Françoys ung conte d'Allemaigne, nommé Guillaume [331], de la maison de Saxonne, dont celle de Savoie est tant alliée, que antiennement n'est que une [332]. Ce compte, autant estimé beau et hardy gentil homme qui fust poinct en Allemaigne, eut si bon recueil [a] du Roy, que non seullement il le print à son service, mais le tint près de luy et de sa chambre. Ung jour, le gouverneur de Bourgoingne, seigneur de la Trimoïlle [333], ancien chevalier et loyal serviteur du Roy, comme celluy qui estoit soupçonneux ou craintif du mal et dommaige de son maistre, avoit tousjours espies [b] à l'entour de son gouvernement, pour sçavoir ce que ses ennemys faisoient; et s'y conduisoit si saigement que peu de choses lui estoient celées [c]. Entre autres advertissemens, luy escripvit l'un de ses amys que le conte Guillaume avoyt prins quelque somme d'argent, avecq promesse d'en avoir davantaige, pour faire morir le Roy en quelque sorte que ce peust estre. Le seigneur de la Trimoïlle ne faillit poinct incontinant de l'en venir advertir et ne le cella [d] à Madame sa Mere Loise de Savoye, laquelle oblya l'alliance qu'elle avoit à cest Allemant, et supplia le Roy de le chasser bien tost; lequel la requist de n'en parler poinct, et qu'il estoit impos-

a. accueil. — *b*. espions. — *c*. cachées. — *d*. cacha.

sible que ung si honneste gentil homme et tout homme de bien entreprinst une si grande meschanceté. Au bout de quelque temps, vint encores ung autre advertissement, confirmant le premier. Dont le gouverneur, bruslant de l'amour de son maistre, lui demanda congé ou de le chasser ou d'y donner ordre; mais le Roy lui commanda expressement de n'en faire nul semblant, et pensa bien que par autre moyen il en sçauroit la verité.

Ung jour qu'il alloit à la chasse, print la meilleure espée qu'il estoit possible de veoir pour toutes armes, et mena avecq luy le conte Guillaume, auquel il commanda le suyvre de près; mais, après avoir quelque temps couru le cerf, voyant le Roy que ses gens estoient loing de luy, hors le conte seullement, se destourna hors de tous chemins. Et, quant il se veid seul avec le conte au plus profond de la forest, en tirant son espée, dist au conte : « Vous semble-il que ceste espée soit belle et bonne ? » Le conte, en la maniant par le bout, luy dist qu'il n'en avoit veu nulle qu'il pensast meilleure. « Vous avez raison, dist le Roy, et me semble que si ung gentil homme avoit deliberé de me tuer et qu'il eust congneu la force de mon bras et la bonté de mon cueur, accompaignée de ceste espée, il penseroit deux fois à [a] m'assaillyr; toutesfois, je le tiendrois pour bien meschant, si nous estions seul à seul sans tesmoings, s'il n'osoit executer ce qu'il auroit osé entreprendre. » Le conte Guillaume luy respondit avecq ung visaige estonné : « Sire, la meschanceté de l'entreprinse seroit bien grande, mais la follye de la vouloir executer ne seroit pas moindre. » Le Roy, en se prenant à rire, remist l'espée au fourreau, et, escoutant que la chasse estoit près de luy, picqua après le plus tost qu'il peut. Quant il fut arrivé, il ne parla à nul de cest affaire, et se asseura que le conte Guillaume, combien qu'il fust ung aussy fort et disposé gentil homme qu'il en soit poinct, n'estoit homme pour faire une si haulte entreprinse. Mais le conte Guillaume, cuydant estre decellé ou soupsonné du faict, vint le lendemain au matin dire à Robertet [334], secretaire des finances du Roy, qu'il avoit regardé aux bienfaicts et gaiges que le Roy luy vouloit donner pour demorer avecq luy; toutesfois que ilz n'estoient pas suffisans pour l'entretenir la moictié de l'année, et que,

a. avant de.

s'il ne plaisoit au Roy luy en bailler au double, il seroit contrainct de se retirer; priant le dict Robertet d'en sçavoir le plus tost qu'il pourroit la volunté du Roy, qui luy dist qu'il ne sçauroit plus s'advancer que d'y aller sur l'heure incontinant. Et print ceste commission voluntiers, car il avoit veu les advertissemens du gouverneur. Et, ainsy que le roy fust esveillé, ne faillyt à lui faire sa harangue, present Monsieur de La Trimoïlle et l'admiral de Bonnivet, lesquelz ignoroient le tour que le Roy lui avoit faict le jour avant. Le dict seigneur, en riant, leur dist : « Vous avez envye de chasser le conte Guillaume, et vous voyez qu'il se chasse luy-mesmes. Parquoy, luy direz que, s'il ne se contente de l'estat qu'il a accepté en entrant à mon service, dont plusieurs gens de bonnes maisons se sont tenuz bien heureux, c'est raison qu'il cherche ailleurs meilleure fortune; et quant à moy, je ne l'empescheray poinct, mais je seray très contant qu'il trouve party tel qu'il y puisse vivre selon qu'il le merite. » Robertet fut aussy diligent de porter ceste response au conte, qu'il avoit esté de presenter sa requeste au Roy. Le conte dist que, avecq son bon congé, il deliberoit doncques de s'en aller. Et, comme celluy que la paour contraingnoit de partir, ne la sceut porter vingt quatre heures, mais, ainsy que le Roy se mectoit à table, print congé de luy, faingnant avoir grand regret, dont sa necessité luy faisoit perdre sa presence. Il alla aussy prendre congé de la mere du Roy, laquelle luy donna aussy joyeusement qu'elle l'avoit reçeu comme parent et amy; ainsy s'en retourna en son païs. Et le Roy, voyant sa mere et ses serviteurs estonnez de ce soubdain partement, leur compta l'alarme qu'il luy avoit donnée, disant que, encores qu'il fust innocent de ce que on luy mectoit à sus, si avoit esté sa paour assez grande pour s'esloigner d'ung maistre dont il ne congnoissoit pas encores les complexions.

« Quant à moy, mes dames, je ne voy point que autre chose peust esmouvoir le cueur du roy à se hazarder ainsy seul contre ung homme tant estimé, sinon que, en laissant la compaignie et les lieux où les Roys ne trouvent nul inferieur qui leur demande le combat, se voulut faire pareil à celluy qu'il doubtoit son ennemy, pour se contanter luy-mesmes d'experimenter la bonté et la hardiesse de son cueur. — Sans poinct de faulte, dist Parlamente, il avoit raison [335]; car la louange de tous les hommes ne peult tant satisfaire ung bon cueur, que le sçavoir et l'experience qu'il a seul des vertuz que Dieu a mises en luy. — Il y a long temps, dist Geburon, que les antiens [336] nous ont painct que, pour venir au temple de Renommée, il falloit passer par cellui de Vertu. Et, moi, qui congnois les deux personnaiges dont vous avez fait le compte, sçay bien que veritablement le Roy est ung des plus hardiz [337] hommes qui soit en son royaulme. — Par ma foy, dist Hircan, à l'heure que le comte Guillaume vint en France, j'eusse plus crainct son espée, que celles des quatre plus gentils compaignons italiens qui fussent en la court ! — Nous [338] sçavons bien, dict Ennasuitte, qu'il est tant estimé que noz louanges ne sçauroient actaindre à son merite, et que nostre Journée seroit plus tost passée que chacun en eust dict ce qu'il luy en semble. Parquoy, je vous prie, ma dame, donnez vostre voix à quelcun qui dye encores quelque bien des hommes, s'il y en a. » Oisille dist à Hircan : « Il me semble que vous avez tant accoustumé de dire mal des femmes, qu'il vous sera aisé de nous faire quelque bon compte à la louange d'un homme : parquoy je vous donne ma voix. — Ce me sera chose aysée à faire, dist Hircan, car il y a si peu que l'on m'a faict ung compte à la louange d'un gentil homme, dont l'amour, la fermeté et la patience est si louable, que je n'en doibtz laisser perdre la memoire. »

DIX HUICTIESME NOUVELLE

Un jeune gentil homme escolier, espris de l'amour d'une bien belle dame, pour pervenir à ses attaintes, vainquit l'amour et soy-mesme, combien que maintes tentations se presentassent suffisantes pour luy faire rompre sa promesse. Et furent toutes ses peines tournées en contentement et recompense telle que meritoit sa ferme, patiente, loyale et perfaicte amitié [339].

En une des bonnes villes du royaulme de France, y avoit ung seigneur de bonne maison, qui estoit aux escolles, desirant parvenir au sçavoir par qui la vertu et l'honneur se doibvent acquerir entre les vertueux hommes. Et, combien qu'il fust si sçavant, estant en l'eage de dix-sept à dix-huict ans, il sembloit estre la doctrine et l'exemple des aultres, Amour toutesfoys, après toutes ses leçons, ne laissa pas de lui chanter la sienne. Et, pour estre mieulx ouy et receu, se cacha dessoubz le visaige et les oeilz de la plus belle dame qui fust en tout le païs, laquelle pour quelque procès estoit venue en la ville. Mais, avant que Amour se essayast à vaincre ce gentil homme par la beaulté de ceste dame, il avoit gaingné le cueur d'elle, en voyant les perfections qui estoient en ce seigneur; car, en beaulté, grace, bon sens et beau parler, n'y avoit nul, de quelque estat qu'il fust, qui le passast. Vous, qui sçavez le prompt chemyn que faict ce feu quant il se prent à ung des boutz du cueur et de la fantaisie [340], vous jugerez bien que entre deux si parfaictz subjectz n'arresta gueres Amour, qu'il ne les eust à son commandement, et qu'il ne les rendist tous deux si remplis de sa claire lumière, que leur penser, vouloir et parler n'estoient que flambe de cest Amour. La jeunesse, qui en luy engendroit craincte, luy faisoit pourchasser son affaire le plus doulcement qu'il luy estoit possible. Mais elle, qui estoit vaincue d'amour, n'avoit poinct besoing de force. Toutesfois, la honte qui accompaigne les dames le plus qu'elle peult, la garda pour quelque temps de monstrer sa volunté. Si est-ce que à la fin la forteresse du cueur, où l'honneur demeure, fut ruynée de telle sorte que la pauvre dame s'accorda en ce dont elle n'avoit poinct esté discordante. Mais, pour experimenter la patience, fermeté et amour de son serviteur, luy octroya ce qu'il demanda avecq une trop difficille condition, l'asseurant que, s'il la gardoit à jamays, elle l'aymeroit parfaictement, et que, s'il y falloit, il estoit seur de ne l'avoir de sa vie : c'est qu'elle estoit contante de parler à luy, dans ung lict, tous deux couchés en leurs chemises, par ainsy qu'il ne luy demandast riens davantaige, sinon la parolle et le baiser. Luy, qui ne pensoit poinct qu'il y eust joye digne d'estre accomparée à celle qu'elle luy promectoit, luy accorda. Et, le soir venu, la promesse fut accomplie; de sorte que, pour quelque bonne chere qu'elle luy feist, ne pour quelque tentation qu'il eust, ne voulust faulser son serment. Et, combien qu'il n'estimoit sa peyne moindre que celle du purgatoire, si fut son amour si grand et son esperance si forte, estant seur de la continuation perpetuelle de l'amityé que avecq si grande peyne il avoit acquise, qu'il garda sa patience, et se leva de auprès d'elle sans jamais luy faire aucun desplaisir [341]. La dame, comme je croys, plus esmerveillée que contente de ce bien, soupsonna incontinant, ou que son amour ne fust si grande qu'elle pensoit, ou qu'il eut trouvé en elle moins de bien qu'il n'estimoit, et ne regarda pas à [a] sa grande honnesteté, patience et fidelité à garder son serment.

Elle se delibera de faire encores une autre preuve de l'amour qu'il luy portoit, avant que tenir sa promesse. Et, pour y parvenir, le pria de parler à une fille qui estoit en sa compaignye, plus jeune qu'elle et bien fort belle, et qu'il luy tint propos d'amityé, affin que ceulx qui le voient venir en sa maison si souvent, pensassent que ce fust pour sa damoiselle et non pour elle. Ce jeune seigneur, qui se tenoit seur estre autant aymé comme il aymoit, obeyt entierement à tout ce qu'elle luy commanda, et se contraignit, pour l'amour d'elle, de faire l'amour à ceste fille, qui, le voyant tant beau et bien parlant, creut sa mensonge plus que une autre verité, et l'ayma autant comme si elle eut esté bien fort aymée de luy. Et, quant la maistresse veyt que les choses en estoient si avant et que toutesfois ce seigneur ne cessoit de la sommer de sa promesse, luy accorda qu'il la vint veoir à une heure après minuict, et qu'elle avoit tant experimenté l'amour et l'obeissance qu'il luy portoit, que c'estoit raison qu'il fust recompensé de sa longue patience. Il ne fault poinct doubter de la joye qu'en receut cest affectionné serviteur, qui ne faillit de venir à l'heure assignée. Mais la dame, pour tenter la force de son amour, dist à sa belle damoiselle : « Je sçay bien l'amour que ung tel seigneur vous porte, dont je croy que vous n'avez moindre passion que luy; et j'ay telle compassion de vous deux, que je suis deliberée de vous donner lieu et loisir de parler ensemble longuement à voz aises. » La damoiselle fut si transportée, qu'elle ne luy sceut faindre son affection; mais luy dist qu'elle n'y vouloit faillir. Obeissant doncques à son conseil, et par son commandement, se despouilla, et se meist en ung beau lict toute seulle en une chambre, dont la dame laissa la porte entre ouverte, et alluma de la clairté dedans, pourquoy la beaulté de ceste

a. ne fit plus aucun cas de.

fille povoit estre veue clairement. Et, en faignant de s'en aller, se cacha si bien auprès du lict, qu'on ne la povoit veoir. Son pauvre serviteur, la cuydant trouver comme elle luy avoit promis, ne faillit à l'heure ordonnée d'entrer en la chambre le plus doulcement qu'il luy fut possible. Et, après qu'il eut fermé l'huys [a] et osté sa robbe et ses brodequins fourrez, s'en alla mectre au lict où il pensoit trouver ce qu'il desiroit. Et ne sceut si tost advancer ses bras pour ambrasser celle qu'il cuydoit estre sa dame, que la pauvre fille, qui le cuydoit tout à elle, n'eust les siens à l'entour de son col, en luy disant tant de parolles affectionnées et d'un si beau visaige, qu'il n'est si sainct hermite qu'il n'y eust perdu ses patenostres. Mais, quant il la recongneut, tant à la veue qu'à l'ouye, l'amour, qui avecq si grande haste l'avoit faict coucher, le feit encores plus tost lever, quant il congneut que ce n'estoit celle pour qui il avoit tant souffert. Et, avecq ung despit tant contre la maistresse que contre la damoiselle, luy dist : « Vostre follye et la malice de celle qui vous a mise là, ne me sçauroient faire aultre que je suis; mais mectez peyne d'estre femme de bien; car, par mon occasion, ne perdrez poinct ce bon nom. » Et, en ce disant, tant courroucé qu'il n'estoit possible de plus, saillyt hors de la chambre, et fut longtemps sans retourner où estoit sa dame. Toutesfois, Amour, qui jamais n'est sans esperance, l'asseura que plus la fermeté de son amour estoit grande et congneue par tant d'experience, plus la joïssance en seroit longue et heureuse. La dame qui avoit veu et entendu tous ces propos, fut tant contante et esbahye de veoir la grandeur et fermeté de son amour, qu'il luy tarda bien qu'elle ne le povoit reveoir, pour luy demander pardon des maulx qu'elle luy avoit faictz à l'esprouver. Et, si tost qu'elle le peut trouver, ne faillyt à luy dire tant d'honnestes et bons propos, que non seullement il oblia toutes ses peynes, mais les estima très heureuses, veu qu'elles estoient tournées à la gloire de sa fermeté et à l'asseurance parfaicte [342] de son amityé. De laquelle, depuis ceste heure-là en avant, sans empeschement ne fascherye, il eut la fruition [b] telle qu'il la povoit desirer.

« Je vous prie, mes dames, trouvez-moy une femme qui

a. la porte. — *b.* la jouissance.

ait esté si ferme, si patiente et si loyalle en amour que cest homme icy a esté ! Ceulx qui ont experimenté telles tentations, trouvent celles que l'on painct en sainct Anthoine bien petites au pris; car qui peult estre chaste et patient avecq la beaulté, l'amour, le temps et le loisir des femmes, sera assez vertueux pour vaincre tous les diables. — C'est dommaige, dist Oisille, qu'il ne s'adressa à une femme aussy vertueuse que luy; car ce eust esté la plus parfaicte et la plus honneste amour, dont l'on oyst jamais parler. — Mais je vous prie, dist Geburon, dictes lequel tour vous trouvez le plus difficille des deux ? — Il me semble, dist Parlamente, que c'est le dernier; car le despit est la plus forte tentation de toutes les autres. » Longarine dist qu'elle pensoit que le premier fust [343] le plus mauvais à faire; car il falloit qu'il vaincquist l'amour et soy-mesmes pour tenir sa promesse. — Vous en parlez bien à voz aises, dist Simontault; mais nous, qui sçavons que la chose vault [a], en debvons dire nostre oppinion. Quant est de moy, je l'estime à la premiere fois sot et à la dernière fol; car je croy que, en tenant promesse à sa dame, elle avoit autant ou plus de peyne que luy. Elle ne luy faisoit faire ce serment, sinon pour se faindre plus femme de bien qu'elle n'estoit, se tenant seure que une forte amour ne se peult lyer, ne par commandement, ne par serment, ne par chose qui soit au monde. Mais elle vouloit faindre son vice si vertueux, qu'il ne povoit estre gaigné que par vertuz heroïcques. Et la seconde fois, il se monstra fol de laisser celle qui l'aymoit et valoit mieulx que celle où il avoit serment au contraire, et si avoit bonne excuse sur le despit de quoy il estoit plain. » Dagoucin le reprint, disant qu'il estoit de contraire opinion et que, à la premiere fois, il se monstra ferme, patient et veritable, et, à la seconde, loyal et parfaict en amityé. — Et que sçavons-nous, dist Saffredent, s'il estoit de ceulx que ung chappitre nomme *de frigidis et maleficiatis* [344] ? Mais si Hircan eust voulu parfaire sa louange, il nous debvoit compter comme il fut gentil compaignon, quant il eut ce qu'il demandoit; et à l'heure pourrions juger si ses vertuz ou impuissance le feit estre si saige. — Vous povez bien penser, dist Hircan, que, s'il le m'eust dict, je ne l'eusse non plus cellé que le demourant. Mais, à

a. ce que vaut la chose.

veoir sa personne et congnoistre sa complexion, je l'estimeray tousjours avoir esté conduict plustost de la force d'amour que de nulle impuissance ou froideur. — Or, s'il estoit tel que vous dictes, dist Simontault, il debvoit rompre son serment. Car, si elle se fut courroucée pour si peu, elle eust esté legierement appaisée. — Mais, ce dist Ennasuitte, peut estre que à l'heure elle ne l'eust pas voulu ? — Et puis, dist Saffredent, n'estoit-il pas assez fort pour la forcer, puisqu'elle luy avoit baillé camp [a] ? — Saincte Marie ! dist Nomerfide, comme vous y allez ! Est-ce la façon d'acquerir la grace d'une qu'on estime honneste et saige ? — Il me semble, dist Saffredent, que l'on ne sçauroit faire plus d'honneur à une femme de qui l'on desire telles choses, que de la prendre par force, car il n'y a si petite damoiselle qui ne veulle estre bien long temps priée. Et d'autres encores à qui il fault donner beaucoup de presens, avant que de les gaingner; d'autres qui sont si sottes, que par moyens et finesses on ne les peult avoir et gaingner; et, envers celles-là, ne fault penser que à chercher les moyens. Mais, quant on a affaire à une si saige, qu'on ne la peut tromper, et si bonne qu'on ne la peult gaingner par parolles, ne presens, n'est-ce pas la raison de chercher tous les moyens que l'on peult pour en avoir la victoire ? Et quant vous oyez dire que ung homme a prins une femme par force, croyez que ceste femme-là luy a osté l'esperance de tous autres moyens; et n'estimez moins l'homme qui a mis en dangier sa vie, pour donner lieu à son amour. » Geburon, se prenant à rire, dist : « J'ay autres fois veu assieger des places et prendre par force, pource qu'il n'estoit possible de faire parler par argent ne par menasses ceulx qui les gardoient; car on dict que place qui parlamente est demy gaingnée. — Il [345] me semble, dist Ennasuitte, que toutes les amours du monde soient fondées sur ces follyes; mais il y en a qui ont aymé et longuement perseveré, de qui l'intention n'a poinct esté telle. — Si vous en sçavez une histoire [346], dist Hircan, je vous donne ma place pour la dire. — Je la sçay, dist Ennasuitte, et la diray très voluntiers. »

a. elle l'avait provoqué.

DIX NEUFVIESME NOUVELLE

Pauline, voyant qu'un gentil homme qu'elle n'aymoit moins que luy elle, pour les deffenses à luy faictes de ne parler jamais à elle, s'estoit allé rendre religieux en l'Observance, entra en la religion de saincte Claire où elle fut receue et voylée, mettant à execution le desir qu'elle avoit eu de rendre la fin de l'amytié du gentil homme et d'elle, semblable en abit, estat et forme de vivre [347].

Au temps du marquis de Mantoue, qui avoit espousé la seur du duc de Ferrare [348], y avoit, en la maison de la duchesse, une damoiselle nommée Poline, laquelle estoit tant aymée d'un gentil homme serviteur du marquis, que la grandeur de son amour faisoit esmerveiller tout le monde, veu qu'il estoit pauvre et tant gentil compaignon, qu'il devoit chercher, pour l'amour que lui portoit son maistre, quelque femme riche; mais il luy sembloit que tout le tresor du monde estoit en Poline, lequel, en l'espousant, il cuydoit posseder. La marquise, desirant que, par sa faveur, Poline fust mariée plus richement, l'en degoustoit le plus qu'il luy estoit possible et les empeschoit souvent de parler ensemble, leur remonstrant que, si le mariage se faisoit, ilz seroient les plus pauvres miserables de toute l'Itallye. Mais ceste raison ne pouvoit entrer en l'entendement du gentil homme. Poline, de son cousté, dissimuloit le mieulx qu'elle pouvoit son amityé; toutesfois, elle n'en pensoit pas moins. Ceste amityé dura longuement avecq ceste esperance que le temps leur apporteroit quelque meilleure fortune : durant lequel vint une guerre, où ce gentil homme fut prins prisonnier avec ung François qui n'estoit moins amoureux en France que luy en Itallie. Et quant ilz se trouverent compaignons de leurs fortunes, ilz commencerent à descouvrir leurs secretz l'un à l'autre. Et confessa le Françoys, que son cueur estoit ainsy que le sien prisonnier, sans luy nommer le lieu. Mais, pour estre tous deux au service du marquis de Mantoue, sçavoit bien ce gentil homme françois, que son compaignon aymoit Poline, et, pour l'amitié qu'il avoit en son bien et proffict, luy conseilloit d'en oster sa fantaisie. Ce que le gentil homme italien juroit n'estre en sa puissance; et que, si le marquis de Mantoue, pour recompense de sa prison et des bons services qu'il luy avoit faict, ne luy donnoit s'amye, il se iroit rendre Cordelier et ne serviroit jamais maistre que Dieu. Ce que son compaignon ne povoit croire, ne voyant en luy ung seul signe de la religion, que la devotion qu'il avoit en Poline. Au bout de neuf moys, fut delivré le gentil homme françois, et par sa bonne diligence fit tant, qu'il meist son compaignon en liberté, et pourchassa le plus qu'il luy fut possible, envers le marquis et la marquise, le mariage de Poline. Mais il n'y peut advenir ny rien gaigner, luy mectant devant les œilz la pauvreté où il leur fauldroit tous deux vivre [349], et aussy que de tous costez les parens n'en estoient d'opinion; et luy defendoient qu'il n'eust plus à parler à elle, à fin que cette fantaisie s'en peut aller par l'absence et impossibilité.

Et, quant il veid qu'il estoit contrainct d'obeyr, demanda congé à la marquise de dire adieu à Poline, et puis, que jamais il ne parleroit à elle; ce que luy fut accordé, et à l'heure il commencea à luy dire : « Puis que ainsy est, Poline, que le ciel et la terre sont contre nous, non seullement pour nous empescher de nous marier ensemble, mais, qui plus est, pour nous oster la veue et la parolle, dont nostre maistre et maistresse nous ont faict si rigoureux commandement, qu'ilz se peuvent bien vanter que en une parolle ilz ont blessé deux cueurs, dont les corps ne sçauroient plus faire que languyr; monstrans bien, par cest effect, que oncques amour ne pitié n'entrerent en leur estomac. Je sçay bien que leur fin est de nous marier chascun bien et richement; car ilz ignorent que la vraye richesse gist au contentement; mais si m'ont-ilz faict tant de mal et de desplaisir, qu'il est impossible que jamais de bon cueur je leur puisse faire service. Je croy bien que, si je n'eusse poinct parlé de mariage, ilz ne sont pas si scrupuleux, qu'ilz ne m'eussent assez laissé parler à vous, vous asseurant que j'aymerois mieulx morir, que changer mon opinion en pire, après vous avoir aymé d'une amour si honneste et vertueuse, et pourchassé envers vous ce que je vouldrois defendre envers tous. Et, pour ce que en vous voyant je ne sçaurois porter [350] ceste dure penitence, et qu'en ne vous voyant, mon cueur, qui ne peult demeurer vuide, se rempliroit de quelque desespoir dont la fin seroit malheureuse, je me suis deliberé et de long temps de me mectre en religion :

non que je sçaiche très bien qu'en tous estatz l'homme se peut saulver, mais pour avoir plus de loisir de contempler la Bonté divine, laquelle, j'espere, aura pitié des faultes de ma jeunesse, et changera mon cueur, pour aymer autant les choses spirituelles qu'il a faict les temporelles. Et si Dieu me faict la grace de pouvoir gaingner la sienne [351], mon labeur sera incessamment employé à prier Dieu pour vous. Vous supliant, par ceste amour tant ferme et loyalle qui a esté entre nous deux, avoir memoire de moy en voz oraisons et prier Nostre Seigneur, qu'il me donne autant de constance en ne vous voyant poinct, qu'il m'a donné de contentement en vous regardant. Et, pour ce que j'ay toute ma vie esperé d'avoir de vous par mariaige ce que l'honneur et la conscience permettent [352], je me suys contenté d'esperance; mais, maintenant que je la perdz, et que je ne puis jamais avoir de vous le traictement qui appartient à ung mary, au moins pour dire adieu, je vous supplye me traicter en frere, et que je vous puisse baiser. » La pauvre Poline, qui tousjours luy avoit esté assez rigoureuse, congnoissant l'extremité de sa douleur et l'honnesteté de sa requeste que en tel desespoir se contentoit d'une chose si raisonnable, sans luy respondre aultre chose, luy vat gecter les bras au col, pleurant avecq une si grande vehemence, que la parolle, la voix et la force luy defaillirent, et se laissa tumber entre ses bras esvanouye : dont la pitié qu'il en eut, avecq l'amour et la tristesse, luy en feirent faire autant, tant que une de ses compaignes, les voyant tumber l'un d'un costé et l'autre de l'autre, appella du secours, qui à force de remedes les feyt revenir.

Alors Poline, qui avoit desiré de dissimuller son affection, fut honteuse, quant elle s'apperceut qu'elle l'avoit monstrée si vehemente. Toutefois, la pitié du pauvre gentil homme servit à elle de juste excuse, et, ne povant plus porter ceste parolle de dire adieu [353] pour jamais, s'en alla vistement, le cueur et les dentz si serrez, que en entrant en son logis, comme ung corps sans esperit, se laissa tumber sur son lict, et passa la nuict en si piteuses lamentations, que ses serviteurs pensoient qu'il eust perdu parens et amys et tout ce qu'il povoit avoir de biens sur la terre. Le matin se recommanda à Nostre Seigneur, et, après qu'il eut departy à ses serviteurs le peu de bien qu'il avoit [354] et prins avecq luy quelque somme d'argent, deffendit à ses gens de le suyvre, et s'en alla tout seul à la religion de l'Observance [355] demander l'habit, deliberé de jamais n'en partir. Le gardien, qui autresfois l'avoit veu, pensa, au commencement, que ce fust mocquerie ou songe; car il n'y avoit gentil homme en tout le pays qui moins que luy eust grace ou condition de Cordelier, pource qu'il avoit en luy toutes les bonnes et honnestes vertuz que l'on eust sceu desirer en ung gentil homme. Mais, après avoir entendu ses parolles et veu ses larmes coulans [356] sur sa face comme ruisseaulx, ignorant dont en venoit la source, le receut humainement. Et bien tost après, voyant sa perseverance, luy bailla l'habit, qu'il receut bien devotement : dont furent advertiz le marquis et la marquize, qui le trouverent si estrange, que à peyne le pouvoient-ilz croire. Poline, pour ne se montrer subjecte à nulle amour, dissimulla le mieulx qu'il luy fut possible le regret qu'elle avoit de luy; en sorte que chascun disoit qu'elle avoit bien tost oblyé la grande affection de son loyal serviteur. Et ainsy passa cinq ou six mois, sans en faire autre demonstrance. Durant lequel temps luy fut, par quelque religieux, monstré une chanson que son serviteur avoit composé ung peu après qu'il eut prins l'habit. De laquelle le chant est italien et assez commun; mais j'en ay voulu traduire les motz en françoys le plus près qu'il m'a esté possible, qui sont telz :

Que dira-elle,
Que fera-elle,
Quant me verra de ses œilz
Religieux ?

Las ! la pauvrette,
Toute seullette,
Sans parler longtemps, sera
Eschevelée,
Deconsolée;
L'estrange cas pensera :
Son penser, par adventure,
En monastere et closture
A la fin la conduira.
Que dira-elle, etc.

Que diront ceulx
Qui de nous deux

Ont l'amour et bien privé,
Voyans qu'amour,
Par ung tel tour,
Plus parfaict ont approuvé ?
Regardans ma conscience,
Ilz en auront repentance,
Et chacun d'eulx en pleurera.
Que dira-elle, etc.

Et s'ils venoient [357],
Et nous tenoient
Propos pour nous divertir,
Nous leur dirons
Que nous mourrons
Icy, sans jamais partir :
Puis que leur rigueur rebelle
Nous feyt prendre robe telle,
Nul de nous ne la lairra.
Que dira-elle, etc.

Et si prier
De marier
Nous viennent, pour nous tenter.
En nous disant
L'estat plaisant
Qui nous pourroit contanter,
Nous respondrons que nostre ame
Est de Dieu amie et femme,
Qui poinct ne la changera.
Que dira-elle, etc.

O amour forte,
Qui ceste porte
Par regret m'as faict passer,
Faictz que en ce lieu,
De prier Dieu
Je ne me puisse lasser;
Car nostre amour mutuelle
Sera tant spirituelle,
Que Dieu s'en contentera.
Que dira-elle, etc.

Laissons les biens
Qui sont liens
Plus durs à rompre que fer;
Quictons la gloire
Qui l'ame noire

Par orgueil mene en enfer;
Fuyons la concupiscence,
Prenons la chaste innocence
Que Jesus nous donnera.
        Que dira-elle, etc.

        Viens donques, amye,
        Ne tarde mye
Après ton parfaict amy;
        Ne crains à prendre
        L'habit de cendre,
Fuyant ce monde ennemy :
Car, d'amityé vive et forte,
De sa cendre fault que sorte
Le phoenix qui durera.
        Que dira-elle, etc.

        Ainsy qu'au monde
        Fut pure et monde [a]
Nostre parfaicte amityé;
        Dedans le cloistre
        Pourra paroistre
Plus grande de la moictié;
Car amour loyal et ferme,
Qui n'a jamais fin ne terme,
Droict au ciel nous conduira.
        Que dira-elle, etc.

Quant elle eut bien au long leu ceste chanson, estant à part en une chappelle, se mist si fort à pleurer, qu'elle arrouza tout le papier de larmes. Et n'eust esté la craincte qu'elle avoit de se monstrer plus affectionnée qu'il n'appartient, n'eust failly de s'en aller incontinant mectre en quelque hermitaige, sans jamais veoir creature du monde. Mais la prudence qui estoit en elle la contraingnit encores pour quelque temps dissimuller. Et, combien qu'elle eust prins resolution de laisser entierement le monde, si faingnit-elle tout le contraire, et changeoit si fort son visaige, qu'estant en compaignye, ne resembloit de rien à elle-mesme. Elle porta en son cueur ceste deliberation [358] couverte cinq ou six moys, se monstrant plus joyeuse qu'elle n'avoit de coustume. Mais, ung jour, alla avecq sa maistresse à l'Observance, oyr la grand messe; et, ainsi

a. nette, sans tache.

que le prebstre, diacre et soubz-diacre sailloient [a] du revestiaire [b] pour venir au grand autel, son pauvre serviteur, qui encores n'avoit parfaict l'an de sa probation [c], servoit d'acolite, portoit les deux canettes [d] en ses deux mains couvertes d'une thoile de soye, et venoit le premier, ayant les œilz contre terre. Quand Poline le veid en tel habillement où sa beaulté et grace estoient plustost augmentées que diminuées, fut si esmue et troublée, que, pour couvrir la cause de la couleur qui luy venoit au visaige, se print à toussyr [e]. Et son pauvre serviteur, qui entendoit mieulx ce son-là que celluy des cloches de son monastere, n'osa tourner sa teste, mais, en passant devant elle, ne peut garder ses oeilz qu'ilz ne prinssent le chemin que si longtemps ilz avoient tenu. Et, en regardant piteusement [f] Poline, fut si saisy du feu qu'il pensoit quasi estainct, qu'en le voulant plus couvrir qu'il ne vouloit, tomba tout de son hault à terre devant elle. Et la craincte qu'il eut que la cause en fust congneue luy feit dire que c'estoit le pavé de l'eglise qui estoit rompu en cest endroict. Quant Poline congneut que le changement de l'habit ne luy pouvoit changer le cueur, et qu'il y avoit si longtemps qu'il s'estoit randu, que chacun excusoit qu'elle l'eust oblyé, se delibera de mectre à execution le desir qu'elle avoit eu de rendre la fin de leur amityé semblable en habit, estat et forme de vivre, comme elle avoit esté vivant en une maison, soubz pareil maistre et maistresse. Et, pource que elle avoit plus de quatre mois par avant donné ordre à tout ce qui luy estoit necessaire pour entrer en religion, ung matin, demanda congé à la marquise d'aller oyr messe à Saincte Claire, ce qu'elle luy donna, ignorant pourquoy elle le demandoit. Et, en passant devant les Cordeliers, pria le gardien de luy faire venir son serviteur, qu'elle appelloit son parent. Et, quand elle le veit en une chapelle à part, luy dist : « Si mon honneur eust permis que aussy tost que vous je me fusse osé mectre en religion, je n'eusse tant actendu; mais, ayant rompu par ma patience les oppinions de ceulx qui plus tost jugent mal que bien, je suis deliberée de prendre l'estat, la robbe et la vie telle que je voy la vostre, sans m'enquerir quel il y faict [g]. Car, si vous y avez du

a. sortaient. — *b.* sacristie. — *c.* noviciat. — *d.* burettes. — *e.* tousser. — *f.* tristement. — *g.* du qu'en dira-t-on, des conséquences.

bien, j'en auray ma part; et, si vous recepvez du mal, je n'en veulx estre exempte; car, par tel chemyn que vous irez en paradis, je vous veulx suivre : estant asseurée que Celluy qui est le vray, parfaict et digne d'estre nommé Amour, nous a tirez à son service, par une amityé honneste et raisonnable, laquelle il convertira, par son sainct Esperit, du tout en luy; vous priant que vous et moy oblyons le corps qui perit et tient [359] du viel Adan, pour recepvoir et revestir celluy de nostre espoux Jesus-Christ. » Ce serviteur religieux fut tant aise et tant contant d'oyr sa saincte volunté, que en pleurant de joye luy fortiffia son oppinion le plus qu'il luy fut possible, luy disant que, puis qu'il ne povoit plus avoir d'elle au monde autre chose que la parolle, il se tenoit bien heureux d'estre en lieu où il auroit toujours moyen de la recouvrer, et qu'elle seroit telle, que l'un et l'aultre n'en pourroit que mieulx valloir, vivans en ung estat d'un amour, d'un cueur et d'un esperit tirez et conduictz de la bonté de Dieu, lequel il supplioit les tenir en sa main, en laquelle nul ne peut perir. Et, en ce disant et pleurant d'amour et de joye, luy baisa les mains ; mais elle abbaissa son visaige jusques à la main, et se donnerent par vraye charité le sainct baiser de dilection. Et, en ce contentement, se partit Poline, et entra en la religion de saincte Claire, où elle fut receue et voillée.

Ce que après elle feit entendre à madame la marquise, qui en fut tant esbahye qu'elle ne le povoit croyre, mais s'en alla le lendemain au monastere, pour la veoir et s'efforcer de la divertir [a] de son propos. A quoy Poline luy feit responce, que, si elle avoit eu puissance de luy oster ung mary de chair, l'homme du monde qu'elle avoit le plus aymé, elle s'en debvoit contanter, sans chercher de la voulloir separer de Celluy qui estoit immortel et invisible, car il n'estoit pas en sa puissance ni de toutes les creatures du monde. La marquise, voyant son bon vouloir, la baisa, la laissant, non sans grand regret. Et depuis vesquirent Poline et son serviteur si sainctement et devotement en leurs Observances, que l'on ne doibt doubter que Celluy duquel la fin de la loy est charité, ne leur dist, à la fin de leur vie, comme à la Magdelaine, que leurs pechez leur estoient pardonnez, veu qu'ilz avoient beaucoup aymé,

a. détourner.

et qu'il ne les retirast en paix ou lieu où la recompense passe tous les merites des hommes.

« Vous ne povez icy nyer [360], mes dames, que l'amour de l'homme ne se soit monstrée la plus grande; mais elle luy fut si bien randue, que je vouldrois que tous ceulx qui s'en meslent fussent autant recompensez. — Il y auroit doncques, dist Hircan, plus de folz et de folles declarez, qu'il n'y en eut oncques? — Appellez-vous follie, dist Oisille, d'aymer honnestement en la jeunesse, et puis de convertir cest amour du tout à Dieu? » Hircan, en riant, luy respondit : « Si melencolie et desespoir sont louables, je diray que Poline et son serviteur sont bien dignes d'être louez. — Si est-ce, dist Geburon, que Dieu a plusieurs moyens pour nous tirer à luy, dont les commencemens semblent estre mauvays, mais la fin en est bonne. — Encores ay-je une opinion, dist Parlamente, que jamais homme n'aymera parfaictement Dieu, qu'il n'ait parfaictement aymé quelque creature en ce monde. — Qu'appelez-vous parfaictement aymer? dist Saffredent : estimez-vous parfaictz amans ceulx qui sont transiz et qui adorent les dames de loing, sans oser monstrer leur volonté? — J'appelle parfaictz amans, luy respondit Parlamente, ceulx qui cerchent, en ce qu'ilz aiment [361], quelque parfection, soit beaulté, bonté ou bonne grace; tousjours tendans à la vertu, et qui ont le cueur si hault et si honneste, qu'ilz ne veullent, pour mourir, mectre leur fin aux choses basses que l'honneur et la conscience repreuvent; car l'ame, qui n'est creée que pour retourner à son souverain bien, ne faict, tant qu'elle est dedans ce corps, que desirer d'y parvenir. Mais, à cause que les sens, par lesquelz elle en peut avoir nouvelles, sont obscurs et charnelz par le peché du premier pere, ne luy peuvent monstrer que les choses visibles plus approchantes de la parfection, après quoy l'ame court, cuydans trouver, en une beaulté exterieure, en une grace visible et aux vertuz moralles, la souveraine beaulté, grace et vertu. Mais, quant elle les a cerchez et experimentez, et elle n'y treuve poinct Celluy qu'elle ayme, elle passe oultre, ainsy que l'enfant, selon sa petitesse, ayme les poupines [a] [362] et autres petites choses, les plus belles que

a. poupées.

son œil peult veoir, et estime richesses d'assembler des petites pierres; mais, en croissant, ayme les popines vives et amasse les biens necessaires pour la vie humaine. Mais, quant il congnoist, par plus grande experience, que ès choses territoires [a] [363] n'y a perfection ne felicité, desire chercher le facteur et la source d'icelles. Toutesfois, si Dieu ne luy ouvre l'œil de foy, seroit en danger de devenir, d'un ignorant, ung infidele [b] philosophe; car foy seullement peult monstrer et faire recevoir le bien que l'homme charnel et animal ne peult entendre. — Ne voyez-vous pas bien, dist Longarine, que la terre non cultivée, portant beaucoup d'herbes et d'arbres, combien qu'ilz soient inutilles, est desirée pour l'esperance qu'elle apportera bon fruict, quant il y sera semé ? Aussy, le cueur de l'homme, qui n'a nul sentiment d'amour aux choses visibles, ne viendra jamais à l'amour de Dieu par la semence de sa parolle, car la terre de son cueur est sterille, froide et damnée. — Voylà pourquoy, dist Saffredent, la plus part des docteurs [364] ne sont spirituelz; car ilz n'aymeront jamais que le bon vin et chamberieres laydes et ordes [c], sans experimenter que c'est d'aymer dame honneste. — Si je sçavois bien parler latin, dist Simontault, je vous allegueroye que sainct Jehan dict : « Que celluy qui n'ayme son frere qu'il voit, comment aymera-il Dieu qu'il ne veoit poinct [364 bis] ? » Car, par les choses visibles, on est tiré à l'amour des invisibles. — Mais, dist Ennasuitte, *quis est ille et laudabimus eum*, ainsy parfaict que vous le dictes ? — Respondit [365] Dagoucin : il y en a qui ayment si fort et si parfaictement, qu'ilz aymeroient autant mourir que de sentir ung desir contre l'honneur et la conscience de leur maistresse, et si ne veullent qu'elle ne autres s'en apperçoyvent. — Ceulx-là, dist Saffredent, sont de la nature de la camalercite [d] [366], qui vit de l'aer. Car il n'y a homme au monde, qui ne desire declarer son amour et de sçavoir estre aymé, et si croy qu'il n'est si forte fiebvre d'amitié, qui soubdain ne passe, quant on congnoist le contraire. Quant à moy, j'en ay veu des miracles evidentz. — Je vous prie, dist Ennasuitte, prenez ma place et nous racomptez de quelcun qui soyt suscité de mort à vye, pour congnoistre en sa dame le contraire de ce qu'il desiroit. — Je crains tant, dist Saffre-

a. terrestres. — *b.* incroyant. — *c.* sales. — *d.* caméléon.

dent, desplaire aux dames, de qui j'ay esté et seray toute ma vie serviteur, que, sans exprès commandement, je n'eusse osé racompter leurs imperfections; mais, pour obeir, je n'en celeray la verité. »

VINGTIESME NOUVELLE

Le sieur de Ryant, fort amoureux d'une dame veuve, ayant congneu en elle le contraire de ce qu'il desiroit et qu'elle luy avoit souvent persuadé, se saisit si fort, qu'en un instant le despit eut puissance d'esteindre le feu que la longueur du temps ny l'occasion n'avoyent sceu amortir[367].

Ou pays de Daulphiné, y avoit ung gentil homme, nommé le seigneur de Riant[368], de la maison du Roy François premier, autant beau et honneste gentil homme qu'il estoit possible de veoir. Il fut longuement serviteur d'une dame vefve, laquelle il aymoit et reveroit, tant que de la peur qu'il avoit de perdre sa bonne grace, ne l'osoit importuner de ce qu'il desiroit le plus. Et luy, qui se sentoit beau et digne d'estre aymé, croyoit fermement ce qu'elle luy juroit souvent : c'est qu'elle l'aymoit plus que tous les hommes du monde, et que, si elle estoit contraincte de faire quelque chose pour ung gentil homme, ce seroit pour luy seullement, comme le plus parfaict qu'elle avoit jamais congneu, et le prioit de se contanter[369] de ceste honneste amityé. Et, d'aultre part, l'asseuroit si fort que, si elle congnoissoit qu'il pretendist davantaige, sans se contanter de la raison, que du tout il la perdroit. Le pauvre gentil homme non seullement se contantoit, mais se tenoit très heureux d'avoir gaingné le cueur de celle où il pensoit tant d'honnesteté[370]. Il seroit long de vous racompter le discours de son amityé la longue frequentation qu'il eut avecq elle, les voyages qu'il faisoit pour la venir veoir. Mais pour venir à la conclusion, ce pauvre martir, d'un feu si plaisant, que plus on brusle, plus on veult brusler, cerchoit tousjours le moyen d'augmenter son martire. Ung jour, lui print en fantaisye d'aller veoir en poste[a] celle qu'il aymoit plus que luy-mesmes et qu'il estimoit par dessus toutes les

a. à cheval.

femmes du monde. Luy, arrivé en sa maison, demanda où elle estoit : on luy dist qu'elle ne faisoit que venir de vespres et estoit entrée en sa garenne [a] pour parachever son service. Il descendit de cheval et s'en alla tout droit en ceste garenne où elle estoit, et trouva ses femmes qui luy dirent qu'elle s'en alloit toute seulle pourmener en une grande allée. Il commença à plus que jamais esperer quelque bonne fortune pour luy. Et le plus doulcement qu'il peut, sans faire ung seul bruict, la cherchea le mieulx qu'il luy fut possible, desirant sur toutes choses de la povoir trouver seulle. Mais, quant il fut près d'un pavillon faict d'arbres pliez [b], lieu tant beau et plaisant qu'il n'estoit possible de plus, entra soubdainement là, comme celluy à qui tardoit de veoir ce qu'il aymoit. Mais il trouva en son entrée, la damoiselle couchée dessus l'herbe entre les bras d'un palefronier de sa maison, aussy laid, ord [c] et infame, que de Riant estoit beau, fort, honneste et aimable. Je n'entreprendz de vous paindre le despit qu'il eut; mais il fut si grand, qu'il eut puissance en ung moment d'eteindre le feu que à la longueur du temps ny à l'occasion n'avoit sceu faire. Et, autant remply de despit qu'il avoit eu d'amour, luy dist : Madame, prou [d] vous face ! Aujourd'huy, par vostre meschanceté suis guery et delivré de la continuelle doulleur, dont honnesteté que j'extimois en vous estoit l'occasion. » Et, sans autre adieu, s'en retourna plus viste qu'il n'estoit venu. La pauvre femme ne luy feit autre response, sinon de mectre la main devant son visaige; car, puisqu'elle ne povoit couvrir sa honte, couvrit-elle ses œilz, pour ne veoir celluy qui la voyoit trop clairement, nonobstant sa dissimullation.

« Parquoy, mes dames, je vous supplie, si vous n'avez volunté d'aymer parfaictement, ne vous pensez poinct dissimuller à ung homme de bien, et luy faire desplaisir pour votre gloire; car les ypocrites sont payez de leurs loyers [e], et Dieu favorise ceulx qui ayment nayfvement [371]. — Vrayement, dist Oisille, vous nous l'avez gardé bonne pour la fin de la Journée ! Et si ce n'estoit que nous avons tous

a. endroit planté et clos, parc. — *b*. logette de jardin faite de branches entrelacées. — *c*. sale. — *d*. beaucoup, grand bien. — *e*. Nous dirions aujourd'hui : reçoivent la monnaie de leur pièce.

juré de dire verité, je ne sçauroys croyre que une femme de l'estat dont elle estoit, sceut estre si meschante de l'ame [372], quant à Dieu, et du corps, laissant ung si honneste gentil homme pour ung si villain mulletier. — Helas! Madame, dist Hircan, si vous sçaviez la difference qu'il y a d'un gentil homme, qui toute sa vie a porté le harnoys et suivy la guerre, au pris d'un varlet bien nourry sans bouger d'un lieu, vous excuseriez ceste pauvre vefve. — Je ne croy pas, Hircan, dist Oisille, quelque chose que vous en dictes, que vous peussiez recepvoir nulle excuse d'elle. — J'ay bien oy dire, dist Simontault, qu'il y a des femmes qui veullent avoir des evangelistes pour prescher leur vertu et leur chasteté, et leur font la meilleure chere qu'il leur est possible et la plus privée, les asseurant que, si la conscience et honneur ne les retenoient, elles leur accorderoient leurs desirs. Et les pauvres sotz, quant en quelque compaignye parlent d'elles, jurent qu'ilz mectroient leur doigt au feu sans brusler, pour soustenir qu'elles sont femmes de bien; car ilz ont experimenté leur amour jusques au bout. Ainsi se font louer par les honnestes hommes, celles qui à leurs semblables se montrent telles qu'elles sont, et choisissent ceulx qui ne sçauroient avoir hardiesse de parler; et, s'ilz en parlent, pour leur vile et orde [a] condition, ne seroyent pas creuz. — Voylà, dist Longarine, une opinion que j'ay autresfois oy dire aux plus jaloux et soupsonneux hommes, mais c'est painct une chimere; car, combien qu'il soit advenu à quelque pauvre malheureuse, si est-ce chose qui ne se doibt soupsonner en aultre. — Or, leur dist Parlamente, tant plus avant nous entrons en ce propos, et plus ces bons seigneurs icy drapperont sur la tissure [b] de Simontault et tout à noz despens. Parquoy, vault myeulx aller oyr vespres, à fin que ne soyons tant actendues que nous fusmes hier. »

La compagnye fut de son opinion, et, en allant, Oisille leur dist : « Si quelcun de nous rend graces à Dieu d'avoir, en ceste Journée, dict la verité des histoires que nous avons racomptées, Saffredent luy doibt requerir pardon d'avoir rememoré une si grande villenye contre les dames. — Par ma foy, luy respondit Saffredent, combien que mon compte soit veritable, si est-ce que je l'ay oy dire. Mais, quant je

a. basse, vilaine. — *b*. commenteront en renchérissant, les propos.

vouldroye faire le rapport du cerf à veue d'œil [a], je vous ferois faire plus de signes de croix, de ce que je sçay des femmes, que l'on n'en faict à sacrer [b] une eglise. — C'est bien loing de se repentir, dist Geburon, quant la confession aggrave le peché. — Puisque vous avez telle opinion des femmes, dist Parlamente, elles vous debvroient priver de leur honneste entretenement [c] et privaultez. » Mais il luy respondit : « Aucunes ont tant usé, en mon endroict, du conseil que vous leur donnez, en m'esloignant et separant des choses justes et honnestes, que si je povois dire pis et pis faire à toutes, je ne m'y espargneroie pas, pour les inciter à me venger de celle qui me tient si grand tort. » En disant ces parolles, Parlamente meit son touret de nez [373], et, avecq les autres, entra dedans l'eglise, où ils trouverent vespres très bien sonnées, mais ilz n'y trouverent pas ung religieux pour les dire, pource qu'ilz avoient entendu que dedans le pré s'assembloit ceste compaignye pour y dire les plus plaisantes choses qu'il estoit possible; et, comme ceulx qui aymoient mieulx leurs plaisirs que les oraisons, s'estoient allez cacher dedans une fosse, le ventre contre terre, derrière une haye fort espesse. Et là avoient si bien escoucté les beaulx comptes, qu'ilz n'avaient poinct oy sonner la cloche de leur monastere. Ce qui parut bien, quant ilz arriverent en telle haste, que quasi l'alaine leur failloit à commencer vespres. Et quand elles furent dictes, confesserent à ceulx qui leur demandoient l'occasion de leur chant tardif et mal entonné, que ce avoit esté pour les escouter. Parquoy, voyans leur bonne volunté [374], leur fut permis que tous les jours assisteroient derriere la haye, assiz à leurs ayses. Le soupper se passa joyeusement, en relevant les propos qu'ilz n'avoient pas mis à fin dans le pré, qui durerent tout le long du soir, jusques à ce que la dame Oisille les pria de se retirer, à fin que leur esperit fut plus prompt le lendemain, après ung bon et long repos, dont elle disoit que une heure avant minuyct valloit mieux que trois après. Ainsy, s'en allant chascun en sa chambre, se partit ceste compaignye, mectant fin à ceste seconde Journée.

FIN DE LA DEUXIESME JOURNÉE.

a. racompter ce que j'ai vu de mes propres yeux. — *b.* consacrer. — *c.* conversation.

LA TROISIESME JOURNÉE

En la troisiesme journée, on devise des dames qui en leur amytié n'ont cerché nulle fin que l'honnesteté, et de l'hypocrisye et mechanceté des religieux.

PROLOGUE

Le matin, ne sceut la compaignye si tost venir en la salle, qu'ilz ne trouvassent madame Oisille, qui avoit, plus de demye heure avant, estudié la leçon [375] qu'elle debvoit lire; et, si [376] le premier et second jour elle les avoit randuz contens, elle n'en feyt moins le troisiesme. Et n'eust été que ung des religieux les vint querir pour aller à la grand messe, leur contemplation les empeschant d'oyr la cloche, ils ne l'eussent oye. La messe oye bien devotement, et le disner passé bien sobrement, pour n'empescher, par les viandes [a], leurs memoires à s'acquicter chascun en son reng le mieulx que luy seroit possible, se retirerent en leurs chambres à visiter leurs registres, actendant l'heure accoustumée d'aller au pré; laquelle venue, ne faillirent à ce beau voyage. Et ceulx qui avoient deliberé de dire quelque follye avoient desja les visaiges si joyeux, que l'on esperoit d'eulx occasion de bien rire. Quant [377] ilz furent assis, demanderent à Saffredent à qui il donnoit sa voix pour la troisiesme Journée: « Il me semble, dit-il, que, puisque la faulte que je feys hier est si grande que vous dictes, ne sçachant histoire digne de la reparer, que je dois donner ma voix à Parlamente, laquelle, pour son bon sens, sçaura si bien louer les dames, qu'elle fera mectre en obly la verité que je vous ay dicte. — Je n'entreprens pas, dist Parlamente, de reparer voz faultes, mais ouy bien de me garder de les ensuivre. Parquoy, je me delibere, usant de

a. mets.

la verité promise et jurée, de vous monstrer qu'il y a des dames qui en leurs amityez n'ont cherché nulle fin que l'honnesteté. Et, pour ce que celle dont je vous veulx parler estoit de bonne maison, je ne changeray rien en l'histoire que le nom; vous priant, mes dames, de penser qu'amour n'a poinct de puissance de changer ung cueur chaste et honneste, comme vous verrez par l'histoire que je vous voys compter. »

VINGT ET UNIESME NOUVELLE

Rolandine, ayant attendu jusqu'à l'age de xxx ans à estre maryée, et cognoissant la negligence de son pere et le peu de faveur que luy portoit sa maistresse, print telle amytié à un gentil homme bastard, qu'elle luy promeit maryage, dont son pere averty luy usa de toutes les rigueurs qui luy furent possibles, pour la faire consentir à la dissolution de ce mariage; mais elle persista en son amitié jusques à la mort du bastard, de laquelle certifiée, fut mariée à un gentil homme, du nom et des armes de sa maison [378].

Il y avoit en France une Royne qui, en sa compaignie, norrissoit plusieurs filles de grandes et bonnes maisons [379]. Entre autres, y en avoit une nommée Rolandine [380], qui estoit bien proche sa parente [381]. Mais la Royne, pour quelque inimitié qu'elle portoit à son pere [382], ne luy faisoit pas fort bonne chere. Ceste fille, combien qu'elle ne fust des plus belles ny des laydes aussy, estoit tant saige et vertueuse, que plusieurs grands personnaiges la demandoient en mariage, dont ilz avoient froide response; car le pere aymoit tant son argent, qu'il oblyoit l'advancement de sa fille, et sa maistresse, comme j'ay dict, luy portoit si peu de faveur, qu'elle n'estoit poinct demandée de ceulx qui se vouloient advancer en la bonne grace de la Royne. Ainsy, par la negligence du pere et par le desdain de sa maistresse, ceste pauvre fille demeura longtemps sans estre mariée. Et, comme celle qui se fascha à la longue, non tant pour envye qu'elle eust d'estre mariée, que pour la honte qu'elle avoit de ne l'estre poinct, du tout elle se retira à Dieu, laissant les mondanitez et gorgiasetez [a] de

[a]. élégances.

la court; son passetemps fut à prier Dieu ou à faire quelques ouvraiges. Et, en ceste vie ainsy retirée, passa ses jeunes ans, vivant tant honnestement et sainctement qu'il n'estoit possible de plus. Quant elle fut approchée des trente ans, il y avoit ung gentil homme, bastard d'une grande et bonne maison [383], autant gentil compaignon et homme de bien qu'il en fut de son temps; mais la richesse l'avoit du tout delaissé, et avoit si peu de beaulté, que une dame, quelle elle fust, ne l'eust pour son plaisir choisy. Ce pauvre gentil homme estoit demeuré sans party; et, comme souvent ung malheureux cerche l'autre, vint aborder ceste damoiselle Rolandine, car leurs fortunes, complexions et conditions estoient fort pareilles. Et, se complaignans l'un à l'autre de leurs infortunes [384], prindrent une très grande amitié; et, se trouvans tous deux compaignons de malheur, se cerchoient en tous lieux pour se consoler l'un l'autre; et, en ceste longue frequentation, s'engendra une très grande et longue amityé. Ceulx qui avoient veu la damoiselle Rolandine si retirée qu'elle ne parloit à personne et la voyans incessamment avecq le bastard de bonne maison, en furent incontinant scandalisez, et dirent à sa gouvernante qu'elle ne debvoit endurer ces longs propos; ce qu'elle remonstra à Rolandine, luy disant que chascun estoit scandalizé dont [a] elle parloit tant à ung homme qui n'estoit assez riche pour l'espouser, ny assez beau pour estre amy. Rolandine, qui avoit tousjours esté reprinse de ses austeritez plus que de ses mondanitez, dist à sa gouvernante : « Helas, ma mere ! vous voyez que je ne puis avoir ung mary selon la maison d'où je suis, et que j'ay tousjours fuy ceulx qui sont beaulx et jeunes, de paour de tumber aux inconveniens où j'en ay veu d'autres; et je trouve ce gentil homme icy saige et vertueux comme vous sçavez, lequel ne me presche que toutes bonnes choses et vertueuses : quel tort puis-je tenir à vous et à ceulx qui en parlent, de me consoler avecq luy de mes ennuyctz ? » La pauvre vielle, qui aymoit sa maistresse plus qu'elle-mesmes, luy dist : « Ma damoiselle, je voy bien que vous dictes la verité, et que vous estes traictée de pere et de maistresse autrement que vous ne le meritez. Si est-ce que, puis que l'on parle de vostre honneur en ceste sorte, et fust-il vostre propre

a. de ce que.

frere, vous vous debvez retirer de parler à luy. » Rolandine luy dist, en pleurant : « Ma mere, puisque vous le me conseillez, je le feray; mais c'est chose estrange de n'avoir en ce monde une seulle consolation ! » Le bastard, comme il avoit accoustumé, la voulut venir entretenir, mais elle luy declara tout au long ce que sa gouvernante luy avoit dict et le pria, en pleurant, qu'il se contentast pour ung temps de ne luy parler poinct jusques ad ce que ce bruict fust ung peu passé; ce qu'il feyt à sa requeste.

Mais, durant cest esloignement, ayans perdu l'un et l'autre leur consolation, commencerent à sentir ung torment qui jamais de l'un ne l'autre n'avoit esté experimenté. Elle ne cessoit de prier Dieu et d'aller en voyage, jeusner et faire abstinence. Car cest amour, encores à elle incongneu, luy donnoit une inquietude si grande, qu'elle ne la laissoit une seulle heure reposer. Au bastard de bonne maison ne faisoit Amour moindre effort; mais luy, qui avoit desjà conclud en son cueur de l'aymer et de tascher à l'espouser, regardant avecq l'amour l'honneur que ce luy seroit s'il la povoit avoir, pensa qu'il falloit cercher moyen pour luy declarer sa volunté et surtout gaingner sa gouvernante. Ce qu'il feyt, en luy remonstrant la misere où estoit tenue sa pauvre maistresse, à laquelle on vouloit oster toute consolation. Dont la bonne vieille, en pleurant, le remercia de l'honneste affection qu'il portoit à sa maistresse. Et adviserent ensemble le moyen comme il pourroit parler à elle : c'estoit que Rolandine fairoit souvent semblant d'estre malade d'une migraine où l'on crainct fort le bruict; et, quand ses compaignes iroient en la chambre de la Royne, ilz demeureroient tous deux seulz, et là il la pourroit entretenir. Le bastard en fut fort joyeulx et se gouverna entierement par le conseil de ceste gouvernante, en sorte que, quant il vouloit, il parloit à s'amye. Mais ce contentement ne lui dura gueres, car la Royne, qui ne l'aymoit pas fort, s'enquist que faisoit tant Rolandine en la chambre. Et, combien que quelcun dist que c'estoit pour sa maladye, toutesfois ung autre, qui avoit trop de memoire des absens, luy dist que l'ayse qu'elle avoit d'entretenir le bastard de bonne maison luy debvoit faire passer sa migraine. La Royne, qui trouvoit les pechez venielz des autres mortelz en elle, l'envoya querir et luy defendit de parler jamais au bastard, si ce n'estoit en sa chambre ou en sa salle. La damoiselle n'en feit nul semblant, mais luy dist[385] : « Si j'eusse pensé, ma dame, que l'un ou l'autre vous eust despleu, je n'eusse jamais parlé à luy. » Toutesfois, pensa en elle-mesme qu'elle cercheroit quelque autre moyen dont la Royne ne sçauroit rien[386]; ce qu'elle feyt. Et les mercredy, vendredy et sabmedy qu'elle jeusnoit, demeuroit en sa chambre avecq sa gouvernante, où elle avoit loisir de parler, tandis que les autres souppoient, à celluy qu'elle commençoit à aymer très fort. Et tant plus le temps de leur propos estoit abbregé en contraincte, et plus leurs parolles estoient dictes par grande affection; car ilz desroboient le temps, comme faict ung larron une chose pretieuse. L'affaire ne sceut estre menée si secrettement, que quelque varlet ne le vist entrer là-dedans au jour de jeusnes, et le redist en lieu où ne fut celé[a] à la Royne, qui s'en courrouça si fort, qu'oncques puys n'osa le bastard aller en la chambre des damoiselles. Et, pour ne perdre le bien de parler à elle[387] tout entierement, faisoit souvent semblant d'aller en quelque voyaige, et revenoit au soir en l'eglise ou chappelle du chasteau, habillé en Cordelier ou Jacobin, ou dissimullé si bien que nul ne le congnoissoit; et là s'en alloit la damoiselle Rolandine avecq sa gouvernante l'entretenir. Luy, voyant la grande amour qu'elle luy portoit, n'eut craincte de luy dire : « Madamoiselle, vous voyez le hazard[b] où je me metz pour vostre service, et les deffenses que la Royne vous a faictes de parler à moy ? Vous voyez, d'autre part, quel pere vous avez, qui ne pense, en quelque façon que ce soit, de vous marier. Il a tant refusé de bons partiz, que je n'en sçaiche plus, ny près ny loing de luy, qui soit pour vous avoir. Je sçay bien que je suis pauvre, et que vous ne sçauriez espouser gentil homme qui ne soit plus riche que moy. Mais si amour et bonne volunté estoient estimez ung tresor, je penserois estre le plus riche homme du monde. Dieu vous a donné de grandz biens, et estes en dangier d'en avoir encores plus : si j'estoys si heureux que vous me voulussiez eslire pour mary, je vous serois mary, amy et serviteur toute ma vie; et si vous en prenez ung esgal à vous, chose difficille à trouver, il vouldra estre maistre et regardera plus à voz biens que à vostre personne, et à la beaulté que à la vertu; et, en joyssant de l'usus-

a. caché. — *b.* danger.

fruict de vostre bien, traictera votre corps autrement qu'il ne le merite. Le desir que j'ay d'avoir ce contentement, et la paour que j'ay que vous n'en ayez poinct avecq ung autre, me font vous supplier que, par un mesme moyen, vous me rendez heureux et vous la plus satisfaicte et la mieux traictée femme qui oncques fut. » Rolandine, escoutant le mesme propos qu'elle avoit deliberé de luy tenir, luy respondit d'un visaige constant : « Je suys très aise dont vous avez commencé le propos, dont, long temps a, j'avois deliberé vous parler, et auquel [388], depuis deux ans que je vous congnoys, je n'ay cessé de penser et repenser en moy-mesmes toutes les raisons pour vous et contre vous que j'ay peu inventer. Mais, à la fin, sçachant que je veulx prendre l'estat de mariage, il est temps que je commence et que choisisse avecq lequel je penseray mieux vivre au repos de ma conscience. Je n'en ai sceu trouver un, tant soit-il beau, riche ou grand seigneur [389], avec lequel mon cueur et mon esperit se peust accorder, sinon à vous seul. Je sçay qu'en vous espousant, je n'offenseroye poinct Dieu, mais je faictz ce qu'il commande. Et quant à Monseigneur mon pere, il a si peu pourchassé mon bien et tant refusé, que la loy veult que je me marie, sans ce qu'il me puisse desheriter. Quant je n'auray que ce qui m'appartient, en espousant ung mary tel envers moy que vous estes, je me tiendray la plus riche du monde. Quant à la Royne ma maistresse, je ne doibtz poinct faire de conscience de luy desplaire pour obeyr à Dieu; car elle n'en a poinct faict de m'empescher le bien que en ma jeunesse j'eusse peu avoir. Mais, à fin que vous congnoissez que l'amityé que je vous porte est fondée sur la vertu et sur l'honneur, vous me promectrez que, si j'accorde ce mariage, de n'en pourchasser jamais la consommation, que mon pere ne soit mort ou que je n'aye trouvé moyen de le y faire consentir. » Ce que luy promist voluntiers le bastard; et, sur ces promesses, se donnerent chascun ung anneau en nom de mariaige, et se baiserent en l'eglise devant Dieu, qu'ilz prindrent en tesmoing de leur promesse; et jamays depuis n'y eut entre eulx plus grande privaulté que de baiser.

Ce peu de contentement [390] donna grande satisfaction au cueur de ces deux parfaictz amans, et furent ung temps sans se veoir, vivans de ceste seureté. Il n'y avoit gueres lieu où l'honneur se peust acquerir, que le bastard de bonne maison n'y allast avecq ung grand contentement, qu'il ne povoit demeurer pauvre, veu la riche femme que Dieu luy avoit donnée; laquelle en son absence conserva si longuement ceste parfaicte amityé, qu'elle ne tint compte d'homme du monde. Et, combien que quelques ungs la demandassent en mariage, ilz n'avoient neantmoins autre responce d'elle, sinon que, depuis qu'elle avoit tant demeuré sans estre mariée, elle ne vouloit jamais l'estre. Ceste responce fut entendue de tant de gens, que la Royne en oyt parler, et luy demanda pour quelle occasion elle tenoit ce langaige. Rolandine luy dist que c'estoit pour luy obeyr, car elle sçavoit bien qu'elle n'avoit jamais eu envie de la marier au temps et au lieu où elle eust esté honnorablement pourveue et à son ayse; et que l'aage et la patience luy avoient apprins de se contanter de l'estat où elle estoit. Et, toutes les fois que l'on luy parloit de mariage, elle faisoit pareille response. Quant les guerres estoient passées et que le bastard estoit retourné à la court, elle ne parloit poinct à luy devant les gens, mais alloit tousjours en quelque eglise l'entretenir soubz couleur de se confesser; car la Royne avoit defendu à luy et à elle, qu'ilz n'eussent à parler tous deux, sans estre en grande compaignye, sur peyne de leurs vies. Mais l'amour honneste, qui ne congnoist nulles deffenses, estoit plus prest à trouver les moyens pour les faire parler ensemble, que leurs ennemyz n'estoient promptz à les guecter; et, soubz l'habit de toutes les religions qu'ilz se peurent [391] penser, continuoient leur honneste amityé jusques à ce que le Roy s'en alla en une maison de plaisance près de Tours [392], non tant près que les dames peussent aller à pied à aultre eglise que à celle du chasteau, qui estoit si mal bastye à propos, qu'il n'y avoit lieu à se cacher, où le confesseur eust esté clairement congneu. Toutesfois, si d'un costé l'occasion leur falloit, amour leur en trouvoit une autre plus aisée. Car il arriva à la court une dame de laquelle le bastard estoit proche parent. Ceste dame avecq son filz furent logez en la maison du Roy; et estoit la chambre de ce jeune prince advancée toute entiere oultre le corps de la maison où le Roy estoit, tellement que de sa fenestre povoit veoir et parler à Rolandine, car les deux fenestres estoient proprement à l'angle des deux corps d'une maison. En ceste chambre, qui estoit sur la salle du Roy, là estoient logées toutes les damoiselles de bonne maison en la compaignie de Rolandine. Laquelle, advisant par plusieurs foys ce jeune prince à sa fenestre, en feyt advertir le bastard par sa gouvernante; lequel, après avoir bien regardé le lieu, feyt semblant de prendre fort grand plaisir de lire ung livre des Chevaliers de la Table ronde, qui estoit en la chambre du prince. Et, quant chacun s'en alloit disner, pryoit ung varlet de chambre le vouloir laisser achever de lire, et l'enfermer dedans la chambre, et qu'il la garderoit bien. L'autre, qui le congnoissoit parent de son maistre, et homme seur, le laissoit lire tant qu'il luy plaisoit. D'autre costé, venoit à sa fenestre Rolandine, qui, pour avoir occasion d'y demeurer plus longuement, faingnit d'avoir mal à une jambe et disnoit et souppoit de si bonne heure, qu'elle n'alloit plus à l'ordinaire des dames. Elle se mist à faire ung lict tout de reseul [a] [393] de soye cramoisie, et l'atachoit à la fenestre où elle vouloit demorer seulle; et, quant elle voyoit qu'il n'y avoit personne, elle entretenoit son mary, qui povoient parler si hault que nul ne les eust sceu oyr; et quant il s'approchoit quelcun d'elle, elle toussoit et faisoit signe, par lequel le bastard se povoit bien tost retirer. Ceulx qui faisoient le guet sur eulx tenoient tout certain que l'amityé estoit passée; car elle ne bougeoit d'une chambre où seurement il ne la povoit veoir, pource que l'entrée luy en estoit defendue.

Ung jour, la mere de ce jeune prince fut en la chambre de son filz et se meist à ceste fenestre où estoit ce gros livre; et n'y eut gueres demoré que une des compaignes de Rolandine, qui estoit à celle de leur chambre, salua ceste dame et parla à elle. La dame luy demanda comment se portoit Rolandine; elle luy dist qu'elle la verroit bien, s'il luy plaisoit, et la feyt venir à la fenestre en son couvrechef de nuyct; et, après avoir parlé de sa malladye, se retirerent chascune de son costé. La dame, regardant ce gros livre de la Table ronde, dist au varlet de chambre qui en avoit la garde : « Je m'esbahys comme les jeunes gens perdent le temps à lire tant de follyes ! » Le varlet de chambre luy respondit qu'il s'esmerveilloit encores plus de ce que les gens estimez bien saiges et aagez y estoient plus affectionnez que les jeunes; et, pour une merveille, luy compta comme le bastard son cousin y demeuroit quatre ou cinq

a. réseau, lingerie à jour.

heures tous les jours à lire ce beau livre. Incontinant frappa au cueur de ceste dame l'occasion pourquoy c'estoit, et donna charge au varlet de chambre de se cacher en quelque lieu, et de regarder ce qu'il feroit; ce qu'il feyt, et trouva que le livre où il lisoit estoit la fenestre où Rolandine venoit parler à luy; et entendit plusieurs propos de l'amityé qu'ilz cuydoient tenir bien seure. Le lendemain, le racompta à sa maistresse, qui envoya querir le bastard, et, après plusieurs remonstrances, luy defendit de ne se y trouver plus; et le soir, elle parla à Rolandine, la menassant, si elle continuoit cette folle amityé, de dire à la Royne toutes ses menées. Rolandine, qui de rien ne s'estonnoit, jura que, depuis la deffense de sa maistresse, elle n'y avoit poinct parlé, quelque chose que l'on dist, et qu'elle en sceut la verité tant de ses compaignes que des varletz et serviteurs. Et quant à la fenestre dont elle parloit, elle luy [394] nya d'y avoir parlé au bastard; lequel, craignant que son affaire fust revelé, s'eslongna du dangier, et fut long temps sans revenir à la court, mais non sans escripre à Rolandine par si subtilz moyens, que, quelque guet que la Royne y meist, il n'estoit sepmaine qu'elle n'eust deux fois de ses nouvelles.

Et quant le moyen des religieux dont il s'aydoit fut failly, il luy envoyoit ung petit paige habillé des couleurs, puis de l'ung puis de l'autre, qui s'arrestoit aux portes où toutes les dames passoient, et là bailloit ses lettres secretement parmy la presse. Ung jour, ainsy que la Royne alloit aux champs, quelcun qui recongneut le paige, et qui avoit la charge de prendre garde en ses affaires, courut après; mais le paige, qui estoit fin, se doubtant que l'on le cerchoit, entra en la maison d'une pauvre femme qui faisoit sà potée auprès du feu, où il brusla incontinant ses lectres. Le gentilhomme, qui le suyvoit, le despouilla tout nud, et cherchea par tout son habillement, mais il n'y trouva riens; parquoy le laissa aller. Et, quant il fut party, la vieille luy demanda pourquoy il avoit ainsy cherché ce jeune enfant. Il luy dist : « Pour [395] trouver quelques lectres que je pensois qu'il portast. — Vous n'aviez garde, dist la vieille, de les trouver, car il les avoit bien cachées. — Je vous prie, dist le gentil homme, dictes-moy en quel endroict c'est ? » esperant bientost les recouvrer. Mais, quant il entendit que c'estoit dedans le feu, congneut bien que le paige avoit esté plus fin que luy; ce que incontinant alla racompter à la Royne. Toutesfois, depuis ceste heure-là, ne s'ayda plus le bastard de paige ne d'enfant; et y envoya ung viel serviteur qu'il avoit, lequel, obliant la craincte de la mort dont il sçavoit bien que l'on faisoit menasser, de par la Royne, ceulx qui se mesloient de cest affaire, entreprint de porter lectres à Rolandine. Et, quant il fut entré au chasteau où elle estoit, s'en alla guetter à une porte au pied d'un grand degré où toutes les dames passoient; mais ung varlet, qui autresfoys l'avoit veu, le recongneut incontinant, et l'ala dire au maistre d'hostel de la Royne, qui soubdainement le vint chercher pour le prendre. Le varlet, saige et advisé, voyant que l'on le regardoit de loing, se retourna vers la muraille, comme pour faire de l'eaue [a], et là rompit ses lettres le plus menu qu'il luy fut possible, et les gecta derriere une porte. Sur l'heure, il fut prins et cherché de tous costez; et, quant on ne luy trouva riens, on l'interrogea par serment s'il avoit apporté nulles lettres, luy gardant toutes les rigueurs et persuasions qu'il fut possible, pour luy faire confesser la verité; mais, pour promesses ne pour menasses qu'on luy feist, jamais n'en sceurent tirer autre chose. Le rapport en fut faict à la Royne, et quelcun de la compaignie s'advisa qu'il estoit bon de regarder derriere la porte auprès de laquelle on l'avoit prins; ce qui fut faict et trouva l'on ce que l'on cerchoit : c'estoient les pieces de la lectre. On envoya querir le confesseur du Roy, lequel, après les avoir assemblées sur une table, leut la lectre tout du long, où la verité du mariage tant dissimullé se trouva clairement; car le bastard ne l'appeloit que sa *femme*. La Royne, qui n'avoit deliberé de couvrir la faulte de son prochain, comme elle debvoit, en feyt ung très grand bruyct, et commanda que, par tous moyens, on feist confesser au pauvre homme la verité de ceste lettre, et que, en la luy monstrant, il ne la pourroit regnier; mais, quelque chose qu'on luy dist ou qu'on luy monstrast, il ne changea son premier propos. Ceulx qui en avoient la garde le menerent au bord de la riviere, et le meirent dedans ung sac, disant qu'il mentoit à Dieu et à la Royne contre la verité prouvée. Luy, qui aymoit mieulx perdre sa vie que d'accuser son maistre, leur demanda ung confesseur, et, après avoir

a. uriner.

faict de sa conscience le mieulx qu'il luy estoit possible, leur dist : « Messieurs, dictes à Monseigneur le bastard, mon maistre, que je lui recommande la vie de ma femme et de mes enffans, car de bon cueur je mectz la mienne pour son service; et faictes de moy ce qu'il vous plaira, car vous n'en tirerez jamais parolle qui soit contre mon maistre. » A l'heure, pour luy faire plus grand paour, le gecterent dedans le sac en l'eaue, luy cryans : « Si tu veulx dire verité, tu seras saulvé ? » Mais, voyans qu'il ne leur respondoit riens, le retirerent de là et feyrent le rapport de sa constance à la Royne, qui dist à l'heure que le Roy son mary ny elle n'estoient poinct si heureux en serviteurs, que ung qui n'avoit de quoy les recompenser; et feyt ce qu'elle peut pour le retirer à son service, mais jamais ne voulut habandonner son maistre. Toutesfois, à la fin, par le congé de sondict maistre, il fut mis au service de la Royne, où il vesquit heureux et content.

La Royne, après avoir congneu la verité du mariage, par la lectre du bastard, envoya querir Rolandine, et, avecq ung visaige tout courroucé, l'appella plusieurs foys *malheureuse*, en lieu de *cousine*, lui remonstrant la honte qu'elle avoit faicte à la maison de son pere et à tous ses parents de s'estre maryée, et à elle qui estoit sa maistresse, sans son commandement ne congé. Rolandine, qui de long temps cognoissoit le peu d'affection que luy portoit sa maistresse, luy rendit la pareille, et pource que l'amour lui defailloit, la craincte n'y avoit plus de lieu; pensant aussy que ceste correction devant plusieurs personnes ne procedoit pas d'amour qu'elle lui portast, mais pour luy faire une honte, comme celle qu'elle estimoit prendre plus de plaisir à la chastier, que de desplaisir de la veoir faillir, luy respondit, d'un visaige aussi joyeulx et asseuré, que la Royne monstroit le sien troublé et courroucé : « Madame, si vous ne congnoissiez vostre cueur tel qu'il est, je vous mectrois au devant la mauvaise volunté que de long temps vous avez portée à Monsieur mon pere et à moy; mais vous le sçavez si bien que vous ne trouverez poinct estrange, si tout le monde s'en doubte; et quant est de moy, Madame, je m'en suis bien apparceue à mon plus grand dommaige. Car, quant il vous eust pleu me favoriser, comme celles qui ne vous sont si proches que moy, je feusse maintenant mariée autant à vostre honneur que au myen; mais vous m'avez laissée comme une personne du tout oblyée en vostre bonne grace, en sorte que tous les bons partiz que j'eusse sceu avoir me sont passez devant les oeilz, par la negligence de Monsieur mon pere et par le peu d'estime que vous avez faict de moy : dont j'estois tumbée en tel desespoir, que, si ma santé eust pu porter l'estat de religion, je l'eusse voluntiers prins pour ne veoir les ennuictz continuelz que vostre rigueur me donnoit. En ce desespoir, m'est venu trouver celluy qui seroit d'aussy bonne maison que moy, si l'amour de deux personnes estoit autant estimé que l'anneau [a]; car vous sçavez que son pere passeroit devant le myen. Il m'a longuement entretenue et aymée; mais vous, Madame, qui jamais ne me pardonnastes nulle petite faulte, ne me louastes de nul bon euvre, combien que vous congnoissez par experience que je n'ai point accoustumé de parler de propos d'amour ne de mondanité, et que du tout j'estois retirée à mener une vye plus religieuse que autre, avez incontinant trouvé estrange que je parlasse à ung gentil homme aussy malheureux en ceste vie que moy, en l'amityé duquel je ne pensois ny ne cherchois autre chose que la consolation de mon esperit. Et, quant du tout je m'en veidz frustrée, j'entray en tel desespoir, que je deliberay de chercher autant mon repos que vous aviez envye de me l'oster. Et à l'heure eusmes parolles de mariage, lesquelles ont esté consommées par promesse et anneau. Parquoy, il me semble, Madame, que vouz me tenez ung grand tort de me nommer *meschante*, veu que, en une si grande et parfaicte amityé où je povois trouver les occasions si je voulois, il n'y a jamais eu entre luy et moy plus grande privaulté que de baiser, esperant que Dieu me feroit la grace que avant la consommation du mariage je gaingnerois le cueur de Monsieur mon pere à se y consentyr. Je n'ay poinct offensé Dieu, ni ma conscience, car j'ai actendu jusques à l'aage de trente ans, pour veoir ce que vous et Monsieur mon pere feriez pour moy, ayant gardé ma jeunesse en telle chasteté et honnesteté, que homme vivant ne m'en sauroit riens reprocher. Et, par le conseil de la raison que Dieu m'a donnée, me voyant vielle et hors d'espoir de trouver party selon ma maison, me suis deliberée d'en espouser ung à ma

a. l'anneau du mariage.

volunté, non poinct pour satisfaire à la concupiscence des oeilz, car vouz sçavez qu'il n'est pas beau, ny à celle de chair, car il n'y a poinct eu de consommation charnelle, ny à l'orgueil, ny à l'ambition de ceste vie, car il est pauvre et peu advancé; mais j'ay regardé purement et simplement à la vertu [396] qui est en luy, dont tout le monde est contrainct de luy donner louange; à la grande amour aussy qu'il m'a portée, qui me faict esperer de trouver avecq luy repoz et bon traictement. Et, après avoir bien pesé tout le bien et le mal qui m'en peut advenir, je me suis arrestée à la partye qui m'a semblé la meilleure, et que j'ay debattue en mon cueur deux ans durans : c'est d'user le demeurant [397] de mes jours en sa compaignye. Et suis deliberée de tenir ce propos si ferme, que tous les tormens que j'en sçaurois endurer, fust la mort, ne me feront departir de ceste forte oppinion. Parquoy, Madame, il vous plaira excuser en moy ce qui est très excusable, comme vous-memes l'entendez très bien, et me laissez vivre en paix, que j'espere trouver avecq luy. »

La Royne, voyant son visaige si constant et sa parole tant veritable, ne luy peut respondre par raison; et, en continuant de la reprendre et injurier par collere, se print à pleurer en disant : « Malheureuse que vous estes, en lieu de vous humillier devant moy, et de vous repentir d'une faulte si grande, vous parlez audatieusement, sans en avoir la larme à l'oeil; par cella monstrez bien l'obstination et la dureté de vostre cueur. Mais si le Roy et vostre pere me veullent croyre, ilz vous mectront en lieu où vous serez contraincte de parler autre langaige ! — Madame, ce luy respondit Rolandine, pource que vous m'accusez de parler trop audatieusement, je suis deliberée de me taire, s'il ne vous plaist de me donner congé de vous respondre. » Et, quant elle eut commandement de parler, luy dist : « Ce n'est point à moy, Madame, à parler à vous, qui estes ma maistresse et la plus grande princesse de la chrestienté, audatieusement et sans la reverence que je vous doibs : ce que je n'ay voulu ne pensé faire; mays, puys que je n'ay advocat qui parle pour moy, sinon la verité, laquelle moy seulle je sçay, je suis tenue de la declairer sans craincte, esperant que, si elle est bien congneue de vous, vous ne m'estimerez telle qu'il vous a pleu me nommer. Je ne crainctz que creature mortelle entende comme je me suis conduicte en l'affaire dont l'on me charge, puisque je sais que Dieu et mon honneur n'y sont en riens offensez. Et voylà qui me faict parler sans craincte, estant seure que celluy qui voyt mon cueur est avecq moy; et si ung tel juge estoit pour moy, j'aurois [398] tort de craindre ceulx qui sont subjectz à son jugement. Et pourquoy doncques doibs-je pleurer, veu que ma conscience et mon cueur ne me reprennent poinct en cest affaire, et que je suis si loing de m'en repentir, que, s'il estoit à recommencer, j'en ferois ce que j'ai faict ? Mais vouz, Madame, avez grande occasion de pleurer, tant pour le grand tort que, en toute ma jeunesse, vous m'avez tenu, que pour celluy que maintenant vous me faictes de me reprendre devant tout le monde d'une faulte qui doibt estre imputée plus à vous que à moy. Quant je aurois offensé Dieu, le Roy, vous, mes parens et ma conscience, je serois bien obstinée si, de grande repentance, je ne pleurois. Mais, d'une chose bonne, juste et saincte, dont jamais n'eust été bruict que bien honnorable, sinon que vouz l'avez trop tost esventé, monstrant que l'envye que vous avez de mon deshonneur estoit plus grande que de conserver l'honneur de vostre maison et de voz parens, je ne dois plorer [399]. Mais, puisque ainsy il vous plaist, Madame, je ne suis pour vous contredire. Car, quant vous m'ordonnerez telle peyne qu'il vous plaira, je ne prandray moins de plaisir de la souffrir sans raison, que vous ferez à la me donner. Parquoy, Madame, commandez à Monsieur mon pere quel torment il vous plaist que je porte, car je sçay qu'il n'y fauldra pas : au moins suis-je bien aise que seullement pour mon malheur il suyve entierement vostre volunté, et que, ainsy qu'il a esté negligent à mon bien, suivant vostre vouloir, il sera prompt à mon mal pour vous obeyr. Mais j'ay ung pere au ciel, lequel, je suis asseurée, me donnera autant de patience que je me voy par vous de grands maulx preparez, et [400] en luy seul j'ai ma parfaicte confiance. »

La Royne, si corroucée qu'elle n'en povoit plus, commanda qu'elle fust emmenée de devant ses oeilz et mise en une chambre à part où elle ne peust parler à personne; mais on ne luy osta poinct sa gouvernante, par le moyen de laquelle elle feit savoir au bastard toute sa fortune [a]

a. son aventure.

et ce qu'il luy sembloit qu'elle devoit faire. Lequel, estimant que les services qu'il avoit faictz au Roy lui pourroient servir de quelque chose, s'en vint en diligence à la court; et trouva le Roy aux champs, auquel il compta la verité du faict, le suppliant que à luy qui estoit pauvre gentil homme, voulust faire tant de bien d'appaiser la Royne, en sorte que le mariage peut estre consommé. Le Roy ne luy respondit riens, sinon : « M'asseurez-vous que vous l'avez espousée ? — Ouy, sire, dist le bastard, par parolles, de present seulement; et s'il vous plaist, la fin y sera mise. » Le Roy, baissant la teste et sans luy dire autre chose, s'en retourna droict au chasteau; et, quant il fut auprès de là, il appella le cappitaine de ses gardes et luy donna charge de prendre le bastard prisonnier. Toutesfoys ung sien amy, qui congnoissoit le visaige du Roy, l'advertit de s'absenter et de se retirer en une sienne maison près de là; et que si le Roy le faisoit chercher, comme il soupsonnoit, il luy feroit incontinant sçavoir pour s'en fuyr hors du royaulme; si aussy les choses estoient adoulcyes, il le manderoit, pour retourner. Le bastard le creut et feit si bonne diligence, que le cappitaine des gardes ne le trouva poinct.

Le Roy et la Royne ensemble regarderent qu'ilz feroient de ceste pauvre damoiselle qui avoit l'honneur d'estre leur parente; et, par le conseil de la Royne, fut conclud qu'elle seroit renvoyée à son pere, auquel l'on manda toute la verité du faict. Mais, avant l'envoyer, feirent parler à elle plusieurs gens d'Eglise et de Conseil [a], luy remonstrans, puisqu'il n'y avoit en son mariage que la parolle, qu'il se povoit facillement deffaire, mais que l'un et l'autre se quictassent, ce que le Roy vouloit qu'elle feit pour garder l'honneur de la maison dont elle estoit. Elle leur feit responce que en toutes choses elle estoit preste d'obeyr au Roy, sinon à contrevenir à sa conscience; mais ce que Dieu avoit assemblé, les hommes ne le povoient separer : les priant de ne la tanter de chose si desraisonnable, car si amour et bonne volunté fondée sur la craincte de Dieu sont les vrays et seurs lyens de mariage, elle estoit si bien lyée, que fer, ne feu, ne eaue, ne povoient rompre son lien, sinon la mort, à laquelle seulle et non à aultre rendroit son anneau et son serment, les priant de ne luy parler du

a. du Conseil du roi.

contraire. Car elle estoit si ferme en son propos qu'elle aymoit mieulx mourir, en gardant sa foy, que vivre après l'avoir nyée. Les deputez de par le Roy emporterent cette constante responce; et, quant ilz veirent qu'il n'y avoit remede de luy faire renoncer son mary, l'envoyerent devers son pere en si piteuse [a] façon, que par où elle passoit chascun ploroit. Et combien qu'elle n'eut [401] failly, la pugnition fut si grande et sa constance telle, qu'elle feit estimer sa faulte estre vertu. Le pere, sçachant ceste piteuse nouvelle, ne la voulut poinct veoir, mais l'envoya à ung chasteau dedans une forest, lequel il avoit autresfoys edifié pour une occasion bien digne d'estre racomptée [402]; et la tint là longuement en prison, la faisant persuader que, si elle voulloit quicter son mary, il la tiendroit pour sa fille et la mectroit en liberté. Toutesfoys, elle tint ferme et ayma mieulx le lyen de sa prison, en conservant celluy de son mariage, que toute la liberté du monde sans son mary; et sembloit à veoir son visaige, que toutes ses peynes luy estoient passetemps très plaisans, puisqu'elle les souffroit pour celluy qu'elle aymoit.

Que diray-je icy des hommes ? Ce bastard, tant obligé à elle, comme vous avez veu, s'enfuyt en Allemaigne, où il avoit beaucoup d'amys; et monstra bien, par sa legiereté, que vraye et parfaicte amour ne luy avoit pas tant faict pourchasser Rolandine que l'avarice et l'ambition; en sorte qu'il devint tant amoureux d'une dame d'Allemaigne, qu'il oblya à visiter par lectre celle qui pour luy soustenoit tant de tribulation. Car jamais la fortune, quelque rigueur qu'elle leur tint, ne leur peut oster le moyen de s'escripre l'un à l'autre, sinon la folle et meschante amour où il se laissa tumber, dont le cueur de Rolandine eut premier ung sentiment tel, qu'elle ne povoit plus reposer. Et voyant après ses escriptures tant changées et refroidyes du langaige accoustumé, qu'elles ne resembloient plus aux passées, soupsonna que nouvelle amityé la separoit de son mary, ce que tous les tormens et peynes qu'on luy avoyt peu donner n'avoient sceu faire. Et, parce que sa parfaicte amour ne vouloit qu'elle asseist jugement sur ung soupson, trouva moyen d'envoyer secretement ung serviteur en qui elle se fyoit, non pour luy escripre et parler à luy, mais

a. pitoyable.

pour l'espier et veoir la verité. Lequel, retourné du voyage, luy dist que, pour seur, il avoit trouvé le bastard bien fort amoureux d'une dame d'Allemaigne, et que le bruict estoit qu'il pourchassoit de l'espouser, car elle estoit fort riche. Ceste nouvelle apporta une si extreme douleur au cueur de ceste pauvre Rolandine, que, ne la pouvant porter, tumba bien griefvement mallade. Ceulx qui entendoient l'occasion luy dirent, de la part de son pere, que, puisqu'elle voyoit la grande meschanceté du bastard, justement elle le povoit habandonner, et la persuaderent de tout leur possible. Mais, nonobstant qu'elle fust tormentée jusques au bout, si n'y eut-il jamais remede de luy faire changer son propos; et monstra en ceste derniere tentation l'amour qu'elle avoit et sa très grande vertu. Car, ainsy que l'amour se diminuoit du costé de luy, ainsy augmentoit du sien; et demoura, maulgré qu'il en eust, l'amour entier et parfaict, car l'amityé, qui defailloit du costé de luy, tourna en elle. Et, quant elle congneut que en son cueur seul estoit l'amour entier qui autresfois avoit esté departy en deux, elle delibera de le soustenir jusques à la mort de l'un ou de l'autre. Parquoy, la Bonté divine, qui est parfaicte charité et vraye amour eut pitié de sa douleur et regarda sa patience, en sorte que, après peu de jours, le bastard mourut à la poursuicte d'une autre femme. Dont elle, bien advertye de ceulx qui l'avoient veu mectre en terre, envoya suplier son pere, qu'il luy pleust qu'elle parlast à luy. Le pere s'y en alla incontinant, qui jamais depuis sa prison n'avoit parlé à elle; et après avoir bien au long entendu ses justes raisons, en lieu de reprendre et tuer, comme souvent par parolles il la menassoit, la print entre ses bras, et, en pleurant très fort, luy dist : « Ma fille, vous estes plus juste que moy, car s'il y a eu faulte en vostre affaire, j'en suis la principale cause; mais, puis que Dieu l'a ainsy ordonné, je veulx satisfaire au passé. » Et, après l'avoir admenée en sa maison, il la traictoit comme sa fille aisnée. Elle fut demandée en mariage par ung gentil homme, du nom et armes de leur maison [403], qui estoit fort saige et vertueux; et estimoit tant Rolandine, laquelle il frequentoit souvent, qu'il luy donnoit louange de ce dont les autres la blasmoient, congnoissant que sa fin n'avoit esté que pour la vertu. Le mariaige fut agreable au pere et à Rolandine et fut incontinent conclud. Il est vray que ung frere [404] qu'elle avoit, seul heritier de la maison, ne vouloit s'accorder qu'elle eust nul partage, lui mectant au devant qu'elle avoit desobey à son pere. Et, après la mort du bon homme, luy tint de si grandes rigueurs, que son mary, qui estoit ung puisné, et elle, avoient bien affaire de vivre. En quoy Dieu pourveut; car le frere, qui vouloit tout tenir, laissa en ung jour, par une mort subite, le bien qu'il tenoit de sa seur et le sien, quant et quant [a]. Ainsy, elle fut heritiere d'une bonne et grosse maison, où elle vesquit sainctement et honnorablement en l'amour de son mary. Et, après avoir eslevé deux filz que Dieu leur donna, rendit joyeusement son ame à Celluy où de tout [405] temps elle avoit sa parfaicte confiance.

« Or, mes dames, je vous prie que les hommes, qui nous veullent peindre tant inconstantes, viennent maintenant icy et me monstrent l'exemple d'un aussy bon mari, que ceste-cy fut bonne femme, et d'une telle foy et perseverance; je suis seure qu'il leur seroit si difficille que j'ayme mieulx les en quicter, que de me mectre en ceste peyne; mais, non [406], vous, mesdames, de vous prier, pour continuer nostre gloire, ou du tout n'aymer poinct, ou que ce soit aussi parfaictement. Et gardez-vous bien que nulle ne dye que ceste damoiselle ait offensé son honneur, veu que par sa fermeté elle est occasion d'augmenter le nostre. — En bonne foy, Parlamente [407], dist Oisille, vous nous avez racompté l'histoire d'une femme d'un très grand et honneste cueur; mais ce qui donne autant de lustre à sa fermeté, c'est la desloyaulté de son mary qui la voulloit laisser pour un autre. — Je croy, dist Longarine, que cest ennuy-là luy fut le plus importable [b]; car il n'y a faiz si pesant, que l'amour de deux personnes bien unyes ne puisse doulcement supporter; mais, quant l'un fault [c] à son debvoir et laisse toute la charge sur l'autre, la pesanteur est importable. — Vous devriez doncques, dit Geburon, avoir pitié de nous, qui portons l'amour entiere, sans que vous y daigniez mectre le bout du doigt pour la soulager. — Ha, Geburon ! dist Parlamente, souvent sont differenz les fardeaulx de l'homme et de la femme. Car l'amour de la femme, bien fondée sur Dieu et sur honneur, est si juste et raisonnable, que celluy qui se depart de telle amityé

a. en même temps. — *b.* insupportable. — *c.* manque.

doibt estre estimé lasche et meschant envers Dieu et les hommes [408]. Mais l'amour de la plupart des hommes de bien est tant fondée sur le plaisir, que les femmes, ignorant leurs mauvaises voluntez, se y mectent aucunes fois bien avant; et quant Dieu leur faict congnoistre la malice du cueur de celluy qu'elles estimoient bon, s'en peuvent departir avecq leur honneur et bonne reputation, car les plus courtes follies sont tousjours les meilleures. — Voylà doncques une raison, dist Hircan, forgée sur vostre fantaisie, de vouloir soustenir que les femmes honnestes peuvent laisser honnestement l'amour des hommes, et non les hommes, celle des femmes, comme si leurs cueurs estoient differens; mais combien que les visaiges et habitz le soyent, si croy-je que les voluntez sont toutes pareilles, sinon d'autant que la malice plus couverte est la pire. » Parlamente, avecq ung peu de collere, luy dist : « J'entends bien que vous estimez celles les moins mauvaises, de qui la malice est descouverte ? — Or laissons ce propos-là, dist Simontault, car, pour faire conclusion du cueur de l'homme et de la femme, le meilleur des deux n'en vault riens [409]. Mais venons à sçavoir à qui Parlamente donnera sa voix, pour oyr quelque beau compte ? — Je la donne, dist-elle, à Geburon. — Or, puis que j'ay commencé, dist-il, à parler des Cordeliers [410], je ne veulx oblyer ceulx de Sainct Benoist, et ce qui est advenu d'eulx de mon temps : combien que je n'entendz, en racomptant une histoire d'un meschant religieux, empescher la bonne opinion que vous avez des gens de bien. Mais, veu que le Psalmiste dist que : « Tout homme est menteur [411] »; et, en ung autre endroict : « Il n'en est poinct qui face bien, jusques à ung [412] »; il me semble qu'on ne peut faillyr d'estimer l'homme tel qu'il est; car s'il y a du bien, on le doit attribuer à Celluy qui en est la source, et non à la creature, à laquelle par trop donner de gloire et de louange, on estime de soy quelque chose de bon, la plus part des personnes sont trompées. Et, afin que vous ne trouvez impossible que soubz extreme austerité soit extreme concupiscence, entendez ce qui advint du temps du Roy Françoys premier. »

VINGT DEUXIESME NOUVELLE

Sœur Marie Heroet, sollicitée de son honneur par un prieur de Sainct-Martin des Champs, avec la grace de Dieu, emporta la victoire contre ses fortes tentations, à la grand'confusion du prieur et à l'exaltation d'elle [413].

En la ville de Paris, il y avoit ung prieur de Sainct-Martin des Champs, duquel je tairay le nom pour l'amityé que je luy ay portée [414]. Sa vie, jusques en l'aage de cinquante ans, fut si austere, que le bruict de sa sainctеté courut par tout le royaume, tant qu'il n'y avoit prince ne princesse qui ne luy feist grand honneur, quant il les venoit veoir. Et ne se faisoit reformation de religion, qui ne fust faicte par sa main, car on le nommoit le *pere de vraye religion*. Il fust esleu visiteur de la grande religion [a] des dames de Fontevrault, desquelles il estoit tant crainct, que, quant il venoit en quelcun de leurs monasteres, toutes les religieuses trembloient de la craincte [415] qu'elles avoient de luy. Et, pour l'appaiser des grandes rigueurs qu'il leur tenoit, le traictoient comme elles eussent faict la personne du Roy; ce que au commencement [416] il refusoit, mais, à la fin, venant sur les cinquante cinq ans, commencea à trouver fort bon le traictement qu'il avoit au commencement desprisé, et s'estimant luy-mesme le bien public de toute religion, desira de conserver sa santé mieulx qu'il n'avoit accoustumé. Et, combien que sa reigle portast de jamais ne manger chair, il s'en dispensa luy-mesmes, ce qu'il ne faisoit à nul autre, disant que sur luy estoit tout le faiz de la religion. Parquoy, si bien se festoya, que, d'un moyne bien meigre, il en feyt ung bien gras. Et, à ceste mutation de vivre, se feyt une mutation de cueur telle, qu'il commencea à regarder les visaiges, dont paravant avoit faict conscience [b]; et en regardant les beaultez que les voilles rendent plus desirables, commencea à les convoicter. Doncques, pour satisfaire à ceste convoitise, chercha tant de moyens subtilz que en lieu de faire fin [417] de pasteur il devint loup; tellement que, en plusieurs bonnes religions, s'il s'en trouvoit quelcune ung peu sotte, il ne falloit à la

a. abbaye. — *b*. un cas de conscience.

decepvoir. Mais, après avoir longuement continué ceste meschante vie, la Bonté divine, qui print pitié des pauvres brebis esgarées, ne voulut plus endurer la gloire de ce malheureux regner [418], ainsi que vous verrez.

Ung jour, allant visiter ung couvent près de Paris qui se nomme Gif [419], advint que, en confessant toutes les religieuses, en trouva une nommée Marie Heroet [420], dont la parolle estoit si doulce et agreable, qu'elle promectoit le visaige et le cueur estre de mesme. Parquoy, seullement pour l'ouyr, fut esmeu en une passion d'amour qui passat toutes celles qu'il avoit eues aux autres religieuses; et, en parlant à elle, se baissa fort pour la regarder, et apperceut la bouche si rouge et si plaisante, qu'il ne se peut tenir de lui haulser le voille pour veoir si les oeilz accompagnoient le demorant, ce qu'il trouva : dont son cueur fut rempli d'une ardeur si vehemente, qu'il perdit le boire et le manger et toute contenance, combien qu'il la dissimulloit. Et, quant il fut retourné en son prieuré, il ne povoit trouver repos : parquoy en grande inquietude passoit les jours et les nuictz en cerchant les moyens comme il pourroit parvenir à son desir, et faire d'elle comme il avoit faict de plusieurs autres. Ce qu'il craingnoit [421] estre difficille pource qu'il la trouvoit saige en parolles, et d'un esperit si subtil, qu'il ne povoit avoir grande esperance [422], et, d'autre part, se voyait si laid et si vieulx, qu'il delibera de ne luy en parler poinct, mais de chercher à la gaingner par craincte. Parquoy, bien tost après, s'en retourna au dict monastere de Gif; auquel lieu se monstra plus austere qu'il n'avoit jamais faict, se courrouçant à toutes les religieuses, reprenant l'une que son voille n'estoit pas assez bas, l'autre qu'elle haulsoit trop la teste, et l'autre qu'elle ne faisoit pas bien la reverence en religieuse. En tous ces petitz cas se monstroit si austere, que l'on le craingnoit comme ung Dieu painct en jugement. Et luy, qui avoit les gouttes, se travailla [a] tant de visiter les lieux reguliers, que, environ l'heure de vespres, heure par luy apostée [b], se trouva au dortouer. L'abbesse luy dist : « Pere reverend, il est temps de dire vespres. » A quoy il respondit : « Allez, mere, allez, faictes les dire; car je suys si las, que je demeureray ici, non pour reposer, mais pour parler à seur Marie, de laquelle j'ay

a. se fatigua. — *b*. fixée.

oy très mauvais rapport; car l'on m'a dict qu'elle caquette, comme si c'estoit une mondaine. » L'abbesse, qui estoit tante de sa mere, le pria de la vouloir chapitrer, et la luy laissa toute seulle, sinon ung jeune religieux qui estoit avecq luy. Quant il se trouva seul avecq seur Marie, commencea à luy lever le voille, et luy commander qu'elle le regardast. Elle luy respondit que sa reigle luy defendoit de regarder les hommes. « C'est bien dict, ma fille, luy dist-il, mais il ne fault pas que vous estimiez qu'entre nous religieux soyons hommes. » Parquoy, seur Marie, craingnant faillir par desobeissance, le regarda au visaige; elle le trouva si laid, qu'elle pensa faire plus de penitence que de peché à le regarder. Le beau pere, après luy avoir dict plusieurs propos de la grande amityé qu'il luy portoit, luy voulut mectre la main au tetin : qui fut par elle repoulsé comme elle debvoit; et fut si courroucé qu'il lui dist : « Faut-il que une religieuse sçaiche qu'elle ait des tetins ? » Elle luy dist : « Je sçay que j'en ay, et certainement, que vous ny autre n'y toucherez poinct; car je ne suis pas si jeune et ignorante que je n'entende bien ce qui est peché de ce qui ne l'est pas. » Et, quant il veit que ses propos ne la povoient gaingner, luy en vat bailler d'un autre, disant : « Helas, ma fille, il fault que je vous declaire mon extreme necessité : c'est que j'ay une malladye que tous les medecins trouvent incurable, sinon que je me resjouisse et me joue avecq quelque femme que j'ayme bien fort. De moy, je ne vouldrois, pour mourir, faire ung peché mortel; mais, quant l'on viendroit jusques là, je sçay que simple fornication n'est nullement à comparer à pecher d'homicide. Parquoy, si vous aymez ma vie, en saulvant vostre conscience de crudelité [a], vous me la saulverez. » Elle luy demanda quelle façon de jeu il entendoit faire. Il luy dist qu'elle povoit bien reposer sa conscience sur la sienne, et qu'il ne feroit chose dont l'une ne l'austre fust chargé. Et, pour luy monstrer le commencement du passe-temps qu'il demandoit, la vint embrasser et essayer de la gecter sur ung lict. Elle, congnoissant sa meschante intention, se deffendit si bien de parolles et de bras, qu'il n'eut povoir de toucher qu'à ses habillemens. A l'heure, quant il veit toutes ses inventions et effortz estre tournés en riens,

a. cruauté.

comme ung homme furieux et non seullement hors de conscience, mais de raison naturelle, luy meit la main soubz la robbe, et tout ce qu'il peut toucher des ongles esgratina en telle fureur, que la pauvre fille, en cryant bien fort, de tout son hault tumba à terre, toute esvanouye. Et, à ce cry, entra l'abbesse dans le dortouer où elle estoit : laquelle, estant à vespres, se souvint avoir laissé ceste religieuse avec le beau pere, qui estoit fille de sa niepce; dont elle eut ung scrupule en sa conscience, qui luy feit laisser vespres et aller à la porte du dortouer escouter que l'on faisoit; mais, oyant la voix de sa niepce, poulsa la porte, que le jeune moyne tenoit. Et, quant le prieur veit venir l'abbesse, en luy monstrant sa niepce esvanouye, lui dist : « Sans faulte, nostre mere, vous avez grand tort que vous ne m'avez dict les conditions de seur Marie; car, ignorant sa debilité, je l'ay faict tenir debout devant moy, et, en la chapitrant, s'est esvanouye comme vous voyez. » Ilz la feirent revenir avecq vin aigre et autres choses propices; et trouverent que de sa cheute elle estoit blessée à la teste. Et, quant elle fut revenue, le prieur, craingnant qu'elle comptast à sa tante l'occasion de son mal, luy dist à part : « Ma fille, je vous commande, sur peyne d'inobedience et d'estre dampnée, que vous n'aiez jamais à parler de ce que je vous ay faict icy, car entendez que l'extremité d'amour m'y a contrainct. Et, puisque je voy que vous ne voulez aymer, je ne vous en parleray jamais que ceste foys, vous asseurant que, si vous me voulez aymer, je vous feray elire abbesse de l'une des trois meilleures abbayes de ce royaulme. » Mais elle lui respondit qu'elle aymoit mieulx mourir en chartre [a] perpetuelle, que d'avoir jamais autre amy que Celluy qui estoit mort pour elle en la croix [423], avecq lequel elle aymoit mieulx souffrir tous les maulx que le monde pourroit donner, que contre luy avoir tous les biens; et qu'il n'eust plus à luy parler de ces propos, ou elle le diroit à la mere abbesse, mais que en se taisant elle s'en tairoit. Ainsy s'en alla ce mauvais pasteur, lequel, pour se monstrer tout aultre qu'il n'estoit, et pour encores avoir le plaisir de regarder celle qu'il aymoit, se retourna vers l'abbesse, luy disant : « Ma mere, je vous prie, faictes chanter à toutes vos filles

a. prison.

ung *Salve Regina*, en l'honneur de ceste vierge où j'ay mon esperance. » Ce qui fut faict : durant lequel ce regnard ne feit que pleurer, non d'autre devotion que de regret qu'il avoit de n'estre venu au dessus de la sienne. Et toutes les religieuses, pensans que ce fust d'amour à la vierge Marie, l'estimoient ung sainct homme. Seur Marie, qui congnoissoit sa malice, prioit en son cueur de confondre celluy qui desprisoit [a] tant la virginité.

Ainsy s'en alla cest ypocrite à Sainct-Martin; auquel lieu ce meschant feu, qu'il avoit en son cueur, ne cessa de brusler jour et nuict et de chercher toutes les inventions possibles pour venir à ses fins. Et, pour ce que sur toutes choses il craingnoit l'abbesse, qui estoit femme vertueuse, il pensa le moyen de l'oster de ce monastere. S'en alla vers Madame de Vendosme, pour l'heure demeurant à La Fere, où elle avoit edifflé et fondé ung couvent de sainct Benoist, nommé le Mont d'Olivet [424]. Et, comme celluy qui estoit le souverain reformateur, luy donna à entendre que l'abbesse du dict Mont d'Olivet n'estoit pas assez suffisante pour gouverner une telle communauté, la bonne dame le pria de luy en donner une autre, qui fust digne de cest office. Et luy, qui ne demandoit autre chose, luy conseilla de prendre l'abbesse de Gif pour la plus suffisante qui fust en France. Madame de Vendosme incontinant l'envoya querir, et lui donna la charge de son monastere du Mont d'Olivet. Le prieur de Sainct-Martin, qui avoit en sa main les voix de toute la religion, feit elire à Gif une abbesse à sa devotion. Et, après ceste eslection, il s'en alla au dict lieu de Gif essayer encores une autre fois si, par priere ou par doulceur, il pourroit gaingner seur Marie Heroet. Et, voyant qu'il n'y avoit nul ordre, retourna, desesperé, à son prieuré de Sainct-Martin : auquel lieu, pour venir à sa fin et pour se venger de celle qui lui estoit trop cruelle, de paour que son affaire fust esventée, feit desrober secretement les relicques du dict prieuré de Gif, de nuict; et meit à sus au confesseur de leans [b], fort viel et homme de bien, que c'estoit luy qui les avoit desrobées; et, pour ceste cause [425], le meit en prison à Sainct-Martin. Et, durant qu'il le tenoit prisonnier suscita deux tesmoings, lesquels ignoramment [c] signerent

a. méprisait. — *b.* il accusa le confesseur du prieuré. — *c.* sans être informés.

ce que monsieur de Sainct-Martin leur commanda : c'estoit qu'ilz avoient veu dedans ung jardin le dict confesseur avecq seur Marie en acte villain et deshonneste; ce qu'il voulut faire advouer au viel religieux. Toutesfois, luy, qui sçavoit toutes les faultes de son prieur, le supplia l'envoier en chappitre, et que là devant tous les religieux il diroit la verité de tout ce qu'il en sçavoit. Le prieur, craingnant que la justiffication du confesseur fust sa condemnation, ne voulut poinct enteriner cette requeste. Mais, le trouvant ferme en son propos, le traicta si mal en prison, que les ungs dient qu'il y mourut, et les autres, qu'il le contraingnit de laisser son habit, et de s'en aller hors du royaulme de France; quoy qu'il en soit, jamais depuis on ne le veit.

Quant le prieur estima avoir une telle prise sur seur Marie, s'en alla en la religion [a] où l'abbesse, faicte à sa poste [b], ne le contredisoit en riens; et là commencea de vouloir user de son auctorité de visiteur, et feit venir toutes les religieuses, l'une après l'autre, en une chambre pour les oyr en forme de visitation. Et, quant ce fut au ranc de seur Marie qui avoit perdu sa bonne tante, il commencea à luy dire : « Seur Marie, vous sçavez de quel crime vous estes accusée, et que la dissimullation, que vous faictes d'estre tant chaste ne vous a de rien servy, car on congnoist bien que vous estes tout le contraire. » Seur Marie luy respondit, d'un visaige asseuré : « Faictes-moy venir celluy qui m'accuse, et vous verrez si devant moy il demeurera en sa mauvaise opinion. » Il luy dist [426] : « Il ne nous fault autre preuve, puis que le confesseur a esté convaincu. » Seur Marie luy dist : « Je le pense si homme de bien, qu'il n'aura poinct confessé une telle mensonge; mais, quant ainsy seroit, faictes-le venir devant moi et je prouveray le contraire de son dire. » Le prieur, voyant que en nulle sorte ne la povoit estonner, luy dist : « Je suis vostre pere, qui desire saulver vostre honneur : pour ceste cause, je remetcz [427] ceste verité à vostre conscience, à laquelle je adjousteray foy. Je vous demande et vous conjure, sur peyne de peché mortel, de me dire verité, assavoir-mon si vous estiez vierge, quant vous fustes mises ceans. » Elle luy respondit : « Mon pere, l'aage

a. au couvent. — *b.* qui agissait à sa fantaisie.

de cinq ans que j'avois doibt estre seul tesmoing de ma virginité. — Or bien doncques, ma fille, dist le prieur, depuis cest temps-là avez-vous poinct perdu ceste fleur ? » Elle lui jura que non, et que jamais ny avoit trové empeschement que de luy. A quoy il dist qu'il ne le povoit croire, et que la chose gisoit en preuve : « Quelle preuve, dist-elle, vous en plaist-il faire ? — Comme je faictz aux autres, dist le prieur; car, ainsy que je suis visiteur des ames, aussy suis-je visiteur des corps. Voz abbesses et prieures ont passé par mes mains; vous ne devez craindre que je visite vostre virginité; parquoy, gectez-vous sur le lict, et mectez le devant de vostre habillement sur vostre visaige. » Seur Marie luy respondit, par collere : « Vous m'avez tant tenu de propos de la folle amour que vous me portez, que j'estime plustost que vous me voulez oster ma virginité, que de la visiter : parquoy entendez que jamais je ne m'y consentiray. » Alors, il luy dist qu'elle estoit excommuniée de refuser l'obedience de saincte religion, et que si elle ne s'y consentoit, qu'il la deshonoreroit en plain chappitre, et diroit le mal qu'il sçavoit d'entre elle et le confesseur. Mais, elle, d'un visaige sans paour, luy respondit : « Celluy qui congnoist le cœur de ses serviteurs m'en rendra autant d'honneur devant luy, que vous me sçauriez faire de honte devant les hommes. Parquoy, puisque vostre malice en est jusques là, j'ayme mieulx qu'elle paracheve sa cruaulté envers moy, que le desir de son mauvais voulloir, car je sçay que Dieu est juste juge. » A l'heure, il s'en alla assembler tout le chappitre et feit venir devant luy à genoulx seur Marie, à laquelle il dist par ung merveilleux despit : « Seur Marie, il me desplaist que les bonnes admonitions que je vous ay données ont esté inutilles en vostre endroict, et que vous estes tumbée en tel inconvenient, que je suis contrainct de vous imposer penitence contre ma coustume : c'est que, ayant examiné vostre confesseur sur aucuns crimes à luy imposez [a], m'a confessé avoir abbusé de vostre personne ou lieu où les tesmoins disent l'avoir veu. Parquoy, ainsy que je vous avois elevée en estat honorable et maistresse des novices, je ordonne que vous soyez mise non seullement la derniere de toutes, mais mengeant à

a. ayant questionné votre confesseur sur quelques fautes dont on l'accusait.

terre, devant toutes les seurs, pain et eaue, jusques ad ce que l'on congnoisse vostre contrition suffisante d'avoir grace. » Seur Marie, estant advertye par une de ses compaignes qui entendoit toute son affaire, que, si elle respondoit chose qui despleust au prieur, il la mectroit *in pace*, c'est-à-dire en chartre perpetuelle, endura ceste sentence, levant les œilz au ciel, priant Celluy qui a esté sa resistence contre le peché, vouloir estre sa patience contre sa tribulation. Encores defendit le prieur de Sainct-Martin, que quant sa mere ou ses parens viendroient, que l'on ne la souffrist de trois ans parler à eulx, ni escripre, sinon lectres faictes en communauté.

Ainsy s'en alla ce malheureux homme, sans plus y revenir; et fut ceste pauvre fille long temps en la tribulation que vous avez ouye. Mais sa mere, qui sur tous ses enffans l'aymoit, voyant qu'elle n'avoit plus de nouvelles d'elle, s'en esmerveilla fort, et dist à ung sien fils, saige et honneste gentil homme, qu'elle pensoit que sa fille estoit morte, mais que les religieuses, pour avoir la pension annuelle, luy dissimulloient; le priant en quelque façon que ce fust, de trouver moien de voir sa dicte seur. Incontinant il s'en alla à la religion, en laquelle on lui feit les excuses accoustumées : c'est qu'il y avoit trois ans que sa seur ne bougeoit du lict. Dont il ne se tint pas contant; et leur jura que, s'il ne la voyoit, il passeroit par-dessus les murailles et forceroit le monastere. De quoy elles eurent si grande paour, qu'elles lui admenerent sa seur à la grille, laquelle l'abbesse tenoit de si près, qu'elle ne povoit dire à son frère chose qu'elle n'entendist. Mais, elle, qui estoit saige, avoit mis par escript tout ce qui est icy dessus, avecq mille autres inventions que le dict prieur avoit trouvées pour la decepvoir, que je laisse à compter pour la longueur. Si ne veulx-je oblier à dire que, durant que sa tante estoit abbesse, pensant qu'il fust refusé par sa laideur, feit tenter seur Marie par ung beau et jeune religieux, esperant que, si par amour elle obeissoit à ce religieux, après il la pourroit avoir par craincte. Mais, dans ung jardin, où le dict jeune religieux luy tint propos avecq gestes si deshonnestes que j'aurois honte de les rememorer, la pauvre fille courut à l'abbesse qui parloit au prieur, criant : « Ma mere, ce sont diables en lieu de religieux ceux qui nous viennent visiter ! » Et, à l'heure, le prieur, qui eut grande paour d'estre descouvert, commencea à dire en riant : « Sans faulte, ma mere, seur Marie a raison ! » Et, en prenant seur Marie par la main, luy dist devant l'abbesse : « J'avois entendu que seur Marie parloit fort bien et avoit le langaige si à main, que on l'estimoit mondaine; et, pour ceste occasion, je me suis contrainct contre mon naturel luy tenir tous les propos que les hommes mondains tiennent aux femmes, ainsi que j'ay trouvé par escript, car d'experience j'en suis ignorant, comme le jour que je fuz né; et, en pensant que ma vieillesse et laideur luy faisoient tenir propos si vertueux, j'ay commandé à mon jeune religieux de luy en tenir de semblables, à quoy vous voyez qu'elle a vertueusement resisté. Dont je l'estime si saige et vertueuse, que je veulx que doresnavant elle soit la premiere après vous et maistresse des novices, afin que son bon vouloir croisse tousjours de plus en plus en vertu. »

Cest acte icy et plusieurs autres feit ce bon religieux, durant trois ans qu'il fut amoureux de la religieuse. Laquelle, comme j'ay dict, bailla par la grille à son frere tout le discours de sa piteuse histoire. Ce que le frere porta à sa mere; laquelle, toute desesperée, vint à Paris, où elle trouva la Royne de Navarre [428], seur unicque du Roy, à qui elle monstra ce piteux discours, en luy disant : « Madame, fiez-vous une autre fois en vos ypocrites ! Je pensoys avoir mis ma fille aux faulxbours et chemyn de paradis, et je l'ay mise en celluy d'enfer, entre les mains des pires diables qui y puissent estre; car les diables ne nous tentent, s'il ne nous plaist, et ceulx-cy nous veullent avoir par force, où l'amour default. » La Royne de Navarre fut en grande peyne; car entierement elle se confioit en ce prieur de Sainct-Martin, à qui elle avoit baillé la charge des abbesses de Montivilliers et de Cahen [a], ses belles sœurs [429]. D'autre costé, le crime si grand luy donna telle horreur et envye de venger l'innocence de ceste pauvre fille, qu'elle communiqua, au chancelier du Roy [430], pour lors legat en France, de l'affaire. Et fut envoyé querir le prieur de Sainct-Martin, lequel ne trova nulle excuse, sinon qu'il avoit soixante-dix ans; et, parlant à la Royne de Navarre, la pria, sur tous les plaisirs qu'elle luy vouldroit jamais faire, et pour recompense de tous ses services et de tous ceulx qu'il avoit desir de

a. Caen.

luy faire, qu'il luy pleust de faire cesser ce procès, et qu'il confesseroit que seur Marie Heroet estoit une perle d'honneur et de virginité. La Royne de Navarre, oyant cela, fut tant esmerveillée, qu'elle ne sceut que luy respondre, mais le laissa là, et le pauvre homme [431], tout confus, se retira en son monastere, où il ne voulut plus estre veu de personne, et ne vesquit que ung an après. Et seur Marie Heroet, estimée comme elle debvoit par les vertuz que Dieu avoit mises [432] en elle, fut ostée de l'abbaye de Gif, où elle avoit eu tant de mal, et faicte abbesse par le don du Roy, de l'abbaye de Giy [433], près de Montargis, laquelle elle reforma et vesquit comme celle qui estoit plaine de l'esperit de Dieu, le louant toute sa vie de ce qu'il luy avoit pleu luy redonner son honneur et son repos.

« Voylà, mes dames, une histoire qui est bien pour monstrer ce que dict l'Evangile : Que Dieu par les choses foybles confond les fortes, et, par les inutilles aux oeilz des hommes, la gloire de ceulx qui cuydent estre quelque chose et ne sont rien [434]. Et pensez, mes dames, que, sans la grace de Dieu, il n'y a homme où l'on doibve croire nul bien, ne si forte tentation dont avecq luy l'on n'emporte victoire, comme vous povez veoir par la confusion [435] de celluy qu'on estimoit juste et par l'exaltation de celle qu'il voulloit faire trouver pecheresse et meschante. En cela est verisfié le dire de Nostre Seigneur : *Qui se exaltera sera humilié, et qui se humilliera sera exalté* [436]. — Hélas ! ce dist Oisille, hé ! que ce prieur-là a trompé de gens de bien ! Car j'ay veu qu'on se fyoit en luy plus que en Dieu. — Ce ne seroit pas moy, dist Nomerfide; car j'ay une si grande horreur quant je voy ung religieux, que seullement je ne m'y sçaurois confesser, estimant qu'ils sont pires que tous les aultres hommes, et ne hantent jamais maison qu'ilz n'y laissent quelque honte ou quelque zizanie [437]. — Il y en a de bons, dist Oisille, et ne fault pas que pour les mauvais ilz soient jugez; mais les meilleurs, ce sont ceulx qui moins hantent les maisons seculieres et les femmes. — Vous dictes vray, dist Ennasuitte, car moins on les voyst, moins on les congnoist, et plus on les estime, pource que la frequentation les monstre telz qu'ilz sont. — Or, laissons le moustier [a] là où il est, dist Nomerfide, et voyons à qui Geburon donnera sa voix. » Geburon [438], pour reparer sa faute, si faute estoit d'avoir dechifré la malheureuse et abominable vie d'un mechant religieux, afin de se garder de l'ypocrisie de ses semblables, ayant telle estime de madame Oisille, qu'on doit avoir d'une dame sage et non moins sobre à dire le mal, que prompte à exalter et publier le bien qu'elle congnoissoit en autruy [439], luy donna sa voix [440] : « Ce sera, dist-il, à madame Oisille, afin qu'elle dye quelque chose en faveur de saincte religion. — Nous avons tant juré, dist Oisille, de dire la verité, que je ne sçaurois soustenir ceste partye. Et, aussy, en faisant vostre compte, vous m'avez remys en memoire une si piteuse histoire, que je suis contraincte de la dire, pource que je suys voisine du païs où de mon temps elle est advenue; et afin, mes dames, que l'ypocrisye de ceulx qui s'estiment plus religieux que les autres, ne vous enchante l'entendement, de sorte que vostre foy, divertye de son droict chemin, estime trouver salut en quelque autre creature que en Celluy seul qui n'a voulu avoir compaignon à nostre creation et redemption, lequel est tout puissant pour nous saulver en la vie eternelle, et, en ceste temporelle, nous consoler et delivrer de toutes noz tribulations, congnoissant que souvent l'ange Sathan se transforme en ange de lumiere, afin que l'œil exterieur, aveuglé par l'apparence de sainctеté et devotion, ne s'arreste ad ce qu'il doibt fuir, il m'a semblé bon la vous racompter, pource qu'elle est advenue de mon temps. »

VINGT TROISIESME NOUVELLE

La trop grande reverence qu'un gentil homme de Perigord portoit à l'ordre de sainct Françoys, fut cause que luy, sa femme et son petit enfant moururent miserablement [441].

Au pays de Perigort, il y avoit ung gentil homme qui avoit telle devotion à sainct François, qu'il luy sembloit que tous ceulx qui portoient son habit devoient estre semblables au bon sainct : pour l'honneur duquel il avoit faict faire en sa maison chambre et garderobe pour loger les dicts freres, par le conseil desquelz il conduisoit tous

a. monastère; locution pour *restons-en là.*

ses affaires, voire jusques aux moindres de son mesnage, s'estimant chemyner seurement en suyvant leur bon conseil. Or, advint, ung jour, que la femme dudict gentil homme, qui estoit belle et non moins saige et vertueuse, avoit faict ung beau filz dont l'amityé que le mary luy portoit augmenta doublement. Et, pour festoyer la commere, envoya querir ung sien beau frere. Et, ainsy que l'heure de soupper approchoit, arriva ung Cordelier, duquel je celeray le nom pour l'honneur de la religion [a]. Le gentil homme fut fort aise, quand il veit son pere spirituel, devant lequel il ne cachoit nul secret. Et, après plusieurs propos tenuz entre sa femme, son beau frere et luy, se meirent à table pour soupper. Durant lequel, ce gentil homme, regardant sa femme, qui avoit assez de beaulté et de bonne grace pour estre desirée d'un mary, commencea à demander tout hault une question au beau pere : « Mon pere, est-il vray que ung homme peche mortellement de coucher avecq sa femme pendant qu'elle est en couche ? » Le beau pere, qui avoit la contenance et la parolle toute contraire à son cueur, luy respondit avecq ung visaige collere : « Sans faulte, monsieur, je pense que ce soit ung des grandz pechez qui se facent en mariage, et ne fusse que l'exemple de la benoiste vierge Marie, qui ne voulut entrer au temple jusques après les jours de sa puriffication, combien qu'elle n'en eut nul besoing, si ne debvriez-vous jamais faillir à vous abstenir d'un petit plaisir, veu que la bonne vierge Marie se abstenoit, pour obeyr à la loy, d'aller au temple où estoit toute sa consolation. Et, oultre cella, messieurs les docteurs en medecine dient qu'il y a grand dangier pour la lignée qui en peult venir. » Quant le gentil homme entendit ces parolles il en fut bien marry, car il esperoit bien que son beau pere luy bailleroit congé, mais il n'en parla plus avant. Le beau pere, durant ces propos, après avoir plus beu qu'il n'estoit besoing, regardant la damoiselle, pensa bien en luy-mesmes que, s'il en estoit le mary, il ne demanderoit poinct conseil au beau pere [442] de coucher avecq sa femme. Et, ainsy que le feu peu à peu s'allume tellement qu'il vient à embraser toute la maison, or, pour ce, le *frater* commencea de brusler par telle concupiscence, que soubdainement delibera de venir à

a. de l'ordre.

fin du desir, que, plus de trois ans durant, avoit porté couvert en son cueur.

Et, après que les tables furent levées, print le gentil homme par la main, et, le menant auprès du lict de sa femme, luy dist devant elle : « Monsieur, pour ce que je congnois la bonne amour qui est entre vous et ma damoiselle que voicy, laquelle, avecq la grande jeunesse qui est en vous, vous tourmente si fort, que sans faulte j'en ay grande compassion, j'ay pensé de vous dire ung secret de nostre saincte theologie : c'est que la loy, qui pour les abuz des mariz indiscretz est si rigoureuse qu'elle ne veult permectre que ceulx qui sont de bonne conscience, comme vous, soient frustrez de l'intelligence. Parquoy, Monsieur, si je vous ay dict devant les gens l'ordonnance de la severité de la loy, à vous qui estes homme saige, n'en doibz celler la doulceur. Sachez, mon filz, qu'il y a femmes et femmes, comme aussy hommes et hommes. Premierement, nous fault sçavoir de Madame que voicy, veu qu'il y a trois sepmaines qu'elle est accouchée, si elle est hors du flux du sang ? » A quoy respondit la damoiselle, qu'elle estoit toute necte. « Adoncques, dist le Cordelier, mon filz, je vous donne congé d'y coucher, sans en avoir scrupule, mais que vous me promectez deux choses. » Ce que le gentil homme feit voluntiers. « La premiere, dist le beau pere, c'est que vous n'en parlerez à nulluy, mais y viendrez secretement; l'autre, que vous n'y viendrez qu'il ne soit deux heures après minuyct, à fin que la digestion de la bonne dame ne soit empeschée par voz follyes. » Ce que le gentil homme luy promist et jura par telz sermens, que celluy, qui le congnoissoit plus sot que menteur, en fut tout asseuré. Et, après plusieurs propos, se retira le beau pere en sa chambre, leur donnant [a] la bonne nuict avecq une grande benediction. Mais, en se retirant, print le gentil homme par la main, luy disant : « Sans faulte, Monsieur, vous viendrez et ne ferez plus veiller la pauvre commere. » Le gentil homme, en la baisant, luy dist : « M'amye, laissez-moy la porte de vostre chambre ouverte. » Ce que entendit très bien le beau pere. Ainsy se retirerent chacun en sa chambre. Mais, si tost que le pere fut retiré, ne pensa pas à dormir ne reposer; car, incontinant qu'il n'ouyt

a. souhaitant.

plus nul bruict en la maison, environ l'heure qu'il avoit accoustumé d'aller à matines, s'en vat le plus doulcement qu'il peut droict en la chambre, et, là, trouvant la porte ouverte de la chambre où le maistre estoit actendu, vat finement estaindre la chandelle, et, le plus tost qu'il peut, se coucha auprès d'elle, sans jamais luy dire ung seul mot. La damoiselle, cuydant que ce fust son mary, luy dit : « Comment, mon amy ! Vous avez très mal retenu la promesse que feistes hier au soir à nostre confesseur, de ne venir icy jusques à deux heures ! » Le Cordelier, plus actentif à l'heure à la vie active que à la vie contemplative, avecq la craincte qu'il avoit d'estre congneu, pensa plus à satisfaire au meschant desir dont dès long temps avoit eu le cueur empoisonné, que à luy faire nulle response, dont la dame fut fort estonnée. Et, quant le Cordelier veid approcher l'heure que le mary devoit venir, se leva d'auprès de la damoiselle, et, le plus tost qu'il peust, retourna en sa chambre.

Et, tout ainsy que la fureur de la concupiscence luy avoit osté le dormir, au commencement la craincte [443], qui tousjours suict la meschanceté, ne luy permist de trouver aucun repos, mais s'en alla au portier de la maison et luy dict : « Mon amy, Monsieur m'a commandé de m'en aller incontinant en nostre couvent faire quelques prieres où il a devotion; parquoy, mon amy, je vous prie, baillez moy ma monture, et m'ouvrez la porte, sans que personne en entende rien, car l'affaire est necessaire et secret. » Le portier, qui sçavoit bien que obeyr au Cordelier estoit service agreable à son seigneur, luy ouvrit secretement la porte et le mist dehors. En cest instant s'esveilla le gentil homme, lequel, voyant approcher l'heure qui luy estoit donnée du beau pere, pour aller veoir sa femme, se leva en sa robbe de nuyct, et s'en alla coucher vistement, où, par l'ordonnance de Dieu, sans congé d'homme, il povoit aller. Et quant sa femme l'ouyt parler auprès d'elle, s'en esmerveilla si fort, qu'elle luy dist, ignorant ce qui estoit passé : « Comment, Monsieur ! Est-ce la promesse que vous avez faicte au beau pere de garder si bien vostre santé et la myenne, de ce que non seullement vous estes venu icy avant l'heure, mais encores y retournez ? Je vous supplie, Monsieur, pensez-y. » Le gentil homme fut si troublé d'oyr ceste nouvelle, qu'il ne peut dissimuller son ennuy, et luy dist : « Quels propos me tenez-vous ? Je sçay, pour verité, qu'il y a trois sepmaines que je ne couchay avecq vous, et vous me reprenez d'y venir trop souvent ! Si ces propos continuoient, vous me feriez penser que ma compaignye vous fasche et me contraindriez, contre ma coustume et voulloir, de chercher ailleurs le plaisir que selon Dieu je doibz prendre avecq vous. » La damoiselle, qui pensoit qu'il se mocquast, luy respondit : « Je vous supplie, Monsieur, en cuydant me tromper, ne vous trompez poinct, car, nonobstant que vous n'ayez parlé à moy, quant vous y estes venu, si ay-je bien congneu que vous y estiez. » A l'heure le gentil homme congneut que eulx deux estoient trompez, et luy feyt grand jurement qu'il n'y estoit poinct venu. Dont la dame print telle tristesse, que avecq pleurs et larmes elle [444] luy dist qu'il fist dilligence de sçavoir qui ce povoit estre, car en leur maison ne couchoit que le frere et le Cordelier. Incontinant le gentil homme, poulsé de soupson au Cordelier, s'en alla hastivement en la chambre où il pensoit le trouver [445], laquelle il trouva vuyde. Et, pour estre mieulx asseuré s'il s'en estoit fuy, envoya querir l'homme qui gardoit sa porte et luy demanda s'il sçavoit qu'estoit devenu le Cordelier; lequel luy compta toute la verité. Le gentil homme, de ceste meschanceté certain, retourna en la chambre de sa femme, et luy dist : « Pour certain, m'amye, cellui qui a couché avecq vous et a faict de tant belles œuvres est nostre pere confesseur ! » La damoiselle, qui toute sa vye avoit aymé son honneur, entra en ung tel desespoir, que, oblyant toute humanité et nature de femme, le supplia à genoux la venger de ceste grande injure. Parquoy, soubdain, sans autre delay, le gentil homme monta à cheval et poursuivit le Cordelier.

La damoyselle demeura seulle en son lict, n'ayant auprès d'elle conseil ne consolation, que son petit enfant de nouveau né. Considerant le cas horrible et merveilleux qui luy estoit advenu, sans excuser son ignorance, se reputa comme coulpable et la plus malheureuse du monde. Et alors, elle, qui n'avoit jamais aprins des Cordeliers, sinon la confiance des bonnes oeuvres, la satisfaction des pechez par austerité de vie, jeusnes et disciplines, qui du tout ignoroit la grace donnée par nostre bon Dieu par le merite de son Filz, la remission des pechez par son sang, la reconsiliation du pere avecq nouz par sa mort, la vie donnée aux pecheurs par sa seulle bonté et misericorde [446], se trouva si troublée, en l'assault de ce desespoir fondé sur l'enormité et gravité du peché, sur l'amour du mary et l'honneur du lynaige [a], qu'elle estima la mort trop plus heureuse que sa vie. Et, vaincue de sa tristesse, tumba en tel desespoir, qu'elle fut non seullement divertye de l'espoir que tout chrestien doibt avoir en Dieu, mais fut du tout allienée du sens commung, obliant sa propre nature. Allors, vaincue de la douleur, poulsée du desespoir, hors de la congnoissance [447] de Dieu et de soy-mesmes, comme femme enragée et furieuse, print une corde de son lict et de ses propres mains s'estrangla. Et, qui pis est, estant en l'agonye de ceste cruelle mort, le corps qui combatoit contre icelle [448] se remua de telle sorte, qu'elle donna du pied sur le visaige de son petit enfant, duquel l'innocence ne le peut garentir qu'il ne suyvist par mort sa doloreuse et dolente mere. Mais, en mourant, feit ung tel cry, que une femme, qui couchoit en la chambre, se leva en grand haste pour allumer la chandelle. Et, à l'heure, voyant sa maistresse pendue et estranglée à la corde du lict, l'enfant estouffé et mort dessoubz son pied, s'en courut toute effrayée en la chambre du frere de sa maistresse, lequel elle amena pour veoir ce piteux spectacle.

Le frere, ayant mené [449] tel deuil que doibt et peut mener ung qui aymoit sa seur de tout son cueur, demanda à la chamberiere qui avoit commis ung tel crime. La chamberiere luy dist qu'elle ne sçavoit, et que autre que son maistre n'estoit entré en la chambre, lequel, n'y avoit gueres [b], en estoit party. Le frere, allant en la chambre du gentil homme et ne le trouvant poinct, creut asseurement qu'il avoit commis le cas, et print son cheval sans aultrement s'en enquerir, courut après luy, et l'attaingnit en ung chemyn là où il retournoit de poursuivre son Cordelier, bien doulent de ne l'avoir attrappé. Incontinant que le frere de la damoiselle veit son beau frere, commencea à luy crier : « Meschant et lasche, defendez-vous, car aujourd'huy j'espere que Dieu me vengera de vous par ceste espée ! » Le gentil homme, qui se vouloit excuser, veit l'espée de son beau frere si près de luy, qu'il avoit plus de besoing de se defendre que de

a. lignage. — *b.* il y avait peu de temps.

s'enquerir de la cause de leur debat. Et lors se donnerent tant de coups et à l'un et à l'autre, que le sang perdu et la lasseté les contraingnit de se seoir à terre, l'un d'un costé et l'autre de l'autre. Et, en reprenant leur allayne, le gentil homme luy demanda : « Quelle occasion, mon frere, a converty la grande amityé que nous nous sommes tousjours portez, en si cruelle bataille ? » Le beau frere luy respondit : « Mais quelle occasion vous a meu de faire mourir ma seur, la plus femme de bien qui oncques fut ? Et encores si meschamment, que, soubz couleur de vouloir coucher avecq elle, l'avez pendue et estranglée à la corde de vostre lict ? » Le gentil homme, entendant ceste parolle, plus mort que vif, vint à son frere, et, l'embrassant, luy dist [450] : « Est-il bien possible que vouz ayez trouvé vostre seur en l'estat que vous dictes ? » Et quant le frere l'en asseura : « Je vous prie, mon frere, dist le gentil homme [451], que vous oyez la cause pour laquelle je me suis party de la maison. » Et, à l'heure, il lui feit le compte du meschant Cordelier. Dont le frere fut fort estonné, et encores plus marry que contre raison il l'avoit assailly. Et, en luy demandant pardon, luy dist : « Je vous ay faict tort, pardonnez-moy ! » Le gentil homme luy respond : « Si je vous ay faict tort, j'en ay ma pugnicion, car je suis si blessé, que je n'espere jamais en eschapper. » Le beau frere essaya de le remonter à cheval le mieulx qu'il put et le ramena en sa maison, où le lendemain il trespassa, et dist et confessa, devant tous les parens du dict gentil homme, que luy-mesmes estoit cause de sa mort; dont pour satisfaire à la justice, fut conseillé le beau frere d'aller demander sa grace au Roy Françoys, premier de ce nom. Parquoy, après avoir faict enterrer honorablement mary, femme et enfant, s'en alla le jour du sainct vendredy pourchasser sa remission à la court. Et la rapporta maistre Françoys Olivier [452], lequel l'obtint pour le pauvre beau frere, estant icelluy Olivier chancelier d'Alençon, et depuis, par ses vertuz, esleu du Roy pour chancellier de France.

« Mes dames, je croys que, après avoir entendu ceste histoire très veritable, il n'y a aucunes de vous qui ne pense deux fois à loger telz pelerins en sa maison; et sçavez qu'il n'y a plus dangereux venyn que celluy qui est dissimullé. — Pensez, dist Hircan, que ce mary estoit ung bon sot, d'aller mener ung tel gallant soupper auprès d'une si belle et honneste femme. — J'ay veu le temps, dist Geburon, que en nostre pays il n'y avoit maison où il n'y eust chambre dediée pour les beaux peres; mais maintenant ilz sont tant congneuz, qu'on les crainct plus que advanturiers. — Il me semble, dist Parlamente, que une femme estant dans le lict, si ce n'est pour luy administrer les sacremens de l'Eglise, ne doibt jamais faire entrer prebstre en sa chambre; et quant je les y appelleray, on me pourra bien juger en danger de mort. — Si tout le monde estoit ainsy que vous austere, dit Ennasuitte, les pauvres prebstres seroient pis que excommuniez, d'estre separez de la veue des femmes. — N'en ayez poinct de paour, dist Saffredent, car ilz n'en auront jamais faulte. — Comment ! dist Simontault; ce sont ceulx qui par mariage nous lyent aux femmes et qui essayent par leur meschanceté à nous en deslier et faire rompre le serment qu'ilz nous ont faict faire ! — C'est grande pitié, dist Oisille, que ceulx qui ont l'administration des sacremens en jouent ainsy à la pelotte : on les debvroit brusler tout en vye. — Vous feriez mieulx de les honorer que de les blasmer [453], dist Saffredent, et de les flatter que de les injurier; car ce sont ceulx qui ont puissance de brusler et deshonorer les autres : parquoy, *sinite eos* [a] [454]; et sçachons qui aura la voix d'Oisille. » La compaignie trouva l'oppinion de Saffredent très bonne, et, laissant là les prebstres, pour changer de propos, pria madame Oisille de donner sa voix à quelqu'un [455]. « Je la donne, dist-elle, à Dagoucin, car je le voys entrer en contemplation telle, qu'il me semble preparé à dire quelque bonne chose. — Puis que je ne puis ne n'ose, respondit [456] Dagoucin, dire ce que je pense, à tout le moins parleray-je d'un à qui telle cruaulté porta nuysance [b] et puis proffict. Combien que Amour fort et puissant s'estime tant qu'il veult aller tout nud, et luy est chose très ennuyeuse et à la fin importable [c] d'estre couvert, si est-ce, mes dames, que bien souvent ceulx qui, pour obeyr à son conseil, se advanceans trop de le descouvrir, s'en trouvent mauvais marchans : comme il advint à ung gentil homme de Castille, duquel vous orrez l'histoire. »

a. laissez-les. — *b.* dommage. — *c.* insupportable.

VINGT QUATRIESME NOUVELLE

Elisor, pour s'estre trop advancé de decouvrir son amour à la Royne de Castille, fut si cruellement traité d'elle, en l'esprouvant, qu'elle luy apporta nuysance, puis profit [457].

En la maison du Roy et Royne de Castille, desquels les noms ne seront dictz, y avoit ung gentil homme si parfaict en toutes beaultez et bonnes conditions, qu'il ne trouvoit poinct son pareil en toutes les Espaignes. Chacun avoit ses vertuz en admiration, mais encores plus son estrangeté, car l'on ne congneut jamais qu'il aymast ne servit aucune dame. Et si en avoit en la court en très grand nombre qui estoient dignes de faire brusler la glace, mais il n'y en eut poinct qui eust puissance de prendre ce gentil homme, lequel avoit nom Elisor.

La Royne, qui estoit femme de grande vertu, mais non du tout exempte de la flambe laquelle moins est congneue et plus brusle, regardant ce gentil homme qui ne servoit nulles de ses femmes, s'en esmerveilla; et, ung jour, luy demanda s'il estoit possible qu'il aymast aussy peu qu'il en faisoit le semblant. Il luy respondit que, si elle voyoit son cueur comme sa contenance, elle ne luy feroit poinct ceste question. Elle, desirant sçavoir ce qu'il voulloit dire, le pressa si fort, qu'il confessa qu'il aymoit une dame qu'il pensoit estre la plus vertueuse de toute la chrestienté. Elle feit tous ses effortz, par prieres et commandemens, de vouloir sçavoir qui elle estoit, mais il ne fut poinct possible : dont elle feit semblant d'estre fort courroucée contre luy, et jura qu'elle ne parleroit jamais à luy, s'il ne luy nommoit celle qu'il aymoit tant; dont il fut si fort ennuyé, qu'il fut contrainct de luy dire qu'il aymeroit autant mourir que s'il falloit qu'il luy confessast. Mays, voyant qu'il perdoit sa veue et bonne grace, par faulte de dire une verité tant honneste, qu'elle ne debvoit estre mal prinse de personne, luy dist avecq grande craincte : « Ma dame, je n'ay la force, puissance ne hardiesse de le vous dire, mais la premiere fois que vous irez à la chasse, je vous la feray veoir; et suis seur que vous jugerez que c'est la plus belle et parfaicte dame du monde. » Ceste response fut cause que la Royne alla plus tost à la chasse qu'elle n'eust faict.

Elisor, qui en fut adverty, s'appresta pour l'aller servir, comme il avoit accoustumé; et feit faire un grand mirouer d'acier en façon de hallecret [a], et, le mectant devant son estomac, le couvrit très bien d'ung grand manteau de frise [b] noire qui estoit tout bordé de canetille [c] [458] et d'or frisé bien richement. Il estoit monté sur ung cheval maureau [d], fort bien enarnaché de tout ce qui estoit necessaire au cheval; et, quelque metal qu'il y eust, estoit tout d'or [459], esmaillé de noir, à ouvraige de Moresque. Son chappeau estoit de soye noire, auquel estoit attachée une riche enseigne, où y avoit pour devise ung Amour, couvert par force, tout enrichi de pierrerie; l'espée et le poignart n'estoient moins beaulx et bien faictz, ne de moins bonnes devises. Bref, il estoit fort bien en ordre et encores plus adroict à cheval; et le sçavoit si bien mener, que tous ceulx qui le voyoient laissoient le passetemps de la chasse pour regarder les cources et les saulx que faisoit faire Elisor à son cheval. Après avoir conduict la Royne jusques au lieu où estoient les thoilles [e], en telles courses et grandz saulx comme je vous ay dict, commencea à descendre de son gentil cheval, et vint pour prendre la Royne et la descendre de dessus sa hacquenée. Et, ainsy qu'elle luy tendoit les bras, il ouvrit son manteau de devant son estomac, et la prenant entre les siens [460], luy monstrant son hallecret de mirouer, luy dist : « Ma dame, je vous supplie regarder icy ! » Et, sans actendre responce, la mist doulcement à terre. La chasse finée [f], la Royne retourna au chasteau, sans parler à Elisor; mais, après soupper, elle l'appella, luy disant qu'il estoit le plus grand menteur qu'elle avoit jamais veu, car il luy avoit promis de luy monstrer à la chasse celle qu'il aymoit le plus, ce qu'il n'avoit faict : parquoy, elle avoit deliberé de jamais ne faire cas n'estime de luy. Elisor, ayant paour que la Royne n'eust entendu ce qu'il luy avoit dict, lui respondit qu'il n'avoit failly à son commandement, car il luy avoit monstré non la femme seullement, mais la chose du monde qu'il aymoit le plus. Elle, faisant la mescongneue, lui dict qu'elle n'avoit poinct entendu qu'il luy eust monstré une seulle de ses femmes. « Il est vray, ma dame, dist Elisor; mais qui vous ay-je monstré, en vous descendant

a. pièce d'armure. — *b.* grosse étoffe fabriquée dans la Frise. — *c.* fil de broderie. — *d.* noir. — *e.* filets. — *f.* terminée.

de cheval ? — Rien, dist la Royne, sinon ung mirouer devant vostre estomach. — En ce mirouer, Madame, dist Elisor, qu'est-ce que vous avez veu ? — Je n'y ay veu que moy seulle ! » respondit la Royne. Elisor luy dist : « Doncques, ma dame, pour obeyr à vostre commandement, vous ay-je tenu promesse, car il n'y a ne aura jamais aultre ymaige en mon cueur, que celle que vous avez veue au dehors de mon estomach; et ceste-là seulle veulx-je aymer, reverer et adorer, non comme femme, mais comme mon Dieu en terre, entre les mains de laquelle je mectz ma mort et ma vie; vous suppliant que ma parfaicte et grande affection, qui a esté ma vie tant que je l'ay portée couverte, ne soit ma mort en la descouvrant. Et si ne suis digne de vous regarder ny estre accepté pour serviteur, au moins souffrez que je vive, comme j'ay accoustumé, du contentement que j'ay, dont mon cueur a osé choisir pour le fondement de son amour ung si parfaict et digne lieu, duquel je ne puis avoir autre satisfaction que de sçavoir que mon amour est si grande et parfaicte, que je me doibve contanter d'aymer seullement, combien que jamais je ne puisse estre aymé. Et, s'il ne vous plaist, pour la congnoissance de ceste grande amour, m'avoir plus agreable que vous n'avez accoustumé, au moins ne m'ostez la vie, qui consiste au bien que j'ay de vous veoir comme j'ay accoustumé. Car je n'ay de vous nul bien que autant qu'il en fault pour mon extreme necessité, et, si j'en ay moins, vous avez moins de serviteurs, en perdant le meilleur et le plus affectionné que vous eustes oncques ny pourriez jamais avoir. » La Royne, ou pour se monstrer autre qu'elle n'estoit, ou pour experimenter à la longue l'amour qu'il luy portoit, ou pour en aymer quelque autre qu'elle ne voulloit laisser pour luy, ou bien le reservant, quand celluy qu'elle aymoit feroit quelque faulte, pour luy bailler sa place, dist, d'un visage ne content ne courroucé : « Elisor, je ne vous diray poinct, comme ignorante l'auctorité d'amour, quelle follye vous a esmeu de prendre une si grande et difficille[461] opinyon que de m'aymer, car je sçay que le cueur de l'homme est si peu à son commandement, qu'il ne le faict pas aymer et hayr où il veult; mais, pource que vous avez si bien couvert vostre oppinion, je desire de sçavoir combien il y a que vous l'avez prinse ? » Elisor, regardant son visaige tant beau, et voyant qu'elle s'enqueroit de sa malladye, espera qu'elle y voulloit donner quelque remede. Mais, voyant sa contenance si grave et si saige qui l'interrogeoit, d'autre part tumboit en une craincte, pensant estre devant le juge dont il doubtoit sentence estre contre luy donnée. Si est-ce qu'il luy jura que cest amour print racine à son cueur dès le temps de sa grande jeunesse, mais qu'il n'en avoit senty nulle peyne, sinon depuis sept ans; non peyne, à dire vray, mais une malladye, donnant tel contantement que la guarison estoit la mort. « Puis qu'ainsy est, dist la Royne, que vous avez desja experimenté une si longue fermeté, je ne doibtz estre moins legiere à vous croire, que vous avez esté à me dire vostre affection. Parquoy, s'il est ainsy que vous me dictes, je veulx faire telle preuve de la verité que je n'en puisse jamays doubter : et, après la preuve de la peyne faicte, je vous estimeray tel envers moy, que vous mesmes jurez estre; et, vous congnoissant tel que vous dictes, vous me trouverez telle que vous desirez. » Elisor [462] la supplia de faire de luy telle preuve qu'il luy plairoit, car il n'y avoit chose si difficille, qui ne luy fust très aisée pour avoir cest honneur qu'elle peust congnoistre l'affection qu'il luy portoit, la supliant de rechef de luy commander ce qu'il luy plairoit qu'il feist. Elle luy dist : « Elisor, si vous m'aymez autant comme vouz dictes, je suis seure que, pour avoir ma bonne grace, rien ne vous sera fort à faire. Parquoy, je vous commande, sur tout le desir que vous avez de l'avoir et craincte de la perdre, que, dès demain au matin, sans plus me veoir, vous partiez de ceste compaignye, et vous en alliez en lieu où vous n'orrez de moy, ne moy de vous, une seulle novelle jusques d'huy en sept ans. Vous, qui avez passé sept ans en cest amour, sçavez bien que m'aymez; mais, quant j'auray faict ceste experience sept ans durans, je sçauray à l'heure et croiray ce que vostre parolle ne me peult faire croyre ne entendre. » Elisor, ayant ce cruel commandement, d'un cousté doubta qu'elle le vouloit esloingner de sa presence, et, de l'autre costé, esperant que la preuve parleroit mieulx pour luy que sa parolle, accepta son commandement et luy dist : « Si j'ay vescu sept ans sans nulle esperance, portant ce feu couvert, à ceste heure qu'il est congneu de vous, passeray ces sept ans en meilleure patience et esperance que je n'ay faict les autres. Mais, Madame, en obeissant à vostre commandement, par lequel je suis privé de tout bien que j'avois en ce monde, quelle esperance me donnez-vouz, au bout des sept ans, de me congnoistre plus fidelle et loyal serviteur ? » La Royne luy dist, tirant ung anneau de son doigt : « Voylà ung anneau que je vous donne; couppons-le tous deux par la moictyé; j'en garderay la moictyé et vous, l'autre, à fin que, si le long temps avoit puissance de m'oster la memoire de vostre visaige, je vous puisse congnoistre par ceste moictié d'anneau semblable à la myenne. » Le gentil homme print l'anneau et le rompit en deux, et en bailla une moictyé à la Royne et retint l'autre. Et, en prenant congé d'elle, plus mort que ceulx qui ont rendu l'ame, s'en alla le pauvre Elisor en son logis donner ordre à son partement. Ce qu'il feit en telle sorte, qu'il envoya tout son train en sa maison, et luy seul avecq ung varlet s'en alla en ung lieu si solitaire, que nul de ses parens et amys durant les sept ans n'en peurent avoir nouvelles. De la vie qu'il mena durant ce temps et de l'ennuy qu'il porta pour ceste absence, ne s'en peut rien sçavoir, mais ceulx qui ayment ne le peuvent ignorer. Au bout des sept ans, justement ainsy que la Royne alloit à la messe, vint à elle ung hermite portant une grande barbe, qui, en luy baisant la main, luy presenta une requeste qu'elle ne regarda soubdainement, combien qu'elle avoit accoustumé de tenir en sa main toutes les requestes qu'on luy presentoit, quelques pauvres que ce fussent. Ainsy qu'elle estoit à moictié de la messe, ouvrit sa requeste, dans laquelle trouva la moictié de l'anneau qu'elle avoit baillé à Elisor : dont elle fut fort esbahye et non moins joyeuse. Et, avant lire ce qui estoit dedans, commanda soubdain à son aulmosnier qu'il luy fist venir ce grand hermite qui luy avoit presenté la requeste. L'aumosnier le sercha par tous costez, mais il ne fut possible d'en sçavoir nouvelles, sinon que quelcun luy dist l'avoir veu monter à cheval; mais il ne sçavoit quel chemin il prenoit. En actendant la response de l'aumosnier, la Royne leut la requeste qu'elle trouva une estre aussi bien faicte epistre qu'il estoit possible. Et, si n'estoit le desir que j'ay de la vous faire entendre, je ne l'eusse jamais osé traduire, vous priant de penser, mes dames, que le langage castillan est sans comparaison mieulx declarant ceste passion que ung autre [463]. Si est-ce que la substance en est telle :

Le temps m'a faict, par sa force et puissance,
Avoir d'amour parfaicte cognoissance.
Le temps après m'a esté ordonné,
Et tel travail durant ce temps donné,
Que l'incredule, par le temps, peult bien veoir
Ce que l'amour ne luy a faict sçavoir.
Le temps, lequel avoit faict amour maistre
Dedans mon cueur, l'a monstrée enfin estre [464]
Tout tel qu'il est : parquoy, en le voyant,
Ne l'ay trouvé [465] tel comme en le croyant.
Le temps m'a faict veoir sur quel fondement
Mon cueur vouloit aymer si fermement.
Ce fondement estoit vostre beaulté,
Soubz qui estoit couverte cruaulté.
Le temps m'a faict veoir beaulté estre rien,
Et cruaulté cause de tout mon bien,
Par quoy je fuz de la beaulté chassé,
Dont le regard j'avois tant pourchassé [466].
Ne voyant plus vostre beaulté tant belle,
J'ay mieulx senty vostre rigueur rebelle.
Je n'ay laissé vous obeyr pourtant,
Dont je me tiens très heureux et contant :
Veu que le temps, cause de l'amityé,
A eu de moy par sa longueur pitié,
En me faisant ung si honneste tour,
Que je n'ay eu desir de ce retour,
Fors seullement pour vous dire en ce lieu
Non ung bonjour, mais ung parfaict adieu.
Le temps m'a faict veoir amour pauvre et nud
Tout tel qu'il est et dont il est venu;
Et, par le temps, le temps j'ay regretté
Autant ou plus que l'avois soubhaicté,
Conduict d'amour qui aveugloit mes sens,
Dont rien de luy fors regret je ne sens.
Mais, en voyant cest amour decepvable,
Le temps m'a faict veoir l'amour veritable,
Que j'ai congneu en ce lieu solitaire,
Où par sept ans m'a fallu plaindre et taire,
J'ay, par le temps, congneu l'amour d'en hault
Lequel estant congneu, l'autre deffault.
Par le temps suis du tout à luy rendu,
Et par le temps de l'autre deffendu.
Mon cueur et corps luy donne en sacrifice,
Pour faire à luy, et non à vous, service.
En vous servant rien m'avez estimé,
Ce rien il a [467], en offensant, aymé.
Mort me donnez pour vous avoir servye :

En le fuyant, il me donne la vie.
Or, par ce temps, amour, plein de bonté,
A l'autre amour si vaincu et dompté,
Que mis à rien est retourné à vent,
Qui fut pour moy trop doulx et decepvant.
Je le vous quicte et rendz du tout entier,
N'ayant de vous ne de luy nul mestier [a],
Car l'autre amour parfaicte et pardurable
Me joinct à luy d'un lien immuable.
A luy m'en voys, là me veulx asservir.
Sans plus ne vous ne vostre Dieu servir.
Je prens congé de cruaulté, de peyne,
Et du torment, du desdaing, de la haine,
Du feu bruslant dont vous estes remplye
Comme en beaulté très parfaicte accomplie.
Je ne puis mieulx dire adieu à tous maulx,
A tous malheurs et douloureux travaulx,
Et à l'enfer de l'amoureuse flamme,
Qu'en ung seul mot vous dire : *Adieu, madame !*
Sans nul espoir, ou que soys ou soyez,
Que je vous voye ne que plus me voyez.

Ceste epistre ne fut pas leue sans grandes larmes et estonnemens, accompaignez de regretz incroiables. Car la perte qu'elle avoit faicte d'un serviteur remply d'un amour si parfaict, debvoit estre estimée si grande, que nul tresor, ny mesmes son royaulme ne luy povoient oster le tiltre d'estre la plus pauvre et miserable [468] dame du monde, car elle avoit perdu ce que tous les biens du monde ne povoient recouvrer. Et, après avoir achevé d'oyr la messe et retourné en sa chambre, feit ung tel deuil que sa cruaulté avoit merité. Et n'y eut montaigne, roche, ne forest, où elle n'envoyast chercher cest hermite; mais Celluy qui l'avoit retiré de ses mains le garda d'y retumber, et le tira plustost en paradis, qu'elle n'en sceut nouvelle en ce monde.

« Par ceste exemple, ne doibt le serviteur confesser ce qui luy peult nuyre et en rien ayder. Et encores moins, mes dames, par incredulité, debvez-vous demander preuves si difficilles que, en ayant la preuve, vous perdiez le serviteur. — Vrayement, Dagoucin, dist Geburon, j'avois toute ma vie oye estimer la dame à qui le cas est advenu,

a. besoin.

la plus vertueuse du monde; mais maintenant je la tiens la plus folle [469] que oncques fut. — Toutesfoys, dist Parlamente, il me semble qu'elle ne luy faisoit poinct de tort de vouloir esprouver sept ans s'il aymoit autant qu'il luy disoit; car les hommes ont tant accoustumé de mentir en pareil cas, que, avant que de s'y fier si fort (si fier il s'y fault), on n'en peult faire trop longue preuve. — Les dames, dist Hircan, sont bien plus saiges qu'elles ne souloient; car, en sept [470] jours de preuve, elles ont autant de seureté d'un serviteur, que les autres avoient par sept ans. — Si en a il, dist Longarine, en ceste compaignye, que l'on a aymée plus de sept ans à toutes preuves de harquebuse, encores n'a l'on sceu gaingner leur amityé. — Par Dieu, dist Simontault, vous dictes vray; mais aussy les doibt-on mectre au ranc du viel temps, car, au nouveau, ne seroient-elles poinct receues. — Et encores, dist Oisille, fut bien tenu ce gentil homme à la dame, par le moyen de laquelle il retourna entierement son cueur à Dieu. — Ce luy fut grand heur, dist Saffredent, de trouver Dieu par les chemyns, car, veu l'ennuy où il estoit, je m'esbahis qu'il ne se donna au diable. » Ennasuitte luy dist : « Et quant vous avez esté mal traicté de vostre dame, vous estes vous donné à ung tel maistre ? — Mil et mil fois m'y suys donné, dist Saffredent; mais le diable, voyant que tous les tormens d'enfer ne m'eussent sceu faire pis que ceulx qu'elle me donnoit, ne me daigna jamais prendre, sçachant qu'il n'est poinct de diable plus importable [a] que une dame bien aymée et qui ne veult poinct aymer. — Si j'estois comme vous, dist Parlamente à Saffredent, avecq telle oppinion que vous avez, je ne servirois [471] femme. — Mon affection, dist Saffredent, est tousjours telle et mon erreur si grande, que là où je ne puis commander, encores me tiens-je très heureux de servir; car la malice des dames ne peult vaincre l'amour que je leur porte. Mais, je vous prye, dictes-moy, en vostre conscience, louez-vous ceste dame d'une si grande rigueur ? — Oy, dist Oysille, car je croy qu'elle ne vouloit aymer ny estre aymée. — Si elle avoit ceste volunté, dist Simontault, pourquoy luy donnoit-elle quelque esperance après les sept ans passez ? — Je suis de vostre oppinion, dist Longarine; car ceulx qui ne veullent poinct aymer ne

a. insupportable.

donnent nulle occasion de continuer l'amour qu'on leur porte. — Peut estre, dist Nomerfide, qu'elle en aymoit quelque autre qui ne valloit cest honneste homme-là, et que pour ung pire elle laissa le meilleur. — Par ma foy, dist Saffredent, je pense qu'elle faisoit provision de luy, pour le prendre à l'heure qu'elle laisseroit celluy que pour lors elle aymoit le mieulx [472]. » Madame Oisille, voyant que soubz couleur de blasmer et reprendre en la Royne de Castille ce qu'à la verité n'est à louer ni en elle ni en autre, les hommes se debordoient si fort à medire des femmes et que les plus saiges et honnestes estoient aussi peu espargnées que les plus folles et impudiques, ne peut en durer que l'on passat plus outre; mais print la parole et dist [473] : « Je voy bien que tant plus nous mectrons ces propos en avant, et plus ceulx qui ne veullent estre mal traictez diront de nous le pis qu'il leur sera possible. — Parquoy, je vous prie, Dagoucin, donnez vostre voix à quelcune. — Je la donne, dist-il, à Longarine, estant asseuré qu'elle nous en dira quelcune qui ne sera poinct melencolicque, et si n'espargnera homme ne femme pour dire verité. — Puis que vous m'estimez si veritable, dist Longarine, je prendray la hardiesse de racompter ung cas advenu à un bien grand prince, lequel passe en vertu tous les autres de son temps. Et vous direz que la chose dont on doibt moins user sans extreme necessité, c'est de mensonge ou dissimulation : qui est ung vice laid et infame, principallement aux princes et grans seigneurs, en la bouche et contenance desquelz la verité est mieulx seante que en nul autre. Mais il n'y a si grand prince en ce monde, combien qu'il eust tous les honneurs et richesses qu'on sçauroit desirer, qui ne soit subject à l'empire et tirannye d'Amour. Et semble que plus le prince est noble et de grand cueur, plus Amour faict son effort pour l'asservir soubz sa forte main; car ce glorieux dieu ne tient compte des choses communes et fidelles, et ne prent plaisir Sa Majesté que à faire tous les jours miracles, comme d'affoiblir les fortz, fortisfier les foibles, donner intelligence aux ignorans, oster les sens aux plus sçavans, favoriser aux passions et destruire [474] raison; et en telles mutations prent plaisir l'amoureuse divinité. Et, pource que les princes n'en sont exemptz, aussy ne sont-ilz de necessité. Or, s'ilz ne sont quictes de la necessité en quoy [475] les mect le desir de la servitude d'amour, et par ceste necessité leur est non seullement permis mais mandé de user de mensonge, ypocrisye et fiction, qui sont les moyens de vaincre leurs ennemys, selon la doctrine de maistre Jehan de Mehun. Or, puis que, en tel acte, est louable à ung prince la condition qui en tous autres est à desestimer, je vous racompteray les inventions d'un jeune prince, par lesquelles il trompa ceulx qui ont accoustumé de tromper tout le monde. »

VINGT CINQUIESME NOUVELLE

Un jeune prince, soubz couleur de visiter son advocat, et communiquer de ses affaires avec luy, entretint si paisiblement sa femme, qu'il eut d'elle ce qu'il en demandoit [476].

En la ville de Paris y avoit ung advocat, plus estimé que nul autre de son estat; et, pour estre cherché d'un chascun à cause de sa suffisance [a], estoit devenu le plus riche de tous ceulx de sa robbe. Mais, voyant qu'il n'avoit eu nulz enffans de sa premiere femme, espera d'en avoir d'une seconde. Et, combien que son corps fust vicieux, son cueur ne son esperance n'estoient poinct morts : parquoy il alla choisir une des plus belles filles qui fust dedans la ville, de l'aage de dix huit à dix neuf ans, fort belle de visaige et de tainct, mais encores plus de taille et d'embonpoint. Laquelle il ayma et traicta le myeulx qu'il luy fut possible; mais si n'eut-elle de luy non plus d'enfans que la premiere, dont à la longue se fascha. Mais la jeunesse, qui ne peut souffrir ung ennuy, luy feit chercher recreation ailleurs qu'en sa maison; et alla aux danses et bancquetz, toutesfois si honnestement que son mary n'en povoit prendre mauvaise opinion; car elle estoit tousjours en la compaignye de celles à qui il avoit fiance [b].

Ung jour qu'elle estoit à une nopce, s'y trouva ung bien grand prince, qui, en me faisant le compte, m'a defendu de le nommer. Si vous puis-je bien dire que c'estoit le plus beau et de la meilleure grace qui ayt esté devant, ne qui, je croy, sera après lui en ce royaulme [477]. Ce prince, voyant ceste jeune et belle dame, de laquelle les oeilz et

a. son talent. — *b*. confiance.

contenance le convyerent à l'aymer, vint parler à elle d'un tel langaige et d'une telle grace, qu'elle eust voluntiers commencé ceste harangue. Ne luy dissimulla poinct que de long temps elle avoit en son cueur l'amour dont il la prioit, et qu'il ne se donnast poinct de peyne pour la persuader à une chose où par la seulle veue Amour l'avoit faict consentir. Ayant ce jeune prince par la naïfveté d'amour ce qui meritoit bien estre acquis par le temps [478], mercia le Dieu qui le favorisoit. Et, depuis ceste heure-là, pourchassa si bien son affaire, qu'ilz accorderent ensemble le moyen comme ilz se pourroient veoir hors de la veue des autres. Le lieu et le temps accordez, le jeune prince ne faillit à s'y trouver; et, pour garder l'honneur de sa dame, y alla en habit dissimullé. Mais, à cause des mauvais garsons qui couroient la nuyct par la ville, ausquelz il ne se vouloit faire congnoistre, print en sa compaignie quelques gentils hommes ausquelz il se fyoit. Et, au commencement de la rue où elle se tenoit, les laissa, disant : « Si vous n'oyez poinct de bruict dedans ung quart d'heure, retirez-vous en voz logis; et, sur les trois ou quatre heures, revenez icy me querir. » Ce qu'ilz feirent, et, n'oyans nul bruict, se retirerent. Le jeune prince s'en alla tout droict chez son advocat, et trouva la porte ouverte, comme on luy avoit promis. Mais, en montant le degré, rencontra le mary qui avoit en sa main une bougie, duquel il fut plus tost veu qu'il ne le peut adviser. Mais, amour qui donne entendement et hardiesse où il baille les necessitez, feit que le jeune prince s'en vint tout droict à luy, et luy dist : « Monsieur l'advocat, vous sçavez la fiance que moy et toux ceulx de ma maison avons eue en vous, et que je vous tiens de mes meilleurs et fidelles serviteurs. J'ay bien voullu venir icy vous visiter privement, tant pour vous recommander mes affaires, que pour vous prier de me donner à boyre, car j'en ay grand besoing; et de ne dire à personne du monde, que je soye icy venu, car, de ce lieu, m'en fault aller en ung aultre où je ne veulx estre congneu. » Le bon homme advocat fut tant aise de l'honneur que ce prince luy faisoit de venir ainsy priveement en sa maison, qu'il le mena en sa chambre, et dist à sa femme qu'elle apprestast la collation des meilleurs fruictz et confitures qu'elle eut; ce qu'elle feit très voluntiers et apporta [479] la collation la plus honneste qu'il luy fut possible. Et, nonobstant que l'habillement qu'elle portoit d'un couvrechef et manteau la monstrast plus belle qu'elle n'avoit accoustumé, si ne feit pas semblant le jeune prince de la regarder ne congnoistre; mais parloit tousjours à son mary de ses affaires, comme à celluy qui les avoit manyées de longue main [480]. Et, ainsy que la dame tenoit à genoulx les confitures devant le prince, et que le mary alla au buffet pour luy donner à boire, elle luy dist que, au partir de la chambre, il ne faillist d'entrer en une garderobbe, à main droicte, où bien tost après elle le yroit veoir. Incontinant après qu'il eust beu, remercia l'advocat, lequel le voulut à toutes forces accompaigner; mais il l'asseura [481] que, là où il alloit, n'avoit que faire de compaignye. Et, en se tournant vers sa femme, luy dist : « Aussy, je ne vous veulx faire tort de vous oster ce bon mary, lequel est de mes antiens serviteurs. Vous estes si heureuse de l'avoir, que vous avez bien l'occasion d'en louer Dieu et de le bien servir et obeyr; et, en faisant du contraire, seriez bien malheureuse. » En disant ces honnestes propos, s'en alla le jeune prince, et fermant la porte après soy, pour n'estre suivy au degré, entra dedans la garderobbe où, après que le mary fut endormy, se trouva la belle dame, qui le mena dedans ung cabynet le mieulx en ordre qu'il estoit possible, combien que les deux plus belles ymaiges qui y fussent estoient luy et elle, en quelques habillemens qu'ils se voulsissent mectre. Et là je ne faictz doubte qu'elle ne luy tint toutes ses promesses.

De là se retira, à l'heure qu'il avoit dict à ses gentilz hommes, lesquelz il trouva au lieu où il leur avoit commandé de l'actendre. Et, pource que ceste vie dura assez longuement, choisit le jeune prince ung plus court chemyn pour y aller, c'est qu'il passoit par ung monastere de religieux. Et, avoit si bien faict envers le prieur, que tousjours environ minuyct le portier luy ouvroit la porte, et pareillement quant il s'en retournoit. Et, pource que la maison où il alloit estoit près de là, ne menoit personne avecq luy. Et, combien qu'il menast la vie que je vous diz, si estoit-il prince craignant et aymant Dieu. Et ne falloit jamais, combien que à l'aller il ne s'arrestast poinct, de demorer, au retour, long temps en oraison en l'eglise; qui donna grande occasion aux religieux, qui entrans et saillans [a]

a. sortant.

de matines le voyoient à genoulx, d'estimer que ce fust le plus sainct homme du monde.

Ce prince avoit une seur, qui frequentoit fort ceste religion [a]; et comme celle qui aymoit son frere plus que toutes aultres creatures, le recommandoit aux prieres d'un chascun qu'elle povoit congnoistre bon. Et, ung jour qu'elle le recommandoit d'affection au prieur de ce monastere, il luy dist : « Helas, Madame ! qui est-ce que vous me recommandez ? Vous me parlez de [482] l'homme du monde, aux prieres duquel j'ay plus grande envie d'estre recommandé; car, si cestuy-là n'est sainct et juste (allegant le passaige que : « Bien heureux est qui peut mal faire et ne le faict pas [483] »), je n'espere pas d'estre trouvé tel. » La seur, qui eut envie de sçavoir quelle congnoissance ce beau pere avoit de la bonté de son frere, l'interrogea si fort, que, en luy baillant ce secret, soubz le voile de confession, luy dist : « N'est-ce pas une chose admirable, de veoir ung prince jeune et beau laisser ses plaisirs et son repos, pour venir bien souvent oyr noz matines, non comme prince, serchant l'honneur du monde, mais comme ung simple religieux, vient tout seul se cacher en une de noz chapelles ? Sans faulte, ceste bonté rend les religieux et moy si confuz, que auprès de luy ne sommes dignes d'estre appellez religieux. » La seur, qui entendit ces parolles, ne sceut que croyre; car, nonobstant que son frere fust bien mondain, si sçavoit elle qu'il avoit la conscience très bonne, la foy et amour de Dieu bien grande, mais de chercher superstitions ne ceremonyes aultres que ung bon chrestien doibt faire, ne l'en eust jamais soupsonné. Parquoy, elle s'en vint à luy, et luy compta la bonne oppinion que les religieux avoient de luy : dont il ne se peut garder de rire avecq ung visaige tel, qu'elle, qui le congnoissoit comme son propre cueur, congneut qu'il y avoit quelque chose cachée soubz sa devotion; et ne cessa jamais qu'il ne luy eust dict la verité : ce qu'elle m'a faict mettre icy en escript [484], à fin que vous congnoissiez, mes dames, qu'il n'y a malice d'advocat ne finesse de religieux (qui sont coutumiers de tromper tous autres), que Amour, en cas de necessité, ne decoive et face tromper par ceulx mesmes qui n'ont aultre experience que de bien aymer. Et, puis qu'Amour sçait

a. ce monastère.

tromper les trompeurs, nous autres simples et ignorantes le devons bien craindre [485].

« Encores, dist Geburon, que je me doubte bien qui c'est, si faut-il que je dye qu'il est louable en ceste chose; car l'on veoit peu de grans seigneurs qui se soulcient de l'honneur des femmes, ny du scandalle public, mais qu'ilz aient leur plaisir; et souvent sont contens qu'on pense pis qu'il n'y a. — Vrayement, dist Oisille, je vouldrois que tous les jeunes seigneurs y prinssent exemple, car le scandalle est souvent pire que le peché. — Pensez, dist Nomerfide, que les prieres qu'il faisoit au monastere où il passoit, estoient bien fondées ! — Si n'en debvez-vous poinct juger, dist Parlamente, car peult estre, au retour, que la repentance estoit telle, que le peché luy estoit pardonné [486]. — Il est bien difficille, dist Hircan, de se repentir d'une chose si plaisante. Quant est de moy, je m'en suys souventesfois confessé, mais non pas gueres repenty. — Il vauldroit mieulx, dist Oisille, ne se confesser point, si l'on n'a bonne repentance. — Or, Madame, dist Hircan, le peché me desplaist bien, et suis marry d'offenser Dieu, mais le peché me plaist tousjours. — Vous et vos semblables, dist Parlamente, vouldriez bien qu'il n'y eust esté ne Dieu ne loy, sinon celle que vostre affection ordonneroit ? — Je vous confesse, dist Hircan, que je vouldrois que Dieu print aussi grand plaisir à mes plaisirs, comme je faictz, car je luy donnerois souvent matiere de se resjouir. — Si ne ferez-vous pas ung Dieu nouveau, dist Geburon; parquoy fault obeyr à celluy que nous avons [487]. Laissons ces disputes aux theologiens, à fin que Longarine donne sa voix à quelcun. — Je la donne, dist-elle, à Saffredent. Mais je le prie qu'il nous fasse le plus beau compte qu'il se pourra adviser, et qu'il ne regarde poinct tant à dire mal des femmes, que, là où il y aura du bien, il en veulle monstrer la verité. — Vrayement, dist Saffredent, je l'accorde, car j'ay en main l'histoire d'une folle et d'une saige : vous prendrez l'exemple qu'il vous plaira le mieulx. Et congnoistrez que, tout ainsy que amour faict faire aux meschans des meschancetez, en ung cueur honneste faict faire choses dignes de louange; car, amour, de soy, est bon, mais la malice du subgect luy faict souvent prendre ung nouveau surnom de fol [488], legier, cruel, ou villain. Mais à l'histoire que à present je vous racompteray, pourrez veoir qu'amour ne change poinct le cueur, mais le monstre tel qu'il est, fol aux folles, et saige aux saiges [488]. »

VINGT SIXIESME NOUVELLE

Par le conseil et affection fraternelle d'une saige dame, le seigneur d'Avannes se retira de la folle amour qu'il portoit à une gentille femme demeurant à Pampelune [489].

Il y avoit, au temps du Roy Loys douziesme, ung jeune seigneur, nommé monsieur d'Avannes [490], filz du sire d'Albret, frere du Roy Jehan de Navarre, avecq lequel le dict seigneur d'Avannes demoroit ordinairement. Or, estoit le jeune seigneur, de l'aage de quinze ans, tant beau et tant plain de toute bonne grace, qu'il sembloit n'estre faict que pour estre aymé et regardé; ce qu'il estoit de tous ceulx qui le voyoient, et, plus que de nul autre, d'une dame demorant en la ville de Pampelune en Navarre, laquelle estoit mariée à ung fort riche homme, avecq lequel vivoit si honnestement, que, combien qu'elle ne fust aagée que de vingt trois ans, pour ce que son mary approchoit le cinquantiesme, s'abilloit si honnestement qu'elle sembloit plus vefve que mariée. Et jamais à nopces ny à festes homme ne la veit aller sans son mary; duquel elle estimoit tant la bonté et vertu, qu'elle le preferoit à la beaulté de tous aultres. Et le mary l'ayant experimentée si saige, y print telle seureté, qu'il luy commectoit [a] toutes les affaires de sa maison. Ung jour, fut convié ce riche gentil homme avecq sa femme à une nopce de leurs parentes. Auquel lieu, pour honorer les nopces, se trouva le jeune seigneur d'Avannes, qui naturellement aymoit les dances, comme celluy qui en son temps ne trouvoit son pareil. Et, après le disner que les dances commencerent, fut prié le dict seigneur d'Avannes, par le riche homme, de vouloir danser. Le dict seigneur lui demanda qu'il [b] vouloit qu'il menast. Il luy respondit : « Monseigneur, s'il y en avoit une plus belle et plus à mon commandement que ma femme, je vous la presenterois, vous supliant me faire cest honneur

a. confiait. — *b.* qui il.

de la mener danser. » Ce que feit le jeune prince, duquel la jeunesse estoit si grande, qu'il prenoit plus de plaisir à saulter et dancer, que à regarder la beaulté des dames. Et celle qu'il menoit, au contraire, regardoit plus la grace et beaulté du dict seigneur d'Avannes, que la dance où elle estoit, combien que, par sa grande prudence, elle n'en fit ung seul semblant. L'heure du souppé venue, monseigneur d'Avannes, disant adieu à la compaignye, se retira au chasteau où le riche homme sur sa mulle l'accompaigna, et, en allant, lui dist : « Monseigneur, vous avez ce jourd'huy tant faict d'honneur à mes parens et à moy, que ce me seroit grande ingratitude si je ne m'offrois avec toutes mes facultez à vous faire service. Je sçay, Monseigneur, que tel seigneur que vous, qui avez peres rudes et avaritieux, avez souvent plus faulte d'argent que nous, qui par petit train et bon mesnaige ne pensons que d'en amasser. Or est-il ainsy, que Dieu, m'ayant donné une femme selon mon desir, ne m'a voullu donner en ce monde totallement mon paradis, m'ostant la joye que les peres ont des enfans. Je sçay, Monseigneur, qu'il ne m'appartient pas de vous adopter pour tel, mais, s'il vous plaist de me recepvoir pour serviteur et me declarer voz petites affaires, tant que cent mil escuz de mon bien se pourront estandre, je ne fauldray vous secourir en vos necessitez. » Monseigneur d'Avannes fut fort joieulx de cest offre, car il avoit ung pere tel que l'autre luy avoit dechiffré [a], et après l'avoir mercié, le nomma, par alliance, son pere.

De ceste heure-là, le dict riche homme print telle amour au seigneur d'Avannes, que matin et soir ne cessoit de s'enquerir s'il luy falloit quelque chose; et ne cella à sa femme la devotion qu'il avoit au dict seigneur et à son service, dont elle l'ayma doublement; et, depuis ceste heure, le dict seigneur d'Avannes n'avoit faulte de chose qu'il desirast. Il alloit souvent veoir ce riche homme, boire et manger avecq luy, et, quant il ne le trouvoit poinct, sa femme bailloit tout ce qu'il demandoit; et davantaige parloit à luy si saigement, l'admonestant d'estre saige et vertueux, qu'il la craingnoit et aymoit plus que toutes les femmes de ce monde. Elle, qui avoit Dieu et honneur devant les oeilz, se contentoit de sa veue et parolle où gist

a. défini.

la satisfaction d'honnesteté et bon amour. En sorte que jamais ne luy feit signe pourquoy il peust juger qu'elle eut autre affection à luy que fraternelle et chrestienne. Durant ceste amitié couverte, monseigneur d'Avannes, par l'aide des dessus dictz, estoit fort gorgias [a] et bien en ordre. Commencea à venir en l'aage de dix sept ans et de chercher les dames plus qu'il n'avoit de coustume. Et, combien qu'il eust plus voluntiers aymé la saige dame que nulle, si est-ce que la paour qu'il avoit de perdre son amityé, si elle entendoit telz propos, le feit taire et se amuser ailleurs. Et alla addresser à une gentil femme, près de Pampelune, qui avoit maison en la ville, laquelle avoit espousé ung jeune homme qui surtout aymoit les chevaulx, chiens et oiseaulx. Et commencea, pour l'amour d'elle, à lever [b] mille passetemps, comme tournoys, courses, luyttes [c], masques, festins et autres jeuz, en tous lesquels se trouvoit ceste jeune femme; mais, à cause que son mary estoit fort fantasticque [d] et ses pere et mere la congnoissoient fort legiere et belle, jaloux de son honneur, la tenoit de si près que le dict seigneur d'Avannes ne povoit avoir d'elle autre chose que la parolle bien courte en quelque bal, combien que en peu de propos le dict seigneur d'Avannes aparceut bien que autre chose ne defailloit à leur amitié, que le temps et le lieu. Parquoy il vint à son bon pere le riche homme, et luy dist qu'il avoit grand devotion d'aller visiter Nostre Dame de Monserrat [491], le priant de retenir en sa maison tout son train, parce qu'il voulloit aller seul; ce qu'il luy accorda. Mais sa femme, qui avoit en son cueur ce grand prophete Amour, soupsonna incontinant la verité du voiage; et ne se peut tenir de dire à monseigneur d'Avannes : « Monsieur, monsieur, la Nostre Dame que vous adorez n'est pas hors des mutailles de ceste ville; parquoy, je vous supplie, sur toutes choses, regarder à vostre santé. » Luy, qui la craingnoit et aymoit, rougit si fort à ceste parolle, que, sans parler, il luy confessa la verité; et, sur cela, s'en alla.

Et quant il eut achepté une couple de beaulx chevaulx d'Espaigne, s'abilla en pallefrenier et desguisa tellement son visaige, que nul ne le congnoissoit. Le gentil homme,

a. élégant. — *b*. inventer, organiser. — *c*. luttes, combats. — *d*. jaloux.

mary de la folle dame, qui sur toutes choses aymoit les chevaulx, veit les deux que menoit monseigneur d'Avannes : incontinant les vint achepter; et, après les avoir acheptez, regarda le pallefrenier qui les menoit fort bien, et luy demanda s'il le voulloit servir. Le seigneur d'Avannes lui dist que ouy et qu'il estoit ung pauvre pallefrenier qui ne sçavoit autre mestier que panser les chevaulx; en quoy il s'acquicteroit si bien qu'il en seroit contant. Le gentil homme en fut fort aise, et luy donna la charge de tous ses chevaulx; et, entrant en sa maison, dist à sa femme, qu'il luy recommandoit ses chevaulx et son pallefrenier, et qu'il s'en alloit au chasteau. La dame, tant pout complaire à son mary que pour avoir meilleur passetemps, alla visiter les chevaulx; et regarda le pallefrenier nouveau, qui luy sembla de bonne grace; toutesfois, elle ne le congnoissoit point. Luy, qui veit qu'il n'estoit poinct congneu, luy vint faire la reverence en la façon d'Espaigne et luy baisa la main, et, en la baisant, la serra si fort, qu'elle le recongneut, car, en la dance, luy avoit-il mainte fois faict tel tour; et, dès l'heure, ne cessa la dame de chercher lieu où elle peust parler à luy à part. Ce que elle feit dès le soir mesmes, car elle, estant conviée en ung festin où son mary la voulloit mener, faingnit estre mallade et n'y povoir aller. Le mary, qui ne vouloit faillir à ses amys, luy dist : « M'amye, puisqu'il ne vous plaist y venir, je vous prie avoir regard sur mes chiens et chevaulx, affin qu'il n'y faille rien. » La dame trouva ceste commission très agreable, mais, sans en faire autre semblant, luy respondit, puis que en meilleure chose ne la voulloit emploier, elle luy donneroit à congnoistre par les moindres combien elle desiroit luy complaire. Et n'estoit pas encores à peine le mary hors la porte, qu'elle descendit en l'estable, où elle trouva que quelque chose defailloit; et, pour y donner ordre, donna tant de commissions aux varletz de cousté et d'autre, qu'elle demora toute seulle avecq le maistre pallefrenier; et, de paour que quelcun survint, luy dist : « Allez-vous-en dedans nostre jardin, et m'attendez en ung cabinet qui est au bout de l'alée. » Ce qu'il feit si dilligemment, qu'il n'eust loisir de la mercier. Et, après qu'elle eut donné ordre à toute l'escurie, s'en alla veoir ses chiens, où elle feit pareille dilligence de les faire bien traicter, tant qu'il sembloit que de maistresse elle fust devenue chamberiere; et, après, retourna en sa chambre où elle se trouva si lasse, qu'elle se meist dedans le lict, disant qu'elle vouloit reposer. Toutes ses femmes la laisserent seulle, fors une à qui elle se fyoit, à laquelle elle dist : « Allez-vous-en au jardin, et me faictes venir celluy que vous trouverez au bout de l'allée. » La chamberiere y alla et trouva le pallefrenier qu'elle amena incontinant à sa dame, laquelle feit sortir dehors ladicte chamberiere pour guetter quant son mary viendroit. Monseigneur d'Avannes, se voyant seul avecq la dame, se despouilla des habillemens de pallefrenier, osta son faulx nez et sa faulse barbe, et, non comme crainctif pallefrenier, mais comme bel seigneur qu'il estoit, sans demander congé à la dame, audatieusement se coucha auprès d'elle où il fut receu, ainsy que le plus beau filz qui fust de son temps debvoit estre de la plus belle et folle dame du pays; et demoura là jusques ad ce que le seigneur retournast : à la venue duquel, reprenant son masque, laissa la place que par finesse et malice il usurpoit. Le gentil homme, entrant en sa court, entendit la dilligence qu'avoit faict sa femme de bien luy obeyr, dont la mercia très fort. « Mon amy, dit la dame, je ne faictz que mon debvoir. Il est vray, qui ne prandroit garde sur ces meschans garsons, vous n'auriez chien qui ne fust galleux, ne cheval qui ne fust bien maigre; mais, puis que je congnois leur paresse et vostre bon voulloir, vous serez myeulx servy que ne fustes oncques. » Le gentil homme, qui pensoit bien avoir choisy le meilleur pallefrenier de tout le monde, luy demanda que luy en sembloit : « Je vous confesse, Monsieur, dist-elle, qu'il faict aussy bien son mestier que serviteur qu'eussiez peu choisir; mais si a-il besoing d'estre sollicité, car c'est le plus endormy varlet que je veiz jamais. »

Ainsy longuement demeurerent le seigneur et la dame en meilleure amityé que auparavant; et perdit tout le soupson et la jalouzie qu'il avoit d'elle, pour ce que aultant qu'elle avoit aymé les festins, dances et compaignies, elle estoit ententive [a] à son mesnaige; et se contentoit bien souvent de ne porter sur sa chemise que une chamarre [b], en lieu qu'elle avoit accoustumé d'estre quatre heures à s'accoustrer : dont elle estoit louée de son mary et d'un chascun, qui n'entendoient pas que le pire diable chassoit le moindre. Ainsy vesquit ceste jeune dame, soubz l'ypo-

a. attentive. — *b.* simarre, longue robe tombant aux pieds.

crisie et habit de femme de bien, en telle volupté, que raison, conscience, ordre ne mesure n'avoient plus de lieu en elle. Ce que ne peut porter longuement la jeunesse et delicate complexion du seigneur d'Avannes, mais commencea à devenir tant pasle et meigre, que, sans porter masque, on le povoit bien descongnoistre [a]; mais le fol amour qu'il avoit à ceste femme luy rendit tellement les sens hebetez, qu'il presumoit de sa force ce qui eust defailly en celle d'Hercules; dont, à la fin, contrainct de maladie, et conseillé par la dame, qui ne l'aymoit tant malade que sain, demanda congé à son maistre de se retirer chez ses parens : qui le luy donna à grand regret, luy faisant promectre que, quant il seroit sain, il retourneroit en son service. Ainsy s'en alla le seigneur d'Avannes à beau pied, car il n'avoit à traverser que la longueur d'une rue; et, arrivé en la maison du riche homme son bon pere, n'y trouva que sa femme, de laquelle l'amour vertueuse qu'elle luy portoit n'estoit poinct diminuée pour son voyage. Mais, quant elle le veit si maigre et descoloré, ne se peut tenir de luy dire : « Je ne sçay, Monseigneur, comme il vat de vostre conscience, mais vostre corps n'a poinct amendé de ce pellerinaige; et me doubte fort que le chemin que vous avez faict la nuyct vous ayt plus faict de mal que celluy du jour, car, si vous fussiez allé en Jherusalem à pied, vous en fussiez venu plus haslé, mais non pas si maigre et foyble. Or, comptez ceste-cy pour une, et ne servez plus telles ymaiges, qui, en lieu de resusciter les mortz, font mourir les vivans. Je vous en dirois davantage; mais, si vostre corps a peché, il en a telle pugnition, que j'ay pitié d'y adjouster quelque fascherie nouvelle. » Quand le seigneur d'Avannes eut entendu tous ces propos, il ne fut pas moins marry que honteux, et luy dist : « Madame, j'ay aultresfois ouy dire que la repentence suyt le peché; et, maintenant je l'esprouve à mes despens, vous priant excuser ma jeunesse, qui ne se peut chastier que par experimenter du mal qu'elle ne veult croire. »

La dame, changeant ses propos, le feit coucher en ung beau lict, où il y fut quinze jours, ne vivant que de restaurentz [b]; et luy tindrent le mary et la dame si

a. on pouvait bien ne pas le reconnaître. — *b.* aliments légers mais nourrissants, notamment des bouillons ou consommés.

bonne compaignye, qu'il en avoit tousjours l'un ou l'autre auprès de luy. Et, combien qu'il eust faict les follies que vous avez oyes, contre la volunté et conseil de la saige dame, si ne diminua-elle jamais l'amour vertueuse qu'elle luy portoit, car elle esperoit tousjours que, après avoir passé ses premiers jours en follies, il se retireroit et contraindroit d'aymer honnestement, et, par ce moien, seroit en tout à elle. Et, durant ces quinze jours qu'il fut en sa maison, elle luy tint tant de bons propos tendant à amour de vertu, qu'il commencea avoir horreur de la follye qu'il avoit faicte; et, regardant la dame, qui en beaulté passoit la folle, congnoissant de plus en plus les graces et vertuz qui estoient en elle, il ne se peut garder, ung jour qu'il faisoit assez obscur, chassant toute craincte dehors, de luy dire : « Madame, je ne voy meilleur moyen pour estre tel et si vertueulx que vous me preschez et desirez, que de mectre mon cueur et estre entierement amoureux de la vertu; je vous suplie, Madame, me dire s'il ne vous plaist pas m'y donner toute aide et faveur à vous possible ? » La dame, fort joyeuse de luy veoir tenir ce langaige, luy dist : « Et je vous promectz, Monseigneur, que, si vous estes amoureux de la vertu comme il appartient à tel seigneur que vous, je vous serviray pour y parvenir de toutes les puissances que Dieu a mises en moy. — Or, Madame, dist monseigneur d'Avannes, souvienne-vous de vostre promesse, et entendez que Dieu, incongneu de l'homme, sinon par la foy, a daigné prendre la chair semblable à celle de peché, afin qu'en attirant nostre chair à l'amour de son humanité, tirast aussi notre esprit à l'amour de sa divinité [492]; et s'est voulu servyr des moyens visibles, pour nous faire aymer par foy les choses invisibles. Aussy, ceste vertu que je desire aymer toute ma vie, est chose invisible, sinon par les effectz du dehors; parquoy, est besoing qu'elle prenne quelque corps pour se faire congnoistre entre les hommes, ce qu'elle a faict, se revestant du vostre pour le plus parfaict qu'elle a pu trouver; parquoy, je vous recongnois et confesse non seullement vertueuse, mais la seulle vertu; et, moy, qui la voys reluire soubz le vele [a] du plus parfaict corps qui oncques fut, la veulx servir et honnorer toute ma vie, laissant pour elle toute autre

a. voile.

amour vaine et vicieuse. » La dame, non moins contante que esmerveillée d'oyr ces propos, dissimulla si bien son contentement, qu'elle luy dist : « Monseigneur, je n'entreprendz pas de respondre à vostre theologie; mais, comme celle qui est plus craignant le mal que croyant le bien, vous vouldrois bien supplier de cesser en mon endroict les propos dont vous estimez si peu celles qui les ont creuz. Je sçay très bien que je suis femme, non seullement comme une aultre, mais imparfaicte; et que la vertu feroit plus grand acte de me transformer en elle, que de prandre ma forme, sinon quant elle vouldroit estre incongneue en ce monde, car, soubz tel habit que le myen, ne pourroit la vertu estre conngneue telle qu'elle est. Si est-ce, Monseigneur, que pour mon imperfection, je ne laisse à vous porter telle affection que doibt et deut faire femme craingnant Dieu et son honneur. Mais ceste affection ne sera declarée jusques ad ce que vostre cueur soit susceptible de la patience que l'amour vertueux commande. Et à l'heure, Monseigneur, je sçay quel langaige il fault tenir, mais pensez que vous n'aymez pas tant vostre propre bien, personne et honneur, que je l'ayme. » Le seigneur d'Avannes, crainctif, ayant la larme à l'œil, la suplia très fort, que, pour seureté de ses parolles, elle le voulsist baiser; ce qu'elle refusa, luy disant que pour luy elle ne romproit poinct la coustume du pays. Et, en ce debat, survint le mary, auquel dist monseigneur d'Avannes : « Mon pere, je me sens tant tenu à vous et vostre femme, que je vous supplye pour jamais me reputer votre filz. » Ce que le bon homme feit très voluntiers. « Et, pour seureté de ceste amityé, je vous prie, dist monseigneur d'Avannes, que je vous baise. » Ce qu'il feit. Après, luy dist : « Si ce n'estoit de paour d'offenser la loy, j'en ferois autant à ma mere vostre femme.» Le mary, voyant cela, commanda à sa femme de le baiser; ce qu'elle feit, sans faire semblant de vouloir ne non voulloir ce que son mary luy commandoit. A l'heure, le feu que la parolle avoyt commencé d'allumer au cueur du pauvre seigneur, commencea à se augmenter par le baiser, tant par estre si fort requis que cruellement refusé.

Ce faict, s'en alla ledit seigneur d'Avannes au chasteau, veoir le Roy son frere, où il feit fort beaulx comptes de son voiage de Monserrat. Et là entendit que le Roy son frere s'en vouloit aller à Oly [493] et Taffares [494]; et, pensant que le voiage seroit long, entra en une grande tristesse, qui le mist jusques à deliberer d'essayer, avant partyr, si la saige dame luy portoit poinct meilleure volunté qu'elle n'en faisoit le semblant. Et s'en alla loger en une maison de la ville, en la rue où elle estoit, et print ung logis viel, mauvais et faict de boys, ouquel, environ minuyct, mist le feu : dont le bruyct fut si grand par toute la ville, qu'il vint à la maison du riche homme, lequel, demandant par la fenestre où c'estoit qu'estoit le feu, entendit que c'estoit chez monseigneur d'Avannes, où il alla incontinant avecq tous les gens de sa maison; et trouva le jeune seigneur tout en chemise en la rue, dont il eut si grand pitié, qu'il le print entre ses bras, et, le couvrant de sa robbe, le mena en sa maison le plus tost qu'il luy fut possible; et dist à sa femme qui estoit dedans le lict : « M'amye, je vous donne en garde ce prisonnier, traictez-le comme moy-mesmes. » Et, si tost qu'il fut party, ledict seigneur d'Avannes, qui eust bien voulu estre traicté en mary, saulta legierement dedans le lict, esperant que l'occasion et le lieu aussy feroient changer propos à ceste saige dame; mais il trouva le contraire, car, ainsy qu'il saillit d'un costé dedans le lict, elle sortit de l'autre; et print son chamarre [a], duquel estant vestue, vint à luy au chevet du lict, et luy dist : « Monseigneur, avez-vous pensé que les occasions puissent muer ung chaste cueur ? Croiez que ainsy que l'or s'esprouve en la fournaise, aussy ung cueur chaste au millieu des tentations s'y trouve plus fort et vertueux, et se refroidit, tant plus il est assailly de son contraire. Parquoy, soïez seur que, si j'avois aultre volunté que celle que je vous ay dicte, je n'eusse failly à trouver des moyens, desquelz, n'en voulant user, je ne tiens compte, vous priant que, si vous voulez que je continue l'affection que je vous porte, ostez non seullement la volunté, mais la pensée de jamais, pour chose que seussiez faire, me treuver aultre que je suis. » Durant ces parolles, arriverent ses femmes, et elle commanda qu'on apportast la collation de toutes sortes de confitures; mais il n'avoit pour l'heure ne faim ne soif, tant estoit desesperé d'avoir failly à son entreprinse, craingnant que la demonstration qu'il avoit faicte de son desir luy feit perdre la privaulté qu'il avoit envers elle.

a. simarre, longue robe tombant aux pieds.

Le mary, ayant donné ordre au feu, retourna et pria tant monseigneur d'Avannes, qu'il demorast pour ceste nuyct en sa maison. Et fut la dicte nuyct passée en telle sorte, que ses oeilz furent plus exercez à pleurer que à dormir; et, bien matin, leur alla dire adieu dedans le lict, où, en baisant la dame, congneut bien qu'elle avoit plus de pitié de son offence, que de mauvaise volunté contre luy : qui fut ung charbon adjousté davantaige à son amour. Après disner, s'en alla avecq le Roy à Taffares, mais, avant partir, s'en alla encores redire adieu à son bon pere et à sa dame, qui, depuis le premier commandement de son mary, ne feit plus de difficulté de le baiser comme son filz. Mais soyez seur que plus la vertu empeschoit son oeil et contenance de monstrer la flamme cachée, plus elle se augmentoit et devenoit importable [a], en sorte que, ne povant porter la guerre que l'amour et l'honneur faisoient en son cueur, laquelle toutesfois avoit deliberé de jamays ne monstrer, ayant perdu la consolation de la veue et parolle de celluy pour qui elle vivoit, tumba en une fievre continue, causée d'un humeur melencolicque, tellement que les extremitez du corps luy vindrent toutes froides, et au dedans brusloit incessamment. Les medecins, en la main desquelz ne pend pas la santé des hommes, commencerent à doubter si fort de sa malladie, à cause d'une opilation [b] qui la rendoit melencolicque en extremité, qu'ilz dirent au mary et conseillerent d'advertir sa dicte femme de penser à sa conscience et qu'elle estoit en la main de Dieu, comme si ceulx qui sont en santé n'y estoient poinct. Le mary, qui aymoit sa femme parfaictement, fut si triste de leurs parolles, que pour sa consolation escripvit à monseigneur d'Avannes, le supliant de prendre la peyne de les venir visiter, esperant que sa veue proffiteroit à la mallade. A quoy ne tarda le dict seigneur d'Avannes, incontinant les lettres receues, mais s'en vint en poste en la maison de son bon pere; et à l'entrée, trouva les femmes et serviteurs de leans menans tel deuil que meritoit leur maistresse; dont le dict seigneur fut si estonné, qu'il demeura à la porte, comme une personne transy et jusques ad ce qu'il veid son bon pere, lequel, en l'ambrassant, se print à pleurer si fort, qu'il ne peut mot

a. insupportable. — *b*. obstruction d'un organe secréteur ou occlusion intestinale.

dire, et mena le seigneur d'Avannes où estoit la pauvre mallade; laquelle, tournant ses oeils languissans vers luy, le regarda et luy bailla la main en le tirant de toute sa puissance à elle; et, en le baisant et embrassant, feit ung merveilleux plainct [a] et luy dist : « O Monseigneur, l'heure est venue qu'il fault que toute dissimulation cesse, et que je confesse la verité que j'ay tant mis de peyne à vous celler [b] : c'est que, si m'avez porté grande affection, croyez que la myenne n'a esté moindre; mais ma peyne a passé la vostre, d'aultant que j'ay eu la douleur de la celler contre mon cueur et volunté; car entendez, Monseigneur, que Dieu et mon honneur ne m'ont jamais permis de la vous declarer, craingnant d'adjouster en vous ce que je desiroys de diminuer; mais sçachez que le *non* que si souvent je vous ay dict m'a faict tant de mal au prononcer, qu'il est cause de ma mort, de laquelle je me contente, puis que Dieu m'a faict la grace de morir, premier [c] que la viollance de mon amour ayt mis tache à ma conscience et renommée; car de moindre feu que le mien ont esté ruynez plus grandz et plus fortz edifices. Or, m'en voys-je contante, puis que, devant morir, je vous ay pu declarer mon affection esgalle à la vostre, hors mis que l'honneur des hommes et des femmes n'est pas semblable; vous supliant, Monseigneur, que doresnavant vous ne craingnez vous addresser aux plus grandes et vertueuses dames que vous pourrez, car en telz cueurs habitent les plus grandes passions et plus saigement conduictes; et la grace, beaulté et honnesteté qui sont en vous ne permectent que vostre amour sans fruict travaille. Je ne vous prieray poinct de prier Dieu pour moy, car je sçay que la porte de paradis n'est poinct refusée aux vraiz amans, et que amour est ung feu qui punit si bien les amoureux en ceste vie, qu'ilz sont exemptz de l'aspre torment de purgatoire [495]. Or, adieu, Monseigneur; je vous recommande vostre bon pere mon mary, auquel je vous prie compter à la verité ce que vous sçavez de moy, affin qu'il congnoisse combien j'ay aymé Dieu et luy; et gardez-vous de vous trouver devant mes oeilz, car doresnavant ne veulx penser que à aller recepvoir les promesses qui me sont promises de Dieu avant la constitution du monde. » Et, en ce disant, le baisa et l'embrassa de toutes

a. plainte. — *b.* cacher. — *c.* avant.

les forces de ses foibles bras. Le dict seigneur, qui avoit le cueur aussi mort par compassion qu'elle par douleur, sans avoir puissance de luy dire ung seul mot, se retira hors de sa veue, sur ung lict qui estoit dedans la chambre, où il s'esvanouyt plusieurs foys.

A l'heure, la dame appella son mary, et, après luy avoir faict plusieurs remonstrations honnestes, luy recommanda monseigneur d'Avannes, l'asseurant que, après luy, c'estoit la personne du monde qu'elle avoit le plus aymée. Et, en baisant son mary, lui dist adieu. Et à l'heure, luy fut apporté le sainct Sacrement de l'autel, après l'extreme unction, lesquelz elle receut avecq telle joye comme celle qui est seure de son salut; et, voiant que la veue luy diminuoit et les forces luy defailloient, commencea à dire bien hault son *In manus* [496]. A ce cry, se leva le seigneur d'Avannes de dessus le lict, et, en la regardant piteusement [a], luy veit rendre avecq ung doulx soupir sa glorieuse ame à Celluy dont elle estoyt venue. Et, quant il s'apperceut qu'elle estoit morte, il courut au corps mort, duquel vivant en craincte il approchoit, et le vint embrasser et baiser de telle sorte, que à grand peyne le luy peult-on oster d'entre les bras; dont le mary en fut fort estonné, car jamais n'avoit estimé qu'il lui portast telle affection. Et en luy disant : « Monseigneur, c'est trop ! » se retirerent tous deux. Et, après avoir ploré longuement, monseigneur d'Avannes compta tous les discours de son amityé, et comme jusques à sa mort elle ne luy avoit jamais faict ung seul signe où il trouvast autre chose que rigueur, dont le mary, plus contant que jamais, augmenta le regret et la douleur qu'il avoit de l'avoir perdue; et toute sa vie feit service à monseigneur d'Avannes. Mais, depuis ceste heure, le dict seigneur d'Avannes, qui n'avoit que dix-huict ans, s'en alla à la Court, où il demeura beaucoup d'années, sans vouloir ne veoir ne parler à femme du monde, pour le regret qu'il avoit de sa dame; et porta plus de dix [497] ans le noir.

« Voylà, mes dames, la difference d'une folle et saige dame, auxquelles se monstrent les differentz effectz d'amour, dont l'une en receut mort glorieuse et louable, et l'autre,

a. avec pitié.

renommée honteuse et infame, qui feit sa vie trop longue, car autant que la mort du sainct est precieuse devant Dieu, la mort du pecheur est très mauvaise. — Vrayement, Saffredent, ce dist Oisille, vous nous avez racompté une histoire autant belle qu'il en soit poinct; et qui auroit congneu le personnage comme moy, la trouveroit encores meilleure; car je n'ay poinct veu ung plus beau gentil homme ne de meilleure grace, que le dict seigneur d'Avannes. — Pensez, ce dist Saffredent, que voylà une saige femme, qui, pour se monstrer plus vertueuse par dehors qu'elle n'estoit au cueur, et pour dissimuler ung amour que la raison de nature voulloit qu'elle portast à ung si honneste seigneur, s'alla laisser morir, par faulte de se donner le plaisir qu'elle desiroit couvertement [a] ! — Si elle eust eu ce desir, dist Parlamente, elle avoit assez de lieu et occasion pour luy monstrer; mais sa vertu fut si grande, que jamais son desir ne passa sa raison. — Vous me le paindrez, dist Hircan, comme il vous plaira; mais je sçay bien que toujours ung pire diable mect l'autre dehors, et que l'orgueil cherche plus la volupté entre les dames, que ne faict la craincte, ne l'amour de Dieu. Aussi, que leurs robbes sont si longues et si bien tissues de dissimulation, que l'on ne peult congnoistre ce qui est dessoubz, car, si leur honneur n'en estoit non plus taché que le nostre [498], vous trouveriez que Nature n'a rien oblyé en elles non plus que en nous; et, pour la contraincte que elles se font de n'oser prendre le plaisir qu'elles desirent, ont changé ce vice en ung plus grand qu'elles tiennent plus honneste. C'est une gloire et cruaulté, par qui elles esperent acquerir nom d'immortalité, et ainsy se gloriffians de resister au vice de la loy de Nature (si Nature est vicieuse), se font non seullement semblables aux bestes inhumaines et cruelles, mais aux diables, desquelz elles prenent l'orgueil [499] et la malice. — C'est dommaige, dist Nomerfide, dont vous avez une femme de bien, veu que non seullement vous desestimez la vertu des choses, mais la voulez monstrer estre vice. — Je suis bien ayse, dist Hircan, d'avoir une femme qui n'est poinct scandaleuse, comme aussi je ne veulx poinct estre scandaleux; mais, quant à la chasteté de cueur, je croy qu'elle et moy sommes enfans

a. secrètement.

d'Adam et d'Eve; parquoy, en bien nous mirant, n'aurons besoing de couvrir nostre nudité de feulles, mais plustost confesser nostre fragilité. — Je sçay bien, ce dist Parlamente, que nous avons tous besoing de la grace de Dieu, pour ce que nous sommes tous encloz en peché; si est-ce que noz tentations ne sont pareilles aux vostres, et si nous pechons par orgueil, nul tiers n'en a dommage, ny nostre corps et noz mains n'en demeurent souillées. Mais vostre plaisir gist à deshonorer les femmes, et vostre honneur à tuer les hommes en guerre : qui sont deux poinctz formellement contraires à la loy de Dieu. — Je vous confesse, ce dist Geburon, ce que vous dictes, mais Dieu qui a dict : « Quiconques regarde par concupiscence est deja adultere en son cueur, et quiconques hayt son prochain est homicide [500]. » A vostre advis, les femmes en sont-elles exemptes non plus que nous ? — Dieu, qui juge le cueur, dist Longarine, en donnera sa sentence; mais c'est beaucoup que les hommes ne nous puissent accuser, car la bonté de Dieu est si grande, que, sans accusateur, il ne nous jugera poinct; et congnoist si bien la fragilité de noz cueurs, que encores nous aymera-il de ne l'avoir poinct mise à execution [501]. — Or, je vous prie, dist Saffredent, laissons ceste dispute, car elle sent plus sa predication que son compte; et je donne ma voix à Ennasuitte, la priant qu'elle n'oublye poinct à nous faire rire. — Vrayement, dist-elle, je n'ay garde d'y faillir; et vous diray que, en venant icy deliberée pour vous compter une belle histoire pour ceste Journée, l'on m'a faict ung compte de deux serviteurs d'une princesse, si plaisant, que, de force de rire, il m'a faict oblyer la melencolye de la piteuse histoire que je remectray à demain, car mon visaige seroit trop joyeulx pour la vous faire trouver bonne. »

VINGT SEPTIESME NOUVELLE

Ung secretaire, prouchassant, par amour deshonnete et illicite, la femme d'un sien hoste et compaignon, pour ce qu'elle faisoit semblant de luy prester voluntiers l'aureille, se persuada l'avoir gaingnée; mais elle fut si vertueuse, que souz cette dissimulation le trompa de son esperance et declara son vice à son mary [502].

En la ville d'Amboize, où demeuroit l'un des serviteurs de ceste princesse, qui la servoit de varlet de chambre, homme honneste et qui voluntiers festoyoit les gens qui venoient en sa maison et principalement ses compaignons, il n'y a pas long temps que l'un des secretaires de sa maistresse vint loger chez luy et y demoura dix ou douze jours. Le dict secretaire estoit si laid, qu'il sembloit mieulx ung roy de canniballes que chrestien; et combien que son hoste le traictast en frere et amy et le plus honnestement qui luy estoit possible, si lui feit-il ung tour d'un homme qui non seullement oblye toute honnesteté, mais qui ne l'eust jamais en son cueur, c'est de pourchasser par amour deshonneste et illicite la femme de son compaignon qui n'avoit en elle chose aimable que le contraire de la volupté : c'est qu'elle estoit autant femme de bien, qu'il y en eust poinct en la ville où elle demouroit. Et, elle, congnoissant la meschante volunté du secrétaire, aymant mieulx par une dissimulation declairer son vice que par ung soubdain refuz le couvrir, feit semblant de trouver bons ses propos : parquoy, luy, qui cuydoit l'avoir gaingnée, sans regarder à l'aage qu'elle avoit de cinquante ans, et qu'elle n'estoit des belles, sans considerer le bon bruyct qu'elle avoit d'estre femme de bien et d'aymer son mary, la pressoit incessamment.

Ung jour, entre aultres, son mary estant en la maison, et eulx en une salle, elle faingnit qu'il ne tenoit que à trouver lieu seur pour parler à luy seulle, ainsy qu'il desiroit, mais incontinant luy dist qu'il ne falloit que monter au galletas. Soubdain, elle se leva et le pria d'aller devant et qu'elle iroit après. Luy, en riant avecq une doulceur de visaige semblable à ung grand magot, quand il festoye quelcun, s'en monta legierement par les degretz; et, sur le poinct qu'il attendoit ce qu'il avoit tant desiré, bruslant d'un feu non cler comme celuy de genefvre [a], mais comme ung gros charbon de forge, escoutoit si elle viendroit après luy; mais en lieu d'oyr ses piedz, il ouyt sa voix disant : « Monsieur le secretaire, actendez ung peu, je m'en voys sçavoir à mon mary s'il luy plaist bien que je voise [b] après vous. » Pensez, mes dames, quelle myne peult faire en pleurant celluy qui en riant estoit si layd ! lequel incontinant descendit les larmes aux oeilz, la priant, pour l'amour de Dieu, qu'elle ne voulsist rompre par sa parolle l'amityé de luy et de son compaignon. Elle luy respond : « Je suis seure que vous l'aymez tant, que vous ne me vouldriez dire chose qu'il ne peust entendre. Parquoy, je luy voys dire. » Ce qu'elle feit, quelque priere ou contraincte qu'il voulsist [c] mectre au devant. Dont il fut aussi honteux en s'enfuyant, que le mary fut contant d'entendre l'honneste tromperie dont sa femme avoit usé; et luy pleut tant la vertu de sa femme, qu'il ne tint compte du vice de son compaignon, lequel estoit assez pugny d'avoir emporté sur luy la honte qu'il vouloit faire en sa maison.

« Il me semble que, par ce compte, les gens de bien doibvent apprendre à ne retenir chez eulx ceulx desquelz la conscience, le cueur et l'entendement ignorent Dieu, l'honneur et le vray amour. — Encores que vostre compte soit court, dist Oisille, si est-il aussi plaisant que j'en ay poinct oy et en l'honneur d'une honneste femme. — Par Dieu, dist Simontault, ce n'est pas grand honneur à une honneste femme de refuser ung si laid homme que vous paingnez ce secretaire; mais s'il eust esté beau et honneste, en cela se fut monstrée la vertu; et, pour ce que je me doubte qui il est, si j'estois en mon rang, je vous en ferois ung compte qui est aussi plaisant que cestuy-cy [503]. — A cella ne tienne, dist Ennasuitte, car je vous donne ma voix. » Et à l'heure Simontault commencea ainsy : « Ceulx qui ont accoustumé de demeurer en la Court ou en quelques bonnes villes estiment tant le sçavoir, qu'il leur semble que tous autres hommes ne sont rien au prix d'eulx; mais si ne reste-il pourtant, que en tout pays et de toutes conditions de gens n'y en ayt tousjours assez de fins et malicieux. Toutesfois, à cause de l'orgueil de ceulx qui pensent estre les plus fins,

a. genièvre. — *b.* j'aille. — *c.* voulût.

la mocquerie, quant ilz font quelque faulte, en est beaucoup plus agreable [504], comme je desire vous monstrer par un compte nagueres advenu. »

VINGT HUICTIESME NOUVELLE

Bernard du Ha trompa subtilement un secretaire qui le cuydoit tromper [505].

Estant le Roy Françoys, premier de ce nom, en la ville de Paris, et sa seur la Royne de Navarre en sa compaignye, laquelle avoit ung secretaire nommé Jehan [506], qui n'estoit pas de ceulx qui laissent tumber le bien en terre sans le recueillir, en sorte qu'il n'y avoit president ne conseiller qu'il ne congneust, marchant ne riche homme qu'il ne frequentast et auquel il n'eust intelligence. En ce temps aussy, vint en ladicte ville de Paris ung marchant de Bayonne, nommé Bernard du Ha, lequel, tant pour ses affaires que à cause que le lieutenant-criminel estoit de son païs, s'addressoit à luy pour avoir conseil et secours à ses affaires. Ce secretaire de la Royne de Navarre alloit aussi souvent visiter ce lieutenant, comme bon serviteur de son maistre et maistresse. Ung jour de feste, allant le dit secretaire chez le lieutenant, ne trouva ne luy ne sa femme, mais ouy bien Bernard du Ha, qui, avecq une vielle ou aultre instrument, apprenoit à danser aux chamberieres de léans les bransles [a] de Gascogne. Quant le secretaire le veit, luy voulust faire accroyre qu'il faisoit le plus mal du monde et que, si la lieutenande et son mary le sçavoient, ilz seroient très mal contens de luy. Et, après luy avoir bien painct la craincte devant les oeilz jusques à se faire prier de n'en parler poinct, luy demanda : « Que me donnerez-vous et je n'en parleray poinct ? » Bernard du Ha, qui n'avoit pas si grand paour qu'il en faisoit semblant, voyant que le secretaire le cuydoit tromper, luy promist de luy bailler ung pastey du meilleur jambon de Pasques [507] qu'il mengea jamais. Le secretaire, qui en fut très contant, le pria qu'il peust avoir son pasté [508] le dimanche ensuivant après

a. danses.

disner, ce qu'il luy promist. Et asseuré de cette promesse, s'en alla veoir une dame de Paris qu'il desiroit sur toutes choses espouser, et luy dist : « Ma damoiselle, je viendray dimanche soupper avecq vous, s'il vous plaist, mais il ne vous fault soulcier que d'avoir bon pain et bon vin, car j'ay si bien trompé ung sot Bayonnois, que le demeurant sera à ses despens; et par ma tromperie, vous feray menger le meilleur jambon de Pasques [509] qui fut jamais mengé dans Paris. » La damoiselle, qui le creut, assembla deux ou trois des plus honnestes de ses voysines, et les asseura de leur donner une viande [a] nouvelle et dont jamais elles n'avoient tasté.

Quant le dimanche fut venu, le secretaire, serchant son marchant, le trouva sur le pont au Change; et, en le saluant gratieusement, luy dist : « A tous les diables soyez-vous donné, veu la peyne que vous m'avez faict prendre à vous chercher ! » Bernard du Ha luy respondit que assez de gens avoient prins plus de peyne que luy, qui n'avoient pas à la fin esté recompensez de telz morceaulx. Et, en disant cela, luy monstra le pasté qu'il avoit soubz son manteau, assez grand pour nourrir ung camp. Dont le secretaire fut si joieulx, que, encores qu'il eust la bouche parfaictement laide et grande, en faisant le doulx, la rendit si petite, que l'on n'eust pas cuydé qu'il eust sceu mordre dedans le jambon. Lequel il print hastivement, et, sans convoyer le marchant [510], s'en alla le porter à la damoiselle, qui avoit grande envye de sçavoir si les vivres de Guyenne estoient aussi bons que ceulx de Paris. Et quand le souppé fut venu, ainsy qu'ilz mangeoient leur potaige, le secretaire leur dist : « Laissez là ces viandes fades, et tastons de cest esguillon [511] d'amour de vin. » En disant cela, ouvre ce grand pastey, et cuydant trouver le jambon, le trouva si dur qu'il n'y povoit mectre le cousteau; et, après s'y estre esforcé plusieurs foys, s'advisa qu'il estoit trompé et trouva que c'estoit ung sabot de bois, qui sont des souliers de Gascoigne. Il estoit emmanché d'un bout de tizon [b], et pouldré pardessus de pouldre de fer avecq de l'espice qui sentoit fort bon. Qui fut bien pesneux [c]; ce fut le secretaire, tant pour avoir esté trompé de celluy qu'il cuydoit tromper, que pour avoir trompé celle à qui

a. un mets. — *b.* bout de bois brûlé à une extrémité. — *c.* triste.

il voulloit et pensoit dire verité; et d'autre part, luy faschoit fort de se contanter d'un potaige pour son souper. Les dames, qui en estoient aussi marries que luy, l'eussent accusé d'avoir faict la tromperie, sinon qu'elles congneurent bien à son visaige qu'il en estoit plus marry qu'elles. Et, après ce leger souper, s'en alla ce secretaire bien collere; et voyant que Bernard du Ha luy avoit failly de promesse, luy voulut aussi rompre la sienne. Et s'en alla chez le lieutenant-criminel, deliberé de luy dire le pis qu'il pourroit du dict Bernard. Mais il ne peut venir si tost que le dict Bernard n'eust desjà compté tout le mistere au lieutenant, qui donna sa sentence au secretaire, disant qu'il avoit aprins à ses despens à tromper les Gascons; et n'en rapporta autre consolacion que sa honte.

« Cecy advient à plusieurs, lesquelz, cuydans estre trop fins, se oblient en leurs finesses; parquoy il n'est tel que de ne faire à aultruy chose qu'on ne voulsist estre faicte à soy-mesme. — Je vous asseure, dist Geburon, que j'ay veu souvent advenir de pareilles choses, et de ceulx que l'on estimoit sotz de villaiges tromper bien de fines gens, car il n'est rien plus sot que celluy qui pense estre fin, ne rien plus saige que celluy qui congnoist son rien. — Encores, ce dist Parlamente, sçayt-il quelque chose, qui congnoist ne se congnoistre pas [512]. — Or, dist Simontault, de paour que l'heure ne satisfasse à vostre propoz, je donne ma voix à Nomerfide, car je suis seur que, par sa rethoricque, elle ne nous tiendra pas longuement. — Or bien, dist-elle, je vous en voys bailler ung tour tel que vous l'esperez de moy. Je ne m'esbahys poinct, mes dames, si amour baille à ung prince ung moien de se saulver du dangier, car ilz sont nourriz avecq tant de gens sçavans, que je m'esmerveilleroys beaucoup plus s'ilz estoient ignorans de quelques choses; mais l'invention d'amour se monstre plus clairement que moins il y a d'esperit aux subjectz. Et pour cela, vous veulx-je racompter ung tour que feit ung prestre, aprins seullement d'amour, car de toutes aultres choses estoit-il si ignorant, que à peyne sçavoit-il lire sa messe. »

VINGT NEUFVIESME NOUVELLE

Un curé, surprins par le trop soudain retour d'un laboureur avec la femme duquel il faisoit bonne chere, trouva promptement moyen de se sauver aux despens du bon homme, qui jamais ne s'en apperceut [513].

En la conté du Maine, en ung villaige nommé Carrelles [514], y avoit ung riche laboureur, qui en sa viellesse espousa une belle jeune femme, et n'eut de luy nulz enfans; mais de ceste perte se reconforta à avoir plusieurs amys. Et, quant les gentilz hommes et gens d'apparance luy faillirent, elle retourna à son dernier recours, qui estoit l'eglise, et print pour compaignon de son peché celluy qui l'en povoit absouldre : ce fut son curé, qui souvent venoit visiter sa brebis. Le mary, vieulx et pesant, n'en avoit nulle doubte; mais à cause qu'il estoit rude et robuste, sa femme jouoit son mistere le plus secretement qu'il luy estoit possible, craingnant que si son mary l'apparcevoit, qu'il ne la tuast. Ung jour, ainsy qu'il estoit dehors, sa femme, pensant qu'il ne revinst si tost, envoya querir monsieur le curé, pour la venir confesser [515]. Et, ainsy qu'ilz faisoient bonne chere ensemble, son mary arriva si soubdainement, qu'il n'eut loisir de se retirer de la maison; mais, regardant le moien de se cacher, monta par le conseil de sa femme dedans ung grenier et couvrit la trappe, par où il monta, d'un van à vanner. Le mary entra en la maison, et elle, de paour qu'il eust quelque soupson, le festoya si bien à son disner, qu'elle n'espargna poinct le boyre, dont il print si bonne quantité, avecq la lassetté qu'il avoit du labour des champs, qu'il luy print envye de dormir, estant assis en une chaise devant son feu. Le curé, qui s'ennuyoit d'estre si longuement en ce grenier, n'oyant poinct de bruict en la chambre, s'advancea sur la trappe, et, en eslongeant le col le plus qu'il luy fut possible, advisa que le bon homme dormoit; et, en le regardant, s'appuya, par mesgarde, sur le van si lourdement, que van et homme tresbucherent à bas auprès du bon homme qui dormoit, lequel se reveilla à ce bruict; et le curé, qui fust plus tost levé que l'autre ne l'eust apperceu, luy dist : « Mon compere, voylà vostre van, et grand mercis. » Et, ce disant, s'enfouyt.

Et le pauvre laboureur, tout estonné, demanda à sa femme : « Qu'est cela ? » Elle, luy respondit : « Mon amy, c'est vostre van, que le curé avoit emprunncté, lequel il vous est venu randre. » Et luy, tout en grondant, luy dist : « C'est bien rudement randre ce qu'on a emprunncté, car je pensois que la maison tumbast par terre. » Par ce moïen, se saulva le curé aux despens du bon homme, qui n'en trouva rien mauvays que la rudesse dont il avoit usé en rendant son van.

« Mes dames, le Maistre qu'il servoit le saulva pour ceste heure-là, afin de plus longuement le posseder et tormenter. — N'estimez pas, dist Geburon, que les gens simples et de bas estat soient exemps de malice non plus que nous; mais en ont bien davantaige, car regardez-moy larrons, meurdriers, sorciers, faux monoyers, et toutes ces manieres de gens, desquelz l'esperit n'a jamais repos; ce sont tous pauvres gens et mecanicques [a]. — Je ne trouve poinct estrange, dist Parlamente, que la malice y soit plus que aux autres, mais ouy bien que l'amour les tormente parmi le travail qu'ilz ont d'autres choses, ny que en ung cueur villain une passion si gentille se puisse mectre. — Madame, dist Saffredent, vous sçavez que maistre Jehan de Mehun a dict que

Aussy bien sont amourettes
Soubz bureau [b] que soubz brunettes [c] [516].

Et aussi l'amour de qui le compte parle, n'est pas de celle qui faict porter les harnoys; car, tout ainsy que les pauvres gens n'ont les biens et les honneurs, aussy ont-ilz leurz commoditez de nature plus à leur ayse que nous n'avons. Leurs viandes [d] ne sont si friandes, mais ilz ont meilleur appetit, et se nourrissent myeulx de gros pain que nous de restorans [e]. Ils n'ont pas les lictz si beaulx ne si bien faictz que les nostres, mais ilz ont le sommeil meilleur que nous et le repos plus grand. Ilz n'ont point les dames painctes et parées dont nous ydolastrons, mais ilz ont la joissance de leurs plaisirs plus souvent que nous et sans craincte de parolles, sinon des bestes et des oiseaulx qui les veoyent. En ce que nous avons, ilz defaillent [f],

a. artisans. — *b.* grosse étoffe de bure. — *c.* tissu léger. — *d.* leur nourriture. — *e.* aliments fins et nourrissants. — *f.* sont privés.

et, en ce que nous n'avons, ilz habondent [517]. — Je vous prie, dist Nomerfide, laissons là ce païsant avecq sa païsante, et, avant vespres, achevons nostre Journée, à laquelle Hircan mectra la fin. — Vrayement, dist-il, je vous en garde une aussy piteuse et estrange que vous en avez poinct ouy. Et combien qu'il me fasche fort de racompter chose qui soit à la honte d'une d'entre vous, sçachant que les hommes, tant plains de malice font tousjours consequence de la faulte d'une seulle pour blasmer toutes les aultres, si est-ce que l'estrange cas me fera oblyer ma craincte; et aussy, peut estre, que l'ignorance d'une descouverte fera les autres plus saiges; et je diray doncques ceste nouvelle sans craincte. »

TRENTIESME NOUVELLE

Un jeune gentil homme, aagé de XIV à XV ans, pensant coucher avec l'une des damoyselles de sa mere, coucha avec elle-mesme, qui au bout de neuf moys accoucha, du faict de son filz, d'une fille, que XII ou XIII ans après il espousa, ne sachant qu'elle fust sa fille et sa seur, ny elle, qu'il fut son pere et son frere [518].

Au temps du Roy Loys douziesme, estant lors legat d'Avignon ung de la maison d'Amboise, nepveu du legat de France nommé Georges [519], y avoit au païs de Languedoc une dame de laquelle je tairay le nom pour l'amour de sa race, qui avoit mieulx de quatre mille ducatz de rente. Elle demeura vefve fort jeune, mere d'un seul filz; et, tant pour le regret qu'elle avoit de son mary que pour l'amour de son enfant, delibera de ne se jamais remarier. Et, pour en fuyr l'occasion, ne voulut point frequenter sinon toutes gens de devotion, car elle pensoit que l'occasion faisoit le peché, et ne sçavoit pas que le peché forge l'occasion. La jeune dame vefve se donna du tout au service divin, fuyant entierement toutes compaignies de mondanité, tellement qu'elle faisoit conscience [a] d'assister à nopces ou d'ouyr sonner les orgues en une eglise. Quant son filz vint à l'aage de sept ans, elle print ung homme de saincte vie pour son

a. elle se faisait un scrupule.

maistre d'escolle, par lequel il peust estre endoctriné en toute sainctété et devotion. Quant le filz commencea à venir en l'aage de quatorze à quinze ans, Nature, qui est maistre d'escolle bien secret, le trouvant bien nourry et plain d'oisiveté, luy aprint autre leçon que son maistre d'escolle ne faisoit. Commencea à regarder et desirer les choses qu'il trouvoit belles; entre autres, une damoiselle qui couchoit en la chambre de sa mere, dont ne se doubtoit, car on ne se gardoit non plus de luy que d'un enfant; et aussy que en toute la maison on n'oyoit parler que de Dieu. Ce jeune gallant commencea à pourchasser secrettement ceste fille, laquelle le vint dire à sa maistresse, qui aymoit et estimoit tant de son filz, qu'elle pensoit que ceste fille luy dist pour le faire hayr; mais elle en pressa tant sa dicte maistresse, qu'elle luy dist : « Je sçauray s'il est vray et le chastieray, si je le congnois tel que vous dictes; mais aussy, si vous luy mectez assus [a] ung tel cas et il ne soit vray, vous en porterez la peyne. » Et, pour en sçavoir l'experience, luy commanda de bailler assignation à son filz de venir à minuyct coucher avecq elle en la chambre de la dame, en ung lict auprès de la porte, où ceste fille couchoit toute seulle. La damoiselle obeyt à sa maistresse; et quant se vint au soir, la dame se mist en la place de sa damoiselle, deliberée, s'il estoit vray ce qu'elle disoit, de chastier si bien son filz, qu'il ne coucheroit jamais avecq femme qu'il ne luy en souvynt.

En ceste pensée et collere, son filz s'en vint coucher avecq elle; et elle, qui encores pour le veoir coucher, ne povoit croyre qu'il voulsist faire chose deshonneste, actendit à parler à luy jusques ad ce qu'elle congneust quelque signe de sa mauvaise volunté, ne povant croyre, par choses petites, que son desir peust aller jusques au criminel; mais sa patience fut si longue et sa nature si fragille, qu'elle convertit sa collere en ung plaisir trop abominable, obliant le nom de mere. Et, tout ainsy que l'eaue par force retenue court avecq plus d'impetuosité quant on la laisse aller, que celle qui court ordinairement [520], ainsy ceste pauvre dame tourna sa gloire à la contraincte qu'elle donnoit à son corps. Quant elle vint à descendre le premier degré de son honnesteté, se trouva soubdainement

a. si vous l'accusez d'un tel cas.

portée jusques au dernier. Et, en ceste nuict là, engrossa de celluy, lequel elle vouloit garder d'engrossir les autres[521]. Le peché ne fut pas si tost faict, que le remors de conscience l'esmeut à ung si grand torment, que la repentance ne la laissa toute sa vie, qui fut si aspre à ce commencement, qu'elle se leva d'auprès de son filz, lequel avoit tousjours pensé que ce fust sa damoiselle et entra en ung cabinet, où, rememorant sa bonne deliberation et sa meschante execution, passa toute la nuyct à pleurer et crier toute seulle. Mais, en lieu de se humillier et recongnoistre l'impossibilité de nostre chair, qui sans l'ayde de Dieu ne peult faire que peché, voulant par elle-mesmes et par ses larmes satisfaire au passé et par sa prudence eviter le mal de l'advenir, donnant tousjours l'excuse de son peché à l'occasion et non à la malice, à laquelle n'y a remede que la grace de Dieu, pensa de fairechose parquoy à l'advenir ne sçauroit plus tumber en tel inconvenient. Et, comme s'il n'y avoit que une espece de peché à damner la personne, mist toutes ses forces à eviter cestuy-là seul. Mais la racine de l'orgueil que le peché exterieur doibt guerir, croissoit tousjours, en sorte que, en evitant ung mal, elle en feit plusieurs aultres; car, le lendemain au matin, sitost qu'il fut jour, elle envoya querir le gouverneur de son filz et luy dist : « Mon filz commence à croistre, il est temps de le mectre hors de la maison. J'ay ung mien parent qui est delà les montz avecq monseigneur le grand-maistre de Chaulmont [522], lequel se nomme le cappitaine de Montesson [523], qui sera très ayse de le prendre en sa compaignye. Et pour ce, dès ceste heure icy, emmenez-le, et, afin que je n'aye nul regret à luy, gardez qu'il ne me vienne dire adieu. » En ce disant, luy bailla argent necessaire pour faire son voiage. Et, dès le matin, feit partir le jeune homme, qui en fut fort ayse, car il ne desiroit autre chose que, après la joyssance de s'amye, s'en aller à la guerre.

La dame demoura longuement en grande tristesse et melencolye; et n'eust esté la craincte de Dieu, eust maintesfois desiré la fin du malheureux fruict dont elle estoit pleine. Elle faingnyt d'estre mallade, affin qu'elle vestist son manteau, pour couvrir son imperfection, et quant elle fust preste d'accoucher, regarda qu'il n'y avoit homme au monde en qui elle eust tant de fiance que en ung sien frere bastard, auquel elle avoit faict beaucoup de biens [524];

et luy compta sa fortune, mais elle ne dist pas que ce fust de son filz, le priant de vouloir donner secours à son honneur, ce qu'il feit; et, quelques jours avant qu'elle deust accoucher, la pria de vouloir changer l'air de sa maison et qu'elle recouvreroit plus tost sa santé en la sienne. Alla en bien petite compaignye, et trouva là une saige femme, venue pour la femme de son frere, qui, une nuyct, sans la congnoistre, receut son enffant, et se trouva une belle fille. Le gentil homme la bailla à une nourrisse et la feit nourrir soubz le nom d'estre sienne. La dame, ayant là demeuré ung mois, s'en alla toute saine en sa maison où elle vesquit plus austerement que jamais, en jeusnes et disciplines. Mais, quant son filz vint à estre grand, voyant que pour l'heure n'y avoit guerre en Itallye, envoya suplier sa mere luy permectre de retourner en sa maison. Elle, craingnant de retomber en tel mal dont elle venoit, ne le voulut permectre, sinon qu'en la fin il la pressa si fort, qu'elle n'avoit aucune raison de luy refuser son congé; mais elle luy manda qu'il n'eust jamais à se trouver devant elle, s'il n'estoit marié à quelque femme qu'il aymast bien fort, et qu'il ne regardast poinct aux biens, mais qu'elle fut gentille femme, c'estoit assez. Durant ce temps, son frere bastard, voiant la fille qu'il avoit en charge devenue grande et belle en parfection, pensa de la mectre en quelque maison bien loing, où elle seroit incongneue, et, par le conseil de la mere, la donna à la Royne de Navarre, nommée Catherine[525]. Ceste fille vint à croistre jusques à l'aage de douze à treize ans; et fut si belle et honneste, que la Royne de Navarre luy portoit grande amityé, et desiroit fort de la marier bien et haultement. Mais, à cause qu'elle estoit pauvre, se trouvoit trop de serviteurs, mais poinct de mary. Ung jour, advint que le gentil homme qui estoit son pere incongneu, retournant delà les montz, vint en la maison de la Royne de Navarre, où, sitost qu'il eust advisé sa fille, il en fut amoureux. Et, pour ce qu'il avoit congé de sa mere d'espouser telle femme qu'il luy plairoit, ne s'enquist, sinon si elle estoit gentille femme; et sçachant que ouy, la demanda pour femme à la dicte Royne, qui, très voluntiers la luy bailla, car elle sçavoit bien que le gentil homme estoit riche et, avecq la richesse, beau et honneste.

Le mariage consommé, le gentil homme rescripvit à sa

mere, disant que doresnavant ne luy povoit nyer la porte de sa maison, veu qu'il luy menoit une belle fille aussi parfaicte que l'on sçauroit desirer. La dame, qui s'enquist quelle alliance il avoit prinse, trouva que c'estoit la propre fille d'eulx deux, dont elle eut ung deuil si desesperé, qu'elle cuyda mourir soubdainement, voyant que tant plus donnoit d'empeschement à son malheur, et plus elle estoit le moïen dont augmentoit. Elle, qui ne sceut aultre chose faire, s'en alla au legat d'Avignon, auquel elle confessa l'enormité de son peché, demandant conseil comme elle se debvoit conduire. Le legat, satisfaisant à sa conscience, envoia querir plusieurs docteurs en theologie, auxquels il communicqua l'affaire, sans nommer les personnaiges; et trouva, par leur conseil, que la dame ne debvoit jamais rien dire de ceste affaire à ses enffans, car, quant à eulx, veu l'ignorance, ilz n'avoient point peché, mais qu'elle en debvoit toute sa vie faire penitence, sans leur en faire ung seul semblant. Ainsy s'en retourna la pauvre dame en sa maison; où bientost après arriverent son filz et sa belle fille, lesquelz s'entre-aymoient si fort que jamais mary ny femme n'eurent plus d'amitié et semblance, car elle estoit sa fille, sa seur et sa femme, et luy à elle, son pere, frere et mary [526]. Ilz continuerent tousjours en ceste grande amityé, et la pauvre dame, en son extresme penitence, ne les voyoit jamais faire bonne chere, qu'elle ne se retirast pour pleurer.

« Voylà, mes dames, comme il en prent à celles qui cuydent [a] par leurs forces et vertu vaincre amour et nature avecq toutes les puissances que Dieu y a mises. Mais le meilleur seroit, congnoissant sa foiblesse, ne jouster poinct contre tel ennemy, et se retirer au vray Amy et luy dire avecq le Psalmiste : « Seigneur, je souffre force, respondez pour moy [527] ! » — Il n'est pas possible, dist Oisille, d'oyr racompter ung plus estrange cas que cestuy-ci. Et me semble que tout homme et femme doibt icy baisser la teste soubz la craincte de Dieu, voyant que, pour cuyder bien faire, tant de mal est advenu. — Sçachez, dist Parlamente, que le premier pas que l'homme marche en la confiance de soymesmes, s'esloigne d'autant de la confiance de Dieu. — Celluy est saige, dist Geburon, qui ne congnoist ennemy

a. pensent.

que soy-mesmes et qui tient sa volunté et son propre conseil pour suspect. — Quelque apparence de bonté et de sainctеté qu'il y ayt, dist Longarine, il n'y a apparence de bien si grand qui doibve faire hazarder une femme de coucher avecq ung homme, quelque parent qu'il luy soit, car le feu auprès des estouppes n'est point seur. — Sans poinct de faulte, dist Ennasuitte, ce debvoit estre quelque glorieuse folle, qui, par sa resverie des Cordeliers [a], pensoit estre si saincte qu'elle estoit impecable, comme plusieurs d'entre eulx veullent persuader à croyre que par nous-mesmes le povons estre, qui est ung erreur trop grand. — Est-il possible, Longarine, dist Oisille, qu'il y en ayt d'assez folz pour croyre ceste opinion ? — Ilz font bien mieulx, dist Longarine, car ilz disent qu'il se fault habituer à la vertu de chasteté, et, pour esprouver leurs forces, parlent avecq les plus belles qui se peuvent trouver et qu'ilz ayment le mieulx; et, avecq baisers et attouchemens de mains, experimentent si leur chair est en tout morte. Et quant par tel plaisir ilz se sentent esmouvoir, ilz se separent, jeusnent et prennent de grandes disciplines. Et quant ilz ont matté leur chair jusques là, et que pour parler ne baiser, ilz n'ont poinct devotion [528], ilz viennent à essayer la forte tentation qui est de coucher ensemble et s'embrasser sans nulle concupiscence. Mais, pour ung qui en est eschappé, en sont venuz tant d'inconveniens, que l'archevesque de Millan, où ceste religion s'exerceoit, fut contrainct de les separer et mectre les femmes au couvent des femmes et les hommes au couvent des hommes [529]. — Vrayement, dist Geburon, c'est bien l'extremité de la folye de se voulloir randre de soy-mesmes impecable et cercher si fort les occasions de pecher ! » Ce dist Saffredent : « Il y en a qui font au contraire, car ilz fuyent tant qu'ilz peuvent les occasions : encores la concupiscence les suict. Et le bon sainct Jherosme, après s'estre bien foueté et s'estre caché dedans les desers, confessa ne povoir eviter le feu qui brusloit dedans ses moelles. Parquoy se fault recommander à Dieu, car, s'il ne nous tient à force, nous prenons grand plaisir à tresbucher. — Mais vous ne regardez pas ce que je voy, dist Hircan : c'est que tant que nous avons racompté noz histoires, les moynes, derriere ceste haye,

a. pleine d'illusions après ce que lui avaient dit les moines.

n'ont poinct ouy la cloche de leurs vespres, et maintenant, quant nous avons commencé à parler de Dieu, ilz s'en sont allez et sonnent à ceste heure le second coup. — Nous ferons bien de les suyvre, dist Oisille, et d'aller louer Dieu, dont nous avons passé ceste Journée aussi joyeusement qu'il est possible. » Et, en ce disant, se leverent et s'en allerent à l'eglise, où ilz oyrent devotement vespres. Et après, s'en allèrent soupper, debatans des propos passez, et rememorans plusieurs cas advenuz de leur temps, pour veoir lesquelz seroient dignes d'estre retenuz. Et après avoir passé joyeusement tout le soir, allerent prendre leur doulx repoz, esperans le lendemain ne faillir à continuer l'entreprinse qui leur estoit si agreable. Ainsy fut mis fin à la tierce Journée.

FIN DE LA TROISIESME JOURNÉE.

LA QUATRIESME JOURNÉE

EN LA QUATRIESME JOURNÉE, ON DEVISE PRINCIPALEMENT DE LA VERTUEUSE PATIENCE ET LONGUE ATTENTE DES DAMES POUR GAINGNER LEURS MARYS; ET LA PRUDENCE DONT ONT USÉ LES HOMMES ENVERS LES FEMMES, POUR CONSERVER L'HONNEUR DE LEURS MAISONS ET LIGNAGE.

PROLOGUE

MADAME Oisille, selon sa bonne coustume, se leva le lendemain beaucoup plus matin que les autres, et, en meditant son livre de la Saincte Escripture, attendit la compaignye, qui peu à peu se rassembla. Et les plus paresseux s'excuserent sur la parolle de Dieu, disans : « J'ay une femme, je n'y puis aller si tost [530]. » Parquoy, Hircan et sa femme Parlamente trouverent la leçon bien commancée. Mais Oisille sceut très bien sercher le passaige où l'Escripture reprent ceulx qui sont negligens d'oyr ceste saincte parolle; et non seullement leur lisoit le texte et leur faisoit tant de bonnes et sainctes expositions qu'il n'estoit possible de s'ennuyer à l'oyr. La leçon [a] finye, Parlamente luy dist : « J'estois marrye d'avoir esté paresseuse quand je suis arrivée icy; mais puisque ma faulte est occasion de vous avoir faict si bien parler à moy, ma paresse m'a doublement proffité, car j'ay eu repos de corps à dormir davantaige et d'esperit à vous oyr si bien dire. » Oisille luy dist : « Or, pour penitence, allons à la messe prier Nostre Seigneur nous donner la volunté et le moïen d'executer ses commandemens; et puis, qu'il commande ce qu'il luy plaira. » En disant ces parolles, se trouverent à l'eglise, où il oyrent la messe devotement; et après se misrent à table, où Hircan n'oblia poinct à se mocquer de la paresse de sa femme. Après le disner, s'en allerent reposer pour estudier leur

a. lecture.

rolle [531]; et quant l'heure fut venue, se trouverent au lieu accoustumé. Oisille demanda à Hircan à qui il donnoit sa voix pour commencer la Journée : « Si ma femme, dist-il, n'eust commencé celle d'hier, je luy eusse donné ma voix, car, combien que j'ay tousjours pensé qu'elle m'ayt aymé plus que tous les hommes du monde, si est-ce que à ce matin elle m'a monstré m'aymer mieulx que Dieu ne sa parolle, laissant vostre bonne leçon pour me tenir compaignye; mais, puisque je ne la puys bailler à la plus saige de la compaignye, je la bailleray au plus saige d'entre nous, qui est Geburon. Mais je le prie qu'il n'espargne poinct les religieux. » Geburon luy dist : « Il ne m'en falloit poinct prier; je les avois bien pour recommandez, car il n'y a pas long temps que j'en ay oy faire ung compte à Monsieur de Saint Vincent [532], ambassadeur de l'Empereur, qui est digne de n'estre mys en obly et je le vous voys racompter [533]. »

TRENTE ET UNIESME NOUVELLE

Un monastere de Cordeliers fut bruslé avec les moynes qui estoyent dedans, en memoire perpetuelle de la cruauté dont usa un cordelier amoureux d'une damoyselle [534].

Aux terres subjectes à l'empereur Maximilian d'Autriche y avoit ung couvent de Cordeliers fort estimé, auprès duquel ung gentil homme avoit sa maison. Et avoit prins telle amitié aux religieux de leans, qu'il n'avoit bien qu'il ne leur donnast pour avoir part en leurs biensfaicts, jeusnes et disciplines. Et, entre autres, y avoit leans ung grand et beau Cordelier que le dict gentil homme avoit prins pour son confesseur, lequel avoit telle puissance de commander en la maison du dict gentil homme, comme luy-mesmes. Ce Cordelier, voyant la femme de ce gentil homme tant belle et saige qu'il n'estoit possible de plus, en devint si fort amoureux, qu'il en perdit boyre, manger et toute raison naturelle. Et, ung jour, deliberant d'executer son entreprinse, s'en alla tout seul en la maison du gentil homme, et, ne le trouvant poinct, demanda à la damoiselle où il estoit allé. Elle lui dist qu'il estoit allé en une terre où il debvoit demeurer deux ou trois jours, mais que, s'il avoit affaire à luy, qu'elle lui envoyroit homme exprès. Il dist que non et commencea à aller et venir par la maison, comme homme qui avoit quelque affaire d'importance en son entendement. Et, quant il fut sailly [a] hors de la chambre, elle dist à l'une de ses femmes, dont elle n'avoit que deux : « Allez après le beau pere et sçachez que c'est qu'il veult, car je luy trouve le visaige d'un homme qui n'est pas content. » La chamberiere s'en vat à la court, luy demander s'il voulloit riens; il luy dist que ouy, et, la tirant en ung coing, print ung poignart qu'il avoit en sa manche, et luy mist dans la gorge. Ainsy qu'il eut achevé, arriva en la court ung serviteur à cheval, lequel venoit de querir la rente d'une ferme. Incontinant qu'il fut à pied, salua le Cordelier, qui, en l'embrassant, luy mist par derriere le poignart en la gorge et ferma la porte du chasteau sur luy. La damoiselle, voyant que sa chamberiere ne revenoit poinct, s'esbahit pourquoy elle demeuroit tant avecq ce Cordelier; et dist à l'autre chamberiere : « Allez veoir à quoy il tient que vostre compaigne ne vient ? » La chamberiere s'en vat, et, si tost que le beau pere la veit, il la tira à part en ung coing, et feit comme de sa compaigne. Et, quant il se veid seul en la maison, s'en vint à la damoiselle et luy dist qu'il y avoit longtemps qu'il estoit amoureux d'elle et que l'heure estoit venue qu'il falloit qu'elle luy obeist. La damoiselle, qui ne s'en fust jamais doubtée, luy dist : « Mon pere, je croy que si j'avois une volunté si malheureuse, que me vouldriez lapider le premier. » Le religieux luy dist : « Sortez en ceste court, et vous verrez ce que j'ay faict. » Quant elle veid ses deux chamberieres et son varlet mortz, elle fut si très effroyée de paour, qu'elle demeura comme une statue sans sonner mot. A l'heure, le meschant, qui ne vouloit poinct joyr pour une heure, ne la voulut prendre par force, mais lui dist : « Madamoiselle, n'ayez paour; vous estes entre les mains de l'homme du monde qui plus vous ayme. » Disant cella, il despouilla son grand habit, dessoubz lequel en avoit vestu ung petit, lequel il presenta à la damoiselle, en luy disant que, si elle ne le prenoit, il la mectroit au rang des trespassez qu'elle voyoit devant ses oeilz.

La damoiselle, plus morte que vive, delibera de faindre

a. sorti.

luy vouloir obeyr, tant pour saulver sa vye que pour gaingner le temps qu'elle esperoit que son mary reviendroit. Et, par le commandement du dict Cordelier, commencea à se descoueffer le plus longuement qu'elle peut; et quant elle fut en cheveulx, le Cordelier ne regarda à la beaulté qu'ilz avoient, mais les couppa hastivement; et ce faict, la feit despouiller tout en chemise et lui vestit le petit habit qu'il portoit, reprenant le sien accoustumé; et le plus tost qu'il peut, s'en part de leans, menant avecq luy son petit Cordelier que si long temps il avoit desiré. Mais Dieu, qui a pitié de l'innocent en tribulation, regarda les larmes de ceste pauvre damoiselle, en sorte que le mary, ayant faict ses affaires plus tost qu'il ne cuydoit, retourna en sa maison par le mesme chemyn où sa femme s'en alloit. Mais, quant le Cordelier l'apparceut de loing, il dist à la damoiselle : « Voici votre mary que je voy venir ! Je sçay que, si vous le regardez, il vous vouldra tirer hors de mes mains; parquoy marchez devant moy et ne tournez la teste nullement du cousté de là où il yra, car, si vous faictes un seul signe, j'auray plus tost mon poignart en vostre gorge, qu'il ne vous aura delivrée de mes mains. » En ce disant, le gentil homme approcha et luy demanda d'ont il venoit; il luy dist : « De vostre maison, où j'ay laissé Madamoiselle qui se porte très bien et vous attend. »

Le gentil homme passa oultre, sans apparcevoir sa femme; mais ung serviteur, qui estoit avecq luy, lequel avoit tousjours accoustumé d'entretenir le compaignon du Cordelier, nommé frere Jehan, commencea à appeler sa maistresse, pensant que ce fut frere Jehan. La pauvre femme, qui n'osoit tourner l'oeil du costé de son mary, ne luy respondit mot; mais son varlet, pour le veoir au visaige, traversa le chemyn, et, sans respondre rien, la damoiselle luy feit signe de l'oeil, qu'elle avoit tout plain de larmes. Le varlet s'en vat après son maystre et luy dist : « Monsieur, en traversant le chemyn, j'ay advisé [a] le compaignon du Cordelier, qui n'est poinct frere Jehan, mais ressemble tout à faict à Madamoiselle vostre femme, qui avecq un oeil plain de larmes m'a gecté ung piteux regard. » Le gentil homme luy dit qu'il resvoit et n'en tint compte; mais le varlet, persistant, le supplia luy donner congé d'aller

a. regardé avec attention.

après et qu'il actendist au chemyn veoir si c'estoit ce qu'il pensoit. Le gentil homme luy accorda et demeura pour veoir que son varlet luy apporteroit. Mais quand le Cordelier ouyt derriere luy le varlet qui appeloit frere Jehan, se doubtant que la damoiselle eust esté cogneue, vint avecq ung grand baston ferré qu'il tenoit, et en donna ung si grand coup par le cousté au varlet, qu'il l'abbatit du cheval à terre; incontinant saillit sur son corps et luy couppa la gorge. Le gentil homme, qui de loing veit tresbucher son varlet, pensant qu'il fust tumbé par quelque fortune, court après pour le relever. Et, si tost que le Cordelier le veit, il luy donna de son baston ferré, comme il avoit faict à son varlet, et le gecta par terre, et se gecta sur luy. Mais le gentil homme, qui estoit fort et puissant, embrassa le Cordelier de telle sorte qu'il ne luy donna povoir de luy faire mal, et luy feit saillir le poingnart des poingz, lequel sa femme incontinant alla prendre et le bailla à son mary, et de toute sa force tint le Cordelier par le chapperon. Et le mary luy donna plusieurs coups de poingnart, en sorte qu'il luy requit pardon et confessa sa meschanceté. Le gentil homme ne le voulut poinct tuer, mais pria sa femme d'aller en sa maison querir ses gens et quelque charrette pour le mener, ce qu'elle feit : despouillant son habit, courut tout en chemise, la teste raze, jusques en sa maison. Incontinant accoururent tous ses gens pour aller à leur maistre luy aider à admener le loup qu'il avoit prins; et le trouverent dans le chemyn, où il fut prins, lyé et mené en la maison du gentil homme; lequel après le feit conduire en la justice de l'Empereur en Flandres, où il confessa sa mauvaise volunté. Et fut trouvé, par sa confession et preuve, qui fut faicte par commissaires, sur le lieu, que en ce monastere y avoit esté mené ung grand nombre de gentilz femmes et autres belles filles, par les moyens que ce Cordelier y vouloit mener ceste damoiselle; ce qu'il eut faict, sans la grace de Nostre Seigneur, qui ayde tousjours à ceulx qui ont esperance en luy. Et fut le dit monastere spolyé de ses larcins et des belles filles qui estoient dedans, et les moynes y enfermez dedans bruslerent avecq le dit monastere, pour perpetuelle memoire de ce cryme, par lequel se peult congnoistre qu'il n'y a rien plus dangereux qu'amour, quant il est fondé sur vice, comme il n'est rien plus humain ne louable, que quant il habite en ung cueur vertueulx [535].

« Je suis bien marry, mes dames, de quoy la verité ne nous amene des comptes autant à l'advantaige des Cordeliers, comme elle faict à leur desadvantaige, car ce me seroit grand plaisir, pour l'amour que je porte à leur ordre, d'en sçavoir quelcun où je les puisse bien louer; mais nous avons tant juré de dire verité, que je suis contrainct, après le rapport de gens si dignes de foy, de ne la celler, vous asseurant, quant les religieux feront acte de memoire à leur gloire, que je mectray grand peyne à leur faire trouver beaucoup meilleur que je n'ay faict à dire la verité de ceste-cy. — En bonne foy, Geburon, dit Oisillé, voylà ung amour qui se debvoit nommer cruaulté ? — Je m'esbahys, dist Simontault, comment il eut la patience, la voyant en chemise et ou lieu où il en povoit estre maistre, qu'il ne la print par force. — Il n'estoit friant, dist Saffredent, mais il estoit gourmant, car, pour l'envye qu'il avoit de s'en souller tous les jours, il ne se voulloit poinct amuser d'en taster. — Ce n'est poinct cela, dist Parlamente, mais entendez que tout homme furieux est tousjours paoureux, et la craincte qu'il avoit d'estre surprins et qu'on lui ostast sa proye, lui faisoit emporter son aigneau, comme ung loup sa brebis, pour la menger à son ayse. — Toutesfois, dist Dagoucin, je ne sçaurois croyre qu'il ne luy portast amour, et aussy que, en ung cueur si villain que le sien, ce vertueux dieu n'y eust sceu habiter. — Quoy que soit, dist Oisille, il en fut bien pugny. Je prie à Dieu que de pareilles entreprinses puissent saillir telles pugnitions [536]. Mais à qui donnerez-vous vostre voix ? — A vous, Madame, dist Geburon : vous ne fauldrez de nous en dire quelque bonne. — Puis que je suys en mon ranc, dist Oisille, je vous en racompteray une bonne, pour ce qu'elle est advenue de mon temps et que celluy-mesmes qui l'a veue me l'a comptée. Je suis seure que vous ne ignorez poinct que la fin de tous noz malheurs est la mort, mays, mectant fin à nostre malheur, elle se peut nommer notre felicité et seur repos. Le malheur doncques de l'homme, c'est desirer la mort et ne la pouvoir avoir; parquoy la plus grande punicion que l'on puisse donner à ung malfaiteur n'est pas la mort [537], mais c'est de donner ung tourment continuel si grand, que il la faict desirer, et si petit, qu'il ne la peult advancer, ainsy que ung mary bailla à sa femme comme vous orez. »

TRENTE DEUXIESME NOUVELLE

Bernage, ayant connu en quelle patience et humilité une damoyselle d'Allemagne recevoit l'estrange penitence que son mary luy faisoit faire pour son incontinence, gaingna ce poinct sur luy, qu'oublyant le passé, eut pitié de sa femme, la reprint avec soy et en eut depuis de fort beaulx enfans [538].

Le Roy Charles, huictiesme de ce nom, envoya en Allemaigne ung gentil homme, nommé Bernage [539], sieur de Sivray, près Amboise, lequel pour faire bonne dilligence, n'epargnoit jour ne nuyct, pour advancer son chemyn, en sorte que, ung soir, bien tard, arriva en un chasteau d'un gentil homme, où il demanda logis : ce que à grand peyne peut avoir. Toutesfois, quant le gentil homme entendyt qu'il estoit serviteur d'un tel Roy, s'en alla au devant de luy, et le pria de ne se mal contanter de la rudesse de ses gens, car, à cause de quelques parens de sa femme qui luy vouloient mal, il estoit contrainct tenir ainsy la maison fermée. Aussi, le dict Bernage luy dist l'occasion de sa legation : en quoy le gentil homme s'offryt de faire tout service à luy possible au Roy son maistre, et le mena dedans sa maison, où il le logea et festoya honorablement.

Il estoit heure de soupper; le gentil homme le mena en une belle salle tendue de belle tapisserye. Et, ainsy que la viande [a] fut apportée sur la table, veid sortyr de derriere la tapisserye une femme, la plus belle qu'il estoit possible de regarder, mais elle avoit sa teste toute tondue, le demeurant du corps habillé de noir à l'alemande. Après que le dict seigneur eut lavé avecq le seigneur de Bernaige, l'on porta l'eaue à ceste dame, qui lava et s'alla seoir au bout de la table, sans parler à nulluy [b], ny nul à elle. Le seigneur de Bernaige la regarda bien fort, et luy sembla une des plus belles dames qu'il avoit jamais veues, sinon qu'elle avoit le visaige bien pasle et la contenance bien triste. Après qu'elle eut mengé ung peu, elle demanda à boyre, ce que luy apporta ung serviteur de leans dedans ung esmerveillable vaisseau [c], car c'estoit la teste d'un mort, dont les oeilz [540] estoient bouchez d'argent : et ainsy beut deux ou trois foys.

a. les plats. — *b.* aucun, personne. — *c.* une étonnante coupe à boire.

La damoiselle, après qu'elle eut souppé et faict laver les mains, feit une reverance au seigneur de la maison et s'en retourna derriere la tapisserye, sans parler à personne. Bernaige fut tant esbahy de veoir chose si estrange, qu'il en devint tout triste et pensif. Le gentil homme, qui s'en apperçeut, luy dist : « Je voy bien que vous vous estonnez de ce que vous avez veu en ceste table; mais, veu l'honnesteté que je treuve en vous, je ne vous veulx celer que c'est, afin que vous ne pensiez qu'il y ayt en moy telle cruaulté sans grande occasion. Ceste dame que vous avez veu est ma femme, laquelle j'ay plus aymée que jamais homme pourroit aymer femme, tant que, pour l'espouser, je oubliay toute craincte, en sorte que je l'amenay icy dedans, maulgré ses parens. Elle aussy, me monstroit tant de signes d'amour, que j'eusse hazardé dix mille vyes pour la mectre ceans à son ayse et à la myenne; où nous avons vescu ung temps à tel repos et contentement, que je me tenois le plus heureux gentil homme de la chrestienté. Mais, en ung voiage que je feis, où mon honneur me contraingnit d'aller, elle oublia tant son honneur, sa conscience et l'amour qu'elle avoit en moy, qu'elle fut amoureuse d'un jeune gentil homme que j'avois nourry ceans; dont, à mon retour, je me cuydai apercevoir [a]. Si est-ce que l'amour que je lui portois estoit si grand, que je ne me povois desfier d'elle jusques à la fin que l'experience me creva les oeilz, et veiz ce que je craingnois plus que la mort. Parquoy, l'amour que je luy portois fut convertie en fureur et desespoir, en telle sorte que je la guettay de si près, que, ung jour, faingnant aller dehors, me cachay en la chambre où maintenant elle demeure, où, bientost après mon partement, elle se retira et y feit venir ce jeune gentil homme, lequel je veiz entrer avec la privaulté qui n'appartenoyt que à moi avoir à elle. Mais, quant je veiz qu'il vouloit monter sur le lict auprès d'elle, je saillys dehors et le prins entre ses bras, où je le tuay. Et, pour ce que le crime de ma femme me sembla si grand que une telle mort n'estoit suffisante pour la punir, je luy ordonnay une peyne que je pense qu'elle a plus desagreable que la mort : c'est de l'enfermer en la dicte chambre où elle se retiroit pour prandre ses plus grandes delices et en la compaignye de celluy qu'elle aymoit trop mieulx que moy;

a. je pensais à en avoir la preuve.

auquel lieu je lui ay mis dans une armoyre tous les oz de son amy, tenduz comme chose pretieuse en ung cabinet. Et, affin qu'elle n'en oblye la memoire, en beuvant et mangeant, luy faictz servir à table, au lieu de couppe, la teste de ce meschant; et là, tout devant moy, afin qu'elle voie vivant celluy qu'elle a faict son mortel ennemy par sa faulte, et mort pour l'amour d'elle celluy duquel elle avoit preferé l'amityé à la myenne. Et ainsy elle veoit à disner et à soupper les deux choses qui plus luy doibvent desplaire : l'ennemy vivant et l'amy mort, et tout, par son peché. Au demorant, je la traicte comme moy-mesmes synon qu'elle vat tondue, car l'arraiement [a] [541] des cheveulx n'apartient à l'adultaire, ny le voyle à l'impudicque. Parquoy s'en vat rasée, monstrant qu'elle a perdu l'honneur de la virginité et pudicité. S'il vous plaist de prendre la peyne de la veoir, je vous y meneray. »

Ce que feit voluntiers Bernaige : lesquelz descendirent à bas et trouverent qu'elle estoit en une tres belle chambre, assise toute seulle devant ung feu. Le gentil homme tira ung rideau qui estoit devant une grande armoyre, où il veid penduz tous les oz d'un homme mort. Bernaige avoit grande envie de parler à la dame, mais, de paour du mary, il n'osa. Le gentil homme, qui s'en apparceut, luy dist : « S'il vous plaist luy dire quelque chose, vous verrez quelle grace et parolle elle a. » Bernaige luy dist à l'heure : « Madame, vostre patience est egalle au torment. Je vous tiens la plus malheureuse [542] femme du monde. » La dame, ayant la larme à l'oeil, avecq une grace tant humble qu'il n'estoit possible de plus, luy dist : « Monsieur, je confesse ma faulte estre si grande, que tous les maulx, que le seigneur de ceans (lequel je ne suis digne de nommer mon mary) me sçauroit faire, ne me sont riens au prix du regret que j'ay de l'avoir offensé. » En disant cela, se print fort à pleurer. Le gentil homme tira Bernaige par le bras et l'emmena. Le lendemain au matin, s'en partit pour aller faire la charge que le Roy luy avoit donnée. Toutesfois, disant adieu au gentil homme, ne se peut tenir de luy dire : « Monsieur, l'amour que je vous porte et l'honneur et privaulté que vous m'avez faicte en vostre maison, me contraingnent à vous dire qu'il me semble, veu la grande

a. l'arrangement.

repentance de vostre pauvre femme, que vous luy debvez user de misericorde; et aussy, vous estes jeune, et n'avez nulz enfans; et seroit grand dommaige de perdre une si belle maison que la vostre, et que ceulx qui ne vous ayment peut-estre poinct, en fussent heritiers. » Le gentil homme, qui avoit deliberé de ne parler jamais à sa femme, pensa longuement aux propos que luy tint le seigneur de Bernaige; et enfin congneut qu'il disoit verité, et luy promist que, si elle perseveroit en ceste humilité, il en auroit quelquefois pitié. Ainsi s'en alla Bernaige faire sa charge. Et quant il fut retourné devant le Roi son maistre, luy feit tout au long le compte que le prince trouva tel comme il disoit; et, en autres choses, ayant parlé de la beaulté de la dame, envoya son painctre, nommé Jehan de Paris [543], pour luy rapporter ceste dame au vif. Ce qu'il feit après le consentement de son mary, lequel, après longue penitence, pour le desir qu'il avoit d'avoir enfans et pour la pitié qu'il eut de sa femme, qui en si grande humilité recepvoit ceste penitence, il la reprint avecq soy, et en eut depuis beaucoup de beaulx enfans.

« Mes dames, si toutes celles à qui pareil cas est advenu beuvoient en telz vaisseaulx, j'aurois grand paour que beaucoup de coupes dorées seroient converties en testes de mortz. Dieu nous en veulle garder, car, si sa bonté ne nous retient, il n'y a aucun d'entre nous qui ne puisse faire pis; mais, ayant confiance en luy, il gardera celles qui confessent ne se pouvoir par elles-mesmes garder; et celles qui se confient en leurs forces sont en grand dangier d'estre tentées jusques à confesser leur infirmité. Et en est veu plusieurs qui ont tresbuché en tel cas, dont l'honneur saulvoit celles que l'on estimoit les moins vertueuses; et dist le viel proverbe : *Ce que Dieu garde est bien gardé.* — Je trouve, dist Parlamente, ceste punition autant raisonnable qu'il est possible; car, tout ainsy que l'offence est pire que la mort, aussy est la pugnition pire que la mort. » Dist Ennasuitte : « Je ne suis pas de vostre opinion, car j'aymerois mieulx toute ma vie veoir les oz de tous mes serviteurs en mon cabinet, que de mourir pour eulx, veu qu'il n'y a mesfaict qui ne se puisse amender; mais, après la mort, n'y a poinct d'amendement. — Comment sçauriez-vous amender la honte ? dist Longarine, car vous sçavez que, quelque chose que puisse faire une femme après ung tel mesfaict, ne sçauroit reparer son honneur ? — Je vous prye, dist Ennasuitte, dictes-moy si la Magdelaine n'a pas plus d'honneur entre les hommes maintenant, que sa sœur qui estoit vierge ? — Je vous confesse, dist Longarine, qu'elle est louée entre nous de la grande amour qu'elle a portée à Jesus Christ, et de sa grand penitence; mais si luy demeure le nom de *Pecheresse*. — Je ne me soulcie, dist Ennasuitte, quel nom les hommes me donnent, mais que Dieu me pardonne et mon mary aussy. Il n'y a rien pourquoy je voulsisse morir. — Si ceste damoiselle aymoit son mary comme elle debvoit, dist Dagoucin, je m'esbahys comme elle ne mouroit de deuil, en regardant les oz de celluy, à qui, par son peché, elle avoit donné la mort. — Cependant, Dagoucin, dist Simontault, estes-vous encores à sçavoir que les femmes n'ont amour ny regret ? — Je suis encores à le sçavoir, dist Dagoucin, car je n'ay jamais osé tenter leur amour, de paour d'en trouver moins que j'en desire. — Vous vivez donc de foy et d'esperance, dist Nomerfide, comme le pluvier, du vent ? Vous estes bien aisé à nourrir ! — Je me contente, dist-il, de l'amour que je sens en moy et de l'espoir qu'il y a au cœur des dames, mais, si je le sçavois, comme je l'espere, j'aurois si extresme contentement, que je ne le sçaurois porter sans mourir. — Gardez-vous bien de la peste, dist Geburon, car, de ceste malladye là, je vous en asseure [544]. Mais je vouldrois sçavoir à qui madame Oisille donnera sa voix. — Je la donne, dist-elle, à Symontault, lequel je sçay bien qu'il n'espargnera personne. — Autant vault, dist-il, que vous mectez à sus que je suis [a] ung peu medisant ? Si ne lairray-je à vous monstrer que ceulx que l'on disoit mesdisans ont dict verité. Je croy, mes dames, que vous n'estes pas si sottes que de croyre en toutes les Nouvelles que l'on vous vient compter, quelque apparence qu'elles puissent avoir de sainctеté, si la preuve n'y est si grande qu'elle ne puisse estre remise en doubte. Aussy, sous telles especes de miracles, y a souvent des abbuz; et, pour ce, j'ay eu envie de vous racompter ung miracle, qui ne sera moins à la louange d'un prince fidelle, que au deshonneur d'un meschant ministre d'eglise. »

a. vous m'accusiez d'être.

TRENTE TROISIESME NOUVELLE

L'ypocrisye et mechanceté d'un curé, qui, sous le manteau de sainteté, avoit engroissié sa sœur, fut descouverte par la sagesse du comte d'Angoulesme, par le commandement duquel la justice en feit punition [545].

Le conte Charles d'Angoulesme, pere du Roy François, prince fidelle et craingnant Dieu, estoit à Coignac [a], que l'on luy racompta que, en ung villaige près de là, nommé Cherves [546], y avoit une fille vierge vivant si austerement, que c'estoit chose admirable, laquelle toutesfois estoit trouvée grosse. Ce que elle ne dissimuloit poinct [547], et asseuroit tout le peuple que jamais elle n'avoit congneu homme et qu'elle ne sçavoit comme le cas luy estoit advenu, sinon que ce fut œuvre du Sainct Esperit; ce que le peuple croyoit facillement, et la tenoient et reputoient entre eulx comme pour une seconde Vierge Marie, car chascun congnoissoit que dès son enfance elle estoit si saige, que jamais n'eut en elle ung seul signe de mondanité. Elle jeusnoit non seullement les jeusnes commandez de l'Eglise, mais plusieurs foys la sepmaine à sa devotion, et tant que l'on disoit quelque service en l'eglise, elle n'en bougeoit; parquoy sa vie estoit si estimée de tout le commun, que chacun par miracle la venoit veoir; et estoit bien heureux, qui luy povoit toucher la robbe. Le curé de la parroisse estoit son frere, homme d'aage et de bien austere vie, aymé et estimé de ses parroissiens et tenu pour ung sainct homme, lequel tenoit de si rigoreux propos à sa dicte seur, qu'il la feit enfermer en une maison, dont tout le peuple estoit mal contant; et en fut le bruict si grand, que, comme je vous ay dict, les nouvelles en vindrent à l'oreille du Conte. Lequel, voyant l'abbus où tout le peuple estoit [b], desirant les en oster, envoya ung maistre des resquestes et ung aulmosnier, deux fort gens de bien, pour en sçavoir la verité. Lesquelz allerent sur le lieu et se informerent du cas le plus dilligemment qu'ilz peurent, s'adressans au curé, qui estoit tant ennuyé de cest affaire, qu'il les pria d'assister à la veriffication, laquelle il esperoit faire le lendemain.

a. Cognac. — *b*. la façon dont le peuple était trompé.

Ledict curé, dès le matin, chanta la messe où sa seur assista, tousjours à genoulx, bien fort grosse. Et, à la fin de la messe, le curé print le *Corpus Domini*, et, en la presence de toute l'assistance dist à sa seur : « Malheureuse, que tu es, voicy Celluy qui a souffert mort et passion pour toy; devant lequel je te demande si tu es vierge, comme tu m'as tousjours asseuré ? » Laquelle hardiment luy respondit que ouy. « Et comment doncques est-il possible que tu sois grosse et demeurée vierge ? » Elle respondit : « Je n'en puis randre autre raison, sinon que ce soit la grace du Sainct Esperit, qui faict en moy ce qu'il lui plaist; mais, si ne puis-je nyer la grace que Dieu m'a faicte, de me conserver vierge; et n'euz jamais volunté d'estre maryée. » A l'heure, son frere luy dist : « Je te bailleray le corps pretieux de Jesus-Christ, lequel tu prendras à ta damnation, s'il est autrement que tu me le dis, dont Messieurs, qui sont icy presens de par Monseigneur le Conte, seront tesmoings. » La fille, aagée de près de trante ans [548], jura par tel serment : « Je prendz le corps de Nostre Seigneur, icy present devant vous, à ma damnation, devant vous, Messieurs, et vous, mon frere, si jamais homme m'a toucha non plus que vous ! » Et, en ce disant, receut le corps de Nostre Seigneur. Le maistre des requestes et aulmosnier du Conte, ayans veu cella, s'en allerent tous confuz, croyans que avecq tel serment mensonge ne sçauroit avoir lieu. Et en feirent le rapport au Conte, le voulant persuader à croire ce qu'ilz croyoient. Mais luy, qui estoit sage, après y avoir bien pensé, leur fit derechef dire les parolles du jurement, lesquelles ayant bien pensées : « Elle vous a dict, que jamais homme ne luy toucha, non plus que son frere; et je pense, pour verité, que son frere luy a faict cest enffant, et veult couvrir sa meschanceté soubz une si grande dissimulation. Mais, nous, qui croyons ung Jesus-Christ venu, n'en debvons plus attendre d'autre. Parquoy allez-vous-en et mectez le curé en prison. Je suis seur qu'il confessera la verité. » Ce qui fut faict selon son commandement, non sans grandes remontrances pour le scandalle qu'ilz faisoient à cest homme de bien. Et, si tost que le curé fut prins, il confessa sa meschanceté, et comme il avoit conseillé à sa seur de tenir les propos qu'elle tenoit, pour couvrir la vie qu'ilz avoient menée ensemble, non seullement d'une excuse legiere, mais d'un faulx donné à entendre, par lequel ilz demoroient honorez de tout le monde. Et dist, quand on luy meist au devant qu'il avoit esté si meschant de prendre le corps de Nostre Seigneur pour la faire jurer dessus, qu'il n'estoit pas si hardy et qu'il avoit prins ung pain non sacré, ny benist. Le rapport en fut faict au conte d'Angoulesme, lequel commanda à la justice de faire ce qu'il appartenoit. L'on attendit que sa seur fust accouchée; et, après avoir faict ung beau filz, furent bruslez le frere et la seur ensemble, dont tout le peuple eut ung merveilleux esbahissement, ayant veu soubz si sainct manteau ung monstre si horrible, et soubz une vie tant louable et saincte regner ung si detestable vice.

« Voylà, mes dames, comme la foy du bon Conte ne fut vaincue par signes ne miracles exterieurs, sçachant très bien que nous n'avons que ung Saulveur, lequel, en disant : *Consummatum est*, a monstré qu'il ne laissoit poinct de lieu à ung aultre successeur pour faire nostre salut. — Je vous promectz, dist Oisille, que voylà une grande hardiesse pour une extresme ypocrisye, de couvrir, du manteau de Dieu et des vraiz chrestiens, ung peché si enorme. — J'ay oy dire, dist Hircan, que ceulx qui, soubz couleur d'une commission de Roy, font cruaultez et tirannyes, sont puniz doublement pour ce qu'ilz couvrent leur injustice de la justice roialle; aussi, voyez-vous que les ypocrites, combien qu'ilz prosperent quelque temps soubz le manteau de Dieu et de saincteté, si est-ce que, quant le Seigneur Dieu lieve son manteau, il les descouvre et les mect tous nudz. Et, à l'heure, leur nudité, ordure et villenye, est d'autant trouvée plus layde, que la couverture est dicte honnorable. — Il n'est rien plus plaisant, dist Nomerfide, que de parler naïfvement, ainsy que le cueur le pense ! — C'est pour engraisser [549], respondit Longarine, et je croy que vous donnez vostre opinion selon vostre condition. — Je vous diray, dist Nomerfide, je voy que les folz, si on ne les tue, vivent plus longuement que les saiges, et n'y entendz que une raison, c'est qu'ilz ne dissimullent point leurs passions. S'ils sont courroucez, ilz frappent; s'ilz sont joieulx, ilz rient; et ceulx qui cuydent [a] estre saiges dissimullent tant leurs imperfections, qu'ilz en ont tous les

a. pensent.

cueurs empoisonnez. — Et je pense, dist Geburon, que vous dictes verité et que l'ypocrisie, soit envers Dieu, soit envers les hommes ou la Nature, est cause de tous les maulx que nous avons. — Ce seroit belle chose, dist Parlamente, que nostre cueur fust si remply, par foy, de Celluy qui est toute vertu et toute joye, que nous le puissions librement monstrer à chascun. — Ce sera à l'heure, dist Hircan, qu'il n'y aura plus de chair sur noz os. — Si est-ce, dist Oisille, que l'esperit de Dieu, qui est plus fort que la mort, peult mortiffier nostre cueur, sans mutation ne ruyne de corps. — Ma dame, dist Saffredent, vous parlez d'un don de Dieu, qui n'est encores commung aux hommes. — Il est commung, dist Oisille, à ceulx qui ont la foy, mais, pour ce que ceste matiere ne se laisseroit entendre à ceulx qui sont charnelz, sçachons à qui Symontault donne sa voix. — Je la donne, dist Symontault, à Nomerfide; car, puis qu'elle a le cueur joieulx, sa parolle ne sera poinct triste. — Et vrayement, dist Nomerfide, puisque vous avez envie de rire, je vous en voys prester l'occasion, et, pour vous monstrer combien la paour et l'ignorance nuyst, et que faulte d'entendre un propos est souvent cause de beaucoup de mal, je vous diray ce qu'il advint à deux Cordeliers de Nyort, lesquelz, pour mal entendre le langaige d'un boucher, cuyderent morir [550]. »

TRENTE QUATRIESME NOUVELLE

Deux Cordeliers, ecoutans le secret où l'on ne les avoit appelez, pour avoir mal entendu le langage d'un boucher, meirent leur vie en danger [551].

Il y a ung villaige entre Nyort et Fors [552], nommé Grip [553], lequel est au seigneur de Fors. Ung jour, advint que deux Cordeliers, venans de Nyort, arriverent bien tard en ce lieu de Grip et logerent en la maison d'un boucher. Et, pour ce que entre leur chambre et celle de l'hoste n'y avoit que des aiz [a] bien mal joinctz, leur print envye d'escouter ce que le mary disoit à sa femme estans dedans le lict; et vindrent mectre leurs oreilles tout droict au chevet

a. cloisons de bois.

du lict du mary, lequel, ne se doubtant de ses hostes, parloit à sa femme privement de son mesnaige, en luy disant : « M'amye, il me fault demain lever matin pour aller veoir nos Cordeliers, car il y en a ung bien gras, lequel il nous fault tuer; nous le sallerons incontinant et en ferons bien nostre proffict. » Et combien qu'il entendoit de ses pourceaulx, lesquelz il appeloit *cordeliers*, si est-ce que les deux pauvres freres, qui oyoient ceste conjuration, se tindrent tout asseurez que c'estoit pour eulx, et, en grande paour et craincte, attendoient l'aube du jour. Il y en avoit ung d'eulx fort gras et l'autre assez maigre. Le gras se vouloit confesser à son compaignon, disant que ung boucher, ayant perdu l'amour et craincte de Dieu, ne feroit non plus de cas de l'assommer, que ung beuf ou autre beste. Et, veu qu'ilz estoient enfermez en leur chambre, de laquelle ilz ne povoient sortir sans passer par celle de l'hoste, ilz se devoient tenir bien seurs de leur mort, et recommander leurs ames à Dieu. Mais le jeune, qui n'estoit pas si vaincu de paour que son compaignon, luy dist que, puys que la porte leur estoit fermée, falloit essayer à passer par la fenestre, et que aussy bien ilz ne sçauroient avoir pis que la mort. A quoy le gras s'accorda. Le jeune ouvrit la fenestre, et, voyant qu'elle n'estoit trop haulte de terre, saulta legierement en bas et s'enfuyt le plus tost et le plus loing qu'il peut, sans attendre son compaignon, lequel essaya le dangier. Mais la pesanteur le contraingnit de demeurer en bas; car au lieu de saulter, il tumba si lourdement, qu'il se blessa fort en une jambe.

Et, quant il se veid habandonné de son compaignon et qu'il ne le povoit suyvre, regarda à l'entour de luy où il se pourroit cacher, et ne veit rien que ung tect [a] à pourceaulx où il se trayna le mieulx qu'il peut. Et, ouvrant la porte pour se cacher dedans, en eschappa deux grands pourceaulx, en la place desquelz se meist le pauvre Cordelier et ferma le petit huys [b] sur luy, esperant, quant il orroit le bruit des gens passans, qu'il appelleroit et trouveroit secours. Mais, si tost que le matin fut venu, le boucher appresta ses grands cousteaulx et dist à sa femme qu'elle luy tint compaignye pour aller tuer son pourceau gras. Et quant il arriva au tect, auquel le Cordelier s'estoit

a. un réduit à porcs. — *b*. porte.

caché, commencea à cryer bien hault, en ouvrant la petite porte : « Saillez dehors, maistre Cordelier, saillez dehors, car aujourd'huy j'auray de vos boudins ! » Le pauvre Cordelier, ne se pouvant soustenir sur sa jambe, saillyt à quatre piedz hors du tect, criant tant qu'il povoit misericorde. Et, si le pauvre frere eust grand paour, le boucher et sa femme n'en eurent pas moins; car ilz pensoient que sainct François fust courroucé contre eulx de ce qu'ilz nommoient une beste *cordelier*, et se mirent à genoulx devant le pauvre frere, demandans pardon à sainct François et à sa religion [a], en sorte que le Cordelier cryoit d'un costé misericorde au boucher, et le boucher, à luy, d'aultre, tant que les ungs et les aultres furent ung quart d'heure sans se povoir asseurer. A la fin, le beau pere, congnoissant que le boucher ne lui voulut poinct de mal, luy compta la cause pourquoy il s'estoit caché en ce tect, dont leur paour tourna incontinant en ris, sinon que le pauvre Cordelier, qui avoit mal en la jambe, ne se povoit resjouyr. Mais le boucher le mena en sa maison où il le feit très bien panser. Son compaignon, qui l'avoit laissé au besoing, courut toute la nuyct tant, que au matin il vint en la maison du seigneur de Fortz, où il se plaingnoit de ce boucher, lequel il soupsonnoit d'avoir tué son compagnon, veu qu'il n'estoit point venu après luy. Ledict seigneur de Fors envoia incontinant au lieu de Grip, pour en sçavoir la verité, laquelle sceue ne se trouva poinct matiere de pleurer, mais ne faillyt à le racompter à sa maistresse, madame la duchesse d'Angoulesme, mere du Roy Françoys, premier de ce nom.

« Voylà, mes dames, comment il ne faut pas bien escouter le secret là où on n'est poinct appellé, et entendre mal les parolles d'aultruy. — Ne sçavois-je pas bien, dist Simontault, que Nomerfide ne nous feroit poinct pleurer, mais bien fort rire; en quoy il me semble que chascun de nous s'est bien acquicté. — Et qu'est-ce à dire, dist Oisille, que nous sommes plus enclins à rire d'une follye, que d'une chose sagement faicte ? — Pour ce, dist Hircan, qu'elle nous est plus agreable, d'autant qu'elle est plus semblable à nostre nature, qui de soy n'est jamais saige; et chascun

a. son ordre.

prent plaisir à son semblable : les folz, aux folyes, et les saiges, à la prudence. Je croy, dist-il, qu'il n'y a ne saiges ne folz, qui se sceussent garder de rire de ceste histoire. — Il y en a, dist Geburon, qui ont le cueur tant adonné à l'amour de sapience [a], que, pour choses que sceussent oyr, on ne les sçauroit faire rire, car ilz ont une joye en leurs cueurs et ung contentement si moderé, que nul accident ne les peut muer. — Où sont ceulx-là ? dit Hircan. — Les philosophes du temps passé, respondit Geburon, dont la tristesse et la joye est quasi poinct sentie; au moins, n'en monstroient-ilz nul semblant, tant ilz estimoient grand vertu se vaincre eulx-mesmes et leur passion. — Et je trouve aussi bon, comme ilz font, dist Saffredent, de vaincre une passion vicieuse; mais, d'une passion naturelle qui ne tend à nul mal, ceste victoire-là me semble inutille. — Si est-ce, dist Geburon, que les antiens estimoient ceste vertu grande. — Il n'est pas dict aussy, respondit Saffredent, qu'ilz fussent tous saiges, mais y en avoit plus d'apparence de sens et de vertu, qu'il n'y avoit d'effect. — Toutesfois, vous verrez qu'ilz reprennent toutes choses mauvaises, dict Geburon, et mesmes Diogenes marche sur le lict de Platon qui estoit trop curieux à son grey, pour monstrer qu'il desprisoit et vouloit mectre soubz le pied la vaine gloire et convoytise de Platon, en disant : « Je conculque [b] et desprise [554] l'orgueil de Platon. » — Mais vous ne dictes pas tout, dist Saffredent, car Platon luy respondit que c'estoit par ung aultre orgueil [555]. — A dire la verité, dist Parlamente, il est impossible que la victoire de nous-mesmes se face par nous-mesmes, sans ung merveilleux orgueil qui est le vice que chacun doibt le plus craindre, car il s'engendre de la mort et ruyne de toutes les aultres vertuz [556]. — Ne vous ay-je pas leu au matin, dist Oisille, que ceulx qui ont cuydé estre plus saiges que les aultres hommes, et qui, par une lumiere de raison, sont venuz jusques à congnoistre ung Dieu createur de toutes choses, toutesfois, pour s'attribuer ceste gloire et non à Celluy dont elle venoit, estimans par leur labeur avoir gaingné ce sçavoir, ont esté faictz non seulement plus ignorans et desraisonnables que les aultres hommes, mais que les bestes brutes ? Car, ayans erré en leurs esperitz, s'attribuans ce que à Dieu

a. sagesse, sérieux. — *b*. foule aux pieds.

seul appartient, ont monstré leurs erreurs par le desordre de leurs corps, oblians et pervertissans l'ordre de leur sexe, comme sainct Pol aujourd'huy nous monstre en l'epistre qu'il escripvoit aux Romains [557]. — Il n'y a nul de nous, dist Parlamente, qui, par ceste epistre, ne confesse que tous les pechez extérieurs ne sont que les fruictz de l'infelicité [558] interieure, laquelle plus est couverte de vertu et de miracles, plus est dangereuse à arracher. — Entre nous hommes, dist Hircan, sommes plus près de nostre salut, que vous autres, car, ne dissimullans poinct noz fruictz, congnoissons facillement nostre racine; mais, vous qui ne les osez mectre dehors et qui faictes tant de belles œuvres apparantes, à grand peyne congnoistrez-vous ceste racine d'orgueil, qui croist soubz si belle couverture. — Je vous confesse, dist Longarine, que, si la parolle de Dieu ne nous monstre, par la foy, la lepre d'infidelité cachée en nostre cueur, Dieu nous faict grand grace, quant nous tresbuchons en quelque offense visible, par laquelle nostre peste couverte se puisse clairement veoir. Et bien heureux sont ceulx que la foy a tant humilliez, qu'ilz n'ont poinct besoing d'experimenter leur nature pecheresse, par les effectz du dehors [559]. — Mais regardons, dist Simontault, de là où nous sommes venuz : en partant d'une très grande follye, nous sommes tombez en la philosophie et theologie. Laissons ces disputes à ceulx qui sçavent mieulx resver que nous, et sçachons de Nomerfide, à qui elle donne sa voix. — Je la donne, dist-elle, à Hircan, mais je luy recommande l'honneur des dames. — Vous ne le pouvez dire en meilleur endroict, dist Hircan, car l'histoire que j'ay apprestée est toute telle qu'il la fault pour vous obeyr; si est-ce que, par cella, je vous apprendray à confesser que la nature des femmes et des hommes est de soy incline à tout vice, si elle n'est preservée de Celluy à qui l'honneur de toute victoire doibt estre rendu; et pour vous abbatre [566] l'audace que vous prenez, quant on en dit à vostre honneur, je vous en vais montrer un exemple qui est très veritable. »

TRENTE CINQUIESME NOUVELLE

L'opinion d'une dame de Pampelune, qui, cuydant l'amour spirituelle n'estre point dangereuse, s'estoit efforcée d'entrer en la bonne grace d'un Cordelier, fut tellement vaincue par la prudence de son mary, qui, sans luy declarer qu'il entendist rien de son affaire, luy feit mortellement hayr ce que plus elle avoit aymé, et s'addonna entierement à son mary [561].

En la ville de Pampelune, y avoit une dame estimée, belle et vertueuse, et la plus chaste et devote qui fust au pays. Elle aymoit son mary et luy obeissoit si bien, que entierement il se confioit en elle. Ceste dame frequentoit incessamment le service divin et les sermons, et persuadoit son mary et ses enffans à y demeurer comme elle. Laquelle, estant en l'aage de trente ans, que les femmes ont accoustumé de quicter le nom de belles pour estre nommées [562] saiges, en ung premier jour de caresme, alla à l'eglise prendre la memoire de la mort [a], où elle trouva le sermon que commençoit ung Cordelier, tenu de tout le peuple ung sainct homme, pour sa très grande austerité et bonté de vie, qui le randoit maigre et pasle, mais non tant, qu'il ne fust ung des beaulx hommes du monde. La dame escouta devotement son sermon, ayant les oeilz fermes à regarder ceste venerable personne, et l'oreille et l'esprit prest à l'escouter. Parquoy, la doulceur de ses parolles penetra les oreilles de ladicte dame jusques au cueur, et la beaulté et grace de son visaige passa par les oeilz et blessa si fort l'esprit de la dame, qu'elle fut comme une personne ravye. Après le sermon, regarda soingneusement où le prescheur diroit la messe; et là assista et print les cendres de sa main, qui estoit aussi belle et blanche que dame la sçauroit avoir. Ce que regarda plus la devote, que la cendre qu'il luy bailloit. Croyant asseurement que un tel amour spirituel et quelques plaisirs qu'elle en sentoit n'eussent sceu blesser sa conscience, elle ne falloit poinct tous les jours d'aller au sermon et d'y mener son mary; et l'un et l'autre donnoient tant de louange au prescheur, que en tables et ailleurs ilz ne tenoient aultres propos. Ainsy ce feu, soubz

a. c'est-à-dire recevoir les cendres, le lendemain du Mardi-Gras.

tiltre de spirituel, fut si charnel, que le cueur qui en fut si embrasé brusla tout le corps de ceste pauvre dame; et, tout ainsy qu'elle estoit tardive à sentyr ceste flamme, ainsy elle fut prompte à enflamber, et sentyt plus tost le contentement de sa passion, qu'elle ne congneut estre passionnée; et, comme toute surprinse de son ennemy Amour, ne resista plus à nul de ses commandemens. Mais le plus fort estoit que le medecin de ses doulleurs estoit ignorant de son mal. Parquoy, ayant mys dehors toute la craincte qu'elle debvoit avoir de monstrer sa folye devant ung si saige homme, son vice et sa meschanceté à ung si vertueux et homme de bien, se meist à luy escripre l'amour qu'elle luy portoit le plus doulcement qu'elle peut pour le commencement; et bailla ses lectres à ung petit paige, lui disant ce qu'il y avoit à faire, et que surtout il se gardast que son mary ne le veit aller aux Cordeliers. Le paige, serchant son plus droict chemyn, passa par la rue où son maistre estoit assis en une bouticque. Le gentil homme, le voyant passer, s'advancea pour regarder où il alloit; et, quand le page l'apparceut, tout estonné, se cacha dans une maison. Le maistre, voiant ceste contenance, le suivyt, et, en le prenant par le bras, luy demanda où il alloit. Et, voiant ses excuses sans propos, et son visaige effroyé, le menassa de le bien battre, s'il ne lui disoit où il alloit. Le pauvre paige luy dist : « Helas, monsieur, si je le vous dis, madame me tuera. » Le gentil homme, doubtant que sa femme feit ung marché sans luy, asseura le paige qu'il n'auroit nul mal s'il luy disoit verité, et qu'il luy feroit tout plain de bien; aussy, que, s'il mentoit, il le mectroit en prison pour jamais. Le petit paige, pour avoir du bien et pour eviter le mal, luy compta tout le faict et luy monstra les lectres que sa maistresse escripvoit au prescheur; dont le mary fut autant esmerveillé et marry, comme il avoit esté tout asseuré, toute sa vie, de la loyaulté de sa femme, où jamais n'avoit congneu faulte. Mais luy, qui estoit saige, dissimulla sa collere, et, pour congnoistre du tout l'intention de sa femme, vat faire une response, comme si le prescheur la mercioit de sa bonne volunté, luy declarant qu'il n'en avoit moins de son costé. Le paige, ayant juré [563] à son maistre de mener saigement cest affaire, alla porter à sa maistresse la lectre contrefaicte, qui en eut telle joye que son mary s'apperceut bien qu'elle avoit changé son visaige, car, en lieu d'enmagrir, pour le jeusne du karesme, elle estoit plus belle et plus fresche que à caresme prenant.

Desjà estoit la my karesme, que la dame ne laissa, ne pour Passion ne pour Sepmaine saincte, sa maniere accoustumée de mander par lectres au prescheur sa furieuse fantaisye. Et luy sembloit, quant le prescheur tournoit les oeilz du costé où elle estoit, ou qu'il parloit de l'amour de Dieu, que tout estoit pour l'amour d'elle; et, tant que ses oeilz povoient monstrer ce qu'elle pensoit, elle ne les espargnoit pas. Le mary ne falloit poinct à luy faire pareille response. Après Pasques, il luy rescripvit, au nom du prescheur, qui la prioit luy enseigner le moyen qu'il la peust veoir secrettement. Elle, à qui l'heure tardoit, conseilla à son mary d'aller visiter quelques terres qu'ilz avoient dehors; ce qu'il luy promist, et demeura caché en la maison d'un sien amy. La dame ne faillit poinct d'escripre au prescheur, qu'il estoit heure de la venir veoir, parce que son mary estoit dehors. Le gentil homme, voulant experimenter jusques au bout le cueur de sa femme, s'en alla au prescheur, le priant pour l'amour de Dieu luy vouloir prester son habit. Le prescheur, qui estoit homme de bien, luy dist que leur reigle le defendoit, et que pour rien ne le presteroit pour servir en masques. Le gentil homme l'asseura qu'il n'en vouloit poinct abuser et que c'estoit pour chose necessaire à son bien et salut. Le Cordelier, qui le congnoissoit homme de bien et devot, luy presta; et, avecq cest habit qui couvroit tout le visaige, en sorte que l'on ne povoit veoir les oeilz, print le gentil homme une faulse barbe et ung faulz nez semblables à ceulx du prescheur; aussy, avec du liege en ses souliers, se feit de sa propre grandeur. Ainsy habillé, s'en vint au soir en la chambre de sa femme qui l'attendoit en grand devotion. La pauvre sotte n'attendit pas qu'il vint à elle, mais, comme femme hors du sens, le courut embrasser. Luy, qui tenoit le visaige bessé, de paour d'estre congneu, commencea à faire le signe de la croix, faisant semblant de la fuyr, en disant tousjours, sans aultre propos : « Tentation ! tentation ! » La dame luy dist : « Helas, mon pere, vous avez raison; car il n'en est poinct de plus forte que celle qui vient d'amour, à laquelle vous m'avez promis donner remede, vous priant, maintenant que nous en avons le temps et loisir, avoir pitié de moy. » Et en ce disant, s'esforceoit de l'embrasser, lequel, fuyant par tous les costez de la chambre avecq grands signes de croix, cryoit tousjours : « Tentation ! tentation ! » Mais, quant il veit qu'elle le serchoit de trop près, print ung gros baston qu'il avoit soubz son manteau et la battit si bien, qu'il luy feyt passer sa tentation, sans estre congneu d'elle. S'en alla incontinant rendre les habitz au prescheur, l'asseurant qu'ilz luy avoient porté bonheur.

Le lendemain, faisant semblant de revenir de loing, retourna en sa maison, où il trouva sa femme au lict; et, comme ignorant sa malladye, luy demanda la cause de son mal, qui luy respondit que estoit ung caterre [a], et qu'elle ne se povoit aider de bras ne de jambes. Le mary, qui avoit belle envie de rire, feit semblant d'en estre bien marry; et, pour la resjouir, luy dist, sur le soir, qu'il avoit convié à soupper le sainct homme predicateur. Mais elle luy dist soubdain : « Jamais ne vous advienne, mon amy, de convyer telles gens, car ilz portent malheur en toutes les maisons où ilz vont. — Comment, m'amye, dist le mary, vous m'avez tant loué cestuy-cy ! Je pense, quant à moy, s'il y a ung sainct homme au monde, que c'est luy. » La dame luy respondit : « Ilz sont bons en l'eglise et en la predication, mais aux maisons sont Antechrist [564]. Je vous prie, mon amy, que je ne le voye poinct, car ce seroit assez, avecq le mal que j'ay, pour me faire mourir. » Le mary luy dist : « Puisque vous ne le voulez veoir, vous ne le verrez poinct; mais si luy donneray-je à soupper ceans. — Faictes, dist-elle, ce qu'il vous plaira, mais que je ne le voye poinct, car je hay telles gens comme diables. » Le mary, après avoir baillé à souper au beau pere, luy dist : « Mon pere, je vous estime tant aymé de Dieu, qu'il ne vous refusera aucune requeste; parquoy je vous supplie avoir pitié de ma pauvre femme, laquelle depuis huict jours en ça est possedée du malin esperit, de sorte qu'elle veult mordre et esgratiner tout le monde. Il n'y a croix ne eaue benoiste [b], dont elle face cas. J'ay ceste foy, que, si vous mectez la main sur elle, que le diable s'en ira, dont je vous prie autant que je puis. » Le beau pere dist : « Mon fils, toute chose est possible au croyant. Croiez-vous pas fermement que la bonté de Dieu ne refuse nul

a. catarrhe, rhume. — *b.* bénite.

qui en foy luy demande grace? — Je le croy, mon pere, dist le gentil homme. — Asseurez-vous aussy, mon filz, dist le Cordelier, qu'il peut ce qu'il veut et qu'il n'est moins puissant que bon. Allons, fortz en foy, pour resister à ce lyon rugissant, et luy arrachons la proye qui est acquise à Dieu par le sang de son filz Jesus-Christ. » Ainsy le gentil homme mena cest homme de bien, où estoit sa femme couchée sur ung petit lict; qui fut si estonnée de le veoir, pensant que ce fust celluy qui l'avoit battue, qu'elle entra en merveilleuse collere; mais, pour la presence de son mary, baissa les oeilz et devint muette. Le mary dist au sainct homme : « Tant que je suis devant elle, le diable ne la tormente gueres; mais, si tost que je m'en iray, vous luy gecterez de l'eau benoiste, vous verrez à l'heure le malin esperit faire son office. » Le mary le laissa tout seul avecq sa femme et demeura à la porte, pour veoir leur contenance. Quant elle ne veid plus personne que le beau pere, elle commencea à cryer comme femme hors du sens en l'apellant meschant, villain, meurtrier, trompeur. Le beau pere, pensant pour vray qu'elle fust possedée d'un malin esperit, luy voulut prandre la teste pour dire dessus les oraisons, mais elle l'esgratina et mordeit de telle sorte qu'il fut contrainct de parler de plus loing; et, en gectant force eaue benoiste, disoit beaucoup de bonnes oraisons. Quant le mary veid qu'il en avoit bien faict son debvoir, entra en la chambre et le mercia de la peyne qu'il en avoit prinse; et, à son arrivée, sa femme cessa ses injures et maledictions, et baisa la croix bien doulcement, pour la craincte qu'elle avoit de son mary. Mais le sainct homme, qui l'avoit veue tant enragée, croyoit fermement que, à sa priere, Nostre Seigneur eust gecté le diable dehors, et s'en alla louant Dieu de ce grand miracle. Le mary, voyant sa femme bien chastiée de sa folle fantaisie, ne luy volut poinct declairer ce qu'il avoit faict, car il se contentoit d'avoir vaincu son opinion par sa prudence et l'avoir mise en telle sorte, qu'elle hayoit [a] mortellement ce qu'elle avoit aymé [565]. Et, detestant sa folye, se adonna du tout au mary et au mesnaige mieulx qu'elle n'avoit faict paravant.

« Par cecy, mes dames, povez-vous congnoistre le bon

a. haïssait.

sens d'un mary et la fragilité d'une femme de bien, et je pense, quant vous avez bien regardé en ce mirouer, en lieu de vous fier à voz propres forces, vous aprendrez à vous retourner à Celluy en la main duquel gist vostre honneur. — Je suys bien ayse, dist Parlamente, de quoy vous estes devenu prescheur des dames; et le serois encores plus si vous vouliez continuer ces beaulx sermons à toutes celles à qui vous parlez. — Toutes les foys, dist Hircan, que vous me vouldrez escouter, je vous asseure que je n'en diray pas moins. — C'est à dire, dist Simontault, que, quant vous n'y serez pas, il dira aultrement. — Il en fera ce qu'il luy plaira, dist Parlamente, mais je veulx croire, pour mon contentement, qu'il dict tousjours ainsy. — A tout le moings, l'exemple qu'il a alleguée servira à celles qui cuydent que l'amour spirituelle ne soit poinct dangereuse. Mais il me semble qu'elle l'est plus que toutes les aultres. — Si me semble-il, dist Oisille, que aymer ung homme de bien, vertueux et craingnant Dieu, n'est poinct chose à despriser, et que l'on n'en peut que mieulx valloir. — Madame, dist Parlamente, je vous prie croyre qu'il n'est rien plus sot, ne plus aysé à tromper, que une femme qui n'a jamais aymé. Car amour de soy est une passion qui a plus tost saisy le cueur que l'on ne s'en advise; et est ceste passion si plaisante, que, si elle se peut ayder de la vertu, pour luy servir de manteau, à grand peyne sera-elle congneue, qu'il n'en vienne quelque inconvenient. — Quel inconvenient sçauroit-il venir, dist Oisille, d'aymer ung homme de bien ? — Madame, respondit Parlamente, il y a assez d'hommes estimez hommes de bien; mais estre homme de bien envers les dames, garder leur honneur et conscience, je croy que de ce temps ne s'en trouveroit point jusques à ung; et celles qui se fient, le croyant autrement, s'en trouvent enfin trompées, et entrent en ceste amityé de par Dieu, dont bien souvent ilz en saillent [a] de par le diable; car j'en ay assez veu, qui, soubz couleur de parler de Dieu, commençoient une amityé, dont à la fin se vouloient retirer, et ne povoient, pour ce que l'honneste couverture les tenoit en subjection; car une amour vitieuse, de soy-mesmes, se defaict, et ne peut durer en ung bon cueur; mais la vertueuse est celle qui a les liens

a. sortent.

de soie si desliez, que l'on en est plus tost prinst que l'on ne les peut veoir. — Ad ce que vous dictes, dist Ennasuitte, jamais femme ne vouldroit aymer homme. Mais vostre loy est si aspre qu'elle ne durera pas. — Je le sçay bien, dist Parlamente, mais je ne lairray pas, pour cella, desirer que chascun se contantast de son mary, comme je faictz du mien. » Ennasuitte, qui par ce mot se sentyt touchée, en changeant de couleur, luy dist : « Vous debvez juger que chascun a le cueur comme vous, ou vous pensez estre plus parfaicte que toutes les autres [566]. — Or, ce dist Parlamente, de paour d'entrer en dispute, sçachons à qui Hircan donnera sa voix. — Je la donne, dist-il, à Ennasuitte, pour la recompenser contre ma femme. — Or, puisque je suis en mon rang, dist Ennasuitte, je n'espargneray homme ne femme, afin de faire tout esgal, et voy bien que vous ne povez vaincre vostre cueur à confesser la vertu et bonté des hommes : qui me faict reprendre le propos dernier par une semblable histoire. »

TRENTE SIXIESME NOUVELLE

Par le moyen d'une salade, un President de Grenoble se vengea d'un sien clerc, duquel sa femme s'estoit amourachée, et sauva l'honneur de sa maison [567].

C'est que en la ville de Grenoble y avoit ung President [568], dont je ne diray le nom, mais il n'estoit pas françois. Il avoit une bien belle femme, et vivoient ensemble en grande paix. Ceste femme, voiant que son mary estoit viel, print en amour ung jeune clerc [569], nommé Nicolas. Quant le mary alloit au matin au Palais, Nicolas entroit en sa chambre et tenoit sa place; de quoy s'apperceut ung serviteur du President, qui l'avoit bien servy trente ans; et, comme loyal à son maistre, ne se peut garder de luy dire. Le President, qui estoit saige, ne le voulut croyre legierement, mais dist qu'il avoit envie de mectre division entre luy et sa femme, et que, si la chose estoit vraye comme il disoit, il la luy pourroit bien monstrer, et, s'il ne la luy monstroit, il estimeroit qu'il auroit controuvé ceste mensonge pour separer l'amitié de luy et de sa femme. Le varlet l'asseura qu'il luy feroit veoir ce qu'il luy disoit; et, ung matin, sitost que le President fut allé à la Court et Nicolas entré en la chambre, le serviteur envoya l'un de ses compaignons mander à son maistre qu'il povoit venir, et se tint tousjours à la porte, pour guetter que Nicolas ne saillist [a]. Le President, sitost qu'il veid le signe que luy feit ung de ses serviteurs, faingnant se trouver mal, laissa la Court et s'en alla hastivement en sa maison où il trouva son viel serviteur à la porte de la chambre, l'asseurant pour vray que Nicolas estoit dedans, qui ne faisoit gueres que d'entrer. Le seigneur luy dist : « Ne bouge de ceste porte, car tu sçays bien qu'il n'y a autre entrée, ne yssue en ma chambre, que ceste-cy, si non ung petit cabinet, duquel moy seul porte la clef. » Le President entra dans la chambre et trouva sa femme et Nicolas couchez ensemble, lequel, en chemise, se gecta à genoulx, à ses piedz, et luy demanda pardon : sa femme, de l'autre costé, se print à pleurer. Lors dist le President : « Combien que le cas que vous avez faict soit tel que vous povez estimer, si est-ce que je ne veulx, pour vous, que ma maison soit deshonorée et les filles que j'ay eu de vous desavancées [b]. Parquoy, dist-il, je vous commande que vous ne pleurez poinct, et oyez ce que je feray; et vous, Nicolas, cachez-vous en mon cabinet, et ne faictes ung seul bruict. » Quant il eut ainsy faict, vat ouvrir la porte et appela son viel serviteur, et luy dist : « Ne m'as-tu pas asseuré que tu me monstrerois Nicolas avecq ma femme? Et, sur ta parolle, je suys venu icy en dangier de tuer ma pauvre femme; je n'ay rien trouvé de ce que tu m'as dict. J'ay cherché par toute ceste chambre, comme je te veulx montrer; et, en ce disant, feit regarder son varlet soubz les lictz et par tous coustez. » Et quant le varlet ne trova rien, tout estonné, dist à son maistre : « Il fault que le diable l'ait emporté, car je l'ay veu entrer icy, et si n'est poinct sailly par la porte, mais je voy bien qu'il n'y est pas. » A l'heure, le maistre luy dist : « Tu es bien malheureux serviteur, de vouloir mectre entre ma femme et moy une telle division : parquoy, je te donne congé de t'en aller, et, pour tous les services que tu m'as faictz, te veulx paier ce que je te doibz et davantaige; mais va t'en bien tost et te garde d'estre en ceste ville vingt quatre

a. sortit. — *b.* désavantagées.

heures passées. » Le President luy donna cinq ou six paiemens des années à advenir, et, sçachant qu'il estoit loyal, esperoit luy faire autre bien. Quant le serviteur s'en fut allé pleurant, le President feit saillyr Nicolas de son cabinet, et, après avoir dict à sa femme et à luy ce qu'il luy sembloit de leur meschanceté, leur defendit d'en faire aucun semblant à personne; et commanda à sa femme de s'abiller plus gorgiasement [a] qu'elle n'avoit accoustumé et se trouver en toutes compaignies, dances et festes, et à Nicolas, qu'il eust à faire meilleure chere qu'il n'avoit faict auparavant, mais que, si tost qu'il luy diroit à l'oreille : *Va t'en !* qu'il se gardast bien de demeurer à la ville trois heures après son commandement. Et, ce faict, s'en retourna au Palais, sans faire semblant de rien. Et durant quinze jours, contre sa coustume, se meist à festoier ses amys et voisins. Et, après le banquet, avoit des tabourins pour faire dancer les dames. Ung jour, il voyoit que sa femme ne dansoit poinct, commanda à Nicolas de la mener dancer, lequel, cuydant qu'il eust oblyé les faultes passées, la mena dancer joieusement. Mais, quant la dance fut achevée, le President faingnant luy commander quelque chose en sa maison, luy dist à l'oreille : « Va t'en et ne retourne jamays ! » Or, fut Nicolas bien marry de laisser sa dame, mais non moins joieulx d'avoir la vie saulve. Après que le President eut mis, en l'opinion de tous ses parens et amys et de tout le paÏs, la grande amour qu'il portoit à sa femme, ung beau jour du moys de may, alla cuyllir en son jardin une sallade de telles herbes, que, si tost que sa femme en eust mangé, ne vesquit pas vingt quatre heures : dont il feit si grand deuil par semblant, que nul ne povoit soupsonner qu'il fut occasion de ceste mort; et, par ce moien, se vangea de son ennemy et saulva l'honneur de sa maison.

« Je ne veulx pas, mes dames, par cela, louer la conscience du President, mais, oy bien, monstrer la legiereté d'une femme, et la grand patience et prudence d'un homme; vous suppliant, mes dames, ne vouz courroucer de la verité qui parle quelquefois aussi bien contre vous que contre les hommes. Et les hommes et les femmes sont commungs aux vices et vertuz. — Si toutes celles, dist Parlamente, qui

a. élégamment.

ont aymé leurs varletz estoient contrainctes à manger de telles sallades, j'en congnois qui n'aymeroient poinct tant leurs jardins comme elles font, mais en arracheroient les herbes pour eviter celle qui rend l'honneur à la lignée par la mort d'une folle mere. » Hircan, qui devinoit bien pourquoy elle le disoit, respondit en collere : « Une femme de bien ne doibt jamais juger ung autre de ce qu'elle ne vouldroit faire. » Parlamente respondit : « Sçavoir n'est pas jugement et sottize; si est-ce que ceste pauvre femme-là porta la peyne que plusieurs meritent. Et croy que le mary, puisqu'il s'en voloit venger, se gouverna avecq une merveilleuse prudence et sapience. — Et aussy avecques une grande malice, ce dist Longarine, et longue et cruelle vengeance, qui monstroit bien n'avoir Dieu ne conscience devant les oeilz. — Et que eussiez-vous doncq voulu qu'il eust faict, dist Hircan, pour se venger de la plus grande injure que la femme peut faire à l'homme ? — J'eusse voulu, dist elle, qu'il l'eust tuée en sa collere, car les docteurs dient que le peché est remissible, pour ce que les premiers mouvemens ne sont pas en la puissance de l'homme : parquoy il en eust peu avoir grace. — Oy, dist Geburon; mais ses filles et sa race eussent à jamais porté ceste notte. — Il ne la debvoit poinct tuer, dist Longarine, car, puisque sa grande collere estoit passée, elle eust vescu avecq luy en femme de bien et n'en eust jamais esté memoire. — Pensez-vous, dist Saffredent, qu'il fust appaisé, pour tant qu'il dissimulast sa collere ? Je pense, quant à moy, que, le dernier jour qu'il feit sa sallade, il estoit aussy courroucé que le premier, car il y en a aucuns, desquelz les premiers mouvemens n'ont jamays intervalle jusques ad ce qu'ilz ayent mys à effect leur passion; et me faictes grand plaisir de dire que les theologiens estiment ces pechez-là facilles à pardonner, car je suis de leur oppinion. — Il faict bon regarder à ses parolles, dist Parlamente, devant gens si dangereux que vous; mais ce que j'ay dict se doibt entendre quant la passion est si forte, que soubdainement elle occupe tant les sens, que la raison n'y peut avoir lieu. — Aussy, dist Saffredent, je m'arreste à vostre parolle et veux par cela conclure que ung homme bien fort amoureux [570], quoy qu'il face, ne peult pecher, sinon de peché veniel; car je suis seur que, si l'amour le tient parfaictement lyé, jamais la raison ne sera escoutée ny en son cueur ny en son entendement. Et, si nous voulons dire verité, il n'y a nul de nous qui n'ait experimenté ceste furieuse follye.[571], que je pense non seullement estre pardonnée facillement, mais encores je croy que Dieu ne se courrouce poinct de tel peché, veu que c'est ung degré pour monter à l'amour parfaicte de luy, où jamais nul ne monta, qu'il n'ait passé par l'eschelle de l'amour de ce monde. Car saint Jehan dict : Comment aymerez-vous Dieu, que vous ne voyez poinct, si vous n'aymez celluy que vous voyez [572] ? — Il n'y a si beau passaige en l'Escripture, dist Oisille, que vous ne tirez à vostre propos. Mais gardez-vous de faire comme l'arignée [573] qui convertit toute bonne viande en venyn. Et si vous advisez qu'il est dangereulx d'alleguer l'Escripture sans propos ne necessité ! — Appelez-vous *dire verité* estre sans propos ne necessité ? dist Saffredent. Vous voulez doncques dire que, quant, en parlant à vous aultres incredules, nous appellons Dieu à nostre ayde, nous prenons son nom en vain; mais, s'il y a peché, vous seules en debvez porter la peyne, car voz incredulitez nous contraingnent à chercher tous les sermens dont nous pouvons adviser. Et encores, ne povons-nous allumer le feu de charité en voz cueurs de glace. — C'est signe, dist Longarine, que tous vous mentez, car, si la verité estoit en vostre parolle, elle est si forte, qu'elle vous feroit croyre. Mais il y a dangier que les filles d'Eve croyent trop tost ce serpent. — J'entendz bien, Parlamente, dist Saffredent, que les femmes sont invinsibles aux hommes; parquoy je me tairay [574], afin d'escouter à qui Ennasuitte donnera sa voix. — Je la donne, dist-elle, à Dagoucin, car je croy qu'il ne vouldroit poinct parler contre les dames. — Pleust à Dieu, dist Dagoucin, qu'elles respondissent autant à ma faveur, que je vouldrois parler pour la leur ! Et, pour vous monstrer que je me suis estudyé de honorer les vertueuses en ramentevant [a] leurs bonnes œuvres, je vous en voys racompter une; et ne veulx pas nyer, mes dames, que la patience du gentil homme de Pampelune et du President de Grenoble n'ait esté grande, mais la vengeance n'en a esté moindre. Et quant il fault louer ung homme vertueux, il ne fault poinct tant donner de gloire à une seulle vertu, qu'il faille la faire servir de manteau à couvrir ung très grand vice;

a .rappelant.

mais celluy est louable, qui, pour l'amour de la vertu seulle, faict œuvre vertueuse, comme j'espere vous faire veoir par la patience de vertu d'une dame, qui ne serchoit aultre fin en toute sa bonne œuvre, que l'honneur de Dieu et le salut de son mary. »

TRENTE SEPTIESME NOUVELLE

Madame de Loué, par sa grand'patience et longue attente, gaingna si bien son mary, qu'elle le retira de sa mauvaise vie, et vescurent depuis en plus grande amytié qu'auparavant [575].

Il y avoit une dame en la maison de Loué [576], tant saige et vertueuse qu'elle estoit aymée et estimée de tous ses voisins. Son mary, comme il debvoit, se fyoit en elle de tous ses affaires, qu'elle conduisoit si sagement, que sa maison, par son moyen, devint une des plus riches maisons et des mieulx meublées qui fust au pays d'Anjou ne de Touraine. Ayant vescu ainsy longuement avecq son mary, duquel elle porta plusieurs beaulx enfans, la felicité, à laquelle succede tousjours son contraire, commencea à se diminuer, pource que son mary, trouvant l'honneste repos insuportable, l'abandonna pour chercher son travail. Et print une coustume, que, aussy tost que sa femme estoit endormye, se levoit d'auprès d'elle et ne retournoit qu'il ne fust près du matin. La dame de Loué trouva ceste façon de faire mauvaise, tellement que, en entrant en une grande jalousie, de laquelle ne vouloit faire semblant, oublya les affaires de la maison, sa personne et sa famille, comme celle qui estimoit avoir perdu le fruict de ses labeurs, qui estoit le grand amour de son mary, pour lequel continuer n'y avoit peyne qu'elle ne portast voluntiers. Mais, l'ayant perdue, comme elle voyoit, fut si negligente de tout le demeurant de la maison, que bientost l'on congneut le dommaige que son absence y faisoit, car son mary, d'un costé, despendoit [a] sans ordre, et elle ne tenoit plus la main au mesnaige, en sorte que la maison fut bien tost rendue si brouillée, que l'on commenceoit à coupper les boys [577] et engaiger les terres. Quelcun de ses parens, qui congnoissoit la malladie, luy remonstra la

a. dépensait.

faulte qu'elle faisoit et que, si l'amour de son mary ne luy faisoit aymer le proffict de sa maison, que au moins elle eust regard à ses pauvres enfans : la pitié desquelz luy feit reprendre ses espritz; et essaya par tous moyens de regaingner l'amour de son mary. Et, ung jour, feit le guet, quant il se leveroit d'auprès d'elle, et se leva pareillement avec son manteau de nuyct; faisoit faire son lict, et, en disant ses Heures, attendoit le retour de son mary; et, quant il entroit, alloit au devant de luy le baiser, et luy portoit ung bassin et de l'eaue pour laver ses mains. Luy, estonné de ceste nouvelle façon, luy dist qu'il ne venoit que du retraict [a], et que, pour cela, n'estoit mestier qu'elle se levast. A quoy elle respondit que, combien que ce n'estoit pas grand chose, si estoit-il honneste de laver ses mains, quand on venoit d'un lieu ord [b] et salle, desirant par là luy faire congnoistre et abhominer sa meschante vie. Mais, pour cela, il ne s'en courigeoit poinct et continua ladicte dame bien ung an ceste façon de faire. Et quant elle veid que ce moyen ne luy servoit de rien, ung jour, actendant son mari qui demoroit plus qu'il n'avoit de coustume, lui print envye de l'aler chercher. Et tant alla de chambre en chambre, qu'elle le trouva couché en une arriere garderobbe et endormy avec la plus layde, orde et salle chamberiere qui fut leans. Et, lors, se pensa qu'elle luy apprendroit à laisser une si honneste femme pour une si sale et orde : print de la paille et l'aluma au millieu de la chambre; mais, quant elle veid que la fumee eust aussitost tué son mary que esveillé, le tira par le bras, en criant : *Au feu ! au feu !* Si le mary fut honteux et marry estant trouvé par une si honneste femme avec une telle ordure, ce n'estoit pas sans grande occasion. Lors, sa femme lui dist : « Monsieur, j'ay essayé, ung an durant, à vous retirer de ceste malheurté, par doulceur et patience, et vous monstrer que, en lavant le dehors, vous deviez nectoier le dedans; mais, quant j'ay veu que tout ce que je faisois estoit de nulle valleur, j'ay mis peyne de me ayder de l'element qui doibt mectre fin à toutes choses [c], vous asseurant, monsieur, que si ceste-cy ne vous courrige, je ne sçay si une seconde fois je vous pourrois retirer du dangier, comme j'ai faict. Je vous supplie de penser qu'il n'est plus grand desespoir que l'amour, et, si je n'eusse

a. cabinets d'aisance. — *b.* malpropre. — *a.* le feu.

eu Dieu devant les oeilz, je n'eusse poinct enduré ce que j'ai faict. » Le mary, bien ayse d'en eschapper à si bon compte, luy promist jamais ne luy donner occasion de se tormenter pour luy, ce que très voluntiers la dame creut; et, du consentement du mary, chassa dehors ce qu'il luy desplaisoit. Et, depuis ceste heure-là, vesquirent ensemble en si grande amityé, que mesmes les faultes passées, par le bien qui en estoit advenu, leur estoient augmentation de contentement.

« Je vous supplie, mes dames, si Dieu vous donne de telz mariz, que ne vous desesperiez poinct jusques ad ce que vous ayez longuement essaié tous les moiens pour les reduire, car il y a vingt quatre heures au jour, esquelles l'homme peult changer d'oppinion; et une femme se doibt tenir plus heureuse d'avoir gaingné son mary par patience et longue attente, que si la fortune et les parens luy en donnoient ung plus parfaict. — Voylà, dist Oisille, un exemple qui doibt servir à toutes les femmes maryées. — Il prandra cest exemple, qui vouldra, dist Parlamente; mais, quant à moy, il ne me seroit possible d'avoir si longue patience, car, combien que en tous estatz patience soit une belle vertu, j'ay oppinion que en mariage admene enfin inimitié, pour ce que, en souffrant injure de son semblable, on est contrainct de s'en separer le plus que l'on peult, et, de ceste estrangetté-là, vient ung despris [a] de la faulte du desloyal; et, en ce despris, peu à peu l'amour diminue, car, d'autant ayme-l'on la chose, que l'on estime la valleur. — Mais il y a dangier, dist Ennasuitte, que la femme impatiente trouve ung mary furieulx qui luy donnera douleur en lieu de patience. — Et que sçauroit faire ung mary, dist Parlamente, que ce qui a été racompté en ceste histoire? — Quoy? dist Ennasuitte; battre très bien sa femme, la faire coucher en la couchette, et celle qu'il aymeroit, au grand lict. — Je croy, dist Parlamente, que une femme de bien ne seroit poinct si marrie d'estre battue par collere, que d'estre desprisée pour une qui ne la vault pas; et, après avoir porté la peyne de la separation d'une telle amityé, ne sçauroit faire le mary chose dont elle se sceust plus soulcier. Et aussy, dit le compte, que la peyne qu'elle print

a. mépris.

à le retirer fut pour l'amour qu'elle avoit à ses enffans, ce que je croy. — Et trouvez-vous grand patience à elle, dist Nomerfide, d'aller mectre le feu soubz le lict où son mari dormoit ? — Ouy, dist Longarine; car, quant elle veid la fumée, elle l'esveilla, et par aventure, ce fut où elle feit plus de faulte, car, de telz marys que ceulx-là, les cendres en seroient bonnes à faire la buée [a]. — Vous estes cruelle, Longarine, ce dist Oisille, mais si n'avez-vous pas ainsy vescu avecq le vostre ? — Non, dist Longarine, car Dieu mercy ne m'en a pas donné l'occasion, mais de le regreter toute ma vie, en lieu de m'en plaindre. — Et si vous eust esté tel, dist Nomerfide, qu'eussiez-vous faict ? — Je l'aymois tant, dist Longarine, que je croy que je l'eusse tué et me fusse tuée, car morir après telle vengeance m'eust esté chose plus agreable, que vivre loyaulment avec un desloyal. — Ad ce que je voy, dist Hircan, vous n'aymez vos maris, que pour vous. S'ilz vous sont selon vostre desir, vous les aymez bien, et, s'ils vous font la moindre faulte du monde, ilz ont perdu le labeur de leur sepmaine pour ung sabmedy. Par ainsy, voulez-vous estre maistresses; dont, quant à moy, j'en suis d'oppinion, mais que tous les mariz s'y accordent. — C'est raison, dist Parlamente, que l'homme nous gouverne comme nostre chef, mais non pas qu'il nous habandonne ou traicte mal. — Dieu a mis si bon ordre, dist Oisille, tant à l'homme que à la femme, que, si l'on n'en abbuse, je tiens mariage le plus beau et le plus seur estat qui soit au monde; et suis seure que tous ceulx qui sont icy, quelque myne qu'ilz en facent, en pensent autant. Et d'autant que l'homme se dict plus saige que la femme, il sera plus reprins, si la faulte vient de son cousté [578]. Mais, ayans assez mené ce propos, sçachons à qui Dagoucin donne sa voix ? — Je la donne, dist-il, à Longarine. — Vous me faictes grand plaisir, dist-elle, car j'ay ung compte qui est digne de suyvre le vostre. Or, puisque nous sommes à louer la vertueuse patience des dames, je vous en monstreray une plus louable que celle de qui a esté présentement parlé, et de tant plus est elle à estimer, qu'elle estoit femme de ville, qui de leur coustume ne sont nourryes si vertueusement que les autres. »

a. la lessive.

TRENTE HUICTIESME NOUVELLE

Une bourgeoise de Tours, pour tant de mauvais traitemens qu'elle avoit receus de son mary, luy rendit tant de biens, que, quittant sa metaise [a] (qu'il entretenoit paisiblement), s'en retourna vers sa femme [579].

En la ville de Tours, y avoit une bourgeoise belle et honneste, laquelle pour ses vertuz estoit non seullement aymée, mais craincte et estimée de son mary. Si est-ce que, suyvant la fragilité des hommes qui s'ennuyent de manger bon pain, il fut amoureux d'une mestayere [580] qu'il avoit. Et souvent s'en partoit de Tours, pour aller visiter sa mestayrie, où il demeuroit tousjours deux ou trois jours; et, quant il retournoit à Tours, il estoit toujours si morfondu, que sa pauvre femme avoit assez à faire à le guarir. Et, si tost qu'il estoit sain, ne failloit poinct à retourner au lieu où pour le plaisir oblioit tous ses maulx. Sa femme, qui surtout aymoit sa vie et sa santé, le voiant revenir ordinairement en si mauvais estat, s'en alla à la mestairie, où elle trouva la jeune femme que son mary aymoit, à laquelle, sans collere, mais d'un très gratieux courage, dist qu'elle sçavoit bien que son mary la venoit veoir souvent, mais qu'elle estoit mal contante de ce qu'elle le traictoit si mal, qu'il s'en retournoit tousjours morfondu en la maison. La pauvre femme, tant pour la reverence de sa dame que pour la force de la verité, ne luy peut nyer le faict, duquel elle luy requist pardon. La dame voulut veoir le lict de la chambre où son mary couchoit, qu'elle trouva si froide et salle et mal en poinct, qu'elle en eust pitié. Incontinant envoia querir ung bon lict, garny de linceux [b], mante [c] et courtepoincte, selon que son mary l'aymoit; feit accoustrer et tapisser la chambre, lui donna de la vaisselle honneste pour le servir à boyre et à manger; une pippe de bon vin, des dragées et confitures; et pria la mestayere qu'elle ne luy renvoiast plus son mary si morfondu. Le mary ne tarda gueres qu'il ne retournast, comme il avoit accoustumé, veoir sa mestayere; et s'esmerveilla fort

a. métayère. — *b.* draps. — *c.* couverture.

de trouver son pauvre logis si bien en ordre, et encores plus, quand elle luy donna à boyre en une couppe d'argent; et luy demanda d'ont estoient venuz tous ses biens. La pauvre femme luy dist, en pleurant, que c'estoit sa femme, qui avoit eu tant de pitié de son mauvays traictement, qu'elle avoit ainsy meublé sa maison, et luy avoit recommandé sa santé. Luy, voiant la grande bonté de sa femme, que, pour tant de mauvais tours qu'il luy avoit faicts, lui rendoit tant de biens, estimant sa faulte aussy grande que l'honneste tour que sa femme luy avoit faict; et après avoir donné argent à sa mestayere, la priant pour l'advenir vouloir vivre en femme de bien, s'en retourna à sa femme, à laquelle il confessa la debte; et que, sans le moien de ceste grande doulceur et bonté, il estoit impossible qu'il eust jamais laissé la vie qu'il menoit; et depuis vesquirent en bonne paix, laissant entierement la vie passée.

« Croyez, mes dames, qu'il y a bien peu de mariz que patience et amour de la femme ne puisse gaingner à la longue, ou ilz sont plus durs qu'une pierre que l'eaue foible et molle, par longueur de temps, vient à caver[a]. » Ce dist Parlamente : « Voylà une femme sans cueur, sans fiel et sans foie. — Que voullez-vous ? dist Longarine; elle experimentoit ce que Dieu commande, de faire bien à ceulx qui font mal. — Je pense, dist Hircan, qu'elle estoit amoureuse de quelque Cordelier, qui luy avoit donné en penitence de faire si bien traicter son mary aux champs, que, ce pendant qu'il yroit, elle eut le loisir de le bien traicter en la ville ! » — Or ça, dist Oisille, vous monstrez bien la malice en vostre cueur : d'un bon acte, faictes ung mauvais jugement. Mais je croy plus tost qu'elle estoit si mortiffyée en l'amour de Dieu, qu'elle ne se soulcioit plus que du salut de l'ame de son mary. — Il me semble, dist Simontault, qu'il avoit plus d'occasion de retourner à sa femme quant il avoit froid en sa mestayrie, que quant il y estoit si bien traicté. — A ce que je voy, dist Saffredent, vous n'estes pas de l'opinion d'un riche homme de Paris, qui n'eut sceu laisser son accoustrement[b], quant il estoit couché avecq sa femme, qu'il n'eust esté morfondu; mais, quant il alloit veoir sa chamberiere en la cave, sans bonnet

a. creuser. — *b.* ses vêtements de prix.

et sans souliers, au fons de l'yver, il ne s'en trouvoit jamais mal; et si estoit sa femme bien belle et sa chamberiere bien layde. — N'avez-vous pas oy dire, dist Geburon, que Dieu ayde tousjours aux folz, aux amoureux et aux yvroignes ? Peut estre que cestuy-là estoit luy seul tous les trois ensemble. — Par cela, vouldriez-vous conclure, dist Parlamente, que Dieu nuyroit aux sages, aux chastes et aux sobres ? Ceulx qui par eulx-mesmes se peuvent ayder n'ont poinct besoing d'ayde. Car Celluy qui a dist qu'il est venu pour les mallades, et non poinct pour les sains [581], est venu par la loy de sa misericorde secourir à noz infirmitez, rompant les arrestz de la rigueur de sa justice. Et qui se cuyde [a] saige est fol devant Dieu [582]. Mais, pour finer nostre sermon, à qui donnera sa voix Longarine ? — Je la donne, dist-elle, à Saffredent. — J'espere doncques, dist Saffredent, vous monstrer, par exemple, que Dieu ne favorise pas aux amoureux, car, nonobstant, mes dames, qu'il ayt esté dict parcydevant que le vice est commun aux femmes et aux hommes, si est-ce que l'invention d'une finesse sera trouvée plus promptement et subtillement d'une femme que d'un homme, et je vous en diray un exemple. »

TRENTE NEUFVIESME NOUVELLE

Le seigneur de Grignaulx delivra sa maison d'un esperit qui avoit tant tormenté sa femme, qu'elle s'en estoit absentée l'espace de deux ans [583].

Ung seigneur de Grignaulx [584], qui estoit chevalier d'honneur à la Royne de France Anne, duchesse de Bretagne, retournant en sa maison, dont il avoit esté absent plus de deux ans, trouva sa femme en une autre terre, là auprès; et, se enquerant de l'occasion, luy dist qu'il revenoit ung esperit en sa maison, qui les tormentoit tant, que nul n'y povoit demorer. Monsieur de Grignaulx, qui ne croyoit poinct en bourdes [b], luy dist que quant ce seroit le diable mesmes, qu'il ne le craingnoit; et emmena sa femme en sa maison. La nuict, feit allumer forces chandelles pour veoir plus clairement cest esperit. Et, après

a. croit. — *b.* mensonges.

avoir veillé longuement sans rien oyr, s'endormyt; mais, incontinant, fut resveillé par ung grand soufflet qu'on luy donna sur la joue, et ouyt une voix criant : *Brenigne*, *Brenigne* [585], laquelle avoit esté sa grand mere. Lors appella sa femme, qui couchoit auprès d'eulx, pour allumer de la chandelle, parce qu'elles estoient toutes estainctes, mais elle ne s'osa lever. Incontinant sentit le seigneur de Grignaulx qu'on luy ostoit la couverture de dessus luy; et ouyt ung grand bruict de tables, tresteaulx et escabelles, qui tomboient en la chambre, lequel dura jusques au jour. Et fut le seigneur de Grignaulx plus fasché de perdre son repos, que de paour de l'esperit, car jamais ne creut que ce fust ung esperit. La nuyct ensuyvant, se delibera de prendre cest esperit. Et, ung peu après qu'il fut couché, feit semblant de ronffler très fort, et meit la main tout ouverte près son visaige. Ainsy qu'il attendoit cet esperit, sentit quelque chose approcher de luy; parquoy ronfla plus fort qu'il n'avoit accoustumé. Dont l'esperit s'esprivoya [a] si fort, qu'il luy bailla ung grand soufflet. Et tout à l'instant print ledit seigneur de Grignaulx la main dessus son visage, criant à sa femme : « Je tiens l'esperit. » Laquelle incontinant se leva et alluma de la chandelle, et trouverent que c'estoit la chamberiere qui couchoit en leur chambre, laquelle, se mectant à genoulx, leur demanda pardon, et leur promist confesser verité, qui estoit que l'amour qu'elle avoit longuement portée à un serviteur de leans, luy avoit faict entreprendre ce beau mistere, pour chasser hors de la maison maistre et maistresse, afin que, eulx deux, qui en avoient toute la garde, eussent moien de faire grande chere : ce qu'ilz faisoient, quant ilz estoient tous seulz. Monseigneur de Grignaulx, qui estoit homme assez rude, commanda qu'ilz fussent batuz en sorte qu'il leur souvint à jamais de l'esperit; ce qui fut faict, et puis chassez dehors. Et, par ce moien, fut delivrée la maison du torment des esperitz qui deux ans durant y avoient joué leur roolle.

« C'est chose esmerveillable, mes dames, de penser aux effectz de ce puissant dieu Amour, qui, ostant toute craincte aux femmes, leur aprend à faire toute peyne aux hommes

a. s'apprivoiser, s'approcher en confiance.

pour parvenir à leur intention. Mais, autant que est vituperable[a] l'intention de la chamberiere, le bon sens du maistre est louable, qui sçavoit très bien que l'esperit s'en vat et ne retourne plus. — Vrayement, dist Geburon, Amour ne favorisa pas à ceste heure là le varlet et la chamberiere; et confesse que le bon sens du maistre luy servyt beaucoup. — Toutesfois, dist Ennasuitte, la chamberiere vesquit longtemps, par sa finesse, à son aise. — C'est ung aise bien malheureux, dist Oisille, quant il est fondé sur peché, et prent fin par honte de pugnition. — Il est vray, ma dame, dist Ennasuitte, mais beaucoup de gens ont de la douleur et de la peyne pour vivre justement, qui n'ont pas le sens d'avoir en leur vie tant de plaisir que ceulx icy. — Si suis-je de ceste opinion, dist Oisille, qu'il n'y a nul parfaict plaisir, si la conscience n'est en repos. — Comment ? dist Simontault : l'Italien veult maintenir que tant plus le peché est grand, de tant plus il est plaisant. — Vrayement, celluy qui a inventé ce propos, dist Oisille, est luy-mesmes vray diable; parquoy laissons-le là [586], et sçachons à qui Saffredent donnera sa voix. — A qui ? dist-il. Il n'y a plus que Parlamente à tenir son ranc, mais, quant il y en auroit ung cent d'autres, je luy donnerays tousjours ma voix d'estre celle de qui nous debvons aprendre. — Or, puisque je suys pour mectre fin à la Journée, dist Parlamente, et que je vous promeiz hier de vous dire l'occasion pourquoy le pere de Rolandine feit faire le chasteau où il la tint si longtemps prisonniere [587], je la vois doncques racompter. »

QUARANTIESME NOUVELLE

La sœur du comte de Jossebelin, après avoir epousé, au desceu de son frere, un gentil homme qu'il feit tuer, combien qu'il se l'eut souvent souhaité pour beau frere, s'il eust esté de mesme maison qu'elle, en grand patience et austerité de vie, usa le reste de ses jours en un ermytage [588].

Ce seigneur pere de Rolandine, qui s'appelloit le conte de Jossebelin [589], eut plusieurs seurs, dont les unes furent mariées bien richement, les aultres religieuses; et

a. blamâble.

une qui demeura en sa maison, sans estre maryée, plus belle sans comparaison que toutes les autres, laquelle aymoit tant son frere, que luy n'avoit femme ny enfans qu'il preferast à elle. Aussy, fut demandée en mariage de beaucoup de bons lieux; mais, de paour de l'esloigner et par trop aymer son argent, n'y voulut jamays entendre; qui fut la cause dont elle passa grande partie de son aage sans estre mariée, vivant tres honestement en la maison de son frere, où il y avoit ung jeune et beau gentil homme, nourry dès son enfance en la dicte maison, lequel creut en sa croissance tant en beaulté et vertu, qu'il gouvernoit son maistre tout paisiblement, tellement que, quant il mandoit quelque chose à sa seur, estoit toujours par cestuy-là. Et luy donna tant d'auctorité et de privaulté, l'envoyant soir et matin devers sa seur, que, à la longue frequentation, s'engendra une grande amitié entre eulx. Mais, craingnant le gentil homme sa vie, s'il offensoit son maistre, et la damoiselle, son honneur, ne prindrent en leur amityé autre contentement [590] que de la parolle, jusques ad ce que le seigneur de Jossebelin dist souvent à sa seur qu'il vouldroit qu'il luy eust cousté beaucoup et que ce gentil homme eust esté de maison de mesme elle [a], car il n'avoit jamais veu homme qu'il aymast tant pour son beau frere, que luy. Il luy redist tant de foys ces propos, que, les ayans debatuz avecq le gentil homme, estimerent que, s'ilz se marioient ensemble, on leur pardonneroit aisement. Et Amour, qui croit voluntiers ce qu'il veult, leur feit entendre qu'il ne leur en pourroit que bien venir; et, sur ceste esperance, conclurent et perfeirent le mariage, sans que personne en sceut rien que ung prebstre et quelques femmes.

Et après avoir vescu quelques années au plaisir que homme et femme mariez peuvent prendre ensemble, comme la plus belle couple qui fut en la chrestienté et de la plus grande et parfaicte amityé, Fortune, envyeuse de veoir deux personnes si à leurs ayses, ne les y voulut souffrir, mais leur suscita ung ennemy, qui, espiant ceste damoiselle, apperceut sa grande felicité, ignorant toutesfoys le mariage. Et vint dire au seigneur de Jossebelin, que le gentil homme, auquel il se fyoit tant, alloit trop souvent en la chambre de sa sœur, et aux heures où les hommes ne doibvent entrer.

a. de même maison qu'elle.

Ce qui ne fut creu pour la premiere foys, de la fiance qu'il avoit à sa seur et au gentil homme. Mais l'autre rechargea tant de fois, comme celluy qui aymoit l'honneur de la maison, qu'on y meist ung guet tel, que les pauvres gens, qui n'y pensoient en nul mal, furent surprins; car, ung soir, que le seigneur de Jossebelin fut adverty que le gentil homme estoit chez sa seur, s'y en alla incontinant, et trouva les deux pauvres aveuglez d'amour couchez ensemble. Dont le despit luy osta la parolle, et, en tirant son espée, courut après le gentil homme pour le tuer. Mais luy, qui estoit aisey de sa personne, s'enfuyt tout en chemise, et, ne povant eschapper par la porte, se gecta par une fenestre dedans ung jardin. La pauvre damoiselle, tout en chemise, se gecta à genoulx devant son frere et luy dist : « Monsieur, saulvez la vie de mon mary, car je l'ay espousé; et, s'il y a offense, n'en pugnissez que moy, par ce que ce qu'il en a faict a esté à ma requeste. » Le frere, oultrey de courroux, ne luy respond, sinon : « Quant il seroit vostre mary cent mille foys, si le pugniray-je comme un meschant serviteur qui m'a trompé. » En disant cela, se mist à la fenestre et cria tout hault que l'on le tuast, ce qui fut promptement executé par son commandement et devant les oeilz de luy et de sa seur [591]. Laquelle, voyant ce piteux spectacle auquel nulle priere n'avoit seu remedier, parla à son frere comme une femme hors du sens : « Mon frere, je n'ay ne pere ne mere, et suys en tel aage, que je me puis marier à ma volunté; j'ay choisy celluy que maintesfoys vous m'avez dict que vouldriez que j'eusse espousé. Et, pour avoir faict par vostre conseil ce que je puis selon la loy faire sans vous, vouz avez faict mourir l'homme du monde que vous avez le mieulx aymé ! Or, puisque ainsy est que ma priere ne l'a peu garantir de la mort, je vous suplie, pour toute l'amityé que vous m'avez jamais porté, me faire, en ceste mesme heure, compaigne de sa mort, comme j'ay esté de toutes ses fortunes. Par ce moien, en satisfaisant à vostre cruelle et injuste collere, vous mectrez en repos le corps et l'ame de celle qui ne veult ny ne peult vivre sans luy. » Le frere, nonobstant qu'il fust esmeu jusques à perdre la raison, si eut-il tant de pitié de sa seur, que, sans luy accorder ne nyer sa requeste, la laissa. Et, après qu'il eut bien consideré ce qu'il avoit faict et entendu qu'il avoit espousé sa seur, eust bien voulu n'avoir poinct commis ung tel crime. Si est-ce que la craincte qu'il eut que sa seur en demandast justice ou vengeance, luy feit faire ung chasteau au meillieu d'une forest, auquel il la meist; et defendit que aucun ne parlast à elle.

Après quelque temps, pour satisfaire à sa conscience, essaya de la regaingner et luy feit parler de mariage, mais elle luy manda qu'il luy en avoit donné ung si mauvais desjeuner, qu'elle ne vouloit plus souper de telle viande et qu'elle esperoit vivre de telle sorte qu'il ne seroit poinct l'homicide du second mary; car à peyne penseroit-elle qu'il pardonnast à ung autre, d'avoir faict ung si meschant tour à l'homme du monde qu'il aymoit le mieulx. Et que, nonobstant qu'elle fust foible et impuissante pour s'en venger, qu'elle esperoit en Celluy qui estoit vray juge et qui ne laisse mal aucun impugny, avecq l'amour duquel seul elle vouloit user le demorant de sa vie en son hermitaige. Ce qu'elle feyt, car, jusques à la mort, elle n'en bougea, vivant en telle patience et austerité, que après sa mort chacun y couroit comme à une saincte. Et, depuis qu'elle fut trespassée, la maison de son frere alloit tellement en ruyne, que de six filz qu'il avoit n'en demeura ung seul et morurent touz fort miserablement; et, à la fin, l'heritaige demoura, comme vous avez oy en l'autre compte [592], à sa fille Rolandine, laquelle avoit succedé à la prison faicte pour sa tante.

« Je prie à Dieu, mesdames, que cest exemple vous soit si profitable, que nul de vous ayt envye de soy marier, pour son plaisir, sans le consentement de ceulx à qui on doibt porter obeissance; car mariage est ung estat de si longue durée, qu'il ne doibt estre commencé legierement ne sans l'opinion de noz meilleurs amys et parens. Encores ne le peult-on si bien faire, qu'il n'y ayt pour le moins autant de peyne que de plaisir. — En bonne foy, dist Oisille, quant il n'y auroit poinct de Dieu ne loy pour aprendre les filles à estre saiges, cest exemple est suffisant pour leur donner plus de reverence à leurs parens, que de s'adresser à se marier à leur volunté. — Si est-ce, madame, dist Nomerfide, que, qui a ung bon jour en l'an, n'est pas toute sa vie malheureuse. Elle eut le plaisir de voir et de parler longuement à celluy qu'elle aymoit plus qu'elle-mesmes; et puis, en eut la joissance par mariage, sans scrupule de conscience.

J'estime ce contentement si grand, qu'il me semble qu'il passe l'ennuy qu'elle porta. — Vous voulez doncq dire, dist Saffredent, que les femmes ont plus de plaisir de coucher avecq ung mary que de desplaisir de le veoir tuer devant leurs oeilz ? — Ce n'est pas mon intention, dist Nomerfide, car je parlerois contre l'experience que j'ay des femmes, mais je entends que ung plaisir non accoustumé, comme d'espouser l'homme du monde que l'on ayme le mieulx, doibt estre plus grand que de le perdre par mort, qui est chose commune. — Oy, dist Geburon, par mort naturelle, mais ceste-cy estoit trop cruelle, car je trouve bien estrange, veu que le seigneur n'estoit son pere ny son mary, mais seullement son frere, et qu'elle estoit en l'aage que les loys permectent aux filles d'eulx marier sans leur volunté, comme il osa exercer une telle cruaulté. — Je ne le trouve poinct estrange, dist Hircan, car il ne tua pas sa seur, qu'il aymoit tant et sur qui il n'avoit poinct de justice, mais se print au gentil homme, lequel il avoit nourry comme filz et aymé comme frere; et, après l'avoir honoré et enrichy à son service, pourchassa le mariage de sa seur, chose qui en rien ne luy apartenoit. — Aussy, dist Nomerfide, le plaisir n'est pas commung ny accoustumé que une femme de si grande maison espouse ung gentil homme serviteur par amour. Si la mort est estrange, le plaisir aussy est nouveau et d'autant plus grand qu'il a pour son contraire l'oppinion de tous les saiges hommes, et pour son ayde le contentement d'un cueur plain d'amour et le repos de l'ame, veu que Dieu n'y est poinct offensé. Et quant à la mort, que vous dictes cruelle, il me semble que, puisqu'elle est necessaire, que la plus briefve est la meilleure, car on sçait bien que ce passaige est indubitable; mais je tiens heureux ceulx qui ne demeurent poinct longuement aux faulxbourgs, et qui, de la felicité qui se peult seulle nommer en ce monde *felicité*, volent soubdain à celle qui est eternelle. — Qu'appellez-vous les faulxbourgs de la mort ? dist Simontault. — Ceulx qui ont beaucoup de tribulations en l'esperit, respondit Nomerfide, ceulx aussi qui ont esté longuement malades et qui, par extremité de douleur corporelle ou spirituelle, sont venuz à despriser la mort et trouver son heure trop tardive, je dis que ceulx-là ont passé par les faulxbourgs et vous diront les hostelleriez où ilz ont plus cryé que reposé. Ceste dame ne povoit faillir de perdre son mary par mort, mais elle a esté exempte, par la collere de son frere, de veoir son mary longuement malade ou fasché. Et elle, convertissant l'ayse qu'elle avoit avecq luy au service de Nostre Seigneur, se povoit dire bien heureuse. — Ne faictes-vous poinct cas de la honte qu'elle receut, dist Longarine, et de sa prison ? — J'estime, dist Nomerfide, que la personne qui ayme parfaictement d'un amour joinct au commandement de son Dieu, ne congnoist honte ni deshonneur, sinon quant elle default [a] ou diminue de la perfection de son amour. Car la gloire de bien aymer ne congnoist nulle honte; et, quant à la prison de son corps, je croy que, pour la liberté de son cueur, qui estoit joinct à Dieu et à son mary, ne la sentoit poinct, mais estimoit la solitude très grande liberté; car qui ne peult veoir ce qu'il ayme n'a nul plus grand bien que d'y penser incessamment; et la prison n'est jamais estroicte où la pensée se peult pourmener à son ayse. — Il n'est rien plus vray que ce que dist Nomerfide, dist Simontault, mais celluy qui par fureur feit ceste separation se devoit dire malheureux, car il offensoit Dieu, l'amour et l'honneur. — En bonne foy, dist Geburon, je m'esbahys des differentes amours des femmes, et voy bien que celles qui en ont plus d'amour ont plus de vertu, mais celles qui en ont moins, se voulans faindre vertueuses, le dissimullent. — Il est vray, dist Parlamente, que le cueur honneste envers Dieu et les hommes, ayme plus fort que celluy qui est vitieux, et ne crainct poinct que l'on voye le fonds de son intention. — J'ai tousjours oy dire, dist Simontault, que les hommes ne doibvent poinct estre reprins de pourchasser les femmes, car Dieu a mis au cueur de l'homme l'amour et la hardiesse pour demander, et en celluy de la femme la crainte et la chasteté pour refuser. Si l'homme, ayant usé des puissances qui lui sont données, a esté puny, on luy faict tort. — Mais c'est grand cas, dist Longarine, de l'avoir longuement loué à sa seur; et me semble que ce soyt folie ou cruaulté à celluy qui garde une fontaine, de louer la beaulté de son eaue à ung qui languyt de soif en la regardant, et puis le tuer, quand il en veult prendre. — Pour vray, dist Parlamente, le frere fut occasion d'alumer le feu par si doulses parolles, qu'il ne debvoit poinct estaindre à coups d'espée.

a. commet une faute.

— Je m'esbahys, dist Saffredent, pourquoy l'on trouve mauvais que ung simple gentil homme, ne usant d'autre force que de service et non de suppositions, vienne à espouser une femme de grande maison, veu que les saiges philosophes tiennent que le moindre homme de tous vault myeulx que la plus grande et vertueuse femme qui soyt ? — Pour ce, dist Dagoucin, que pour entretenir la chose publicque en paix, l'on ne regarde que les degrez des maisons, les aages des personnes et les ordonnances des loix, sans peser l'amour et les vertuz des hommes, afin de ne confondre poinct la monarchye. Et de là vient que les mariages qui sont faictz entre pareils, et selon le jugement des parens et des hommes, sont bien souvent si differens de cueur, de complexions et de conditions, que, en lieu de prendre ung estat pour mener à salut, ilz entrent aux faulxbourgs d'enfer. — Aussy, en a l'on bien veu, dist Geburon, qui se sont prins par amour, ayant les cueurs, les conditions et complexions semblables, sans regarder à la difference des maisons et de lignaige, qui n'ont pas laissé de s'en repentir; car ceste grande amityé indiscrete tourne souvent à jalousie et en fureur. — Il me semble, dist Parlamente, que l'une ne l'autre n'est louable, mais que les personnes qui se submectent à la volunté de Dieu ne regardent ny à la gloire, ni à l'avarice, ny à la volupté, mais par une amour vertueuse et du consentement des parens, desirent de vivre en l'estat de mariage, comme Dieu et Nature l'ordonnent. Et combien que nul estat n'est sans tribulation, si ay-je veu ceulx-là vivre sans repentance; et nous ne sommes pas si malheureux en ceste compaignie, que nul de tous les mariez ne soyt de ce nombre-là. » Hircan, Geburon, Simontault et Saffredent jurerent qu'ilz s'estoient mariez en pareille intention et que jamais ilz ne s'en estoient repentiz; mais quoy qu'il en fust de la verité, celles à qui il touchoit en furent si contantes, que, ne povans ouyr ung meilleur propos à leur gré, se leverent pour en aller randre graces à Dieu où les religieux estoient prests à dire vespres. Le service finy, s'en allerent souper, non sans plusieurs propos de leurs mariages, qui dura encores tout du long du soir, racomptans les fortunes qu'ilz avoient eues durant le pourchas [a] du mariage de leurs femmes. Mais

a. la préparation, les préliminaires.

parce que l'un rompoit la parolle de l'autre, l'on ne peut retenir les comptes tout du long, qui n'eussent esté moins plaisans à escripre que ceulx qu'ilz disoient dans le pré. Ils y prindrent si grand plaisir et se amuserent tant, que l'heure de coucher fut plus tost venue, qu'ilz ne s'en apperceurent. La dame Oisille departyt [a] la compaignye, qui s'alla coucher si joyeusement, que je pense que ceulx qui estoient mariez ne dormirent pas si long temps que les aultres, racomptans leurs amitiez passées et demonstrans la presente. Ainsy se passa doulcement la nuyct jusques au matin.

FIN DE LA QUATRIESME JOURNÉE.

a. quitta.

LA CINQUIESME JOURNÉE

EN LA CINQUIESME JOURNÉE, ON DEVISE DE LA VERTU DES FILLES ET FEMMES QUI ONT EU LEUR HONNEUR EN PLUS GRANDE RECOMMANDATION QUE LEUR PLAISIR; DE CELLES AUSSI QUI ONT FAIT LE CONTRAIRE, ET DE LA SIMPLICITÉ DE QUELQUES AUTRES.

PROLOGUE

QUANT le matin fut venu, ma dame Oisille leur prepara ung desjuner spirituel d'un si bon goust, qu'il estoit suffisant pour fortiffier le corps et l'esperit; où toute la compaignie fut fort attentive, en sorte qu'il leur sembloit bien jamais n'avoir oy sermon qui leur proffitast tant. Et, quant ilz ouyrent sonner le dernier coup de la messe, s'alerent exercer à la contemplation des sainctz propos qu'ilz avoient entenduz. Après la messe oïe et s'estre ung peu pourmenez, se meirent à table, promectans la Journée presente debvoir estre aussi belle que nulle des passées. Et Saffredent leur dist qu'il vouldroit que le pont demorast encore ung mois à faire, pour le plaisir qu'il prenoit à la bonne chere qu'ilz faisoient; mais l'abbé de leans y faisoit faire bonne diligence, car ce n'estoit pas sa consolation de vivre entre tant de gens de bien, en la presence desquelz n'osoit faire venir ses pelerines accoustumées [593]. Et, quant ils se furent reposez quelque temps après disné, retournerent à leur passe temps accoustumé. Après que chascun eut prins son siege au pré, demanderent à Parlamente à qui elle donnoit sa voix. « Il me semble, dist-elle, que Saffredent sçaura bien commencer ceste Journée, car je luy voys le visaige qui n'a poinct d'envye de nous faire pleurer. — Vous serez doncq bien cruelles, mes dames, dist Saffredent, si vous n'aviez pitié d'un Cordelier, dont je vous voys compter l'histoire; et, encores que, par celles que aucuns d'entre nous ont cy devant faictes des religieux, vous pourriez penser que sont cas advenuz aux pauvres damoiselles, dont la facilité d'execution a faict sans craincte [594] commencer l'entreprinse. Mais, affin que vous congnoissiez que l'aveuglement de leur folle concupiscence leur oste toute craincte et prudente consideration, je vous en compteray d'un, qui advint en Flandres. »

QUARANTE ET UNIESME NOUVELLE

La nuict de Noel, une damoyselle se presenta à un Cordelier, pour estre oye en confession, lequel luy bailla une penitence si estrange, que, ne la voulant recevoir, elle se leva devant luy, sans absolution; dont sa maistresse avertie feit fouetter le Cordelier en sa cuysine, puis le renvoya lié et garroté à son gardien [595].

L'année que madame Marguerite d'Autriche vint à Cambray, de la part de l'Empereur son nepveu, pour traicter la paix entre luy et le Roy Très Chrestien, de la part duquel se trouva sa mere madame Loïse de Savoie [596]; et estoit en la compaignye de la dicte dame Marguerite la comtesse d'Aiguemont, qui emporta en ceste compaignye le bruict d'estre la plus belle de toutes les Flamandes. Au retour de ceste grande assemblée, s'en retourna la contesse d'Aiguemont [597] en sa maison, et, le temps des adventz [a] venu, envoya en ung couvent de Cordeliers demander ung prescheur suffisant et homme de bien tant pour prescher que pour confesser elle et toute sa maison. Le gardien sercha le plus cru digne qu'il eut de faire tel office pour les grands biens qu'ilz recepvoient de la maison d'Aiguemont et de celle de Fiennes [598], dont elle estoit. Comme ceulx qui sur tous autres religieux desiroient gaingner la bonne estime et amityé des grandes maisons, envoyerent ung predicateur, le plus apparent de leur couvent; lequel, tout le long des adventz, feit très bien son debvoir; et avoit la contesse grand contentement de luy. La nuyct de Noël, que la contesse vouloit recepvoir son Createur, feit venir son confesseur. Et, après s'estre confessée en une chappelle bien fermée, afin que la confession fut plus secrette, laissa

a. l'Avent.

le lieu à sa dame d'honneur, laquelle, après soy estre confessée, envoya sa fille passer par les mains de ce bon confesseur. Et, après qu'elle eut tout dict ce qu'elle sçavoit, congneut le beau pere quelque chose de son secret; qui luy donna envie et hardiesse de luy bailler une penitence non accoustumée. Et luy dist : « Ma fille, voz pechez sont si grandz, que, pour y satisfaire, je vous baille en penitence de porter ma corde sur vostre chair toute nue. » La fille, qui ne luy vouloit desobeir, lui dist : « Baillez-la-moy, mon pere, et je ne fauldray de la porter. — Ma fille, dist le beau pere, il ne seroit pas bon de vostre main; il fault que les myennes propres, dont vous debvez avoir l'absolution, la vous aient premierement seincte; puis après, vous serez absoulte de tous voz pechez. » La fille, en pleurant, respond qu'elle n'en feroit rien. « Comment ! dist le confesseur, estes-vous une hereticque, qui refusez les penitences selon que Dieu et nostre mere saincte Eglise l'ont ordonné ? — Je use de la confession, dist la fille, comme l'Eglise le commande, et veulx bien recepvoir l'absolution et faire la penitence, mais je ne veulx poinct que vous y mectiez les mains; car, en ceste sorte, je refuse vostre penitence. — Par ainsy, dist le confesseur, ne vous puis-je donner l'absolution. » La damoiselle se leva de devant luy, ayant la conscience bien troublée, car elle estoit si jeune, qu'elle avoit paour d'avoir failly, au refuz qu'elle avoit faict au pere. Quant ce vint après la messe, que la contesse d'Aiguemont receut le *corpus Domini*, sa dame d'honneur, voulant aller après, demanda à sa fille si elle estoit preste. La fille, en pleurant, dist qu'elle n'estoit poinct confessée. « Et qu'avez-vous tant faict avecq ce prescheur ? dist la mere. — Rien, dist la fille, car, refusant la penitence qu'il m'a baillée, m'a refusé aussi l'absolution. » La mere s'enquist saigement, et congneut l'estrange façon de penitence que le beau pere vouloit donner à sa fille; et, après l'avoir faict confesser à ung aultre, receurent toutes ensemble. Et, retournée la contesse de l'eglise, la dame d'honneur lui feit la plaincte du prescheur, dont elle fut bien marrye et estonnée, veue la bonne oppinion qu'elle avoit de luy. Mais son courroux ne la peult garder, qu'elle ne rist bien fort, veu la nouvelleté de la penitence. Si est-ce que le rire n'empescha pas aussy, qu'elle ne le feit prendre et battre en sa cuisine, où à force de verges, il confessa la verité. Et, après, elle l'envoya pieds et mains lyez à son gardien, le priant que une aultre fois il baillast commission à plus gens de bien de prescher la parolle de Dieu.

« Regardez, mesdames, si en une maison si honorable ilz n'ont poinct de paour de declairer leurs follies, qu'ilz peuvent faire aux pauvres lieux où ordinairement ilz vont faire leurs questes, où les occasions leur sont presentées si facilles, que c'est miracle quant ilz eschappent sans scandalle. Qui me faict vous prier, mes dames, de tourner vostre mauvaise estime en compassion. Et pensez que celluy qui aveugle les Cordeliers, n'espargne pas les dames, quant il le trouve à propos. — Vrayement, dist Oisille, voylà ung bien meschant Cordelier ! estre religieux, prestre et predicateur, et user de telle villenye, au jour de Noël, en l'eglise et soubz le manteau de confession, qui sont toutes circonstances qui aggravent le peché ! — Il semble à vous oyr parler, dist Hircan, que les Cordeliers doibvent estre anges ou plus saiges que les aultres ? Mais vous en avez tant oy d'exemples, que vous les debvez penser beaucoup pires; et il me semble que cestuy-cy est bien à excuser, se trouvant tout seul, de nuyct enfermé avecq une belle fille. — Voyre, dist Oisille, mais c'estoit la nuict de Noël. — Et voylà qui augmente son excuse, dist Simontault, car, tenant la place de Joseph auprès d'une belle vierge, il voulloit essayer à faire ung petit enfant, pour jouer au vif le mistere de la Nativité. — Vrayement, dist Parlamente, s'il eust pensé à Joseph et à la vierge Marie, il n'eut pas eu la volunté si meschante [599]. Toutesfois, c'estoit ung homme de mauvais vouloir, veu que, pour si peu d'occasion, il faisoit une si meschante entreprinse. — Il me semble, dist Oisille, que la contesse en feit si bonne punition, que ses compaignons y povoient prendre exemple. — Mais assavoir-mon, dist Nomerfide, si elle fit bien de scandaliser ainsy son prochain; et, s'il eut pas myeulx vallu qu'elle luy eust remonstré ses faultes doulcement, que de divulguer ainsy son prochain. — Je croy, dist Geburon, que ce eust esté bien faict; car il est commandé de corriger nostre prochain entre nous et luy, avant que le dire à personne ny à l'Eglise. Aussy, depuis que ung homme est eshonté [a] à grand peyne, jamais se

a. confondu, couvert de honte.

peut-il amender, parce que la honte retire autant de gens de peché, que la conscience. — Je croy, dist Parlamente, que envers chascun se doibt user le conseil de l'Evangile, sinon envers ceulx qui la preschent et font le contraire, car il ne fault poinct craindre à scandalizer ceulx qui scandalisent tout le monde. Et me semble que c'est grand merite de les faire congnoistre telz qu'ils sont, afin que nous ne prenons pas ung doublet[a] pour ung bon rubis[600]. Mais à qui donnera Saffredent[601] sa voix ? — Puis que vous le demandez, ce sera à vous-mesmes, dist Saffredent, à qui nul d'entendement ne la doibt refuser. — Or, puis que vous me la donnez, je vous en voys compter une, dont je puis servir de tesmoing. Et j'ay toujours oy dire que tant plus la vertu est en ung subject debille et foible, assaillye de son très fort et puissant contraire, c'est à l'heure qu'elle est plus louable et se monstre mieux telle qu'elle est; car si le fort se defend du fort, ce n'est chose esmerveillable, mais si le foible en a victoire, il en a gloire de tout le monde. Pour congnoistre les personnes dont je veulx parler, il me semble que je ferois tort à la vertu que j'ai veu cachée soubz ung si pauvre vestement, que nul n'en tenoit compte, si je ne parlois de celle par laquelle ont esté faictz des actes si honnestes : qui me contrainct le vous racompter. »

QUARANTE DEUXIESME NOUVELLE

Un jeune prince meit son affection en une fille, de laquelle (combien qu'elle fut de bas et pauvre lieu) ne peut jamais obtenir ce qu'il en avoit esperé, quelque poursuyte qu'il en feit. Parquoy, le prince, congnoissant sa vertu et honnesteté, laissa son entreprinse, l'eut toute sa vie en bonne estime, et luy feit de grands biens, la maryant avec un sien serviteur[602].

En une des meilleures villes de Touraine, demouroit ung seigneur de grande et bonne maison, lequel y avoit esté nourry de sa grande jeunesse. Des perfections, grace, beaulté et grandes vertuz de ce jeune prince, ne vous en diray aultre chose, sinon que en son temps ne trouva jamays son pareil[603]. Estant en l'aage de quinze ans, il

a. faux brillant.

prenoit plus de plaisir à courir et chasser, que non pas à regarder les belles dames. Ung jour, estant en une eglise, regarda une jeune fille, laquelle avoit aultresfois en son enffance esté nourrye au chasteau où il demeuroit. Et, après la mort de sa mere, son pere se remaria; parquoy, elle se retira en Poictou, avecq son frere. Ceste fille, qui avoit nom Françoise, avoit une seur bastarde, que son pere aymoit très fort; et la maria en ung sommelier d'eschansonnerye [604] de ce jeune prince, dont elle tint aussi grand estat que nul de sa maison. Le pere vint à morir et laissa pour le partage de Françoise ce qu'il tenoit auprès de ceste bonne ville; parquoy, après qu'il fut mort, elle se retira où estoit son bien. Et, à cause qu'elle estoit à marier et jeune de seize ans, ne se vouloit tenir seule en sa maison, mais se mist en pension chez sa seur la sommeliere. Le jeune prince, voiant ceste fille assez belle pour une claire brune, et d'une grace qui passoit celle de son estat, car elle sembloit mieulx gentil femme ou princesse, que bourgeoise, il la regarda longuement. Luy, qui jamais encor n'avoit aymé, sentyt en son cueur ung plaisir non accoustumé. Et quant il fut retourné en sa chambre, s'enquist de celle qu'il avoit veu en l'eglise, et recongneut que aultresfois en sa jeunesse estoit-elle allée au chasteau jouer aux poupines [a] avecq sa seur [605], à laquelle il la feit recongnoistre. Sa seur l'envoya querir et luy feit fort bonne chere, la priant de la venir souvent veoir; ce qu'elle faisoit quant il y avoit quelques nopces ou assemblée, où le jeune prince la voyoit tant voluntiers qu'il pensa à l'aymer bien fort. Et, pour ce qu'il la congnoissoit de bas et pauvre lieu, espera recouvrer facillement ce qu'il en demandoit. Mais, n'aiant moien de parler à elle, luy envoya ung gentil homme de sa chambre, pour faire sa practique, auquel, elle, qui estoit saige, craingnant Dieu, dist qu'elle ne croyoit pas que son maistre, qui estoit si beau et honneste prince, se amusast à regarder une chose si layde qu'elle, veu que, au chasteau où il demeuroit, il en avoit de si belles, qu'il ne falloit poinct en chercher par la ville, et qu'elle pensoit qu'il le disoit de luy-mesmes sans le commandement de son maistre. Quant le jeune prince entendit ceste responce, Amour, qui se attache plus fort où plus il trouve de resistance, luy

a. à la poupée.

faict plus chauldement qu'il n'avoit faict poursuivre son entreprinse. Et luy escripvit une lectre, la priant voulloir entierement croire ce que le gentil homme luy diroit. Elle, qui sçavoit très bien lire et escripre, leut sa lettre tout du long, à laquelle, quelque priere que luy en feist le gentil homme, n'y voulust jamais respondre, disant qu'il n'appartenoit pas à si basse personne d'escripre à ung tel prince, mais qu'elle le supplioit ne la penser si sotte, qu'elle estimast qu'il eust une telle oppinion d'elle, que de luy porter tant d'amityé; et aussy, que, s'il pensoit, à cause de son pauvre estat, la cuyder avoir à son plaisir, il se trompoit, car elle n'avoit le cueur moins honneste que la plus grande princesse de la chrestienté, et n'estimoit tresor au monde au pris de l'honnesteté et de la conscience, le supliant ne la vouloir empescher de toute sa vie garder ce tresor, car, pour mourir, elle ne changeroit d'oppinion. Le jeune prince ne trouva pas ceste responce à son gré; toutesfois, l'en ayma-il très fort et ne faillyt de faire mectre tousjours son siege à l'eglise où elle alloit à la messe; et, durant le service, addressoit tousjours ses oeilz à ceste ymaige. Mais, quant elle l'apparceut, changea de lieu et alla en une aultre chapelle, non pour fuyr de le veoir, car elle n'eut pas esté creature raisonnable, si elle n'eust prins plaisir à le regarder, mais elle craingnoit estre veue de luy, ne s'estimant digne d'en estre aymée par honneur ou par mariage, ne voulant aussi d'autre part que ce fut par folie et plaisir. Et, quant elle veid que, en quelque lieu de l'eglise qu'elle se peust mettre, le prince se faisoit dire la messe tout auprès, ne voulut plus aller en ceste eglise-là, mais alloit tous les jours à la plus esloignée qu'elle povoit. Et quant quelques nopces alloient au chasteau, ne s'y vouloit plus retrouver, combien que la seur du prince l'envoyast querir souvent, s'excusant sur quelque malladye. Le prince, voyant qu'il ne povoit parler à elle, s'ayda de son sommelier et luy promist de grands biens s'il luy aydoit en ceste affaire; ce que le sommelier s'offrit voluntiers, tant pour plaire à son maistre, que pour le fruict qu'il en esperoit. Et, tous les jours, comptoit au prince ce qu'elle disoit et faisoit, mais que surtout fuyoit les occasions qui luy estoient possibles de le veoir. Si est-ce que la grande envye qu'il avoit de parler à elle à son aise luy feit chercher ung expediant. C'est que, ung jour, il alla mener ses grandz chevaulx, dont il commençoit bien à sçavoir le mestier, en une grand place de la ville, devant la maison de son sommelier, où Françoise demeuroit. Et, après avoir faict maintes courses et saulx qu'elle povoit bien veoir, se laissa tumber de son cheval dedans une grand'fange, si mollement qu'il ne se feit poinct de mal : si est-ce qu'il se plaingnit assez et demanda s'il y avoit poinct de logis pour changer ses habillemens. Chascun presentoit sa maison; mais quelqu'un dist que celle du sommelier estoit la plus prochaine et la plus honneste; aussy, fut-elle choisie sur toutes. Il trouva la chambre bien accoustrée et se despouilla en chemise, car tous ses habillemens estoient souillez de la fange; et se meist dedans ung lict. Et, quant il veid que chascun fut retiré pour aller querir ses habillemens, exepté le gentil homme, appella son hoste et son hostesse, et leur demanda où estoit Françoise. Ilz eurent bien à faire à la trouver, car, si tost qu'elle avoit veu ce jeune prince entrer en sa maison, s'en estoit allée cacher au plus secret lieu de leans. Toutesfois, sa seur la trouva, qui la pria ne craindre poinct venir parler à ung si honneste et vertueux prince. « Comment, ma sœur, dist Françoise, vous que je tiens ma mere, me vouldriez-vous conseiller d'aller parler à ung jeune seigneur, duquel vous sçavez que je ne puis ignorer la volunté ? » Mais sa seur luy feit tant de remonstrances et promesses de ne la laisser seulle, qu'elle alla avecq elle, portant ung visaige si pasle et desfaict, qu'elle estoit plus pour engendrer pitié que concupiscence. Le jeune prince, quant il la veid près de son lict, il la print par la main, qu'elle avoit froide et tremblante, et luy dist : « Françoise, m'estimez-vous si mauvais homme, si estrange et cruel, que je menge les femmes en les regardant ? Pourquoy avez-vous prins une si grande craincte de celluy qui ne cherche que vostre honneur et advantaige ? Vous sçavez que en tous lieux qu'il m'a esté possible, j'ai serché de vous veoir et parler à vous; ce que je n'ai sceu. Et, pour me faire plus de despit, avez fuy les lieux où j'avois accoustumé vous veoir à la messe, afin que en tout je n'eusse non plus de contentement de la veue, que j'avois de la parolle. Mais tout cela ne vous a de rien servy, car je n'ay cessé que je ne soye venu icy par les moiens que vous avez peu veoir; et me suis mis au hazard de me rompre le col, me laissant tumber voluntairement, pour avoir le contentement de parler à vous à mon aise. Parquoy, je vous prie, Françoise, puisque j'ai acquis ce loisir icy avecq ung si grand labeur, qu'il ne soit poinct inutille, et que je puisse par ma grande amour gaingner la vostre. » Et, quant il eut long temps actendu sa response, et veu qu'elle avoit les larmes aux oeilz, et la veue contre terre, la tyrant à luy le plus qu'il luy fust possible, la cuyda embrasser et baiser. Mais elle luy dist : « Non, Monseigneur, non; ce que vous serchez ne se peult faire, car, combien que je soye ung vert de terre au pris de vous, j'ay mon honneur si cher, que j'aymerois mieulx mourir, que de l'avoir diminué, pour quelque plaisir que ce soit en ce monde. Et la craincte que j'ay de ceulx qui vous ont veu venir ceans, se doubtans de ceste verité, me donne la paour et tremblement que j'ay. Et, puisqu'il vous plaist de me faire cest honneur de parler à moy, vous me pardonnerez aussy, si je vous respond selon que mon honneur me le commande. Je ne suis poinct si sotte, Monseigneur, ne si aveuglée, que je ne voie et congnoisse bien la beaulté et graces que Dieu a mises en vous; et que je ne tienne la plus heureuse du monde celle qui possedera le corps et l'amour d'un tel prince. Mais de quoy me sert tout cela, puisque ce n'est pour moy ne pour femme de ma sorte, et que seullement le desirer seroit à moy parfaicte folye ? Quelle raison puis-je estimer qui vous faict adresser à moy, sinon que les dames de vostre maison (lesquelles vous aymez, si la beaulté et la grace est aymée de vous), sont si vertueuses, que vous n'osez leur demander ne esperer avoir d'elles ce que la petitesse de mon estat vous faict esperer avoir de moy ? Et suis seure que, quant de telles personnes que moy auriez ce que demandez, ce seroit ung moien pour entretenir vostre maistresse deux heures davantaige, en luy comptant voz victoires au dommaige des plus foibles. Mais il vous plaira, Monseigneur, penser que je ne suis de ceste condition. J'ay esté nourrye en vostre maison, où j'ay aprins que c'est d'aymer : mon pere et ma mere ont esté voz bons serviteurs. Parquoy, il vous plaira, puisque Dieu ne m'a faict princesse pour vous espouser, ne d'estat pour estre tenue à maistresse et amye, ne me vouloir mectre en ranc des pauvres malheureuses, veu que je vous desire et estime celluy des plus heureux princes de la chrestienté. Et, si pour vostre passe temps vous voulez des femmes de mon estat, vous en trouverez assez en ceste ville, de plus belles que moy sans comparaison, qui ne vous donneront la peyne de les prier tant. Arrestez-vous doncques à celles à qui vous ferez plaisir en acheptant leur honneur, et ne travaillez plus celle qui vous ayme plus que soy-mesmes. Car, s'il falloit que vostre vie ou la myenne fust aujourd'huy demandée de Dieu, je me tiendrois bienheureuse d'offrir la myenne pour saulver la vostre, car ce n'est faulte d'amour qui me faict fuyr vostre presence, mais c'est plus tost pour en avoir trop à vostre conscience et à la myenne; car j'ay mon honneur plus chair que ma vie. Je demeureray, s'il vous plaist, Monseigneur, en vostre bonne grace, et prieray toute ma vie Dieu pour vostre prosperité et santé. Il est bien vray que cest honneur que vous me faictes me fera entre les gens de ma sorte mieulx estimer, car qui est l'homme de mon estat, après vous avoir veu, que je daignasse regarder ? Par ainsy, demeurera mon cueur en liberté, synon de l'obligation, où je veulx à jamais estre, de prier Dieu pour vous, car aultre service ne vous puis-je jamais faire. » Le jeune prince, voiant ceste honneste response, combien qu'elle ne fust selon son desir, si ne la povoit moins estimer qu'elle estoit. Il feyt ce qu'il luy fut possible pour luy faire croire qu'il n'aymeroit jamais femme qu'elle; mais elle estoit si saige, que une chose si desraisonnable ne povoit entrer en son entendement. Et, durant ces propos, combien que souvent on dist que ses habillemens estoient venuz du chasteau, avoit tant de plaisir et d'aise, qu'il feit dire qu'il dormoit, jusques ad ce que l'heure du souppé fut venue, où il n'osoit faillit à sa mere, qui estoit une des plus saiges dames du monde. Ainsy s'en alla le jeune homme de la maison de son sommelier, estimant plus que jamais l'honnesteté de ceste fille. Il en parloit souvent au gentil homme qui couchoit en sa chambre, lequel, pensant que argent faisoit plus que amour, lui conseilla de faire offryr à ceste fille quelque honneste somme pour se condescendre à son vouloir. Le jeune prince, duquel la mere estoit le tresorier, n'avoit que peu d'argent pour ses menuz plaisirs, qu'il print avecq tout ce qu'il peut emprunter, et se trouva la somme de cinq cents escuz qu'il envoia à ceste fille par le gentil homme, la priant de vouloir changer d'opinion. Mais quant elle veid le present, dist au gentilhomme : « Je vous prie, dictes à Monseigneur que j'ay le cueur si bon et si honneste, que, s'il falloit obeyr ad ce qu'il me commande, la beaulté et les graces qui sont en luy m'auroient desja vaincue; mais, là où ilz n'ont eu puissance contre mon honneur, tout l'argent du monde n'y en sçauroit avoir, lequel vous luy ramporterez, car j'ayme mieulx l'honneste pauvreté, que tous les biens qu'on sçauroit desirer. » Le gentil homme, voiant ceste rudesse, pensa qu'il la falloit avoir par cruaulté; et vint à la menasser de l'auctorité et puissance de son maistre. Mais, elle, en riant, luy dist : « Faictes paour de luy à celles qui ne le congnoissent poinct, car je sçay bien qu'il est si saige et si vertueux, que telz propos ne viennent de luy; et suis seure qu'il vous desadvouera, quand vous les compterez. Mais, quant il seroit ainsy que vous le dictes, il n'y a torment ne mort qui me sceut faire changer d'opinion; car, comme je vous ay dict, puis qu'amour n'a tourné mon cueur, tous les maulx ne tous les biens que l'on sçauroit donner à personne ne me sçauroient destourner d'un pas du propos où je suis. » Ce gentil homme, qui avoit promis à son maistre de la luy gaingner, luy porta ceste response, avecq un merveilleux despit, et le persuada à poursuyvre par tous moiens possibles, luy disant que ce n'estoit poinct son honneur de n'avoir sceu gaingner une telle femme. Le jeune prince, qui ne voulloit poinct user d'autres moiens que ceulx que l'honnesteté commande, et craingnant aussy que, s'il en estoit quelque bruict et que sa mere le sceut, elle auroit occasion de s'en courroucer bien fort, n'osoit rien entreprendre, jusques ad ce que son gentil homme lui bailla ung moien si aisé qu'il pensoit desjà la tenir. Et, pour l'executer, parleroit au sommelier, lequel, deliberé de servir son maistre en quelque façon que ce fust, pria ung jour sa femme et sa belle seur d'aller visiter leurs vendanges en une maison qu'il avoit auprès de la forest : ce qu'elles luy promirent. Quant le jour fut venu, il le feit sçavoir au jeune prince, lequel se delibera d'y aller tout seul avecq ce gentil homme; et feit tenir sa mulle preste secretement, pour partir quant il en seroit heure. Mais Dieu voulut que ce jour-là sa mere accoustroit [a] ung cabinet le plus beau du monde; et, pour luy aider, avoit avecq elle tous ses enfans. Et là s'amusa ce jeune prince, jusques ad ce que

a. meublait, décorait.

l'heure promise fut passée. Si ne tint-il à son sommelier, lequel avoit mené sa seur en sa maison, en crouppe derriere luy, et feit faire la mallade à sa femme, en sorte que, ainsy qu'ilz estoient à cheval, luy vint dire qu'elle n'y sçauroit aller. Et, quant il veid que l'heure tardoit que le prince debvoit venir, dist à sa belle-seur : « Je croy bien que nous povons retourner à la ville. — Et qui nous en garde ? dist Françoise. — C'est, ce dist le sommelier, que j'atendois icy Monseigneur, qui m'avoit promis de venir. » Quant sa seur entendit ceste meschanceté, luy dist : « Ne l'attendez poinct, mon frere, car je sçay bien que pour aujourd'huy il ne viendra poinct. » Le frere la creut et la ramena. Et, quant elle fut en la maison, monstra sa colere extreme, en disant à son beau frere qu'il estoit le varlet du diable, qu'il faisoit plus qu'on ne luy commandoit. Car elle estoit asseurée que c'estoit de son invention et du gentil homme, et non du jeune prince, duquel il aymoit mieulx gaingner de l'argent, en le confortant en ses follies, que de faire office de bon serviteur; mais que, puis qu'elle le congnoissoit tel, elle ne demeureroit jamais en sa maison. Et, sur ce, elle envoia querir son frere pour la mener en son pays et se deslogea incontinent d'avec sa seur. Le sommelier, aiant failly à son entreprinse, s'en alla au chasteau, pour entendre à quoy il tenoit que le jeune prince n'estoit venu; et ce ne fut gueres là, qu'il ne le trouvast sur sa mulle tout seul avecq le gentil homme, en qui il se fyoit, et luy demanda : « Et puis, est-elle encores là ? » Il luy compta tout ce qu'il avoit faict. Le jeune prince fut bien marry d'avoir failly à sa deliberation qu'il estimoit estre le moien dernier et extreme qu'il povoit prendre là. Et, voiant qu'il n'y avoit poinct de remede, la chercha tant, qu'il la trouva en une compaignye où elle ne povoit fuyr; qui se courroucea fort à elle des rigueurs qu'elle luy tenoit et de ce qu'elle vouloit laisser la compaignye de son frere; laquelle luy dist qu'elle n'en avoit jamais trouvé une pire ne plus dangereuse pour elle; et qu'il estoit bien tenu à son sommelier, veu qu'il ne le servoit seullement du corps et des biens, mais aussy de l'ame et de la conscience. Quant le prince congnut qu'il n'y avoit aultre remede, delibera de ne l'en prescher plus et l'eut toute sa vie en bonne estime. Ung serviteur du dict prince, voiant l'honnesté de ceste fille, la voulut espouser; à quoy jamais ne se voulut accorder sans le commandement et congé du jeune prince, auquel elle avoit mis toute son affection; ce qu'elle luy feit entendre. Et, par son bon vouloir, fut fait le mariage, où elle a vescu toute sa vie en bonne reputation. Et luy a fait le jeune prince beaucoup de grands biens [606].

« Que dirons-nous icy, mes dames ? Avons-nous le cueur si bas, que nous facions noz serviteurs noz maistres, veu que ceste-cy n'a sceu estre vaincue ne d'amour ne de torment ? Je vous prie que, à son exemple, nous demorions victorieuses de nous-mesmes, car c'est la plus louable victoire que nous puissions avoir. — Je ne voy que ung mal, dist Oisille : que les actes vertueux de ceste fille n'ont esté du temps des historiens, car ceulx qui ont tant loué leur Lucresse l'eussent laissé au bout de la plume, pour escripre bien au long les vertuz de ceste-cy. — Pour ce que je les trouve si grandes que je ne les pourrois croyre, sans le grand serment que nous avons faict de dire verité, je ne trouve pas sa vertu telle que vous la peignez, dist Hircan, car vous avez veu assez de mallades desgouttez de laisser les bonnes et salutaires viandes [a], pour manger les mauvaises et dommageables. Aussy peult estre que ceste fille avoit quelque gentil homme comme elle, qui luy faisoit despriser [b] toute noblesse. » Mais Parlamente respondit à ce mot, que la vie et la fin de ceste fille monstroient que jamais n'avoit eu oppinion à homme vivant, que à celluy qu'elle aymoit plus que sa vie, mais non pas plus que son honneur. « Ostez ceste opinion de vostre fantaisye, dist Saffredent, et entendez d'où est venu ce terme d'honneur quant aux femmes, car peut estre que celles qui en parlent tant, ne sçavent pas l'invention de ce nom. Sçachez que, au commencement que la malice n'estoit trop grande entre les hommes, l'amour y estoit si naifve et forte que nulle dissimullation n'y avoit lieu. Et estoit plus loué celluy qui plus parfaictement aymoit. Mais, quant l'avarice et le peché vindrent saisir le cueur et l'honneur, ilz en chasserent dehors Dieu et l'amour; et, en leur lieu, prindrent amour d'eulx-mesmes, hypocrisie et fiction. Et, voiant les dames nourrir en leur cueur ceste vertu de vraye amour et que le nom d'*ypo-*

a. nourritures. — *b.* mépriser.

crisye estoit tant odieux entre les hommes, luy donnerent le surnom d'*honneur*, te lement que ce les qui ne povoient avoir en elles ceste honorable amour, disoient que l'honneur le leur deffendoit, et en ont faict une si cruelle loy, que mesmes ce les qui ayment parfaictement, dissimullent, estimant vertu estre vice; mais celles qui sont de bon entendement et de sain jugement, ne tumbent jamais en telles erreurs, car ilz congnoissent la difference des tenebres et de lumiere; et que leur vray honneur gist à monstrer la pudicité du cueur, qui ne doibt vivre que d'amour et non poinct se honorer du vice de dissimullation. — Toutesfois, dist Dagoucin, on dit que l'amour la plus secrete est la plus louable. — Ouy, secrette, dist Simontault, aux oeilz de ceulx qui en pourroient mal juger, mais claire et congneue au moins aux deux personnes à qui elle touche. — Je l'entendz ainsy, dist Dagoucin; encores vauldroit-elle mieulx d'estre ignorée d'un costé que entendue d'un tiers, et je croy que ceste femme-là aymoit d'autant plus fort, qu'elle ne le declaroit point. — Quoy qu'il y ait, dist Longarine, il fault estimer la vertu dont la plus grande est à vaincre son cueur. Et, voiant les occasions que ceste fille avoit d'oblier sa conscience et son honneur, et la vertu qu'elle eut de vaincre son cueur et [697] sa volunté et celluy qu'elle aymoit plus qu'elle-mesmes avecq toutes perfections des occasions et moiens qu'elle en avoit, je dictz qu'elle se povoit nommer la forte femme. Puisque vous estimez la grandeur de la vertu par la mortiffication de soy-mesmes, je dictz que ce seigneur estoit plus louable qu'elle, veu l'amour qu'il luy portoit, la puissance, occasion et moien qu'il en avoit; et toutesfois, ne voulut poinct offenser la reigle de vraye amityé, qui esgalle le prince et le pauvre, mais usa des moiens que l'honnesteté permet. — Il y en a beaucoup, dist Hircan, qui n'eussent pas faict ainsy. — De tant plus est-il à estimer, dist Longarine, qu'il a vaincu la commune malice des hommes, car qui peut faire mal et ne le faict poinct, cestuy-là est bien heureux [608]. — A ce propos, dist Geburon, vous me faictes souvenir d'une qui avoit plus de crainte d'offenser les oeilz des hommes, qu'elle n'avoit Dieu, son honneur ne l'amour. — Or, je vous prie, dist Parlamente, que vous nous la comptiez et je vous donne ma voix. — Il y a, dist Geburon, des personnes qui n'ont poinct de Dieu; ou, s'ilz en croyent quelcun, l'estiment quelque chose si loing d'eulx qui ne peult veoir ny entendre les mauvaises œuvres qu'ilz font; et encores qu'ilz les voient, pensent qu'il soit nonchaillant, qu'il ne les pugnisse poinct, comme ne se soucyant des choses de ça bas. Et de ceste opinion mesmes estoit une damoiselle, de laquelle, pour l'honneur de la race, je changeray le nom, et la nommeray Jambicque. Elle disoit souvent que la personne qui n'avoit à faire que de Dieu, estoit bien heureuse, si au demeurant elle povoit bien conserver son honneur devant les hommes. Mais vous verrez, mes dames, que sa prudence ne son hypocrisie ne l'a pas garantye que son secret n'ait esté revellé, comme vous verrez par son histoire où la verité sera dicte tout du long, horsmis les noms des personnes et des lieux qui seront changez. »

QUARANTE TROISIESME NOUVELLE

Jambicque, preferant la gloire du monde à sa conscience, se voulut faire devant les hommes autre qu'elle n'estoit; mais son amy et serviteur, descouvrant son hypocrisye par le moyen d'un petit trait de craye, revela à un chascun la malice qu'elle mectoit si grand peine de cacher [609].

En ung très beau chasteau, demoroit une grande princesse et de grande auctorité; et avoit en sa compaignye une damoiselle, nommée Jambicque, fort audatieuse, de laquelle la maistresse estoit si fort abusée, qu'elle ne faisoit rien que par son conseil, l'estimant la plus saige et vertueuse damoiselle qui fut poinct de son temps. Ceste Jambicque reprouvoit [610] tant la folle amour, que, quant elle voyoit quelque gentil homme amoureux de l'une de ses compaignes, elle les reprenoit fort aigrement et en faisoit si mauvais rapport à sa maistresse que souvent elle les faisoit tanser [a] [611]; dont elle estoit beaucoup plus craincte que aymée de toute la compaignie. Et, quant à elle, jamais ne parloit à homme, sinon tout hault et avecq une grande audace, tellement qu'elle avoit le bruict [b] d'estre ennemye mortelle de tout amour, combien qu'elle estoit contraire en son cueur. Car il y avoit ung gentil homme au service

a. tancer. — *b*. la réputation.

de sa maistresse, dont elle estoit si fort esprinse, qu'elle n'en povoit plus porter. Si est-ce que l'amour qu'elle avoit à sa gloire et reputation la faisoit en tout dissimuller son affection. Mais, après avoir porté ceste passion bien ung an, ne se voulant soulaiger, comme les aultres qui ayment, par le regard et la parolle, brusloit si fort en son cueur, qu'elle vint sercher le dernier remede. Et, pour conclusion, advisa qu'il valloit mieulx satisfaire à son desir et qu'il n'y eust que Dieu seul qui congneut son cueur, que de le dire à ung homme qui le povoit reveler quelquefois.

Après ceste conclusion prinse, ung jour qu'elle estoit en la chambre de sa maistresse regardant sur une terrace, veit pourmener [a] celluy qu'elle aymoit tant; et, après l'avoir regardé si longuement que le jour qui se couchoit en emportoit avec luy la veue, elle appella ung petit paige qu'elle avoit, et, en luy monstrant le gentil homme, luy dist : « Voyez-vous bien cestuy-là, qui a ce pourpoinct de satin cramoisy, et ceste robbe fourrée de loups cerviers ? Allez luy dire qu'il y a quelcun de ses amyz qui veult parler à luy en la gallerie du jardin de ceans. » Et, ainsy que le paige y alla, elle passa par la garderobbe de sa maistresse, et s'en alla en ceste gallerie, ayant mis sa cornette basse et son touret de nez [b]. Quant le gentil homme fut arrivé où elle estoit, elle vat incontinant fermer les deux portes par où on povoit venir sur eulx, et, sans oster son touret de nez, en l'embrassant bien fort, luy vat dire le plus bas qu'il luy fut possible : « Il y a long temps, mon amy, que l'amour que je vous porte m'a faict desirer de trouver lieu et occasion de vous povoir veoir; mais la craincte de mon honneur a esté pour un temps si forte, qu'elle m'a contraincte, malgré ma volunté, de dissimuller ceste passion. Mais, en la fin, la force d'amour a vaincu la craincte; et, par la congnoissance que j'ai de vostre honnesteté, si vous me voulez promectre de m'aymer et de jamais n'en parler à personne, ne vous vouloir enquerir de moy qui je suys, je vous asseureray bien que je vous seray loyalle et bonne amye, et que jamais je n'aymeray autre que vous. Mais, j'aymerois mieulx morir, que vous sceussiez qui je suys. » Le gentil homme luy promist ce qu'elle demandoit; qui la rendit très

a. se promener. — *b.* petit masque, sorte de loup qui dissimule le haut du visage.

facille à luy rendre la pareille : c'est de ne luy refuser chose qu'il voulsist prendre. L'heure estoit de cinq et six en yver, qui entierement lui ostoit la veue d'elle. En touchant ses habillemens, trouva qu'ilz estoient de veloux, qui en ce temps-là ne se portoit à tous les jours, sinon par les femmes de grande maison et d'auctorité. En touchant ce qui estoit dessoubz autant qu'il en povoit prendre jugement par la main, ne trouva rien qui ne fust en très bon estat, nect et en bon poinct. Si mist peine de luy faire la meilleure chere qu'il luy fust possible. De son costé, elle n'en feit moins. Et congneut bien le gentil homme qu'elle estoit mariée.

Elle s'en voulut retourner incontinant de là où elle estoit venue, mais le gentil homme luy dist : « J'estime beaucoup le bien que sans mon merite vous m'avez donné, mays j'estimeray plus celluy que j'auray de vous à ma requeste. Je me tiens si satisfaict d'une telle grace, que je vous supplye me dire si je ne doibtz pas esperer encores ung bien semblable, et en quelle sorte il vous plaira que j'en use, car, veu que je ne vous puys congnoistre, je ne sçay comment le pourchasser. — Ne vous soulciez, dist la dame, mais asseurez-vous que tous les soirs, avant le souper de ma maistresse, je ne fauldray de vous envoier querir, mais que à l'heure vous soiez sur la terrace où vous estiez tantost. Je vous manderay seullement qu'il vous souvienne de ce que vous avez promis : par cela, entendrez-vous que je vous attendz en ceste gallerie. Mais, si vous oyez parler d'aller à la viande [a], vous pourrez bien, pour ce jour, vous retirer ou venir en la chambre de nostre maistresse. Et, sur tout, je vous prye ne serchez jamais de me congnoistre, si vous ne voulez la separation de nostre amityé. » La damoiselle et le gentil homme se retirerent tous deux, chacun en leur lieu. Et continuerent longuement ceste vie, sans ce qu'il s'apperceust jamays qui elle estoit : dont il entra en une grande fantaisye, pensant en luy-mesme qui se povoit estre; car il ne pensoit poinct qu'il y eut femme au monde, qui ne voullut estre vue et aymée. Et se doubta que ce fust quelque maling esperit, ayant oy dire à quelque sot prescheur que qui auroit veu le diable au visaige, l'on ne aymeroit jamais. En ceste doubte-là, se delibera de sçavoir qui estoit ceste-là qui luy faisoit si bonne chere; et, une aultrefois qu'elle le

a. à table.

manda, porta avecq luy de la craye, dont, en l'embrassant, luy en feit une marque sur l'espaule, par derriere, sans qu'elle s'en apperceut; et, incontinant qu'elle fut partye, s'en alla hastivement le gentil homme en la chambre de sa maistresse, et se tint aupres de la porte pour regarder le derriere des espaules de celles qui y entroient. Entre autres, veit entrer ceste Jambicque avecq une telle audace, qu'il craingnoit de la regarder comme les aultres, se tenant très asseuré que ce ne povoit estre elle. Mais, ainsy qu'elle se tournoit, advisa sa craye blanche, dont il fut si estonné, qu'à peyne povoit-il croire ce qu'il voyoit. Toutesfois, ayant bien regardé sa taille, qui estoit semblable à celle qu'il touchoit, les façons de son visaige, qui au toucher se peuvent congnoistre, congneut certainement que c'estoit elle; dont il fut très aise de veoir que une femme, qui jamais n'avoit eu le bruict d'avoir serviteur, mais tant refusé d'honnestes gentilz hommes, s'estoit arrestée à luy seul. Amour, qui n'est jamays en ung estat, ne peult endurer qu'il vesquit longuement en ce repos; et le meist en telle gloire et esperance, qu'il se delibera de faire congnoistre son amour, pensant que, quant elle seroit congneue, elle auroit occasion d'augmenter. Et ung jour que ceste grande dame alloit au jardin, la damoiselle Jambicque s'en alla pourmener en une aultre allée. Le gentil homme, la voïant seulle, s'advancea pour l'entretenir, et, faingnant ne l'avoir poinct veue ailleurs, luy dist : « Mademoiselle, il y a long temps que je vous porte une affection sur mon cueur, laquelle pour paour de vous desplaire ne vous ay osé reveler; dont je suys si mal, que je ne puis plus porter ceste peyne sans morir, car je ne croys pas que jamais homme vous sceut tant aymer que je faictz. » La damoiselle Jambicque ne le laissa pas achever son propos, mais luy dist avecq une très grand collere : « Avez-vous jamais oy dire ne veu que j'aye eu amy ne serviteur ? Je suis seure que non, et m'esbahys dont vous vient ceste hardiesse de tenir telz propos à une femme de bien comme moy, car vous m'avez assez hantée ceans, pour congnoistre que jamais je n'aymeray autre que mon mary; et, pour ce, gardez-vous de plus continuer ces propoz. » Le gentil homme, voyant une si grande fiction, ne se peut tenir de se prendre à rire et de luy dire : « Madame, vous ne m'estes pas tousjours si rigoreuse que maintenant. De quoy vous sert de user envers moy de telle dissimullation ? Ne vault-il pas mieulx avoir une amityé parfaite que imparfaicte ? » Jambicque luy respondit : « Je n'ay amityé à vous parfaicte ne imparfaicte, sinon comme aux autres serviteurs de ma maistresse; mais, si vous continuez les propos que vous m'avez tenu, je pourray bien avoir telle hayne, qu'elle vous nuyra. » Le gentil homme poursuivyt encores son propos et luy dist : « Et où est la bonne chere que vous me faictes quand je ne vous puys veoir ? Pourquoy m'en privez-vous maintenant, que le jour me monstre vostre beaulté accompaignée d'une parfaicte et bonne grace ? » Jambicque, faisant ung grand signe de la croix, luy dist : « Vous avez perdu vostre entendement, où vous estes le plus grand menteur du monde, car jamais en ma vie je ne pensay vous avoir faict meilleure ne pire chere que je vous faictz; et vous prye de me dire comme vous l'entendez ? » Alors le pauvre gentil homme, pensant la gaingner davantaige, luy alla compter le lieu où il l'avoit veue et la marque de la craye qu'il avoit faicte pour la congnoistre; dont elle fut si oultrée de collere, qu'elle luy dist qu'il estoit le plus meschant homme du monde; qu'il avoit controuvé contre elle une mensonge si villaine, qu'elle mectroit peyne de l'en faire repentir. Luy, qui sçavoit le credit qu'elle avoit envers sa maistresse, la voulut appaiser, mais il ne fut possible; car, en le laissant là furieusement, s'en alla là où estoit sa maistresse, laquelle laissa là toute la compaignye pour venir entretenir Jambicque, qu'elle aymoit comme elle-mesmes. Et, la trouvant en si grande collere, luy demanda qu'elle avoit : ce que Jambicque ne luy voulut celler, et luy compta tous les propos que le gentil homme luy avoit tenu, si mal à l'advantage du pauvre homme, que dès le soir sa maistresse luy manda qu'il eust à se retirer en sa maison tout incontinant, sans parler à personne et qu'il y demorast jusques ad ce qu'il fust mandé. Ce qu'il feit hastivement, pour la craincte qu'il avoit d'avoir pis. Et, tant que Jambicque demoura avecq sa maistresse, ne retourna le gentil homme en ceste maison, ne oncques puys n'ouyt nouvelles de celle qui luy avoit bien promis qu'il la perdroit, de l'heure qu'il la chercheroit [612].

« Parquoy, mes dames, povez veoir comme celle qui avoit preferé la gloire du monde à sa conscience, a perdu l'un et l'autre, car aujourd'huy est leu aux oeilz d'un chascun ce qu'elle vouloit cacher à ceulx de son amy, et, fuyant la mocquerye d'un, est tumbée en la mocquerye de tous. Et si ne peut estre excusée de simplicité, et amour naifve, de laquelle chascun doibt avoir pitié, mais, accusée doublement d'avoir couvert sa malice du double manteau d'honneur et de gloire, et se faire devant Dieu et les hommes aultre qu'elle n'estoit. Mais Celluy qui ne donne poinct sa gloire à aultruy, en descouvrant ce manteau, luy en a donné double infamye. — Voylà, dist Oisille, une vilenye inexcusable; car qui peut parler pour celle, quant Dieu, l'honneur et mesmes l'amour l'accusent ? — Ouy, dist Hircan, le plaisir et la folie, qui sont deux grands advocatz pour les dames. — Si nous n'avions d'autres advocatz, dist Parlamente, que eulx avecq vous, nostre cause seroit mal soutenue; mais celles qui sont vaincues en plaisir ne se doibvent plus nommer femmes, mais hommes, desquelz la fureur et la concupiscence augmente leur honneur; car ung homme qui se venge de son ennemy et le tue pour ung desmentir en est estimé plus gentil [a] compagnon; aussy est-il quant il en ayme une douzaine avecq sa femme. Mais l'honneur des femmes a autre fondement : c'est doulceur, patience et chasteté [613]. — Vous parlez des saiges ? dist Hircan. — Pour ce, respondit Parlamente, que je n'en veulx poinct congnoistre d'autres. — S'il n'y en avoit poinct de foles, dist Nomerfide, ceulx qui veullent estre creuz de tout [614] le monde auroient bien souvent menty ! — Je vous prie, Nomerfide, dist Geburon, que je vous donne ma voix, et n'obliez que vous estes femme, pour sçavoir quelques gens estimez veritables, disans de leurs folyes. — Puisque la vertu m'y a contrainct et que vous me donnez le ranc, j'en diray ce que j'en sçay. Je n'ay oy nul ny nulle de ceans, qui se soit espargné à parler au desavantaige des Cordeliers; et, pour la pitié que j'en ay, je suys deliberée, par le compte que je vous voys faire, d'en dire du bien. »

a. noble.

QUARANTE QUATRIESME NOUVELLE [615]

Pour n'avoir dissimulé la verité, le seigneur de Sedan doubla l'aumosne à un Cordelier, qui eut deux pourceaux pour un.

En la maison de Sedan arriva ung Cordelier, pour demander à madame de Sedan, qui estoit de la maison de Crouy, ung pourceau que tous les ans elle leur donnoit pour aulmosne. Monseigneur de Sedan [616], qui estoit homme saige et parlant plaisamment, feit manger ce beau pere à sa table. Et, entre autres propos, luy dist, pour le mectre aux champs : « Beau pere, vous faictes bien de faire vos questes tandis qu'on ne vous congnoist poinct, car j'ay grand paour que, si une fois vostre ypocrisie est descouverte, vous n'aurez plus le pain des pauvres enfans, acquis par la sueur des peres. » Le Cordelier ne s'estonna poinct de ces propos, mais luy dist : « Monseigneur, nostre religion est si bien fondée, que, tant que le monde sera monde, elle durera, car nostre fondement ne fauldra jamais, tant qu'il y aura sur la terre homme et femme. » Monseigneur de Sedan, desirant sçavoir sur quel fondement estoit leur vie assignée, le pria bien fort de luy vouloir dire. Le Cordelier, après plusieurs excuses, luy dist : « Puisqu'il vous plaist me commander de le dire, vous le sçaurez : sçachez, monseigneur, que nous sommes fondez sur la follye des femmes; et, tant qu'il y aura en ce monde de femme folle ou sotte, ne morrons poinct de faim. » Madame de Sedan, qui estoit fort collere, oyant ceste parolle, se courroucea si fort, que, si son mary n'y eust esté, elle eust faict faire desplaisir au Cordelier; et jura bien fermement qu'il n'auroit jà le pourceau qu'elle luy avoit promis; mais monsieur de Sedan, voiant qu'il n'avoit poinct dissimullé la verité, jura qu'il en auroit deux, et les feit mener en son couvent.

« Voylà, mes dames, comme le Cordelier, estant seur que le bien des dames ne luy povoit faillir, trouva façon pour ne dissimuller poinct la verité d'avoir la grace et aulmosne des hommes : s'il eut esté flateur et dissimulateur, il eut esté plus plaisant aux dames, mais non profitable à luy et aux siens. » La Nouvelle ne fut pas achevée sans faire rire toute la compaignie et principalement ceulx qui congnoissent le seigneur et la dame de Sedan. Et Hircan dist : « Les Cordeliers doncques ne devroient jamais prescher pour faire les femmes saiges, veu que leur folye leur sert tant. » Ce dist Parlamente : « Ilz ne les preschent pas d'estre saiges, mais oy bien pour le cuyder estre; car celles qui sont du tout mondaines et folles ne leur donnent pas de grandes aulmosnes, mais celles qui, pour frequenter leur couvent et porter les patenostres [a] marquées de teste de mort et leurs cornettes plus basses que les aultres, cuydent estre les plus saiges, sont celles que l'on peult dire folles. Car elles constituent leur salut en la confiance qu'elles ont en la sainctété des inicques [b], que pour ung petit d'apparance elles estiment demy dieux [617]. — Mais qui se garderoit de croire à eulx, dist Ennasuitte, veu qu'ils sont ordonnez de noz prelatz pour nous prescher l'Evangille et pour nous reprendre de noz vices ? — Ceulx, dist Parlamente, qui ont congneu leur ypocrisie et qui congnoissent la difference de la doctrine de Dieu et de celle du diable. — Jhesus ! dist Ennasuitte, penserez-vous bien que ces gens-là osassent prescher une mauvaise doctrine ? — Comment penser ? dist Parlamente; mais suys-je seure qu'ilz ne croyent riens moins que l'Evangille, j'entends les mauvais, car j'en congnois beaucoup de gens de bien, lesquelz preschent purement et simplement l'Escripture et vivent de mesmes sans scandale, sans ambition ne convoitise, en chasteté, de pureté non fainete ne contraincte; mais de ceulx-là ne sont pas tant les rues pavées, que marquées de leurs contraires : et au fruict congnoist-on le bon arbre. — En bonne foy, je pensois, dist Ennasuitte, que nous fussions tenuz, sur peyne de peché mortel, de croire tout ce qu'ilz nous dient en chaire de verité : c'est quant ilz ne parlent que de ce qui est en la saincte Escripture ou qu'ilz alleguent les expositions des sainctz docteurs divinement inspirez. — Quant est de moy, dist Parlamente, je ne puis ignorer qu'il n'y en ait entre eulx de très mauvaise foy, car je sçay bien que ung d'entre eulx, docteur en theologie, nommé Colimant [618], grand prescheur et provincial de leur ordre, voulut persuader à plusieurs de ses freres que l'Evangille n'estoit non plus croyable que les *Commentaires* de Cesar ou autres histoires

a. chapelets. — *b*. les moines.

escriptes par docteurs autenticques [619]; et, depuis l'heure que l'entendis, ne vouluz croire en parolle de prescheur, si je ne la trouve conforme à celle de Dieu, qui est la vraye touche pour sçavoir les parolles vraies ou mensongeres. — Croiez, dist Oisille, que ceulx qui humblement et souvent la lisent, ne seront jamais trompez par fictions ny inventions humaines; car qui a l'esperit remply de verité ne peut recevoir la mensonge. — Si me semble-il, dist Simontault, que une simple personne est plus aisée à tromper que une autre. — Oy, dist Longarine, si vous estimez sottize estre simplicité [620]. — Je vous dictz, dist Simontault, que une femme bonne, doulce et simple est plus aisée à tromper que une fine et malitieuse. — Je pense, dist Nomerfide, que vous en sçavez quelqu'une trop plaine de telle bonté; parquoy, je vous donne ma voix pour la dire. — Puisque vous avez si bien deviné, dist Simontault, je ne fauldray à la vous dire, mais que vous me promectiez de ne pleurer poinct. Ceulx qui disent, mes dames, que vostre malice passe celle des hommes auroient bien à faire de mectre ung tel exemple en avant, que celluy que maintenant je vous voys racompter, où non seullement je pretendz vous declarer la très grande malice d'un mary, mais la simplicité et bonté de sa femme. »

QUARANTE CINQUIESME NOUVELLE

A la requeste de sa femme, un tapissier bailla les Innocens à sa chambriere, de laquelle il estoit amoureux, mais ce fut de telle façon, qu'il luy donnoit ce qui appartenoit à sa femme seule, qui estoit si simple, qu'elle ne put jamais croire que son mary luy tinst un tel tort, combien qu'elle en fut assez avertye par une sienne voysine [621].

En la ville de Tours y avoit ung homme de fort subtil et bon esperit, lequel estoit tapissier de feu Monsieur d'Orléans [622], filz du Roy Françoys premier. Et, combien que ce tapissier, par fortune de maladie, fut devenu sourd, si n'avoit-il diminué son entendement, car il n'y avoit poinct de plus subtil de son mestier, et aux autres choses : vous verrez comment il s'en sçavoit ayder. Il avoit espousé une honneste et femme de bien, avecq laquelle il vivoit en grande paix et repos. Il craingnoit fort à luy desplaire; elle, aussi, ne chercheoit que à luy obeir en toutes choses. Mais, avecq la bonne amitié qu'il luy portoit, estoit si charitable, que souvent il donnoit à ses voisines ce qui appartenoit à sa femme, combien que ce fut le plus secretement qu'il povoit. Ilz avoient en leur maison une chamberiere fort en bon poinct, de laquelle ce tapissier devint amoureux. Toutesfois, craingnant que sa femme ne le sceut, faisoit semblant souvent de la tanser [a] et reprendre, disant que c'estoit la plus paresseuse garse que jamais il avoit veue, et qu'il ne s'en esbahissoit pas, veu que sa maistresse jamais ne la battoit. Et, ung jour qu'ilz parloient de donner les Innocens [623], le tapissier dist à sa femme : « Ce seroit belle aulmosne de les donner à ceste paresseuse garse que vous avez, mais il ne fauldroit pas que ce fust de vostre main, car elle est trop foible et vostre cueur trop piteux [b]; si est ce que, si je y voulois emploier la myenne, nous serions mieulx serviz d'elle que nous ne sommes. » La pauvre femme, qui n'y pensoit en nul mal, le pria d'en vouloir faire l'execution, confessant qu'elle n'avoit le cueur ne la force pour la battre. Le mary, qui accepta voluntiers ceste commission, faisant le rigoreux bourreau, feit achepter des verges des plus fines qu'il peut trouver; et, pour monstrer le grand desir qu'il avoit de ne l'espargner poinct, les feit tramper dedans de la saulmure, en sorte que sa pauvre femme eut plus de pitié de sa chamberiere, que de doubte de son mary. Le jour des Innocens venu, le tapissier se leva de bon matin, et s'en alla en la chambre haulte, où la chamberiere estoit toute seulle; et là, luy bailla les Innocens d'autre façon qu'il n'avoit dict à sa femme. La chamberiere se print fort à pleurer, mais rien ne luy vallut. Toutesfois, de paour que sa femme y survint, commencea à frapper des verges qu'il tenoit sur le bois du lict, tant que les escorchea et rompit; et ainsy rompues les raporta à sa femme, luy disant : « M'amye, je croy qu'il souviendra des Innocens à vostre chamberiere. » Après que le tapissier fut allé hors de la maison, la pauvre chamberiere se vint gecter à deux genoulx devant sa maistresse, luy disant que son mary luy avoit faict le plus grand tort que jamais on feit à chamberiere. Mais la maistresse, cuydant que ce fust

a. tancer. — *b*. plein de pitié.

à cause des verges qu'elle pensoit luy avoir esté données, ne la laissa pas achever son propos, mais luy dist : « Nostre mary a bien faict, car il y a plus d'un mois que je suis après luy, pour l'en prier; et, si vous avez eu du mal, j'en suis bien ayse, ne vous en prenez que à moy, et encores n'en a-il pas tant faict qu'il devoit. » La chamberiere, voiant que sa maistresse approuvoit ung tel cas, pensa que ce n'estoit pas ung si grand peché qu'elle cuydoit, veu que celle que l'on estimoit tant femme de bien en estoit l'occasion; et n'en osa plus parler depuis. Mais le maistre, voiant que sa femme estoit aussi contante d'estre trompée que luy de la tromper, delibera de la contanter souvent, et gaingna si bien ceste chamberiere qu'elle ne pleuroit plus pour avoir les Innocens. Il continua ceste vie longuement, sans que sa femme s'en apperceut, tant que les grandes neiges vindrent; et tout ainsy que le tapissier avoit donné les Innocens sur l'herbe en son jardin, il luy en vouloit autant donner sur la neige; et ung matin, avant que personne fut esveillé en sa maison, la mena toute en chemise faire le crucifix sur la neige, et, en se jouant tous deux à se bailler de la neige l'un l'aultre, n'oblierent le jeu des Innocens. Ce que advisa une de leurs voisines, qui s'estoit mise à la fenestre qui regardoit tout droict sur le jardin, pour veoir quel temps il faisoit; et, voiant ceste villenye, fut si courroucée qu'elle se delibera de le dire à sa bonne commere, afin qu'elle ne se laissast plus tromper d'un si mauvais mary, ny servir d'une si meschante garse. Le tapissier, après avoir faict ses beaulx tours, regarda à l'entour de luy si personne ne le povoit veoir; et advisa sa voisine à sa fenestre, dont il fut fort marry. Mais, luy, qui sçavoit donner couleur à toute tapisserie, pensa si bien colorer ce faict, que sa commere seroit aussi bien trompée que sa femme. Et, si tost qu'il fut recouché, feit lever sa femme du lict toute en chemise, et la mena au jardin comme il avoit mené sa chamberiere; et se joua long temps avecq elle de la neige, comme il avoit faict avecq l'autre, et puis luy bailla les Innocens tout ainsy qu'il avoit faict à sa chamberiere; et apres s'en allerent tous deux coucher. Quant ceste bonne femme alla à la messe, sa voisine et bonne amye ne faillyt de s'y trouver; et, du grand zele qu'elle avoit, luy pria, sans luy en vouloir dire davantaige, qu'elle voulsist chasser sa chamberiere, et que c'estoit une très mauvaise et dangereuse garse. Ce qu'elle ne voulut faire sans sçavoir pourquoy sa voisine l'avoit en si mauvaise estime; qui, à la fin, luy compta comme elle l'avoit veue au matin en son jardin avecq son mary. La bonne femme se print à rire bien fort, en luy disant : « Hélas, ma commere, m'amye, c'estoit moy ! — Comment, ma commere ? Elle estoit toute en chemise, au matin, environ les cinq heures. » La bonne femme luy respondit : « Par ma foy, ma commere, c'estoit moy. » L'autre continuant son propos : « Ilz se bailloient de la neige l'un à l'autre, puis aux tetins, puis en autre lieu, aussy privement qu'il estoit possible. » La bonne femme luy dist : « Hé ! hé ! ma commere, c'estoit moy. — Voire, ma commere, ce dist l'aultre, mais je les ay veu après, sur la neige, faire telle chose qui me semble n'estre belle ne honneste. — Ma commere, dist la bonne femme, je le vous ay dict et le vous diz encores que c'estoit moy et non aultre, qui ay faict tout cela que vous me dictes; mais mon bon mary et moy nous jouons ainsy privement. Je vous prie, ne vous en scandalisez poinct, car vous sçavez que nous debvons complaire à noz mariz. » Ainsy s'en alla la bonne commere, plus desirante d'avoir ung tel mary qu'elle n'estoit à venir demander celluy de bonne commere. Et, quant le tapissier fut retourné à sa femme, luy feit tout au long le compte de sa commere : « Or regardez, m'amye, ce respondit le tapissier, si vous n'estiez femme de bien et de bon entendement, longtemps a que nous fussions separez l'un de l'autre; mais j'espere que Dieu nous conservera en nostre bonne amityé, à sa gloire et à nostre bon contentement. — Amen, mon amy, dist la bonne femme; j'espere que de mon costé vous n'y trouverez jamais faulte. »

« Il seroit bien incredule, mes dames, celluy qui, après avoir veu une telle et veritable histoire, ne jugeroit que en vous il y ait une telle malice que aux hommes; combien que, sans faire tort à nul, pour bien louer à la verité l'homme et la femme, l'on ne peult faillir de dire que le meilleur n'en vault rien. — Cest homme-là, dit Parlamente, estoit merveilleusement mauvays, car, d'un costé, il trompoit sa chamberiere, et, de l'autre, sa femme. — Vous n'avez doncques pas bien entendu le compte, dist Hircan, pour ce qu'il est dict qu'il les contanta toutes deux en une matinée; que je trouve ung grand acte de vertu, tant au corps que à l'esperit, de sçavoir dire et faire chose qui rend deux contraires contens. — Et cela est doublement mauvais, dist Parlamente, de satisfaire à la simplesse de l'une par sa mensonge, et à la malice de l'autre par son vice. Mais j'entendz que ces pechez là mis devant telz juges, qu'ilz vous seront tousjours pardonnez. — Si vous asseuray-je, dist Hircan, que je ne feray jamais si grande ne si difficille entreprinse, car, mais que [a] je vous rende contente, je n'auray pas mal employé ma journée [624]. — Si l'amour reciprocque, dist Parlamente, ne contente le cueur, tout aultre chose ne le peult contenter. — De vray, dist Simontault, je croy qu'il n'y a au monde nulle plus grande peyne que d'aymer et n'estre poinct aymé. — Il fauldroit, pour estre aymé, dist Parlamente, s'addresser aux lieux qui ayment. Mais bien souvent celles qui sont les bien aymées et ne veulent aymer, sont les plus aymées, et ceulx qui sont le moins aymez, ayment plus fort [625]. — Vous me faictes souvenir, dist Oisille, d'un compte que je n'avois pas deliberé de mectre au rang des bons. — Je vous prye, dist Simontault, que vous nous le dictes. — Et je le feray voluntiers, » dist Oisille [625].

QUARANTE SIXIESME NOUVELLE [626]

De Valé, Cordelier, convyé pour disner en la maison du juge des exempts d'Angoulesme, advisa que sa femme, dont il estoit amoureux, montoit toute seule en son grainier, où, la cuydant surprendre, ala après, mais elle luy donna ung si grand coup de pié par le ventre, qu'il trebuscha du haut en bas et s'enfuyt hors la ville chez une damoiselle, qui aymoit si fort les gens de son ordre, que, par trop sotement croire plus de bien en eulx qu'il n'y en a, luy commeit la correction de sa fille, qu'il print par force, en lieu de la chastyer du peché de paresse, comme il avoit promis à sa mere.

En la ville d'Angoulesme où se tenoit souvent le conte Charles [627], pere du Roy François, y avoit ung Cordelier, nommé De Valé [628], estimé homme sçavant et grand prescheur, en sorte que ung advent [b] il prescha en la ville devant le Conte : dont il acquist si grand bruict, que ceulx qui le congnoissoient le convyoient à grand requeste à

a. du moment que. — b. Avent.

disner en leur maison. Et entre aultres ung, qui estoit juge des exemptz [629] de la conté, lequel avoit espousé une belle et honneste femme, dont le Cordelier fut tant amoureux qu'il en moroit, mais il n'avoit la hardiesse de luy dire : dont elle qui s'en apperceut se mocquoit très fort. Après qu'il eut faict plusieurs contenances de sa folle intention, l'advisa ung jour qu'elle montoit en son grenier, toute seulle, et, suydant la surprendre, monta après elle; mais, quant elle ouyt le bruict, elle se retourna et demanda où il alloit : « Je m'en vois, dist-il, après vous, pour vous dire quelque chose de secret. — N'y venez poinct, beau pere, dist la jugesse, car je ne veulx poinct parler à telles gens que vous en secret, et, si vous montez plus avant en ce degré, vous vous en repentirez. » Luy, qui la voyoit seulle, ne tint compte de ses parolles, mais se haste de monter. Elle, qui estoit de bon esperit, le voyant au hault du degré, luy donna ung coup de pied par le ventre et, en luy disant : « Devallez, devallez [630], monsieur ! » le gecta du hault en bas; dont le pauvre beau pere fut si honteulx, qu'il oblia le mal qu'il s'estoit faict à cheoir, et s'enfouyt le plus tost qu'il peut hors de la ville, car il pensoit bien qu'elle ne le celeroit pas à son mary. Ce qu'elle ne feit, ne au Conte ne à la Contesse; par quoy le Cordelier ne se osa plus trouver devant eulx. Et, pour parfaire sa malice, s'en alla chez une damoiselle qui aymoit les Cordeliers sur toutes gens; et, après avoir presché ung sermon ou deux devant elle, advisa sa fille qui estoit fort belle; et, pour ce qu'elle ne se levoit poinct au matin pour venir au sermon, la tansoit [a] souvent devant sa mere, qui lui disoit : « Mon pere, pleust à Dieu qu'elle eust ung peu tasté des disciplines que entre vous religieux prenez ! » Le beau pere luy jura que, si elle estoit plus si paresseuse, qu'il luy en bailleroit : dont la mere le pria bien fort. Au bout d'un jour ou de deux, le beau pere entra dans la chambre de la damoiselle, et, ne voiant poinct sa fille, lui demanda où elle estoit. La damoiselle luy dist : « Elle vous crainct si peu que je croy qu'elle est encores au lict. — Sans faulte, dist le Cordelier, c'est une tres mauvaise coustume à jeunes filles d'estre paresseuses. Peu de gens font compte du peché de paresse, mais quant à moy, je l'estime ung des plus dangereux qui

a. tançait.

soit, tant pour le corps que pour l'ame : parquoy, vous l'en debvez bien chastier, et, si vous m'en donnez la charge, je la garderois bien d'estre au lict à l'heure qu'il fault prier Dieu. » La pauvre damoiselle, croyant qu'il fust homme de bien, le pria de la vouloir corriger; ce qu'il feit incontinant, et, en montant en hault par ung petit degré de bois, trouva la fille toute seulle dedans le lict, qui dormoit bien fort ; et, toute endormye, la print par force. La pauvre fille, en s'esveillant, ne sçavoit si c'estoit homme ou diable; et se mit à crier, tant qu'il luy fust possible, appellant sa mere à l'ayde; laquelle, au bout du degré, cryoit au Cordelier : « N'en ayez poinct de pitié, monsieur, donnez-luy encores et chastiez ceste mauvaise garse. » Et, quant le Cordelier eut parachevé sa mauvaise volunté, descendit où estoit la damoiselle et luy dit avecq ung visaige tout enflambé : « Je croy, ma damoiselle, qu'il souviendra à vostre fille de ma discipline. » La mere, après l'avoir remercié bien fort, monta en la chambre où estoit sa fille, qui menoit ung tel deuil que debvoit faire une femme de bien à qui ung tel crime estoit advenu. Et, quant elle sceut la verité, feit chercher le Cordelier partout, mais il estoit desja bien loing; et oncques puis ne fut trouvé au royaulme de France.

« Vous voiez, mes dames, quelle seureté il y a à bailler telles charges à ceulx qui ne sont pour en bien user. La correction des hommes appartient aux hommes et des femmes aux femmes; car les femmes à corriger les hommes seroient aussi piteuses [a] que les hommes à corriger les femmes seroient cruelz. — Jesus ! ma dame, dist Parlamente, que voylà ung vilain et meschant Cordelier ! — Mais dictes plustost, dist Hircan, que c'estoit une sotte et folle mere, qui soubz couleur d'ypocrisie, donnoit tant de privaulté à ceux qu'on ne doibt jamais veoir que en l'eglise. — Vrayement, dist Parlamente, je la confesse une des sottes meres qui oncques fut, et, si elle eut esté aussi saige que la jugesse, elle luy eust plustost faict descendre le degré que de monter. Mais que voulez-vous ? ce diable demi ange est le plus dangereux de tous; car il se sçait si bien transfigurer en ange de lumiere, que l'on faict conscience de les soupsonner telz qu'ilz sont, et, me semble, la personne qui

a. remplies de pitié.

n'est poinct soupsonneuse doibt estre louée. — Toutesfois, dist Oisille, l'on doibt soupsonner le mal qui est à eviter, principalement ceulx qui ont charge; car il vault mieux soupsonner le mal qui n'est poinct, que de tumber, par sottement croire, en icelluy qui est; et n'ay jamais veu femme trompée pour estre tardive à croire la parolle des hommes, mais oy bien plusieurs, par trop bien promptement adjouster foy à la mensonge; par quoy, je dictz que le mal qui peult advenir ne se peut trop soupsonner, voire ceulx qui ont charge d'hommes, de femmes, de villes et d'Estatz; car, encores quelque bon guet que l'on face, la meschanceté et les trahisons regnent assez, et le pasteur qui n'est vigilant sera tousjours trompé par les finesses du loup. — Si est-ce, dist Dagoucin, que la personne soupsonneuse ne peult entretenir ung parfaict amy; et assez sont separez par ung soupson [631]. — Seullement, si vous en sçavez quelque exemple, dist Oisille, je vous donne ma voix pour la dire. — J'en sçay ung si veritable, dist Dagoucin, que vous prendrez plaisir à l'ouyr. Je vous diray ce que plus facillement rompt une bonne amityé, mes dames : c'est quant la seureté de l'amityé commence à donner lieu au soupson. Car, ainsy que croire en amy est le plus grand honneur que l'on puisse faire, aussy se doubter de luy est le plus grand deshonneur; car, par cela, on l'estime aultre que l'on ne veult qu'il soit, qui est cause de rompre beaucoup de bonnes amityez, et randre les amys ennemys, comme vous verrez par le compte que je vous veulx faire. »

QUARANTE SEPTIESME NOUVELLE

Deux gentilz hommes vecurent en si parfaicte amytié, qu'exceptée la femme, n'eurent long temps à departir jusques à ce que celuy qui estoit maryé, sans occasion donnée, print soupson sur son compaignon, lequel, par despit de ce qu'il estoit à tort soupsonné, se separa de son amytié et ne cessa jamais qu'il ne l'eut fait coqu [632].

Auprès du pays du Perche y avoit deux gentilz hommes qui, dès le temps de leur enfance, avoient vescu en si grande et parfaicte amityé, que ce n'estoit que un cueur, que une maison, ung lict, une table et une bource. Ilz vesquirent long temps, continuans ceste parfaicte amityé, sans que jamays il y eut entre eulx deux une volunté ou parolle où l'on peut veoir difference de personnes, tant ilz vivoient non seulement comme deux freres, mais comme ung homme tout seul. L'un des deux se maria; toutefois, pour cela, ne laissa-il à continuer sa bonne amityé et tousjours vivre, avecq son bon compaignon, comme il avoit accoustumé; et, quant ilz estoient en quelque logis estroict, ne laissoit à le faire coucher avecq sa femme et luy : il est vray qu'il estoit au millieu. Leurs biens estoient tous en commung, en sorte que, pour le mariage ne cas qui peut advenir, ne sceut empescher ceste parfaicte amityé; mais, au bout de quelque temps, la felicité de ce monde, qui avecq soy porte une mutabilité, ne peut durer en la maison, qui estoit trop heureuse, car le mary oublia la seureté qu'il avoit à son amy, sans nulle occasion de luy et de sa femme, à laquelle il ne le peut dissimuller, et luy en tint quelques fascheux propos; dont elle fut fort estonnée, car il luy avoit commandé de faire, en toutes ses choses, hors mys une, aussi bonne chere à son compaignon comme à luy, et neanmoins luy defendoit parler à luy, si elle n'estoit en grande compaignye. Ce qu'elle feit entendre au compaignon de son mary, lequel ne la creut pas, sçachant très bien qu'il n'avoit pensé de faire chose dont son compaignon deust estre marry; et aussy, qu'il avoit accoustumé de ne celer rien, luy dist ce qu'il avoit entendu, le priant de ne luy en celler la verité, car il ne vouldroit, en cella ne autre chose, luy donner occasion de rompre l'amityé qu'ilz avoient si longuement entretenue. Le gentil homme marié l'asseura qu'il n'y avoit jamais pensé et que ceulx qui avoient faict ce bruict-là avoient meschantement menty. Son compaignon luy dist : « Je sçay bien que la jalousie est une passion aussi importable [a] comme l'amour; et, quant vous auriez ceste oppinion, fusse de moy-mesmes, je ne vous en donne poinct de tort, car vous ne vous en sçauriez garder; mais, d'une chose qui est en vostre puissance aurois-je occasion de me plaindre, c'est que me voulussiez celer vostre malladie, veu que jamais pensée, passion ne opinion que vous avez eue, ne m'a esté cachée. Pareillement de moy, si j'estois amoureux de vostre femme, vous ne me le

a. insupportable.

devriez poinct imputer à meschanceté, car c'est ung feu que je ne tiens pas en ma main pour en faire ce qu'il me plaist; mais, si je le vous cellois et cherchois de faire congnoistre à vostre femme par demonstrance de mon amityé, je serois le plus meschant compaignon qui oncques fut. De ma part, je vous asseure bien que, combien qu'elle soit honneste et femme de bien, c'est la personne que je veis oncques, encores qu'elle ne fust vostre, où ma fantaisie se donneroit aussy peu. Mais, encores qu'il n'y ait poinct d'occasion, je vous requiers que, si en avez le moindre sentiment de soupson qui puisse estre, que vous le me dictes, à celle fin que je y donne tel ordre que nostre amityé qui a tant duré ne se rompe pour une femme. Car, quant je l'aymerois plus que toutes les choses du monde, si ne parlerois-je jamais à elle, pource que je prefere vostre honneur à tout aultre. » Son compaignon lui jura, par tous les grands sermens qui luy fut possible, que jamais n'y avoit pensé, et le pria de faire en sa maison comme il avoit accoustumé. L'autre luy respondit : « Je le feray [633], mais je vous prie que, après cella, si vous avez oppinion de moy et que le me dissimullez ou que le trouvez mauvais, je ne demeureray jamais en vostre compaignye. »

Au bout de quelque temps qu'ilz vivoient tous deux comme ilz avoient accoustumé, le gentil homme maryé rentra en soupson plus que jamais et commanda à sa femme qu'elle ne lui feit plus le visaige qu'elle luy faisoit [634]; ce qu'elle dist au compaignon de son mary, le priant de luy-mesmes se vouloir abstenir de parler plus à elle, car elle avoit commandement d'en faire autant de luy. Le gentil homme, entendant, par la parolle d'elle et par quelques contenances qu'il voyoit faire à son compaignon, qu'il ne luy avoit pas tenu sa promesse, luy dist en grande collere : « Si vous estes jaloux, mon compaignon, c'est chose naturelle; mais, après les sermens que vous avez faictz, je ne me puis contanter de ce que vous me l'avez tant cellé, car j'ay tousjours pensé qu'il n'y eust entre vostre cueur et le mien ung seul moien ny obstacle; mais, à mon très grand regret et sans qu'il y ayt de ma faulte, je voy le contraire, pource que non seulement vous estes bien fort jaloux de vostre femme et de moy, mais le me voullez couvrir [a], afin que

a. cacher.

vostre maladie dure si longuement qu'elle tourne du tout en hayne; et ainsy que l'amour a esté la plus grande que l'on ayt veu de nostre temps, l'inimitié sera la plus mortelle. J'ay faict ce que j'ay peu pour eviter cest inconvenient; mais, puisque vous me soupsonnez si meschant et le contraire de ce que je vous ay tousjours esté, je vous jure et promectz ma foy que je seray tel que vous m'estimez, et ne cesseray jamais jusques ad ce que j'ay eu de vostre femme ce que vous cuydez que j'en pourchasse; et doresnavant gardez-vous de moy, car, puisque le soupson vous a separé de mon amityé, le despit me separera de la vostre. » Et, combien que son compaignon lui voulust faire croyre le contraire, si est-ce qu'il n'en creut plus rien, et retira sa part de ses meubles et biens, qui estoient tous en commung; et furent avecq leurs cueurs aussi separez, qu'ilz avoient esté uniz, en sorte que le gentilhomme qui n'estoit poinct marié ne cessa jamais qu'il n'eust faict son compaignon coqu, comme il luy avoit promis.

« Et ainsy en puisse-il prendre, mes dames, à ceulx qui à tort soupsonnent mal de leurs femmes. Car plusieurs sont causes de les faire telles qu'ilz les soupsonnent, pource que une femme de bien est plus tost vaincue par ung desespoir que par tous les plaisirs du monde. Et qui dict que le soupson est amour, je luy nye, car, combien qu'il en sorte comme la cendre du feu, ainsi le tue-il. — Je ne pense poinct, dist Hircan, qu'il soit ung plus grand desplaisir à homme ou à femme que d'estre soupsonné du contraire de la verité. Et, quant à moy, il n'y a chose qui tant me feist rompre la compaignye de mes amys que ce soupson là. — Si n'est-ce pas excuse raisonnable, dist Oisille, à une femme de soy venger du soupson de son mary à la honte d'ellesmesmes; c'est faict comme celluy qui, ne pouvant tuer son ennemy, se donne un coup d'espée à travers le corps, ou, ne le povant esgratiner, se mord les doigtz; mais elle eust mieulx faict de ne parler jamais à luy, pour monstrer à son mary le tort qu'il avoit de la soupsonner, car le temps les eut tous deux appaisez. — Si estoit-ce faict en femme de cueur, dist Ennasuitte, et, si beaucoup de femmes faisoient ainsy, leurs maryz ne seroient pas si oultrageux qu'ilz sont. — Quoy qu'il y ayt, dist Longarine, la patience rend enfin la femme victorieuse et la chasteté louable; il fault que là nous arrestons [635]. — Toutesfois, dist Ennasuitte, une femme peult bien estre non chaste, sans peché. — Comment l'entendez-vous ? dist Oisille. — Quant elle en prend ung aultre pour son mary. — Et qui est la sotte, dist Parlemente, qui ne congnoist bien la difference de son mary ou d'un aultre, en quelque habillement que se puisse desguiser ? — Il y en a peu et encores, dist Ennasuitte, qui ont esté trompées, demourans innocentes et inculpables [a] du peché. — Si vous en sçavez quelqu'une, dist Dagoucin, je vous donne ma voix pour la dire, car je trouve bien estrange que innocence et peché puissent estre ensemble. — Or escoutez doncques, dist Ennasuitte, si, par les comptes precedans, mes dames, vous n'estes assez advertyes qu'il faict dangereux loger chez soy ceulx qui nous appellent *mondains* et qui s'estiment estre quelque chose saincte et plus digne que nous; j'en ay voulu encores icy mectre ung exemple, afin que, tout ainsy que j'entends quelque compte des faultes où sont tombez ceulx qui s'y fient aussy souvent, je les vous veulx mectre devant les oeilz, pour vous monstrer qu'ils sont non seulement hommes plus que les aultres, mais qu'ilz ont quelque chose diabolicque en eulx contre la commune malice des hommes, comme vous orrez par ceste histoire. »

QUARANTE HUICTIESME NOUVELLE

Le plus viel et malicieux de deux Cordeliers, logez en une hostellerye où l'on faisoit les noces de la fille de leans, voyans derober la maryée, alla tenir la place du nouveau maryé, pendant qu'il s'amusoit à danser avec la compaignie [636].

Au païs de Perigort, dedans ung villaige, en une hostellerie, fut faicte une nopce d'une fille de leans, où tous les parens et amys s'efforcerent faire la meilleure chere qu'il estoit possible. Durant le jour des nopces, arriverent leans deux Cordeliers, ausquelz on donna à soupper en leur chambre, veu que n'estoit poinct leur estat d'assister aux nopces. Mais le principal des deux, qui avoit plus d'auctorité

a. non coupables.

et de malice, pensa, puisque on le separoit de la table, qu'il auroit part au lict, et qu'il leur joueroit un tour de son mestier. Et, quant le soir fut venu et que les dances commencerent, le Cordelier, par une fenestre, regarda long temps la maryée, qu'il trouvoit fort belle et à son gré. Et, s'enquerant soingneusement aux chamberieres de la chambre où elle debvoit coucher, trouva que c'estoit auprès de la syenne : dont il fut fort aise, faisant si bien le guet pour parvenir à son intention, qu'il veit desrober la mariée, que les vielles amenerent, comme ilz ont de coustume. Et, pource qu'il estoit de fort bonne heure, le marié ne voulut laisser la dance, mais y estoit tant affectionné, qu'il sembloit qu'il eut oblyé sa femme; ce que n'avoit pas faict le Cordelier, car, incontinant qu'il entendit que la maryée fut couchée, se despouilla de son habit gris, et s'en alla tenir la place de son mary; mais, de paour d'y estre trouvé, n'y arresta que bien peu; et s'en alla jusques au bout d'une allée où estoit son compaignon qui faisoit le guet pour luy, lequel luy feit signe que le marié dansoit encores. Le Cordelier, qui n'avoit pas achevé [637] sa meschante concupiscence, s'en retourna encores coucher avecq la maryée jusques ad ce que son compaignon luy feit signe qu'il estoit temps de s'en aller. Le marié se vint coucher; et sa femme, qui avoit esté tant tormentée du Cordelier, qu'elle ne demandoit que le repos, ne se peut tenir de luy dire : « Avez-vous deliberé de ne dormir jamays et ne faire que me tormenter ? » Le pauvre mary qui ne faisoit que de venir, fut bien estonné, et luy demanda quel torment il luy avoit faict, veu qu'il n'avoit party de la danse. « C'est bien dansé, dist la pauvre fille ! voicy la troisiesme fois que vous estes venu coucher; il me semble que vous feriez mieulx de dormir. » Le mary oyant ce propos, fut bien fort estonné, et oublia toutes choses pour entendre la verité de ce faict. Mais, quant elle luy eut compté, soupsonna que c'estoient les Cordeliers qui estoient logez leans. Et se leva incontinant et alla en leur chambre, qui estoit tout auprès de la sienne. Et, quand il ne les trouva poinct, se print à cryer à l'ayde si fort, qu'il assembla tous ses amys, lesquels, après avoir entendu le faict, luy ayderent, avecq chandelles, lanternes, et tous les chiens du villaige, à chercher ces Cordeliers. Et, quant ilz ne les trouverent poinct en leur maison, feirent si bonne dilligence qu'ils les attraperent dedans les vignes. Et là furent traictez comme il leur appartenoit; car, après les avoir bien battuz, leur couperent les bras et les jambes, et les laisserent dedans les vignes à la garde du dieu Baccus et Venus, dont ilz estoient meilleurs disciples que de sainct François.

« Ne vous esbahissez poinct, mes dames, si telles gens separez de nostre commune façon de vivre font des choses que les advanturiers auroient honte de faire. Mais esmerveillez-vous qu'ilz ne font pis quant Dieu retire sa main d'eulx, car l'abit est si loing de faire le moyne, que bien souvent par orgueil il le deffaict. Et, quant à moy, je me arreste à la religion que dict sainct Jacques : avoir le cueur envers Dieu, pur et nect, et se exercer de tout son povoir à faire charité à son prochain [638]. — Mon Dieu, dist Oisille, ne serons-nous jamays hors des comptes de ces fascheux Cordeliers ! » Ennasuitte dist : « Si les dames, princes et gentilz hommes ne sont poinct espargnez, il me semble que les Cordeliers ont grand honneur, dont on daigne parler d'eulx; car ilz sont si très inutilles, que, s'ilz ne font quelque mal digne de memoire, on n'en parleroit jamais; et on dict qu'il vault mieulx mal faire, que ne faire rien. Et nostre boucquet sera plus beau, tant plus il sera remply de differentes choses [639]. — Si vous me voullez promectre, dist Hircan, de ne vous courroucer poinct à moy, je vous en racompteray ung d'une grande dame si infame, que vous excuserez le pauvre Cordelier d'avoir prins sa necessité où il l'a peu trouver, veu que celle qui avoit assez à manger cherchoit sa friandise trop meschantement. — Puis que nous avons juré de dire la verité, dist Oisille, aussy avons-nous de l'escouter. Par quoy vous povez parler en liberté, car les maulx que nous disons des hommes et des femmes ne sont poinct pour la honte particulliere de ceulx dont est faict le compte, mais pour oster l'estime de la confiance des creatures, en monstrant les miseres où ilz sont subgectz, afin que nostre espoir s'arreste et s'appuye à Celluy seul qui est parfaict et sans lequel tout homme n'est que imperfection. — Or doncques, dist Hircan, sans craincte je racompteray mon histoire. »

QUARANTE NEUFVIESME NOUVELLE

Quelques gentilz hommes françoys, voyans que le Roy leur maistre estoit fort bien traité d'une Comtesse estrangere qu'il aymoit, se hazarderent de parler à elle, et la poursuyvirent, de sorte qu'ilz eurent l'ung après l'aultre ce qu'ilz en demandoyent, pensant chascun avoir seul le bien où tous les autres avoyent part. Ce qu'estant decouvert par l'un d'entre eux, prindrent tous ensemble complot de se venger d'elle; mais, à force de faire bonne mine et ne leur porter pire visage qu'auparavant, rapporterent en leur sein la honte qu'ilz luy cuydoient faire [640].

En la cour du Roy Charles [641], je ne diray poinct le quantiesme [642] pour l'honneur de celle dont je veulx parler, laquelle je ne veulx nommer par son nom propre, y avoit une Contesse de fort bonne maison, mais estrangiere. Et, pource que toutes choses nouvelles plaisent, ceste dame, à sa venue, tant pour la nouveauté de son habillement que pour la richesse dont il estoit plain, estoit regardée de chascun; et combien qu'elle ne fut des plus belles, si avoit-elle une grace avecq une audace tant bonne, qu'il n'estoit possible de plus, la parolle et la gravité de mesme, de sorte qu'il n'y avoit nul qui n'eust craincte à l'aborder, sinon le Roy, qui l'ayma très fort. Et, pour parler à elle plus priveement, donna quelque commission au conte son mary, en laquelle il demeura longuement; et, durant ce temps, le Roy feit grand chere avec sa femme. Plusieurs gentilz hommes du Roy, qui congnurent que leur maistre en estoit bien traicté, prindrent hardiesse de parler à elle; et entre autres ung nommé Astillon [643], qui estoit fort audatieux et homme de bonne grace. Au commencement, elle luy tint une si grande gravité, le menassant de le dire au Roy son maistre, qu'il en cuyda avoir paour; mais, luy, qui n'avoit poinct accoustumé de craindre les menasses d'un bien hardy capitaine, s'asseura des siennes; et il la poursuivyt de si près, qu'elle luy accorda de parler à luy seulle, luy enseignant la maniere comme il devoit venir en sa chambre. A quoy il ne faillyt; et, afin que le Roy n'en eut nul soupson, luy demanda congé d'aller en quelque voiage. Et s'en partit de la court; mais, la premiere journée, laissa tout son train, et s'en revint de nuict recepvoir les promesses que la contesse luy avoit faictes; ce qu'elle luy tint : dont il demeura si satisfaict, qu'il fut content de demeurer cinq ou six [644] jours enfermé en une garderobbe, sans saillyr dehors; et là ne vivoit que de restaurens [a]. Durant les huict jours qu'il estoit caché, vint ung de ses compaignons faire l'amour à la contesse, lequel avoit nom Durassier [645]. Elle tint telz termes à ce serviteur, qu'elle avoit faict au premier : au commencement, en rudes et audatieux propos, qui tous les jours s'adoucissoient [646]; et, quant c'estoit le jour qu'elle donnoit congé au premier prisonnier, elle mectoit ung serviteur en sa place. Et, durant qu'il y estoit, ung autre sien compaignon, nommé Valnebon [647], feit pareille office que les deux premiers; et, après eulx, en vindrent deux ou trois aultres, qui avoient part à la doulse prison.

Ceste vie dura assez longuement, et conduicte si finement, que les ungs ne sçavoient riens des aultres. Et combien qu'ilz entendissent assez l'amour que chascun luy portoit, si n'y avoit-il nul qui ne pensast en avoir eu seul ce qu'il en demandoit : et se mocquoit chascun de son compaignon, qu'il pensoit avoir failly à ung si grand bien. Ung jour que les gentilz hommes dessus nommez estoient en ung bancquet, où ilz faisoient fort grand chere, ilz commencerent à parler de leurs fortunes et prisons qu'ilz avoient eues durant les guerres. Mais Valnebon, à qui il faisoit mal de celer si longuement une si bonne fortune que celle qu'il avoit eue, vat dire à ses compagnons : « Je ne sçay quelles prisons vous avez eu, mais quant à moy, pour l'amour d'une où j'ay esté, je diray toute ma vie louange et bien des autres; car je pense qu'il n'y a plaisir en ce monde qui approche de celluy que l'on a d'estre prisonnier. » Astillon, qui avoit esté le premier prisonnier, se doubta de la prison qu'il vouloit dire, et luy respondit : « Valnebon, soubz quel geolier ou geoliere avez-vous esté si bien traicté, que vous aymez tant vostre prison ? » Valnebon luy dist : « Quel que soit le geollier, la prison m'a esté si agreable, que j'eusse bien voulu qu'elle eut duré plus longuement, car je ne fuz jamais mieulx traicté ne plus contant. » Durassier, qui estoit homme peu parlant, congnoissant très bien que l'on se debatoit de la prison où il avoit part comme les autres, dist à Valnebon : « De quelles viandes estiez-vous nourry

a. nourriture substantielle sous un petit volume.

en ceste prison, dont vous vous louez si fort. — De quelles viandes ? dist Valnebon : le Roy n'en a poinct de meilleures ne plus norrissantes. — Mais encores faut-il que je sçache, dist Durassier, si celluy qui vous tenoit prisonnier vous faisoit bien gaingner vostre pain ? » Valnebon, qui se doubta d'estre entendu, ne se peut tenir de jurer : « Ha, vertu Dieu [648] ! aurois-je bien des compaignons, où je pense estre tout seul ? » Astillon voiant ce different, où il avoit part comme les aultres, dist en riant : « Nous sommes tous à ung maistre ! compaignons et amys dès nostre jeunesse; parquoy, si nous sommes compaignons d'une bonne fortune, nous avons occasion d'en rire. Mais, pour sçavoir si ce que je pense est vray, je vous prie que je vous interroge et que vous tous me confessiez la verité, car, s'il est advenu ainsy de nous comme je pense, ce seroit une advanture aussi plaisante que l'on en sçauroit trouver en mil lieues. » Ilz jurerent tous de dire verité, s'il estoit ainsy qu'ilz ne la peussent denyer. Il leur dist : « Je vous diray ma fortune, et vous me respondrez ouy ou nenny, si la vostre est pareille. » Ilz se accorderent tous, et alors il dist : « Je demanday congé au Roy d'aller en quelque voiage. » Ilz respondirent : « Et nous aussy. — Quant je fuz à deux lieues de la court, je laissay tout mon train et m'allay rendre prisonnier. » Ils respondirent : « Nous en fismes autant. — Je demouray, dist Astillon, sept ou huict jours, et couchay en une garderobbe, où l'on ne me fit manger que restaurens et les meilleures viandes que je mangey jamais; et, au bout de huict jours, ceulx qui me tenoient me laisserent aller beaucoup plus foible que je n'estois arrivé. » Ilz jurerent tous que ainsy leur estoit advenu. « Ma prison, dist Astillon, commencea tel jour et fina tel jour. — La myenne, dist Durassier, commencea le propre jour que la vostre fina; et dura jusques à ung tel jour. » Valnebon, qui perdoit patience, commencea à jurer et dire : « Par le sang Dieu [649] ! à ce que je voy, je suis le tiers qui pensois estre le premier et le seul, car je y entray tel jour et en saillis tel jour. » Les aultres trois, qui estoient à la table, jurerent qu'ils avoient bien gardé ce rang. « Or, puisque ainsy est, dist Astillon, je diray j'estat de nostre geoliere : elle est mariée et son mary est bien loing. — C'est ceste-là propre, respondirent-ilz tous. — Or, pour nous mectre hors de peyne, dist Astillon, moy qui suis le premier en roolle, la nommeray aussy le premier : c'est madame la contesse, qui estoit si audatieuse que, en gaingnant son amityé, je pensois avoir gaingné Cesar. — Que à tous les diables soit la villaine qui nous a faict d'une chose tant travailler, et nous reputer si heureux de l'avoir acquise ! Il ne fut oncques une telle meschante, car, quant elle en tenoit ung en cache, elle praticquoit l'autre, pour n'estre jamais sans passetemps; et aymerois-je mieulx estre mort, qu'elle demorast sans pugnition ! » Ilz demanderent chascun qu'il leur sembloit quelle debvoit avoir, et qu'ilz estoient tous prestz de la luy donner. « Il me semble, dist-il, que nous le debvons dire au Roy nostre maistre, lequel en faict ung cas comme d'une deesse. — Nous ne ferons poinct ainsy, dist Astillon; nous avons assez de moien pour nous venger d'elle, sans y appeller nostre maistre. Trouvons nous demain, quand elle ira à la messe; et que chascun de nous porte une chaine de fer au col; et, quant elle entrera en l'eglise, nous la saluerons comme il appartient. »

Ce conseil fut trouvé très bon de toute la compaignye; et feirent provision de chascun une chaine de fer. Le matin venu, tous habillez de noir, leurs chesnes de fer tournées à l'entour de leur col, en façon de collier, vindrent trouver la contesse, qui alloit à l'eglise. Et, si tost qu'elle les veid ainsy habillez, se print à rire et leur dist : « Où vont ces gens si douloureux ? — Madame, dist Astillon, nous vous venons accompagner comme pauvres esclaves prisonniers qui sont tenuz à vous faire service. » La contesse, faisant semblant de n'y entendre rien, leur dist : « Vous n'estes poinct mes prisonniers, ne je n'entendz poinct que vous ayez occasion de me faire service plus que les aultres. » Valnebon s'advancea et luy dist : « Si nous avons mangé de vostre pain si longuement, nous serions bien ingratz si nous ne vous faisions service. » Elle feit si bonne myne de n'y rien entendre, qu'elle cuydoit par ceste gravité les estonner. Mais ilz poursuyvoient si bien leurs propos, qu'elle entendit que la chose estoit descouverte. Parquoy, trouva incontinant moien de les tromper, car elle, qui avoit perdu l'honneur et la conscience, ne voulut poinct recepvoir la honte qu'ilz lui cuydoient faire; mais, comme elle qui preferoit son plaisir à tout l'honneur du monde, ne leur en feit pire visaige, ny n'en changea de contenance : dont ilz furent tant estonnez, qu'ilz rapporterent en leur saing la honte qu'ilz luy avoient voulu faire.

« Si vous ne trovez, mes dames, ce compte digne de faire congnoistre les femmes aussi mauvaises que les hommes, j'en chercheray d'aultres pour vous compter; toutesfois, il me semble que cestuy-la suffise pour vous monstrer que une femme qui a perdu la honte est cent foys plus hardye à faire mal que n'est ung homme. » Il n'y eut femme en la compaignye, oiant racompter ceste histoire, qui ne fist tant de signes de croix, qu'il sembloit qu'elles voyoient tous les diables d'enfer devant leurs oeilz. Mais Oisille leur dist : « Mes dames, humilions-nous, quand nous oyons cest horrible cas, d'autant que la personne delaissée de Dieu se rend pareille à celluy avecq lequel elle est joincte; car, puis que ceulx qui adherent à Dieu ont son esperit avec eulx, aussi sont ceulx qui adherent à son contraire; et n'est rien si bestial que la personne destituée de l'esperit de Dieu. — Quoy que ait faict ceste pauvre dame, dist Ennasuitte, si ne sçaurois-je louer ceulx qui se vantent de leur prison. — J'ay opinion, dist Longarine, que la peyne n'est moindre à ung homme de celler sa bonne fortune, que de la pourchasser, car il n'y a veneur qui ne prenne plaisir à corner sa prise [a], ny amoureulx, d'avoir la gloire de sa victoire. — Voilà une opinion, dist Simontault, que, devant tous les inquisiteurs de la Foy, je soutiendray hereticque, car il y a plus d'hommes secretz que de femmes; et sçay bien que l'on en trouveroit qui aymeroient mieulx n'en avoir bonne chere, que s'il falloit que creature du monde l'entendist. Et, par ce, a l'Eglise, comme bonne mere, ordonné les prestres confesseurs et non pas les femmes, parce qu'elles ne peuvent rien celer. — Ce n'est pas pour ceste occasion, dist Oisille, mais c'est parce que les femmes sont tant ennemyes du vice, qu'elles ne donneroient pas si facillement absolution que les hommes, et seroient trop austeres en leurs penitences. — Si elles l'estoient autant, dist Dagoucin, qu'elles sont en leurs responces, elles feroient desesperer plus de pecheurs qu'elles n'en attireroient à salut; parquoy l'Eglise, en toute sorte, y a bien pourveu. Mais si ne veulx-je pas, pour cela, excuser les gentilz hommes qui se vanterent ainsy de leur

a. sonner du cor lorsque la bête est prise.

prison, car jamais homme n'eut honneur à dire mal des femmes. — Puis que le faict estoit commun, dist Hircan, il me semble qu'ilz faisoient bien de se consoler les ungs aux aultres. — Mais, dist Geburon, ilz ne le devoient jamais confesser pour leur honneur mesme. Car les livres de la Table Ronde nous apprennent que ce n'est poinct honneur à ung bon chevalier d'en abatre ung qui ne vault rien. — Je m'esbahys, dist Longarine, que ceste pauvre femme ne moroit de honte devant ses prisonniers. — Celles qui l'ont perdue, dist Oisille, à grand peyne la peuvent-elles jamais reprendre, sinon celle que fort amour a faict oblier. De telles en ay-je veu beaucoup revenir. — Je croy, dist Hircan, que vous en avez veu revenir celles qui y sont allées, car forte amour qui est en une femme, est malaisée à trouver [650]. — Je ne suis pas de vostre opinion, dist Longarine, car je croy qu'il y en a qui ont aymé jusques à la mort. — J'ay tant d'envye d'oyr ceste nouvelle, dist Hircan, que je vous donne ma voix pour congnoistre aux femmes l'amour que je n'ay jamais estimé y estre. — Or, mays que vous l'oyez, dist Longarine, vous le croyrez, et qu'il n'est nulle plus forte passion que celle d'amour. Mais, tout ainsy qu'elle faict entreprendre choses quasi impossibles, pour acquerir quelque contentement en ceste vie, aussy mene-elle, plus que autre passion, à desespoir celluy ou celle qui pert l'esperance de son desir, comme vous verrez par ceste histoire. »

CINQUANTIESME NOUVELLE

Messire Jean Pierre poursuyvit longuement en vain une sienne voysine, de laquelle il estoit fort feru. Et, pour en divertir sa fantaysie, s'esloingna quelques jours de sa veue : qui luy causa une melencolye si grande, que les medecins lui ordonnerent la saignée. La dame, qui sçavoit d'ond procedoit son mal, cuydant sauver sa vie, advança sa mort, luy accordant ce que tousjours luy avoit refusé; puis, considerant qu'elle estoit cause de la perte d'un si perfait amy, par un coup d'espée, se feit compaigne de sa fortune [651].

En la ville de Cremonne, n'y a pas longtemps qu'il y avoit ung gentil homme nommé messire Jehan Pietre, lequel avoit aymé longuement une dame qui demoroit près de sa maison; mais, pour pourchatz qu'il sceut faire [a], ne povoit avoir d'elle la responce qu'il desiroit, combien qu'elle l'aymoit de tout son cueur. Dont le pauvre gentil homme fut si ennuyé et fasché, qu'il se retira en son logis, deliberé de ne poursuyvre plus en vain le bien dont la poursuicte consumoit sa vie. Et, pour en cuyder divertir sa fantaisie, fut quelques jours sans la veoir; dont il tumba en telle tristesse, que l'on mescongnoissoit son visaige. Ses parens feirent venir les medecins, qui, voyans que le visaige luy devenoit jaulne, estimerent que c'estoit une oppilation de foye [b], et luy ordonnerent la seignée. Ceste dame, qui avoit tant faict la rigoureuse, sçachant très bien que la malladie ne luy venoit que par son refuz, envoia devers luy une vielle en qui elle se fyoit, et luy manda que, puis qu'elle congnoissoit que son amour estoit veritable et non faincte, elle estoit deliberée de tout luy accorder ce que si long temps luy avoit refusé. Elle avoit trouvé moien de saillir de son logis en ung lieu où privement il la povoit veoir. Le gentil homme, qui au matin avoit esté seigné au bras, se trouva par ceste parolle mieulx guery qu'il ne faisoit par medecine ne seignée qu'il sceut prendre : luy manda qu'il n'y auroit poinct de faulte qu'il ne se trouvast à l'heure qu'elle luy mandoit; et qu'elle avoit faict ung miracle evident, car, par une seulle parolle, elle avoit guery ung homme d'une malladye où tous les medecins ne povoient trouver remede. Le soir venu qu'il avoit tant desiré, s'en alla le gentil homme au lieu qui luy avoit esté ordonné, avecq ung si extresme contentement qu'il falloit que bien tost il print fin, ne povant augmenter. Et ne demeura gueres, après qu'il fut arrivé, que celle qu'il aymoit plus que son ame le vint trouver. Il ne s'amusa pas à luy faire grande harangue, car le feu qui le brusloit le faisoit hastivement pourchasser ce que à peyne povoit-il croire avoir en sa puissance. Et, plus yvre d'amour et de plaisir qu'il ne luy estoit besoing, cuydant sercher par un cousté le remede de sa vie, se donnoit par ung aultre l'advancement de sa mort; car, ayant pour s'amye mys en obly soy-mesmes, ne s'apperceut pas de son bras qui se desbanda, et la playe nouvelle, qui se vint à ouvrir, rendit tant de sang, que le

a. quelles que fussent ses démarches, ses initiatives.
b. obstruction du canal biliaire.

pauvre gentil homme en estoit tout baigné. Mais, estimant que sa lasseté venoit à cause de ses excès, s'en cuyda retourner à son logis. Lors, amour, qui les avoit trop unys ensemble, feit en sorte que, en departant d'avecq s'amye, son ame departyt de son corps; et, pour la grande effusion de sang, tumba tout mort aux piedz de sa dame, qui demoura si hors d'elle-mesmes par son estonnement, en considerant la perte qu'elle avoit faicte d'un si parfaict amy, de la mort duquel elle estoit la seulle cause. Regardant d'aultre costé, avecq le regret et la honte en quoy elle demoroit, si on trouvoit ce corps mort en sa maison, afin de faire ignorer la chose, elle et une chamberiere en qui elle se fioit, porterent le corps mort dedans la rue, où elle ne le voulut laisser seul, mais, en prenant l'espée du trepassé, se voulut joindre à sa fortune, et, en punissant son cueur, cause de tout le mal, la passa tout au travers, et tomba son corps mort sur celluy de son amy. Le pere et la mere de ceste fille, en sortans au matin de leur maison, trouverent ce piteulx spectacle; et, après en avoir faict tel deuil que le cas meritoit, les enterrerent tous deux ensemble.

« Ainsy voyt-on, mes dames, que une extremité d'amour ameine [652] ung autre malheur. — Voylà qui me plaist bien, dist Symontault, quant l'amour est si egalle, que, luy morant, l'autre ne vouloit plus vivre. Et si Dieu m'eust faict là grace d'en trouver une telle, je croy que jamais n'eust aymé plus parfaictement. — Si ay-je ceste opinion, dist Parlamente, qu'amour ne vous a pas tant aveuglé, que vous n'eussiez mieulx lyé vostre bras qu'il ne feit; car le temps est passé que les hommes oblient leurs vies pour les dames. — Mais il n'est pas passé, dist Simontault, que les dames oblient la vie de leurs serviteurs pour leurs plaisirs. — Je croy, dist Ennasuitte, qu'il n'y a femme au monde qui prenne plaisir à la mort d'un homme, encores qu'il fust son ennemy. Toutesfois, si les hommes se veulent tuer eulx-mesmes, les dames ne les en peuvent pas garder. — Si est-ce, dist Saffredent, que celle qui refuse son pain au pauvre mourant de faim, est estimée le meurtrier. — Si vos requestes, dist Oisille, estoient si raisonnables que celles du pauvre demandant sa necessité, les dames seroient trop cruelles de vous refuser; mais, Dieu mercy! ceste maladie ne tue que ceulx qui doyvent morir dans l'année.

— Je ne treuve poinct, Madame, dist Saffredent, qu'il soit une plus grande necessité que celle qui faict oblier toutes les aultres; car, quant l'amour est forte, on ne congnoist autre pain ne aultre viande que le regard et la parolle[653] de celle que l'on ayme. — Qui vous laisseroit jeusner, dist Oisille, sans vous bailler aultre viande, on vous feroit bien changer de propos ? — Je vous confesse, dist-il, que le corps pourroit defaillir, mais le cueur et la volunté non. — Doncques, dist Parlamente, Dieu vous a faict grand grace de vous faire addresser en lieu où avez si peu de contentement, qu'il vous fault reconforter à boire et à manger, dont il me semble que vous vous acquitez si bien, que vous devez louer Dieu d'une si doulce cruaulté. — Je suis tant nourry au torment, dist-il, que je commence à me louer des maulx dont les autres se plaingnent ! — Peut-estre que c'est, dist Longarine, que nostre plaincte vous recule de la compaignie où vostre contentement vous faict estre le bien venu; car il n'est rien si fascheux, que ung amoureux importun. — Mectez, dist Simontault, que une dame cruelle ! — J'entendz bien, dist Oisille, que, si nous voulons entendre la fin des raisons de Symontault, veu que le cas luy touche, nous pourrions trouver complies au lieu de vespres; parquoy, allons-nous en louer Dieu, dont ceste Journée est passée sans plus grand debat. » Elle commencea la premiere à se lever, et tous les aultres la suyvirent. Mais Simontault et Longarine ne cesserent de debatre leur querelle si doulcement, que, sans tirer espée, Simontault gaingna, monstrant que de la passion la plus forte estoit la necessité la plus grande. Et, sur ce mot, entrerent en l'eglise, où les moynes les attendoient. Vespres oyes, s'en allerent soupper autant de parolles que de viandes, car leurs questions durerent tant qu'ilz furent à table, et du soir jusques ad ce que Oisille leur dist qu'ilz pouvoient bien aller reposer leurs esperitz, et que les cinq Journées estoient accomplies de si belles histoires, qu'elle avoit grand paour que la sixiesme ne fut pareille; car il n'estoit possible, encores qu'on les voulut inventer, de dire de meilleurs comptes que veritablement ilz en avoient racomptez en leur compaignye. Mais Geburon luy dist que, tant que le monde dureroit, il se feroit cas dignes de memoire. « Car la malice des hommes mauvais est toujours telle qu'elle a esté, comme la bonté des bons. Tant que malice et bonté regneront sur la terre, ilz la rempliront tousjours de nouveaulx actes, combien qu'il est escript qu'il n'y a rien nouveau soubz le soleil. Mais, à nous, qui n'avons esté appellez au conseil privé de Dieu, ignorans les premieres causes, trouvons toutes choses nouvelles tant plus admirables, que moins nous les vouldrions ou pourrions faire : parquoy n'ayez poinct de paour que les Journées qui viendront ne suyvent bien celles qui sont passées, et pensez de vostre part de bien faire vostre debvoir. » Oisille dist qu'elle se rendoit à Dieu, au nom duquel elle leur donnoit le bonsoir. Ainsy se retira toute la compaignye, mectant fin à la cinquiesme Journée.

FIN DE LA CINQUIESME JOURNÉE.

LA SIXIESME JOURNÉE

EN LA SIXIESME JOURNÉE, ON DEVISE DES TROMPERYES QUI SE SONT FAITES D'HOMME A FEMME, DE FEMME A HOMME, OU DE FEMME A FEMME, PAR AVARICE, VENGEANCE ET MALICE.

PROLOGUE

Le matin, plus tost que de coustume, madame Oisille alla preparer sa leçon [a] en la salle; mais la compaignye, qui en fut advertye, pour le desir qu'elle avoit d'oyr sa bonne instruction, se dilligenta tant de se habiller, qu'ilz ne la feirent gueres actendre. Et elle, congnoissant la ferveur, leur vat lire l'epistre de Sainct Jehan l'evangeliste, qui n'est plaine que d'amour [654], pour ce que les jours passez elle leur avoir declaré celle de Sainct Pol aux Romains [655]. La compaignye trouva ceste viande [b] si doulce, que, combien qu'ilz y fussent demye heure plus qu'ilz n'avoient esté les aultres jours, si leur sembloit-il n'y avoir pas esté ung quart. Au partir de là, s'en allerent à la contemplation de la messe, où chacun se recommanda au Sainct Esperit, pour satisfaire ce jour-là à leur plaisante audience [656]. Et, après qu'ilz eurent disné, et prins ung peu de repos, s'en allerent continuer le passetemps accoustumé. Et madame Oisille leur demanda qui commenceroit ceste Journée. Longarine leur respondit : « Je donne ma voix à Madame Oisille; elle nous a ce jourd'huy faict une si belle leçon, qu'il est impossible qu'elle ne die quelque histoyre digne de parachever la gloire qu'elle a merité à ce matin. — Il me desplaist, dist Oisille, que je ne vous puis dire, à ceste après disnée, chose aussy proffitable que j'ay faict à ce matin; mais, à tout le moins, l'intention de mon histoire ne sortira poinct hors de la doctrine de la saincte Escripture,

a. lecture de l'Écriture Sainte. — *b.* nourriture.

où il est dict : « Ne vous confiez poinct aux princes, ne aux filz des hommes, auxquelz n'est nostre salut. » Et, afin que, par faulte d'exemple, ne mectez en obly ceste verité, je vous en voys dire ung très veritable et dont la memoire est si fresche, que à peyne en sont essuyez les oeilz de ceulx qui ont veu ce piteulx spectacle. »

CINQUANTE ET UNIESME NOUVELLE

Le duc d'Urbin, contre la promesse faite à sa femme, feit pendre une siene damoyselle, par le moyen de laquelle son filz (qu'il ne vouloit maryer pauvrement) faisoit entendre à s'amye l'affection qu'il luy portoit [657].

Le duc d'Urbin [658], nommé le Prefect, lequel espousa la seur du premier duc de Mantoue [659], avoit ung filz [660] de l'aage de diz huict à vingt ans, qui fut amoureux d'une fille d'une bonne et honneste maison, seur de l'abbé de Farse [661]. Et, pour ce qu'il n'avoit pas la liberté de parler à elle comme il vouloit, selon la coustume du pays, se ayda du moien d'un gentil homme qui estoit à son service, lequel estoit amoureux d'une jeune damoiselle servant sa mere, fort belle et honneste, par laquelle faisoit declarer à s'amye la grande affection qu'il luy portoit. Et la pauvre fille n'y pensoit en nul mal, prenant plaisir à luy faire service, estimant sa volunté si bonne et honneste, qu'il n'avoit intention dont elle ne peut avecq honneur faire le message. Mais le duc, qui avoit plus de regard au proffict de sa maison que à toute honneste amityé, eut si grand paour que les propos menassent son filz jusques au mariage, qu'il y feyt mectre ung grand guet. Et luy fut rapporté que ceste pauvre damoiselle s'estoit meslée de bailler quelques lettres de la part de son filz à celle que plus il aymoit : dont il fut tant courroucé, qu'il se delibera d'y donner ordre. Mais il ne peut si bien dissimuller son courroux, que la damoiselle n'en fut advertye, laquelle, congnoissant la malice du duc, qu'elle estimoit aussi grande que sa conscience petite, eut une merveilleuse craincte. Et s'en vint à la duchesse, la suppliant luy donner congé de se retirer en quelque lieu hors de la veue de luy, jusques à ce que sa fureur fut passée. Mais sa maistresse luy dist qu'elle essaieroit d'entendre la volunté de son mary, avant que de luy donner congé [662]. Toutesfois, elle entendit bien tost le mauvais propos que le duc en tenoit; et, congnoissant sa complexion, non seullement donna congé, mais conseilla à ceste damoiselle de s'en aller en ung monastere jusques ad ce que ceste tempeste fut passée. Ce qu'elle feit le plus secretement qu'il luy fut possible, mais non tant que le duc n'en fust adverty, qui, d'un visaige fainct et joyeux, demanda à sa femme où estoit cette damoiselle, laquelle, pensant qu'il en sçeut bien la verité, la luy confessa; dont il faingnyt estre marry, luy disant qu'il n'estoit besoing qu'elle fist ces contenances-là; et que de sa part il ne luy vouloit poinct de mal et qu'elle la fist retourner, car le bruict de telles choses n'estoit poinct bon. La duchesse luy dist que, si ceste pauvre fille estoit si malheureuse d'estre hors de sa bonne grace, il valloit mieulx, pour quelque temps, qu'elle ne se trouvast poinct en sa presence; mais il ne voulut poinct recepvoir toutes ses raisons, luy commandant qu'elle la feist revenir. La duchesse ne faillyt à declarer à la pauvre damoiselle la volunté du duc : dont elle ne se peut asseurer, la supliant qu'elle ne tentast poinct ceste fortune; et qu'elle sçavoit bien que le duc n'estoit pas si aisé à pardonner comme il en faisoit la myne. Toutesfois, la duchesse l'asseura qu'elle n'auroit nul mal, et la print sur sa vie et son honneur. La fille, qui sçavoit bien que sa maistresse l'aymoit et ne la vouldroit point tromper pour ung rien, print sa fiance [663] en sa promesse, estimant que le duc ne vouldroit jamais aller contre telle seureté où l'honneur de sa femme estoit engaigé; et ainsy s'en retourna avecques la duchesse. Mais, si tost que le duc le sceut, ne faillyt à venir en la chambre de sa femme, où si tost qu'il eut apperceu ceste fille, disant à sa femme : « Voylà une telle qui est revenue ? » se retourna devers ses gentilz hommes, leur commandant la prendre et la mener en prison. Dont la pauvre duchesse, qui sur sa parolle l'avoit tirée hors de sa franchise [a], fut si desesperée, se mectant à genoulx devant luy, luy supplia que, pour l'amour de luy et de sa maison, il luy pleust ne faire ung tel acte, veu que, pour luy obeyr, elle l'avoit tirée du lieu où elle estoit en seuretté. Si est-ce que, quelque priere qu'elle sceut faire ne raison qu'elle

[a] hors du lieu où elle se trouvait en sûreté.

sceut alleguer, ne sceut amolir le dur cueur, ne vaincre la forte opinion qu'il avoit prinse de se venger d'elle; mais, sans respondre à sa femme ung seul mot, se retira incontinant le plus tost qu'il peut, et, sans forme de justice, obliant Dieu et l'honneur de sa maison, feit cruellement pendre ceste pauvre damoiselle. Je ne puis entreprendre de vous racompter l'ennuy de la duchesse, car il estoit tel que doibt avoir une dame d'honneur et de cueur, qui sur sa foy voyoit mourir celle qu'elle desiroit de saulver. Mais encores moins se peult dire l'extreme deuil du pauvre gentil homme, qui estoit son serviteur, qui ne faillit de se mectre en tout debvoir qu'il luy fut possible de saulver la vie de s'amye, offrant mectre la sienne en lieu. Mais nulle pitié ne sceut toucher le cueur de ce duc, qui ne cognoissoit aultre felicité que de se venger de ceulx qu'il ayoit [a]. Ainsy fut ceste damoiselle innocente mise à mort par ce cruel duc contre toute la loy d'honnesteté, au très grand regret de tous ceulx qui la congnoissoient.

« Regardez, mes dames, quelz sont les effectz de la malice quant elle est joincte à la puissance ! — J'avois bien ouy dire, ce dist Longarine, que les Italiens estoient subgects à trois [664] vices par excellence; mais je n'eusse pas pensé que la vengeance et cruaulté fut allée si avant, que, pour une si petite occasion, elle eut donné si cruelle mort. » Saffredent, en riant, luy dist : « Longarine, vous nous avez bien dict l'un des trois vices; mais il faut sçavoir qui sont les deux autres ? — Si vous ne les sçaviez, ce dist-elle, je les vous apprendrois, mais je suys seure que vous les sçavez tous. — Par ces parolles, dist Saffredent, vous m'estimez bien vitieux ? — Non faiz, dist Longarine, mais si bien congnoissez la laydeur du vice, que vous le povez mieulx que ung aultre eviter. — Ne vous esbahissez, dist Simontault, de ceste cruaulté; car ceulx qui ont passé par Italie en ont vu de si très incroyables, que ceste-cy n'est au pris qu'un petit pecadille [665]. — Vrayement, dist Geburon, quant Rivolte [666] fut prins des François, il y avoit ung cappitaine Italien, que l'on estimoit gentil compaignon, lequel, voiant mort ung qui ne luy estoit ennemy que de tenir sa part contraire de Guelfe à Gibelin, luy arracha

a. haïssait.

le cueur du ventre, et, le rotissant sur les charbons à grand haste, le mangea, et, respondant à quelques ungs qui luy demandoient quel goust il y trouvoit, dist que jamais n'avoit mengé si savoureux [667] ne si plaisant morceau que de cestuy-là; et, non content de ce bel acte, tua la femme du mort, et, en arrachant de son ventre le fruict dont elle estoit grosse, le froissa contre les murailles; et emplist d'avoyne les deux corps du mary et de la femme, dedans lesquelz il feit manger ses chevaulx. Pensez si cestuy-là n'eut bien faict mourir une fille qu'il eut soupçonnée luy faire quelque desplaisir ? — Il faut bien dire, dist Ennasuitte, que ce duc Urbin avoit plus de paour que son filz fut marié pauvrement, qu'il ne desiroit luy bailler femme à son gré. — Je croy que vous ne debvez poinct, respondit Simontault, doubter que la nature de l'Italien est d'aymer plus que nature ce qui est créé seulement pour le service d'icelle. — C'est bien pis, dist Hircan, car ilz font leur Dieu des choses qui sont contre nature [668]. — Et voylà, ce dist Longarine, les pechez que je voulois dire, car on sçait bien que aymer l'argent, sinon pour s'en ayder, c'est servir les idolles. » Parlamente dist que sainct Pol n'avoit poinct oblyé les vices des Italiens, et de toux ceulx qui cuydent passer et surmonter les aultres en honneur, prudence et raison humaine, en laquelle ilz se fondent si fort, qu'ilz ne rendent poinct à Dieu la gloire qui luy appartient : parquoy, le Tout Puissant, jaloux de son honneur, rend plus insensez que les bestes enragées ceulx qui ont cuydé avoir plus de sens que tous les aultres hommes, leur faisant monstrer par oeuvres contre nature, qu'ilz sont en sens reprouvez. Longarine luy rompit la parolle, pour dire que c'est le troisiesme peché en quoy ilz sont subgectz. — Par ma foy, dist Nomerfide, je prenoys grand plaisir à ce propos, car, puis que les esperitz que l'on estime les plus subgectz et grands discoureux ont telle pugnition de devenir plus sotz que les bestes, il faut doncques conclure que ceulx qui sont humbles et bas et de petite portée, comme le myen, sont rempliz de la sapience des anges [669]. — Je vous asseure, dist Oisille, que je ne suis pas loing de vostre opinion; car nul n'est plus ignorant que celluy qui cuyde sçavoir. — Je n'ai jamais veu, dist Geburon, mocqueur qui ne fut mocqué, trompeur qui ne fut trompé, et glorieulx qui ne fut humillyé. — Vous me faictes souvenir dist Simontault, d'une tromperie, que, si elle estoit honneste, je l'eusse voluntiers comptée. — Or, puisque nous sommes icy pour dire verité, dist Oisille, soit de telle qualité que vouldrez, je vous donne ma voix pour la dire. — Puis que la place m'est donnée, dist Simontault, je la vous diray. »

CINQUANTE DEUXIESME NOUVELLE [670]

Un valet d'apothicaire, voyant venir derriere soy un avocat qui luy menoit tousjours la guerre, et duquel il avoit envye de se venger, laissa tomber de sa manche un etron gelé enveloppé dans du papyer, en guise d'un pain de sucre, que l'avocat leva de terre et le cacha en son sein; puis, s'en alla avec un sien compagnon desjeuner en une taverne, dont il ne sortit qu'avec la despense et honte qu'il pensoit faire au pauvre valet [671].

Auprès de la ville d'Alençon y avoit ung gentil homme, nommé le seigneur de la Tireliere [672], qui vint, à ung matin, de sa maison jusques à la ville, à pied, tant pour ce qu'elle estoit près, que pour ce qu'il gelloit à pierre fendant; et n'avoit oblié au logis sa grosse robe fourrée de renardz [673]. Quant il eut faict ses affaires, trouva ung sien compere advocat, nommé Anthoine Bacheré; et, après luy avoir parlé de ses affaires, luy dist qu'il avoit envie de trouver quelque bon desjeuner, mais que ce fust aux despens d'aultruy. En parlant à ses propos, se asseyerent devant l'ouvrouer [a] d'ung appothicaire, où estoit ung varlet qui les escoutoit, et pensa incontinant de leur donner à desjeuner. Il saillyt de sa bouticque dans une rue où chascun alloit faire ses necessitez; et trouva ung grand estronc tout debout, si gellé, qu'il sembloit ung petit pain de sucre fin; incontinant l'envelopa dedans ung beau papier blanc, en la façon qu'il avoit accoustumé, pour en faire envye aux gens; et le cacha en sa manche, et s'en vint passer par devant ce gentil homme et cest advocat, laissant tumber assez près d'eulx, comme par mesgarde, ce beau pain de sucre; et entre dans une maison où il faingnoit de le porter. Le seigneur de la Tireliere se hasta de relever vistement ce qu'il cuydoit estre ung pain de sucre; et, ainsy qu'il le

a. la boutique.

levoit, le varlet de l'appothicaire retourna, serchant et demandant son pain de sucre partout. Le gentil homme, qui le pensoit avoir bien trompé, s'en alla hastivement avecq son compere en une taverne, en luy disant : « Nostre desjeuné est payé aux despens de ce varlet. » Quant il fut en la maison, il demanda bon pain, bon vin et bonnes viandes, car il pensoit bien avoir de quoy paier. Ainsy qu'il commencea à se chaulfer en mangeant, son pain de sucre commencea aussy à desgeller, qui remplit toute la chambre de telle senteur que le pain estoit. Dont celluy qui le portoit en son saing, se commencea à courroucer à la chamberiere, luy disant : « Vous estes les plus villennes gens en ceste ville, que je veis oncques, car vous ou voz petitz enfans ont jonché toute ceste chambre de merde. » La chamberiere respondit : « Par sainct Pierre ! il n'y a ordure ceans, si vous ne l'y avez apporté. » Et, sur ce regard, se leverent, pour la grand puanteur qu'ilz sentoient. Et s'en vont auprès du feu, où le gentil homme tira ung mouchouer de son saing qui estoit tainct de sucre qui estoit gelée. Et en ouvrant sa robbe fourrée de regnardz, la trouva toute gastée; et ne sceut que dire à son compere, sinon que : « Le mauvais garson, que nous cuydions tromper, le nous a bien randu ! » Et, en payant leur escot, s'en partirent aussi marriz qu'ilz estoient venuz joyeulx, pensans avoir trompé le varlet de l'appothicaire.

« Nous voions bien souvent, mes dames, cela advenir autant à ceulx qui prennent plaisir de user de telles finesses. Si le gentil homme n'eut voulu manger aux despens d'aultruy, il n'eust pas beu aux siens ung si villain breuvaige. Il est vray, mes dames, que mon compte n'est pas très nect; mais vous m'avez donné congé de dire la verité, laquelle j'ay dicte pour monstrer que, si ung trompeur est trompé, il n'y a nul qui en soit marry. — L'on dist voluntiers, dist Hircan, que les parolles ne sont jamais puantes; mais ceulx pour qui elles sont dictes n'en estoient pas quictes à si bon marché, qu'ilz ne les sentissent bien. — Il est vray, dist Oisille, que telles parolles ne puent poinct; mais il y en a d'autres que l'on appelle *villaines*, qui sont de mauvaise odeur, quant l'ame est plus faschée que le corps n'est de sentir ung tel pain de sucre que vous avez dict. — Je vous prie, dist Hircan, dictes-moy quelles parolles sont que vous savez si ordes [a], qu'elles font mal au cueur et à l'ame d'une honneste femme ? — Il seroit bon, dist Oisille, que je vous disse ce que je ne conseille à nulle femme de dire ! — Par ce mot-là, dit Saffredent, j'entens bien quelz termes ce sont, dont les femmes qui se veullent faire reputer saiges ne usent poinct communement; mais je demanderois voluntiers à toutes celles qui sont icy, pourquoy c'est, puis qu'elles n'en osent parler, qu'elles rient si voluntiers, quant on en parle devant elles ? » Ce dist Parlamente : « Nous ne ryons pas pour oyr dire ces beaulx motz; mais il est vray que toute personne est encline à rire, ou quant elle veoit quelcun tresbucher, ou quant on dict quelque mot sans propos, comme souvent advient la langue fourche en parlant et faict dire ung mot pour l'autre, ce qui advient aux plus saiges et mieulx parlantes. Mais, quant entre vous, hommes, parlez villainement pour vostre malice, sans nulle ignorance, je ne sçaiche telle femme de bien, qui n'en ayt horreur, que non seullement ne les veulle escouter, mais fuyr la compaignye d'icelles gens. — Il est bien vray, dist Geburon, j'ai veu des femmes faire le signe de la croix en oyant dire des parolles, qui ne cessoient, après qu'on les eut redictes. — Mais, dist Simontault, combien de foys ont-elles mis leur touret de nez [674] pour rire en liberté autant qu'elles s'estoient courroucées en fainctes ? — Encore valloit-il mieulx faire ainsy, dist Parlamente, que de donner à congnoistre que l'on trouvast le propos plaisant [675]. — Vous louez doncques, dist Dagoucin, l'ypocrisie des dames autant que la vertu ? — La vertu seroit bien meilleure, dist Longarine; mais, où elle default, se fault ayder de l'ypocrisie, comme nous faisons de pantoufles pour faire oblier nostre petitesse. Encores est-ce beaucoup, que nous puissions couvrir noz imperfections. — Par ma foy, dist Hircan, il vauldroit mieulx quelque foys monstrer quelque petite imperfection, que la couvrir si fort du manteau de vertu. — Il est vray, dist Ennasuitte, que ung accoustrement emprunscté deshonore autant celluy qui est contrainct de le rendre, comme il luy a faict d'honneur en le portant; et y a telle dame sur la terre qui, par trop dissimuller une petite faulte, est tumbée en une plus grande. — Je me doubte, dist Hircan, de qui vous voulez

a. sales.

parler, mais, au moins, ne la nommez poinct. — Ho, dist Geburon, je vous donne ma voix par tel si [a] que, après avoir faict le compte, vous nous direz les noms, et nous jurerons de n'en parler jamais. — Je le vous promectz, dist Ennasuitte, car il n'y a rien qui ne se puisse dire avecq honneur. »

CINQUANTE TROISIESME NOUVELLE

Madame de Neufchastel, par sa dissimulation, meit le prince de Belhoste jusques à faire telle preuve d'elle, qu'elle tourna à son deshonneur[676].

Le Roy François premier estoit en ung beau chasteau et plaisant, où il estoit allé avec petite compaignye, tant pour la chasse que pour y prendre quelque repos. Il avoit en sa compaignie ung nommé le prince de Belhoste[677], autant honneste, vertueulx, saige et beau prince qu'il y en avoit poinct en la court; et avoit espousé une femme qui n'estoit pas de grande maison. Mais si l'aymoit-il autant et la traictoit autant bien que mary peult faire sa femme, et se fyoit tant en elle. Quant il en aymoit quelqu'une, il ne luy celloit poinct, sçachant qu'elle n'avoit volunté que la sienne. Ce seigneur print trop grande amityé en une dame vefve, qui s'appelloit madame de Neufchastel[678], et qui avoit la reputation d'estre la plus belle que l'on eust sceu regarder. Et si le prince de Belhoste l'aymoit bien, sa femme ne l'aymoit pas moins, mais l'envoyoit souvent querir pour manger avecq elle, la trouvant si saige et honneste, que, en lieu d'estre marrye que son mary l'aymast, se resjouyssoit de le veoir addresser en si honneste lieu remply d'honneur et de vertu. Ceste amityé dura longuement, en sorte que en tous les affaires de la dicte Neufchastel le prince de Belhoste s'employoit comme pour les siens propres, et la princesse sa femme n'en faisoit pas moins. Mais, à cause de sa beaulté, plusieurs grands seigneurs et gentilz hommes cherchoient fort sa bonne grace, les ungs pour l'amour seullement, les autres pour l'anneau [b]; car oultre la beaulté, elle estoit fort riche. Entre aultres, il y

a. de telle manière. — *b.* pour l'épouser.

avoit ung jeune gentil homme, nommé le seigneur des Cheriotz[679], qui la poursuivoit de si près, qu'il ne falloit d'estre à son habiller et son deshabiller, et tout le long du jour, tant qu'il povoit estre auprès d'elle. Ce qui ne pleut pas au prince de Belhoste, pource qu'il luy sembloit que ung homme de si pauvre lieu et de si mauvaise grace ne meritoit poinct avoir si honneste et gratieux recueil : dont souvent il faisoit des remonstrances à ceste dame. Mais, elle, qui estoit fille de duc[680], s'excusoit, disant qu'elle parloit à tout le monde generallement et que pour cela leur amityé en estoit d'autant mieulx couverte, qu'elle ne parloit poinct plus aux ungs que aux aultres. Mais, au bout de quelque temps, ce sieur des Cheriotz feit telle poursuicte, plus par importunité que par amour, qu'elle luy promist de l'espouser, le priant ne la presser poinct de declairer le mariage jusques ad ce que ses filles fussent maryées. A l'heure, sans craincte de conscience, alloit le gentil homme à toutes heures qu'il vouloit à sa chambre; et n'y avoit que une femme de chambre et ung homme qui sceussent leurs affaires. Le prince, voyant que de plus en plus le gentil homme se apprivoyoit en la maison de celle qu'il aymoit tant, le trouva si mauvais, qu'il ne se peut tenir de dire à la dame : « J'ay toujours aymé vostre honneur, comme celluy de ma propre seur; et sçavez les honnestes propos que je vous ay tenuz et le contantement que j'ay d'aymer une dame tant saige et vertueuse que vous estes; mais, si je pensois que ung aultre, qui ne le merite pas, gaingnast par importunité ce que je ne veulx demander contre vostre vouloir, ce me seroit chose importable [a] et non moins deshonorable pour vous. Je le vous dictz, pour ce que vous estes belle et jeune, et que jusques icy vous avez esté en si bonne reputation : et vous commancez à acquerir ung très mauvays bruict, car, nonobstant qu'il ne soit pareil ny de maison ny de biens, et moins d'auctorité, sçavoir ou bonne grace, si est-ce qu'il vauldroit mieulx que vous l'eussiez espousé, que d'en mectre tout le monde en soupson. Parquoy, je vous prie, dictes-moy si vous estes deliberée de l'aymer, car je ne le veulx poinct avoir pour compaignon; et le vous lerrai [b] tout entier et me retireray de la bonne volunté que je vous ay portée. » La pauvre dame

a. insupportable. — *b*. laisserai.

se print à pleurer, craingnant de perdre son amityé; et luy jura qu'elle aymeroit mieulx mourir que d'espouser le gentilhomme dont il luy parloit; mais il estoit tant importun, qu'elle ne le povoit garder d'entrer en sa chambre, à l'heure que tous les aultres y entroient. « De ces heures-là, dist le prince, je ne parle poinct, car je y puis aussy bien aller que luy, et chascun voyt ce que vous faictes; mais on m'a dict qu'il y vat après que vous estes couchée, chose que je trouve si estrange, que, si vous continuez ceste vie et vous ne le declairez pour mary, vous estes la plus deshonnorée femme qui oncques fust. » Elle luy feit tous les sermens qu'elle peut, qu'elle ne le tenoit pour mary ne pour amy, mais pour ung aussi importun gentil homme qu'il n'en fut poinct. « Puisque ainsy est, dist le prince, qu'il vous fasche, je vous asseure que je vous en defferay. — Combien! dist-elle; le vouldriez vous bien faire morir? — Non, non, dist le prince, mais je luy donneray à congnoistre que ce n'est poinct en tel lieu ny en telle maison que celle du Roy, où il fault faire honte aux dames; et vous jure, foy de tel amy que je vous suys, que, si après avoir parlé à luy, il ne se chastie, je le chastieray si bien, que les aultres y prendront exemples. » Sur ces parolles, s'en alla et ne faillit pas, au partir de la chambre, de trouver le seigneur des Cheriotz qui y venoit, auquel il tint tous les propos que vous avez oyz, l'asseurant que, la premiere fois qu'il se trouveroit hors de l'heure que les gentilz hommes doyvent aller veoir les dames, il luy feroit une telle paour, que à jamais il lui en souviendroit; et qu'elle estoit trop bien apparentée pour se jouer ainsy à elle. Le gentil homme l'asseura qu'il n'y avoit jamais esté, sinon comme les aultres, et que il luy donnoit congé, s'il l'y trouvoit, de luy faire du pis qu'il pourroit.

Quelque jour après que le gentil homme cuydoit les parolles du prince estre mises en obly, s'en alla veoir au soir sa dame et y demeura assez tard. Le prince dist à sa femme comme la dame de Neufchastel avoit ung grand rugme; parquoy, sa bonne femme le pria de l'aller visiter pour tous deux, et de luy faire ses excuses, dont elle n'y povoit aller, car elle avoit quelque affaire necessaire en sa chambre. Le prince attendit que le Roy fut couché; et, après, s'en alla pour donner le bon soir à sa dame. Mais, en cuydant montrer ung degré, trouva ung varlet de chambre qui descendoit, auquel il demanda que faisoit sa maistresse; qui luy jura qu'elle estoit couchée et endormye. Le prince descendit le degré et soupsonna qu'il mentoit; parquoi il regarda derriere luy et veid le varlet qui retournoit en grande diligence. Il se promena en la court devant ceste porte, pour veoir si le varlet retourneroit poinct. Mais, ung quart d'heure après, le veid encores descendre et regarder de tous coustez pour veoir qui estoit en la court. A l'heure, pensa le prince que le seigneur des Cheriotz estoit en la chambre de sa dame, et que, pour craincte de luy, n'osoit descendre; qui le feit encores promener longtemps. Se advisa que en la chambre de la dame y avoit une fenestre, qui n'estoit gueres haulte et regardoit dans ung petit jardin; il luy souvint du proverbe qui dict : *Qui ne peut passer par la porte saille par la fenestre ;* dont soubdain appella ung sien varlet de chambre et luy dist : « Allez-vous-en en ce jardin là derriere, et si vous voyez ung gentil homme descendre par la fenestre, si tost qu'il aura mis le pied à terre, tirez vostre espée, et, en la frotant contre la muraille, cryez : « *Tue, tue !* Mais gardez que vous ne le touchez. » Le varlet de chambre s'en alla où son maistre l'avoit envoyé, et le prince se promena jusques environ trois heures après minuyct. Quant le seigneur des Cheriotz entendit que le prince estoit tousjours en la court, delibera descendre par la fenestre; et, après avoir gecté sa cappe la premiere, avecq l'ayde de ses bons amys, saulta dans le jardin. Et, sitost que le varlet de chambre l'advisa, il ne faillyt à faire bruict de son espée, et cria : *Tue, tue !* dont le pauvre gentil homme, cuydant que ce fust son maistre, eut si grand paour, que, sans adviser à prendre sa cappe, s'enfuyt en la plus grande haste qu'il luy fut possible. Il trouva les archers qui faisoient le guet, qui furent fort estonnez de le veoir ainsy courir; mais il ne leur osa rien dire, sinon qu'il les pria bien fort de luy vouloir ouvrir la porte, ou de le loger avecq eulx jusques au matin, ce qu'ils feirent, car ilz n'en avoient pas les clefz.

A ceste heure-là, vint le prince pour se coucher et trouva sa femme dormant; la resveilla, luy disant : « Devinez, ma femme, quelle heure il est ? » Elle luy dist : « Depuis au soir que je me couchay, je n'ay poinct ouy sonner l'orloge. » Il luy dist : « Ilz sont trois heures après minuict passées. — Jésus, Monsieur, dist sa femme, et où avez-vous tant esté ?

J'ay grand paour que vostre santé en vauldra pis. — M'amye, dist le prince, je ne seray jamais mallade de veiller, quant je garde de dormir ceulx qui me cuydent tromper. » Et, en disant ces parolles, se print tant à rire, qu'elle le suplia luy vouloir compter ce que c'estoit, ce qu'il feit tout du long, en luy monstrant la peau du loup que son varlet de chambre avoit apportée. Et, après qu'ilz eurent passé le temps aux despens des pauvres gens, s'en allerent dormyr d'aussi gratieux repos que les deux autres travaillerent la nuyct en paour et craincte que leur affaire fust revelé. Toutesfois, le gentil homme, sçachant bien qu'il ne povoit dissimuller devant le prince, vint au matin à son lever luy suplier qu'il ne le voullust poinct deceler et qu'il luy feist randre sa cappe. Le prince feit semblant d'ignorer tout le faict et tint si bonne contenance, que le gentil homme ne sçavoit où il en estoit. Si est-ce que à la fin il oyt aultre leçon qu'il ne le pensoit, car le prince l'asseura, que, s'il y retournoit jamais, qu'il le diroit au Roy et le feroit bannyr de la court.

« Je vous prie, mes dames, juger s'il n'eut pas mieulx vallu à ceste pauvre dame d'avoir parlé franchement à celluy qui luy faisoit tant d'honneur de l'aymer et estimer, que de le mectre par dissimullation jusques à faire une preuve qui luy fut si honteuse ! — Elle sçavoit, dist Geburon, que, si elle luy confessoit la verité, elle perdroit entierement sa bonne grace, ce qu'elle ne vouloit pour rien perdre. — Il me semble, dist Longarine, puis qu'elle avoit choisy un mary à sa fantaisye, qu'elle ne debvoit craindre de perdre l'amityé de tous les autres ? — Je croy bien, ce dist Parlamente, que, si elle eust osé declairer son mariage, elle se fut contantée du mary; mais, puis qu'elle le vouloit dissimuller jusques ad ce que ses filles fussent maryées, elle ne vouloit poinct laisser une si honneste couverture. — Ce n'est pas cela, dist Saffredent, mais c'est que l'ambition des femmes est si grande, qu'elle ne se peut contanter d'en avoir ung seul. Mais j'ay oy dire que celles qui sont les plus saiges en ont voluntiers trois, c'est assavoir ung pour l'honneur, ung pour le proffict et ung pour le plaisir; et chascun des trois pense estre le mieulx aymé. Mais les deux premiers servent au dernier. — Vous parlez de celles, dist Oisille, qui n'ont ny amour ny honneur. — Madame, dist Saffredent, il y en a telles de la condition que je vous paincts et que vous estimez bien des plus honnestes femmes du païs. — Croiez, dist Hircan, que une femme fine sçaura vivre où toutes les autres mourront de faim. — Aussy, ce dist Longarine, quant leur finesse est congneue, c'est bien la mort. — Mais la vie, dist Simontault, car elles n'estiment pas petite gloire d'estre reputées plus fines que leurs compaignes. Et ce nom-là de *fines*, qu'elles ont acquis à leurs despens, faict plus hardiment venir les serviteurs à leur obeissance, que la beaulté. Car ung des plus grands plaisirs qui sont entre ceulx qui ayment, c'est de conduire leur amityé finement. — Vous parlez, dist Ennasuitte, d'ung amour meschant, car la bonne amour n'a besoing de couverture. — Ha, dist Dagoucin, je vous supplie oster ceste opinion de vostre teste, pour ce que tant plus la drogue est pretieuse et moins se doibt eventer, pour la malice de ceulx qui ne se prennent que aux signes exterieurs, lesquelz en bonne et loialle amitié sont tous pareilz; parquoy les fault aussy bien cacher quant l'amour est vertueuse, que si elle estoit au contraire, pour ne tomber au mauvais jugement de ceulx qui ne peuvent croire que ung homme puisse aymer une dame par honneur; et leur semble que, s'ils sont subgectz à leur plaisir, que chascun est semblable à eulx. Mais, si nous estions tous de bonne foy, le regard et la parolle n'y seroient poinct dissimullez, au moins à ceulx qui aymeroient mieulx mourir que d'y penser quelque mal. — Je vous asseure, Dagoucin, dist Hircan, que vous avez une si haulte philosophie, qu'il n'y a homme icy qui l'entende ne la croye; car vous nous vouldriez faire acroyre que les hommes sont anges, ou pierres, ou diables. — Je sçay bien, dist Dagoucin, que les hommes sont hommes et subjectz à toutes passions; mais si est-ce qu'il y en y a qui aymeroient myeulx mourir, que pour leur plaisir leur dame feist chose contre sa conscience. — C'est beaucoup que mourir, dist Geburon; je ne croiray ceste parolle, quant elle seroit dicte de la bouche du plus austere religieux qui soit. — Mais je croy, dist Hircan, qu'il n'y en a poinct qui ne desire le contraire. Toutesfois, ilz font semblant de n'aymer poinct les raisins quand ilz sont si haults, qu'ilz ne les peuvent cueillir. — Mais, dist Nomerfide, je croy que la femme de ce prince fut bien aise, dont son mary apprenoit à congnoistre les femmes. — Je vous asseure que non fut, dist Ennasuitte, mais en fut très marrye pour l'amour qu'elle luy portoit. — J'aymerois autant, dist Saffredent, celle qui ryoit quant son mary baisoit sa chamberiere [681]. Vrayement, dist Ennasuitte, vous en ferez le compte; je vous donne ma place. — Combien que ce compte soit court, dist Saffredent, je le vous vois dire, car j'ayme mieulx vous faire rire que parler longuement. »

CINQUANTE QUATRIESME NOUVELLE

La femme de Thogas, pensant que son mary n'eut amytié à autre qu'à elle, trouvoit bon que sa servante luy feit passer le temps, et rioit quand, à son veu et sceu, il la baisoit devant elle [682].

Entre les montz Pirenées et les Alpes, y avoit ung gentil homme, nommé Thogas [683], lequel avoit femme et enfans, et une fort belle maison, et tant de biens et de plaisirs, qu'il avoit occasion de vivre content, sinon qu'il estoit subject à une grande douleur au dessoubz de la racine des cheveulx; tellement que les medecins luy conseillerent de descoucher d'avecques sa femme : à quoy elle se consentit très voluntiers, n'aiant regard comme à la vie et à la santé de son mary. Et feit mectre son lict en l'autre coing de la chambre, viz à viz de celluy de son mary, en ligne si droicte, que l'un ne l'autre n'eust sceu mectre la teste dehors sans se veoir tous deux. Ceste damoiselle tenoit avecq elle deux chamberieres; et souvent que le seigneur et la damoiselle estoient couchez, prenoit chacun d'eulx quelque livre de passetemps pour lire en son lict; et leurs chamberieres tenoient la chandelle, c'est assavoir la jeune au sieur et l'autre à la damoiselle. Ce gentil homme, voiant sa chamberiere plus jeune et plus belle que sa femme, prenoit si grand plaisir à la regarder, qu'il interrompoit sa lecture pour l'entretenir. Ce que très bien oyoit sa femme et trouvoit bon que ses serviteurs et servantes feissent passer le temps à son mary, pensant qu'il n'eust amityé à aultre que à elle. Mais, ung soir qu'ilz eurent leu plus longuement que de coustume, regardant la damoiselle de loing du costé du lict de son mary où estoit la jeune chamberiere qui tenoit la chandelle, laquelle elle ne voyoit que par derriere, et ne povoit veoir son mary, sinon que du costé de la cheminée qui retournoit devant son lict, et estoit d'une muraille blanche où reluisoit la clairté de la chandelle, et contre la dicte muraille voyoit très bien [684] le pourtraict du visaige de son mary et de celluy de sa chamberiere, s'ilz s'esloignoient, s'ilz s'approchoient, ou s'ilz ryoient, elle en avoit bonne congnoissance, comme si elle les eust veu. Le gentil homme, qui ne se donnoit de garde, estant seur que sa femme ne les povoit veoir, baisa sa chamberiere : ce que pour une foys sa femme endura sans dire mot, mais quant elle veit que les umbres retournoient soubvent à ceste union, elle eut paour que la verité fut couverte dessoubz; parquoy elle se print tout hault à rire, en sorte que les umbres eurent paour de son ris, et se separerent. Et le gentil homme luy demanda pourquoy elle ryoit si fort, et qu'elle luy donnast part de sa joieuseté. Elle luy respondit : « Mon amy, je suis si sotte, que je rys à mon umbre. » Jamais, quelque enqueste qu'il en peut faire, ne luy en confessa autre chose; si est-ce qu'il laissa [685] ceste face umbrageuse.

« Et voilà de quoy il m'est souvenu quant vous avez parlé de la dame qui aymoit l'amye de son mary. — Par ma foy, dist Ennasuitte, si ma chamberiere m'en eut faict aultant, je me fusse levée et luy eusse tué la chandelle sur le nez. — Vous estes bien terrible, dist Hircan, mais ce eust esté bien emploié, si vostre mary et la chamberiere se fussent mis contre vous, et vous eussent très bien battue; car, pour ung baiser, ne fault pas faire si grand cas. Encores eut bien faict sa femme de ne luy en dire mot et luy laisser prendre sa recreation, qui eut peu garir sa maladie. — Mais, dist Parlamente, elle avoit paour que la fin du passetemps le feit plus mallade. — Elle n'est pas, dist Oisille, de ceulx contre qui parle Nostre Seigneur : « Nous vous avons lamenté et vous n'avez point pleuré; nous vous avons chanté et vous n'avez dancé [686]; » car, quant son mary estoit mallade, elle ploroit, et quand il estoit joieulx, elle ryoit. Ainsy toutes femmes de bien deussent avoir la moictié du bien, du mal, de la joye et de la tristesse de son mary, et l'aymer, servir et obeyr comme l'Eglise à Jesus-Christ. —

Il fauldroit doncques, mes dames, dist Parlamente, que noz mariz fussent envers nous, comme Christ et [a] son Eglise. — Aussy faisons-nous, dist Saffredent, et, si possible estoit, nous le passerions, car Christ ne morut que une foys pour son Eglise; nous morons tous les jours pour noz femmes. — Morir ! dist Longarine; il me semble que vous et les aultres qui sont icy, vallez mieulx escuz que ne valliez grands blancs [687] quant vous fustes mariez. — Je sçay bien pourquoy, dist Saffredent : c'est pour ce que souvent nostre valeur est esprouvée, mais si se sentent bien nos espaules d'avoir longement porté la cuyrasse. — Si vous aviez esté contrainctz, dist Ennasuitte, de porter, ung mois durant, le harnoys et coucher sur la dure, vous auriez grand desir de recouvrer le lict de vostre bonne femme, et porter la cuyrasse dont vous vous plaingnez maintenant. Mais l'on dict que toutes choses se peuvent endurer, sinon l'aise, et ne congnoist-on le repos, sinon quant on l'a perdu. Ceste vaine [688] femme, qui ryoit quant son mary estoit joieulx, avoit bien appris à trouver son repos partout. — Je croy, dist Longarine, qu'elle aymoit mieulx son repos que son mary, veu qu'elle ne prenoit bien à cueur chose qu'il feist. — Elle prenoit bien à cueur, dist Parlamente, ce qui povoit nuyre à sa conscience et sa santé, mais aussy ne se vouloit poinct arrester à petite chose [689]. — Quant vous parlez de la conscience, vous me faictes rire, dist Simontault; c'est une chose dont je ne vouldrois jamays que une femme eust soulcy. — Il seroit bien employé, dist Nomerfide, que vous eussiez une telle femme que celle qui monstra bien, après la mort de son mary, d'aymer mieulx son argent que sa conscience. — Je vous prie, dist Saffredent, dictes-nous ceste nouvelle, et vous donne ma voix. — Je n'avois pas deliberé, dist Nomerfide, de racompter une si courte histoire; mais, puis qu'elle vient à propos, je la diray. »

a. envers.

CINQUANTE CINQUIESME NOUVELLE

La veuve d'un marchand accomplit le testament de son mary, interpretant son intention au proffict d'elle et de ses enfans [690].

En la ville de Sarragoce y avoit ung riche marchant, lequel, voyant sa mort approcher, et qu'il ne povoit plus tenir ses biens, que peut estre avoit acquis avecq mauvaise foy, pensa que, en faisant quelque petit present à Dieu, il satisferoit, après sa mort, en partye à ses pechez : comme si Dieu donnoit sa grace pour argent [691] ! Et, quant il eut ordonné du faict de sa maison, dist qu'il voloit que ung beau cheval d'Espagne [692] qu'il avoit fut vendu le plus que l'on pourroit, et que l'argent en fut distribué aux pauvres, priant sa femme, qu'elle ne voulust faillir, incontinant qu'il seroit trespassé, de vendre son cheval, et distribuer cet argent selon son ordonnance. Quant l'enterrement fut faict et les premieres larmes gectées, la femme, qui n'estoit non plus sotte que les Espagnolles ont accoustumé d'estre, s'en vint au serviteur qui avoit comme elle entendu la volunté de son maistre : « Il me semble que j'ay assez faict de pertes de la personne du mary que j'ay tant aymé, sans maintenant perdre les biens. Si est-ce que je ne vouldrois desobeyr à sa parolle, mais oy bien faire meilleure son intention; car le pauvre homme, seduict par l'avarice des prebstres [693], a pensé faire grand sacrifice à Dieu de donner après sa mort une somme dont en sa vie n'eust pas voulu donner ung escu en extreme necessité, comme vous sçavez. Parquoy, j'ay advisé que nous ferons ce qu'il a ordonné par sa mort, et encores mieulx ce qu'il eust faict, s'il eut vescu quinze jours davantaige; mais il fault que personne du monde n'en sçache rien. » Et, quant elle eut promesse du serviteur de le tenir secret, elle luy dist : « Vous irez vendre son cheval, et à ceulx qui vous diront combien, vous leur direz ung ducat; mais j'ay ung fort bon chat que je veulx aussy mectre en vente, que vous vendrez quant et quant [a] pour quatre vingt dix neuf ducatz : et ainsy le chat et le cheval feront tous deux les cent ducatz

a. en même temps.

que mon mary vouloit vendre son cheval seul. » Le serviteur promptement accomplit le commandement de sa maistresse. Et ainsy qu'il promenoit son cheval par la place, tenant son chat entre ses bras, quelque gentil homme qui autrefois avoit veu le cheval et desiré l'avoir, luy demanda combien il en vouloit avoir; il luy respondit : « Ung ducat ». Le gentil homme luy dist : « Je te prie, ne te mocque poinct de moy. — Je vous asseure, monsieur, dist le serviteur, qu'il ne vous coustera que ung ducat. Il est vray qu'il faut achepter le chat quant et quant, duquel il faut que j'en aye quatre vingt et dix neuf ducatz. » A l'heure, le gentil homme, qui estimoit avoir raisonnable marché, luy paia promptement ung ducat pour le cheval et quatre vingt dix neuf pour le chat, comme il luy avoit demandé, et emmena sa marchandise. Le serviteur, d'autre costé, emporta son argent, dont sa maistresse fut fort joieuse; et ne faillyt pas de donner le ducat, que le cheval avoit esté vendu, aux pauvres mendians, comme son mary avoit ordonné, et retint le demorant pour subvenir à elle et à ses enfans.

« A vostre advis, si celle-là n'estoit pas bien plus saige que son mary, et si elle se soulcyoit tant de sa conscience, comme du proffict de son mesnaige ? — Je pense, dist Parlamente, qu'elle aymoit bien son mary, mais, voiant que à la mort la plus part des hommes resvent, elle qui congnoissoit son intention, l'avoit voulu interpreter au proffict des enfans : dont je l'estime très saige. — Comment, dist Geburon, n'estimez-vous pas une grande faulte de faillir d'accomplir les testamens des amyz trespassez ! — Si faictz, dea [a], dist Parlamente, par ainsy que le testateur soit en bon sens et qu'il ne resve point. — Appellez-vous resverye de donner son bien à l'Eglise et aux pauvres mendians ? — Je n'appelle poinct resverie, dist Parlamente, quant l'homme distribue aux pauvres ce que Dieu a mis en sa puissance, mais de faire [694] aulmosne du bien d'aultruy, je ne l'estime pas à grand sapience, car vous verrez ordinairement les plus grands usuriers qui soient poinct, faire les plus belles et triomphantes chappelles que l'on sçauroit veoir, voulans appaiser Dieu, pour cent mille ducatz de larcin, de dix mille ducatz de edifices, comme si

a. interjection.

Dieu ne sçavoit compter. — Vrayement, je m'en suis maintesfoys esbahye, dist Oisille, comment ilz cuydent apaiser Dieu par les choses que luy-mesmes estant sur terre a reprouvées, comme grands bastimens, dorures, fars et paincturés? Mais, s'ilz entendoient bien que Dieu a dict, à ung passaige [695], que pour toute oblation il nous demande le cueur contrict et humilié [696], et, en ung aultre, sainct Pol dist que nous sommes le temple de Dieu où il veult habiter [697], ilz eussent mys peyne d'aorner leur conscience durant leur vye, et n'atendre pas à l'heure que l'homme ne peult plus faire bien ne mal, et encores, qui pis est, charger ceulx qui demeurent, à faire leurs aulmosnes à ceulx qu'ilz n'eussent pas daigné regarder leur vie durant. Mais Celluy qui congnoist le cueur ne peut estre trompé; et les jugera non seullement selon les œuvres, mais selon la foy et charité qu'ilz ont eues à luy. — Pourquoy doncques est-ce, dist Geburon, que ces Cordeliers et Mendians [a] ne nous chantent, à la mort, que de faire beaucoup de biens à leurs monasteres, nous asseurans qu'ilz nous mectront en paradis, veullons ou non? — Comment, Geburon! dist Hircan, avez-vous oblyé la malice que vous nous avez comptée des Cordeliers, pour demander comment il est possible que telles gens puissent mentir? Je vous declare que je ne pense poinct qu'il y ayt au monde plus grands mensonges que les leurs. Et encores ceulx-ci ne peuvent estre reprins, qui parlent pour le bien de toute la communaulté ensemble; mais il y en a qui oblient leur veu de pauvreté, pour satisfaire à leur avarice [698]. — Il me semble, Hircan, dist Nomerfide, que vous en sçavez quelqu'un? Je vous prie, s'il est digne de ceste compaignye, que vous nous le veuilliez dire? — Je le veulx bien, dist Hircan, combien qu'il me fasche de parler de ces gens là, car il me semble qu'ilz sont du rang de ceulx que Virgille dict à Dante: « Passe oultre, et n'en tiens compte [699]. » Toutesfois, pour vous monstrer qu'ilz n'ont pas laissé leurs passions avecq leurs habitz mondains, je vous diray ce qui advint. »

a. religieux des ordres mendiants.

CINQUANTE SIXIESME NOUVELLE

Une devote dame s'addressa à ung Cordelier, pour, par son conseil, prouvoir sa fille d'un bon mary, auquel elle faisoit si honneste party, que le beau pere, soubz l'esperance d'avoir l'argent qu'elle bailleroit à son gendre, feit le maryage de sa fille avec un sien jeune compaignon, qui tous les soirs venoit souper et coucher avec sa femme, et le matin, en habit d'escolier, s'en retournoit en son couvent; où sa femme l'apperceut et le monstra, un jour, qu'il chantoit la messe, à sa mere, qui ne put croire que ce fut luy, jusqu'à ce qu'estant dedans le lyt elle luy osta sa coiffe de la teste, et congneut à sa coronne la verité et tromperye de son pere confesseur [700].

En la ville de Padoue, passa une dame françoise, à laquelle fut rapporté que, dans les prisons de l'evesque, il y avoit ung Cordelier; et, s'enquerant de l'occasion, pource qu'elle voyoit que chascun en parloit par mocquerie, luy fut asseuré que ce Cordelier, homme antien [a], estoit confesseur d'une fort honneste dame et devote, demorée vefve, qui n'avoit que une seulle fille qu'elle aymoit tant, qu'il n'y avoit peyne qu'elle ne print pour luy amasser du bien et luy trouver ung bon party. Or, voiant sa fille devenir grande, estoit continuellement en soucy de luy trouver party qui peut vivre avec elles deux en paix et en repos, c'est à dire qui fut homme de conscience, comme elle s'estimoit estre. Et, pource qu'elle avoit oy dire à quelque sot prescheur qu'il valloit mieulx faire mal par le conseil des docteurs, que faire bien, croyant l'inspiration du Sainct Esperit, s'adressa à son beau pere, confesseur, homme desja antien, docteur en theologie, estimé bien vivant de toute la ville, se asseurant, par son conseil et bonnes prieres, ne povoir faillir de trouver le repos d'elle et de sa fille. Et, quant elle l'eut bien fort prié de choisir ung mary pour sa fille tel qu'il congnoissoit que une femme aymant Dieu et son honneur debvoit soubhaister, il luy respondit que premierement falloit implorer la grace du Sainct Esperit par oraisons et jeunes, et puis, ainsy que Dieu conduiroit son entendement, il esperoit de trouver ce qu'elle demandoit. Et ainsy s'en alla le Cordelier, d'un costé, penser à son affaire.

a. âgé.

Et, pour ce qu'il entendoit de la dame, qu'elle avoit amassé cinq cens ducatz pour donner au mary de sa fille, et prenoit sur sa charge la nourriture des deux, les fournissans de maison, meubles et accoustremens, il s'advisa qu'il avoit ung jeune compaignon de belle taille et agreable visaige, auquel il donneroit la belle fille, la maison, les meubles et sa vie et nourriture asseurée, et que les cinq cens ducatz luy demeureroient pour soullager son ardente avarice; et, après qu'il eut parlé à son compaignon, se trouverent tous deux d'accord. Il retourna devant la dame et luy dist : « Je croy sans faulte que Dieu m'a envoyé son ange Raphaël, comme il feit à Thobie, pour trouver ung parfaict espoux à vostre fille, car je vous asseure que j'ai en ma maison le plus honneste gentil homme qui soit en Italie, lequel quelquefois veit vostre fille, et en est si bien prins, que aujourd'huy, ainsy que j'estois en oraison, Dieu le m'a envoyé, et m'a declaré l'affection qu'il avoit au mariage; et moy, qui congnois sa maison et ses parens, et qu'il est race notable, luy ay promis de vous en parler. Vray est qu'il y a ung inconvenient que seul je congnois en luy : c'est que, en voulant saulver ung de ses amys que ung aultre vouloit tuer, tira son espée, pensant les despartir; mais la fortune advint, que son amy tua l'autre; parquoy luy, combien qu'il n'ait frappé nul coup, est fugitif de sa ville, pource qu'il assista au meurtre et avoit tiré l'espée; et, par le conseil de ses parens, s'est retiré en ceste ville en habit d'escolier, où il demeure incongneu, jusques ad ce que ses parens ayent mis fin à son affaire, ce qu'il espere estre de brief. Et, par ce moyen, fauldroit le mariage estre faict secretement, et que vous fussiez contante qu'il allast le jour aux lectures publicques, et tous les soirs venir souper et coucher ceans. A l'heure, la bonne femme luy dist : « Monsieur, je trouve que ce que vous me dictes m'est grand advantaige, car au moins j'auray auprès de moy ce que je desire le plus en ce monde. » Ce que le Cordelier feit; et luy admena bien en ordre, avecq ung beau pourpoinct de satin cramoisy, dont elle fut bien aise. Et, après qu'il fut venu, feirent les fiançailles, et incontinant que minuyct fut passé, feirent dire une messe et espouserent; puis, allerent coucher ensemble jusques au poinct du jour, que le marié dist à sa femme, que, pour n'estre congneu, il estoit contrainct d'aller au college. Ayant prins son pourpoinct de satin cramoisy et sa robbe longue, sans oblier sa coiffe de soye noire, vint dire adieu à sa femme, qui encores estoit au lict, et l'asseura que tous les soirs il viendroit souper avecq elle, mais que pour le disner ne le falloit atandre. Ainsy s'en partyt et laissa sa femme, qui s'estimoit la plus heureuse du monde d'avoir trouvé ung si très bon party. Et ainsy s'en retourna le jeune Cordelier marié à son viel pere, auquel il porta les cinq cens ducatz, dont ilz avoient convenu ensemble par l'accord du mariage. Et, au soir, ne faillyt de retourner souper avec celle qui le cuydoit estre son mary; et s'entretint si bien en l'amour d'elle et de sa belle mere, qu'ils n'eussent pas voulu avoir change au plus grand prince du monde.

Ceste vie continua quelque temps; mais, ainsy que la bonté de Dieu a pitié de ceulx qui sont trompez par bonne foy, par sa grace et bonté, il advint que ung matin il print grand devotion à ceste dame et à sa fille d'aller oyr la messe à Sainct-François, et visiter leur bon pere confesseur, par le moyen duquel elles pensoient estre si bien pourvues l'une de beau filz et l'autre de mary. Et, de fortune, ne trouvant le dict confesseur, ne aultre de leur congnoissance, furent constantes d'oyr la grande messe qui se commenceoit, attendant s'il viendroit poinct. Et ainsy que la jeune femme regardoit ententivement au service divin et au mistere d'icelluy, quant le prestre se retourna pour dire *Dominus vobiscum*, ceste jeune mariée fut toute surprinse d'estonnement, car il luy sembla que c'estoit son mary ou pareil de luy; mais, pour cela, ne voulut sonner mot, et attendit encores qu'il se retournast encores une aultre foys, où elle l'advisa beaucoup mieulx : ne doubta poinct que ce fust luy; parquoy elle tira sa mere, qui estoit en grande contemplation, en luy disant : « Helas, ma dame, qui est-ce que je voy ? » La mere luy demanda quoy ? » C'est celluy, mon mary, qui dict la messe, ou la personne du monde qui mieulx luy rescemble. » La mere, qui ne l'avoit poinct bien regardé, luy dist : « Je vous prie, ma fille, ne mectez poinct ceste opinion dedans vostre teste, car c'est une chose totallement impossible que ceulx qui sont si sainctes gens eussent faict une telle tromperie; vous pescheriez grandement contre Dieu d'adjouster foy à une telle opinion. » Toutesfoys, ne laissa pas la mere d'y regarder, et, quant ce vint à dire *Ite missa est*, congneut veritablement que jamais deux freres d'une ventrée ne fussent si semblables. Toutesfoys elle estoit si simple, qu'elle eust volontiers dict : « Mon Dieu, gardez-moy de croyre ce que je voy ! » Mais, pource qu'il touchoit à sa fille, ne voulut pas laisser la chose ainsi incongneue, et se delibera d'en sçavoir la verité. Et, quant ce vint le soir que le mary debvoit retourner, lequel ne les avoit aucunement aperceues, la mere vint à dire à sa fille : « Nous sçaurons, si vous voulez, maintenant la verité de vostre mary, car, ainsy qu'il sera dedans le lict, je l'iray trouver [701], et, sans qu'il y pense, par derriere, vous luy arracherez sa coiffe; et nous verrons s'il a telle couronne que celluy qui a dict la messe. » Ainsy qu'il fut deliberé, il fut faict, car, si tost que le meschant mary fut couché, arriva la vielle dame, en luy prenant les deux mains comme par jeu; sa fille luy osta sa coiffe, et demeura avecq sa belle couronne, dont mere et fille furent tant estonnées, qu'il n'estoit possible de plus. Et, à l'heure, appellerent des serviteurs de leans, pour le faire prendre et lyer jusques au matin; et ne servit nulle excuse ne beau parler. Le jour venu, la dame envoya querir son confesseur, feignant avoir quelque grand secret à luy dire, lequel y vint hastivement; et elle le feit prendre comme le jeune, luy reprochant la tromperie qu'il luy avoit faicte; et, sur cella, envoia querir la Justice, entre les mains de laquelle elle les mist tous deux. Il est à presumer que, s'il y eut gens de bien pour juges, ilz ne laisserent pas la chose impugnye.

« Voylà, mes dames, pour vous monstrer que ceulx qui ont voué pauvreté ne sont pas exemptz d'estre tentez d'avarice, qui est l'occasion de faire tant de maulx. — Mais tant de biens ! dist Saffredent; car, des cinq centz ducatz dont la vielle vouloit faire tresor, il en fut faict beaucoup de bonnes cheres, et la pauvre fille qui avoit tant actendu ung mary, par ce moien, en povoit avoir deux et sçavoit mieulx parler, à la verité, de toutes hierarchies. — Vous avez tousjours les plus faulses opinions, dist Oisille, que je vis jamais; car il vous semble que toutes les femmes soient de vostre complexion. — Ma dame, sauf vostre grace, dist Saffredent, car je vouldrois qu'il m'eust cousté beaucoup, qu'elles fussent ainsy aisées à contanter que nous. — Voylà une mauvaise parolle, dist Oisille, car il n'y a nul icy qui ne sçache bien le contraire de vostre dire; et, qu'il ne soit vray, le compte qui est faict maintenant monstre bien l'ignorance des pauvres femmes et la malice de ceulx que nous tenons bien meilleurs que vous aultres hommes; car, ny elle, ny sa fille, ne vouloient rien faire à leur fantaisie, mais soubzmectoient le desir à bon conseil. — Il y a des femmes si difficilles, dist Longarine, qu'il leur semble qu'elles doibvent avoir des anges. — Et voylà pourquoy, dist Simontault, elles trouvent souvent des diables, principallement celles qui, ne se confians en la grace de Dieu, cuydent, par leur bon sens ou celluy d'autruy, povoir trouver en ce monde quelque felicité qui n'est donnée ny ne peut venir que de Dieu. — Comment, Simontault ? dist Oisille; je ne pensois que vous sceussiez tant de bien ! — Ma dame, dist Simontault, c'est dommaige que je ne suys bien experimenté, car, par faulte de me congnoistre, je voy que vous avez desja mauvais jugement de moy; mais si puis-je bien faire le mestier d'un Cordelier, puisque le Cordelier s'est meslé du myen. — Vous appellez doncques vostre [702] mestier, dist Parlamente, de tromper les femmes ? Par ainsy, de vostre bouche mesmes vous vous jugez. — Quant j'en aurois trompé cent mille, dist Simontault, je ne serois pas encores vengé des peynes que j'ay eues pour une seulle. — Je sçay, dist Parlamente, combien de foys vous vous plaingnez des dames; et toutesfoys, nous vous voyons si joyeulx et en bon poinct, qu'il n'est pas à croyre que vous avez eu tous les maulx que vous dictes. Mais la *Belle Dame sans mercy* [703] respond qu'*il siet bien que l'on le die, pour en tirer quelque confort* [704]. — Vous alleguez ung notable docteur, dist Simontault, qui non seullement est facheux, mais le faict estre toutes celles qui ont leu et suivy sa doctrine. — Si est sa doctrine, dist Parlamente, autant proffitable aux jeunes dames, que nulle que je sçache. — S'il estoit ainsy, dist Simontault, que les dames fussent sans mercy [a], nous pourrions bien faire reposer nos chevaulx et faire rouller noz harnoys jusques à la premiere guerre, et ne faire que penser du mesnaige. Et, je vous prie, dictesmoy si c'est chose honneste à une dame d'avoir le nom d'estre sans pitié, sans charité, sans amour et sans mercy ? — Sans charité et amour, dist Parlamente, ne faut-il pas qu'elles soient; mais ce mot de *mercy* sonne si mal entre les

a. sans pitié.

femmes, qu'elles n'en peuvent user sans offenser leur honneur; car proprement *mercy* est accorder la grace que l'on demande, et l'on sçait bien celle que les hommes desirent. — Ne vous desplaise, ma dame, dist Simontault, il y en a de si raisonnables, qu'ilz ne demandent rien que la parolle. — Vous me faictes souvenir, dist Parlamente, de celluy qui se contantoit d'un gand. — Il fault que nous sçachions qui est ce gratieux serviteur, dist Hircan, et, pour ceste occasion, je vous donne ma voix. — Ce me sera plaisir de la dire, dist Parlamente, car elle est plaine d'honnesteté. »

CINQUANTE SEPTIESME NOUVELLE

Un milhor d'Angleterre fut sept ans amoureux d'une dame, sans jamais luy en auser faire semblant, jusques à ce qu'un jour, la regardant dans un pré, il perdit toute couleur et contenance, par ung soudain batement de cueur qui le print; lors, elle, se monstrant avoir pitié de luy, à sa requeste, meit sa main gantée sur son cueur, qu'il serra si fort (en luy declarant l'amour que si long temps luy avoit portée) que son gant demeura en la place de sa main; que depuis il enrichit de pierreryes et l'attacha sur son saye [a], à costé du cueur; et fut si gracieux et honneste serviteur, qu'il n'en demanda oncques plus grand privauté [705].

Le Roy Lois unzeiesme envoia en Angleterre le seigneur de Montmorency [706] pour son ambassadeur, lequel y fut tant bien venu, que le Roy et tous les princes l'estimoient et aymoient fort et mesmes luy communicquoient plusieurs de leurs affaires secretz pour avoir son conseil. Ung jour, estant en ung bancquet que le Roy luy feit, fut assis auprès de luy ung millort de grande maison, qui avoit sur son saye [a] attaché un petit gand comme pour femme, à crochetz d'or; et dessus les joinctures des doigs y avoit force diamans, rubiz, aymerauldes et perles, tant que ce gand estoit estimé à ung grand argent. Le seigneur de Montmorency le regarda si souvent, que le millort s'apperceut qu'il avoit vouloir de luy demander la raison pourquoy il estoit si bien en ordre. Et, pour ce qu'il estimoit le compte estre bien

a. ou *sayon*, casaque en laine que portaient les gens de guerre.

fort à sa louange, il commencea à dire : « Je voy bien que vous trouvez estrange de ce que si gorgiasement[a] j'ay accoustré ung pauvre gand; ce que j'ay encores plus d'envye de vous dire, car je vous tiens tant homme de bien et congnoissant quelle passion c'est que amour, que, si j'ay bien faict, vous m'en louerez, ou sinon, vous excuserez l'amour qui commande à tous honnestes cueurs. Il fault que vous entendez que j'ay aymé toute ma vie une dame, ayme et aymeray encores après sa mort; et, pource que mon cueur eut plus de hardiesse de s'adresser en ung bon lieu, que ma bouche n'eut de parler, je demoray sept ans sans luy en oser faire semblant, craingnant que, si elle s'en apparcevoit, je perdrois le moien que j'avois de souvent la frequenter, dont j'avois plus de paour que de ma mort. Mais, ung jour, estant dedans ung pré, la regardant, me print ung si grand batement de cueur, que je perdis toute couleur et contenance, dont elle s'apperceut très bien, et en demandant que j'avois, je luy dictz que c'estoit une douleur de cueur importable. Et elle, qui pensoit que ce fut de maladie d'autre sorte que d'amour, me monstra avoir pitié de moy; qui me feit luy suplier vouloir mectre la main sur mon cueur pour veoir comme il debatoit : ce qu'elle feit plus par charité que par autre amityé; et, quant je luy tins la main dessus mon cueur, laquelle estoit gantée, il se print à debatre et tormenter si fort, qu'elle sentyt que je disois verité. Et, à l'heure, luy serray la main contre mon esthomac, en luy disant : « Helas, ma dame, recepvez le cueur qui veult rompre mon esthomac pour saillir en la main de celle dont j'espere grace, vie et misericorde; lequel me contrainct maintenant de vous declairer l'amour que tant long temps ay cellée, car luy ne moy ne sommes maistres de ce puissant dieu. » Quant elle entendit ce propos que luy tenois, le trouva fort estrange. Elle voulut retirer sa main; je la tins si ferme que le gant demeura en la place de sa cruelle main. Et, pource que jamais je n'avois eu ny ay eu depuis plus grande privaulté d'elle, j'ai attaché ce gand comme l'emplastre la plus propre que je puis donner à mon cueur, et l'ay aorné de toutes les plus riches bagues que j'avois, combien que les richesses viennent du gand que je ne donnerois pour le royaulme d'Angleterre, car je n'ay bien

a. richement.

en ce monde que j'estime tant, que le sentyr sur mon estho-mac. » Le seigneur de Montmorency, qui eut mieulx aymé la main que le gand d'une dame, luy loua fort sa grande honnesteté, luy disant qu'il estoit le plus vray amoureux que jamais il avoit veu, et digne de meilleur traictement, puis que de si peu il faisoit tant de cas, combien que, veu sa grand amour, s'il eut eu mieulx que le gand, peut estre qu'il fut mort de joye. Ce qu'il accorda au seigneur de Montmorancy, ne soupsonnant poinct qu'il le dist par mocquerye.

« Si tous les humains du monde estoient de telle honnes-teté, les dames se y pourroient bien fyer, quant il ne leur en cousteroit que le gand. — J'ay bien congneu le seigneur de Montmorency, dist Geburon, que je suis seur qu'il n'eust poinct voulu vivre à l'angloise [707]; et, s'il se fust contanté de si peu, il n'eust pas eu les bonnes fortunes qu'il a eues en amour, car la vieille chanson dit :

Jamais d'amoureux couard
N'oyez bien dire.

— Pensés que ceste povre dame, dist Saffredent, retira sa main bien hatifvement quant elle sentit que le cueur luy batoit; car [708] elle cuydoit qu'il peust trespasser, et l'on dist qu'il n'est rien que les femmes ayent [a] plus que de toucher les mortz. — Si vous aviez autant hanté les hospi-taulx que les tavernes, ce luy dist Ennasuitte, vous ne tiendriez pas ce langaige, car vous verriez celles qui ensep-velissent les trespassez, dont souvent les hommes, quelque hardiz qu'ilz soient, craingnent à toucher. — Il est vray, dist Saffredent [709], qu'il n'y a nul à qui l'on ne donne penitence, qui ne faict le rebours de ce à quoy ilz ont prins plus de plaisir; comme une damoiselle que je veiz en une bonne maison, qui, pour satisfaire au plaisir qu'elle avoit eu au baiser quelqu'un qu'elle aymoit, fut trouvée, au matin, à quatre heures, baisant le corps mort d'un gentil homme qui avoit esté tué le jour de devant, lequel elle n'avoit poinct plus aymé que ung aultre; et à l'heure, chas-cun congneut que c'estoit penitence des plaisirs passez. Comme [710] toutes les bonnes œuvres que les femmes font

a. haïssent.

sont estimées mal entre les hommes, je suis d'opinion que, mortz ou vivans, on ne les doibt jamais baiser, si ce n'est ainsy que Dieu le commande. — Quant à moy, dist Hircan, je me soucye si peu de baiser les femmes, hors mys la mienne, que je m'accorde à toutes loix que l'on vouldra; mais j'ay pitié des jeunes gens à qui vous voulez oster ung si petit contentement, et faire nul le commandement de sainct Pol, qui veult que l'on baise *in osculo sancto* [711]. — Si sainct Pol eut esté tel homme que vous, dist Nomerfide, nous eussions bien demandé l'experience de l'esperit de Dieu, qui parloit en luy. — A la fin, dist Geburon, vous aymerez mieulx doubter de la saincte Escripture que de faillir à l'une de voz petites serymonies. — Jà, à Dieu ne plaise, dist Oisille, que nous doubtions de la saincte Escripture, veu que si peu nous croyons à voz mensonges, car il n'y a nulle qui ne sçache bien ce qu'elle doibt croire; c'est de jamais ne mectre en doubte la parolle de Dieu et moins ne adjouster foy à celle des hommes [712]. — Si croy-je, dist Simontault, qu'il y a eu plus d'hommes trompez par les femmes, que par les hommes. Car la petite amour qu'elles ont à nous les garde de croyre nos veritez, et la très grande amour que nous leur portons nous faict tellement fier en leurs mensonges, que plus tost nous sommes trompez, que soupsonneux de le povoir estre. — Il semble, dist Parlamente, que vous ayez oy la plaincte de quelque sot deçu par une folle, car vostre propos est de si petite auctorité, qu'il a besoing d'estre fortifié d'exemple; parquoy, si vous en sçavez quelcun, je vous donne ma place pour le racompter. Et si ne dis pas que, pour ung mot, nous soyons subgectes de vous croyre, mais pour vous escouter dire mal de nous, noz oreilles n'en sentiront poinct de douleur, car nous sçavons ce qui en est. — Or, puisque j'ay le lieu, dist Dagoucin [713], je la diray. »

CINQUANTE HUICTIESME NOUVELLE

Un gentil homme, par trop croire de verité en une dame qu'il avoit offensée, la laissant pour d'autres, à l'heure qu'elle l'aymoit plus fort, fut, sous une faulse assignation, trompé d'elle et mocqué de toute la cour [714].

En la court du Roy François premier, y avoit une dame, de fort bon esperit, laquelle pour sa bonne grace, honnesteté et parolle agreable, avoit gaigné le cueur de plusieurs serviteurs, dont elle sçavoit fort bien passer son temps, l'honneur saufve, les entretenant si plaisamment qu'ils ne sçavoient à quoy se tenir d'elle; car les plus asseurez estoient desesperez et les plus desesperez en prenoient asseurance [715]. Toutesfoys, en se mocquant de la plus grande partye, ne se peut garder d'en aymer bien fort ung, qu'elle nommoit son cousin, lequel nom donnoit couleur à plus long entendement [716]. Et, comme nulle chose n'est stable, souvent leur amityé tournoit en courroux, et puis se revenoit [717] plus fort que jamays, en sorte que toute la court ne le povoit ignorer. Ung jour, la dame tant pour donner à congnoistre qu'elle n'avoit affection en rien, aussy pour donner peyne à celluy pour l'amour duquel elle avoit beaucoup porté de fascherye, luy vat faire meilleur semblant que jamais n'avoit faict. Parquoy, le gentil homme [718], qui n'avoit ny en armes ny en amours nulle faulte de hardiesse, commencea à pourchasser vivement celle dont maintesfoys l'avoit priée; laquelle, feignant ne povoir soustenir tant de pitié, lui accorda sa demande, et lui dist que, pour ceste occasion, elle s'en alloit en sa chambre, qui estoit en galletas [a], où elle sçavoit bien qu'il n'y avoit personne, et que, si tost qu'il la verroit partye, il ne faillit d'aller après, car il la trouveroit seule [719]. De la bonne volunté qu'elle luy portoit, le gentil homme, qui creut à sa parolle, fut si content qu'il se mist à jouer avecq les aultres dames, actendant qu'il la veit partye, pour bien tost aller après. Et, elle, qui n'avoit faulte de nulle finesse de femme, s'en alla [720] à Madame Marguerite [721], fille du Roy, et à la duchesse de Montpensier [722] et leur dist :

a. sous le toit; nous disons aujourd'hui mansardée.

« Si vous voulez, je vous monstreray le plus beau passetemps que vous veistes oncques ? » Elles qui ne serchoient poinct de melencolye, la prierent de luy dire que c'estoit. « C'est, ce dist-elle, ung tel que vous congnoissez autant homme de bien qu'il en soit poinct, et non moins audatieux. Vous sçavez combien de mauvays tours il m'a faict, et que, à l'heure que je l'aymois le plus fort, il en a aymé d'aultres, dont j'en ay porté plus d'ennuy que je n'en ay fait de semblant. Or, maintenant Dieu m'a donné le moien pour m'en venger : c'est que je m'en voys en ma chambre, qui est sur ceste-cy; incontinant, s'il vous plaist y faire le guet, vous le verrez venir après moy; et quant il aura passé les galleries, qu'il vouldra monter le degré, je vous prie vous mectre toutes deux à la fenestre et m'ayder à cryer au larron; et vous verrez sa collere : à quoy je croy qu'il n'aura pas mauvaise grace; et, s'il ne me dict des injures tout hault, je m'atends bien qu'il n'en pensera moins en son cueur. » Ceste conclusion ne se feit pas sans rire, car il n'y avoit gentil homme qui menast plus la guerre aux dames que cestuy-là; et estoit tant aymé et estimé d'un chascun, que l'on n'eust pour rien voulu tumber au danger de sa mocquerye, et sembla bien aux dames qu'elles avoient part à la gloire que une seulle esperoit d'emporter sur ce gentil homme. Parquoy, si tost qu'elles veirent partir celle qui avoit faict l'entreprinse, commencerent à regarder la contenance du gentil homme, qui ne demoura gueres sans changer de place; et, quant il eut passé la porte, les dames sortirent à la gallerye pour ne le perdre poinct de veue. Et, luy, qui ne s'en doubtoit pas, vat mettre sa cappe à l'entour de son col pour se cacher le visaige; et descendit le degré jusques à la court, puis [723] remonta; mais, trouvant quelcun qu'il ne vouloit poinct pour tesmoing, redescendit encores en la court et retourna par ung aultre costé. Les dames veirent tout, et ne s'en aparceut oncques [724]; et, quant il parvint au degré où il povoit seurement aller en la chambre de sa dame, les deux dames se vont mectre à la fenestre, et incontinant elles aparceurent la dame qui estoit en hault, qui commencea à crier au larron, tant que sa teste en povoit porter; et les deux dames du bas luy respondirent si fort, que leurs voix furent oyes de tout le chasteau. Je vous laisse à penser en quel despit le gentilhomme s'enfuyt en son logis, non si bien couvert qu'il ne fut congneu de celles qui sçavoient ce mistere, lesquelles luy ont souvent reproché, mesmes celle qui luy avoit faict ce mauvais tour, luy disant qu'elle s'estoit bien vengée de luy. Mais il avoit ses responces et defaictes[a] [725] si propres, qu'il leur feit accroire qu'il se doubtoit bien de l'entreprinse, et qu'il avoit accordé à la dame de l'aller veoir pour leur donner quelque passetemps, car, pour l'amour d'elle n'eust-il prins ceste peyne, pour ce qu'il y avoit long temps que l'amour en estoit dehors. Mais les dames ne voulurent recepvoir ceste verité, dont encores en est la matiere en doubte; mais si ainsy estoit qu'il eust creu ceste dame, comme il est vraisemblable, veu qu'il estoit tant saige et hardy, que de son aage et de son temps a eu peu de pareilz, et poinct qui le passast, comme le nous a faict veoir sa très hardye et chevaleureuse mort, il me semble qu'il fault que vous confessiez que l'amour des hommes vertueux est telle, que, par trop croyre de verité aux dames, sont souvent trompez.

« En bonne foy, dist Ennasuitte, j'advoue ceste dame du tort [726] qu'elle a faict; car, puisque ung homme est aymé d'une dame et la laisse pour une aultre, ne s'en peut trop venger. — Voyre, dist Parlamente, si elle en est aymée; mais il y en a qui ayment des hommes, sans estre asseurées de leur amityé; et, quant elles congnoissent qu'ilz ayment ailleurs, elles disent qu'ils sont muables. Parquoy, celles qui sont saiges ne sont jamays trompées de ces propos, car elles ne s'arrestent et ne croyent jamais qu'à ceulx qui sont veritables, afin de ne tumber au dangier des menteurs, pource que le vray et le faulx n'ont que ung mesme langaige. — Si toutes estoient de vostre opinion, dist Simontault, les gentilz hommes pourroient bien mectre leurs oraisons dedans leurs coffres; mais que vous ne voz semblables en sceussent dire, nous ne croyrons jamais que les femmes soient aussy incredules comme elles sont belles. Et ceste opinion nous fera vivre aussi contentz, que vous vouldriez par voz raisons [727] nous mectre en peyne [728]. — Et vrayement, dist Longarine, sçachant très bien qui est la dame qui a faict ce bon tour au gentil homme, je ne treuve impossible nulle finesse à croyre d'elle, car, puis qu'elle n'a pas espargné

a. répliques.

son mary, elle n'a pas espargné son serviteur[728 bis]. — Comment son mary ? dist Simontault; vous en sçavez doncques plus que moy ? Parquoy, je vous donne ma place pour en dire vostre opinion. — Puisque le voulez, et moy aussy, dist Longarine[729]. »

CINQUANTE NEUFVIESME NOUVELLE

Cette mesme dame, voyant que son mary trouvoit mauvais qu'elle avoit des serviteurs, desquelz elle passoit le temps (son honneur sauve), l'espia si bien, qu'elle s'apperceut de la bonne chere qu'il faisoit à une sienne femme de chambre, qu'elle gaingna, de sorte qu'accordant à son mary ce qu'il en pretendoit, le surprint finement en telle faute, que, pour la reparer, fut contraint lui confesser qu'il meritoit plus grande punition qu'elle; et, par ce moyen, vecut depuis à sa fantasye[730].

La dame de qui vous avez faict le compte, avoit espousé ung mary de bonne et antienne maison et riche gentil homme; et, par grande amityé de l'ung et de l'autre, se feit le mariage. Elle, qui estoit une des femmes du monde parlant aussi plaisamment, ne dissimulloit poinct à son mary qu'elle avoit des serviteurs, desquelz elle se mocquoit et passoit son temps, dont son mary avoit sa part du plaisir; mais, à la longue, cette vie luy fascha, car, d'un costé, il trouvoit mauvais qu'elle entretenoit longuement ceulx qu'il ne tenoit pour ses parens et amys, et, d'aultre costé, luy faschoit fort la despence qu'il estoit contrainct de faire pour entretenir sa gorgiaseté[a] et pour suyvre la court. Parquoy, le plus souvent qu'il povoit, se retiroit en sa maison, où tant de compaignies l'alloient veoir, que sa despence n'amoindrissoit gueres en son mesnage; car sa femme, en quelque lieu qu'elle fust, trouvoit toujours moyens de passer son temps à quelques jeuz, à dances et à toutes choses, ausquelles honnestement les jeunes dames se peuvent exercer. Et quelquefoys que son mary luy disoit, en riant, que leur despence estoit trop grande, elle luy faisoit responce qu'elle l'asseuroit de ne le faire[731] jamais coqu, mais ouy bien coquin, car elle aymoit si très

a. ses élégances.

fort les acoutremens, qu'il falloit qu'elle en eut des plus beaulx et riches qui fussent en la court : où son mary la menoit le moins qu'il povoit, et où elle faisoit tout son possible d'aller; et, pour ceste occasion, se rendoit toute complaisante à son mary, qui d'une chose plus difficille ne la vouloit pas refuser.

Or, ung jour, voiant que toutes ses inventions ne le povoient gaingner à faire ce voiage de la court, s'apperceut qu'il faisoit fort bonne chere à une femme de chambre à chapperon [a] qu'elle avoit, dont elle pensoit bien faire son proffict [732]. Et retira à part ceste fille de chambre et l'interrogea si finement, tant par finesses que par menasses, que la fille luy confessa que, depuis qu'elle estoit en sa maison, il n'estoit jour que son maistre ne la sollicitast de l'aymer; mais qu'elle aymeroit mieulx mourir que de faire rien contre Dieu et son honneur; et encores veu l'honneur [733] qu'elle luy avoit faict de la retirer en son service : qui seroit double meschanceté. Ceste dame, entendant la desloyauté de son mary, fut soubdain esmeue de despit et de joye, voiant que son mary, qui faisoit tant semblant de l'aymer, luy pourchassoit secretement telle honte en sa compaignye, combien qu'elle s'estimoit plus belle et de trop meilleure grace, que celle pour laquelle il la vouloit changer. Mais la joie estoit qu'elle esperoit prendre son mary en si grande faulte qu'il ne luy reprocheroit plus ses serviteurs ny le demeure [b] de la court; et, pour y parvenir, pria ceste fille d'accorder petit à petit à son mary ce qu'il luy demandoit, avecq les conditions qu'elle lui dist. La fille en cuyda faire difficulté, mais, estant asseurée par sa maistresse de sa vie et de son honneur, accorda de faire tout ce qu'il lui plairoit.

Le gentil homme, continuant sa poursuicte, trouva ceste fille d'oeil et de contenance toute changée. Parquoy, la pressa plus vifvement qu'il n'avoit accoustumé; mais elle, qui sçavoit son roolle par cueur, lui remonstra sa pauvreté, et que, en luy obeissant, perdroit le service de sa maistresse, auquel elle s'attendoit bien de gaingner ung bon mary. A quoy luy fut bientost respondu par le gentil homme, qu'elle n'eut soulcy de toutes ces choses, car il la marieroit mieulx et plus richement que sa maistresse ne sçauroit

a. le chaperon de drap ou de velours était la coiffure des bourgeoises ou des dames nobles. — *b*. séjour.

faire; et qu'il conduiroit son affaire si secretement, que nul n'en pourroit parler. Sur ces propos, feirent leur accord, et, en regardant le lieu le plus propre pour faire ceste belle œuvre, elle vat dire qu'elle n'en sçavoit poinct de meilleure ne plus loing de tout soupson, que une petite maison qui estoit dedans le parc, où il y avoit chambre et lict tout à propos. Le gentil homme, qui n'eust trouvé nul lieu mauvais, se contenta de cestuy-là; et luy tarda bien que le jour et heure n'estoient venuz. Ceste fille ne faillit pas de promesse à sa maistresse; et luy compta tout le discours de son entreprinse bien au long, et comme ce debvoit estre le lendemain après disner, et qu'elle ne fauldroit poinct, à l'heure qu'il y fauldroit aller [734], de luy faire signe. A quoy elle la suplioit prendre bien garde et ne faillir poinct de se trouver à l'heure, pour la garder du danger où elle se mectoit en luy obeissant. Ce que la maistresse luy jura, la priant n'avoir nulle craincte et que jamais ne l'abandonneroit, et si la deffenderoit de la fureur de son mary. Le lendemain venu, après qu'ilz eurent disné, le gentil homme faisoit meilleure chere à sa femme qu'il n'avoit poinct encores faict, qu'elle n'avoit pas trop agreable, mais elle feignoit si bien, qu'il ne s'en apparcevoit. Après disner, elle luy demanda à quoy il passeroit le temps. Il luy dist qu'il n'en sçavoit poinct de meilleur que de jouer au cent [a]. Et à l'heure feirent dresser le jeu; mais elle faingnyt qu'elle ne vouloit poinct jouer et qu'elle avoit assez de plaisir à les regarder. Et, ainsy qu'il se vouloit mectre au jeu, il ne faillit de demander à ceste fille qu'elle n'obliast sa promesse. Et, quant il fut au jeu, elle passa par la salle, faisant signe à sa maistresse, du pelerinage qu'elle avoit à faire; qui l'advisa très bien, mais le gentil homme ne congneut rien. Toutesfois, au bout d'une heure que ung de ses varletz luy feit signe de loing, dist à sa femme que la teste luy faisoit ung peu de mal et qu'il estoit contrainct de s'aller reposer et prendre l'air. Elle, qui sçavoit aussi bien sa malladie que luy, luy demanda s'il vouloit qu'elle jouast son jeu ? Il luy dist que ouy et qu'il reviendroit bien tost. Toutesfois, elle l'asseura que pour deux heures elle ne s'ennuyroit poinct de tenir sa place. Ainsy s'en alla le gentil homme en sa chambre, et de là par une allée, en son parc. La damoiselle,

a. sorte de jeu de cartes.

qui sçavoit bien autre chemyn plus court, actendit ung petit, puis soubdain feit semblant d'avoir une tranchée et bailla son jeu à ung autre; et, si tost qu'elle fut saillye de la salle, laissa ses haultz patins et s'en courut le plus tost qu'elle peut au lieu où elle ne vouloit que le marché se feist sans elle. Et y arriva à si bonne heure, qu'elle entra par une aultre porte en la chambre où son mary ne faisoit que arriver, et, se cachant derriere l'huys, escoutant les beaulx et honnestes propos que son mary tenoit à sa chamberiere. Mais quant elle veid qu'il approchoit du criminel, le print par derriere, en luy disant : « Je suis trop près de vous, pour en prendre une aultre. » Si le gentil homme fut courroucé jusques à l'extremité, il ne le fault demander, tant pour la joye qu'il esperoit recepvoir et s'en veoir frustré, que de veoir sa femme le congnoistre plus qu'il ne le vouloit : de laquelle il avoit grande paour perdre pour jamais l'amityé. Mais, pensant que ceste menée venoit de la fille, sans parler à sa femme, courut après elle de telle fureur, que, si sa femme ne la luy eut ostée des mains, il l'eust tuée, disant que c'estoit la plus meschante garse qu'il avoit jamais veue, et que, si sa femme eut actendu à veoir la fin, elle eut bien congneu que ce n'estoit que mocquerye, car, en lieu de luy faire ce qu'elle pensoit, il luy eut baillé des verges pour la chastier. Mais, elle, qui se congnoissoit en tel metail, ne le prenoit pas pour bon; et luy feit là de telles remonstrances, qu'il eut grand paour qu'elle le voulut habandonner. Il luy feyt toutes les promesses qu'elle voulut, et confessa, voiant les belles remonstrances de sa femme, qu'il avoit tort de trouver mauvais qu'elle eut des serviteurs; car une femme belle et honneste n'est poinct moins vertueuse pour estre aymée, par ainsy qu'elle ne face ne dye chose qui soit contre son honneur; mais ung homme merite bien grande punition, qui prent la peyne de pourchasser une qui ne l'ayme poinct pour faire tort à sa femme et à sa conscience. Parquoy jamais ne l'empescheroit d'aller à la court, ny ne trouveroit maulvays qu'elle eut des serviteurs, car il sçavoit bien qu'elle parloit plus à eulx par mocquerie [735], que par affection. Ce propos-là ne desplaisoit pas à la dame, car il luy sembloit bien avoir gaingné ung grand poinct; si est-ce qu'elle dist tout au contraire, feingnant de prendre desplaisir d'aller à la court, veu qu'elle pensoit n'estre plus en son amityé, sans laquelle toutes compagnies luy faschoient, disant que une femme, estant bien aymée de son mary et l'aymant de son costé comme elle faisoit, portoit ung saufconduict de parler à tout le monde et n'estre mocquée de nul. Le pauvre gentil homme meit si grande peyne à l'asseurer de l'amityé qu'il luy portoit, que enfin ilz partirent de ce lieu là bons amys; mais, pour ne retourner plus en telz inconveniens, il la pria de chasser ceste fille, à l'occasion de laquelle il avoit eu tant d'ennuy. Ce qu'elle feit, mais ce fut en la mariant très bien et honnestement, aux despens toutesfois de son mary. Et, pour faire oblier entierement à la damoiselle ceste follye, la mena bientost à la court en tel ordre et si gorgiase [a], qu'elle avoit occasion de s'en contanter [786].

« Voylà, mes dames, qui m'a faict dire que je ne trouve poinct estrange le tour qu'elle avoit faict à l'un de ses serviteurs, veu celluy que je sçavois de son mary. — Vous nous avez painct une femme bien fyne et ung mary bien sot, dist Hircan, car, puisqu'il en estoit venu tant que là, il ne debvoit pas demeurer en si beau chemyn. — Et que eust-il faict ? dist Longarine. — Ce qu'il avoit entreprins, dist Hircan; car autant estoit courroucée sa femme contre luy pour sçavoir qu'il vouloit mal faire, comme s'il eut mis le mal à execution; et peut estre que sa femme l'eust mieulx estimé, si elle l'eust congneu plus hardy et gentil compaignon. — C'est bien, dist Ennasuitte; mais où trouverez-vous ung homme qui force deux femmes à la foys ? Car sa femme eut defendu son droict, et la fille, sa virginité. — Il est vray, dist Hircan, mais ung homme fort et hardy ne crainct poinct d'en assaillir deux foibles, et ne fault [b] poinct d'en venir à bout. — J'entends bien, dist Ennasuitte, que, s'il eust tiré son espée, il les eut bien tuées toutes deux, mais autrement ne voy-je pas qu'il en eust sceu eschapper. Parquoy je vous prie nous dire que vous eussiez faict ? — J'eusse embrassé ma femme, dist Hircan, et l'eusse emportée dehors; et puis, eusse faict de sa chamberiere ce qu'il m'eust pleu par amour ou par force. — Hircan, dist Parlamente, il suffit assez que vous sçachiez faire mal. — Je suys seur, Parlamente, dist Hircan, que je ne scandalize poinct

a. élégante, richement habillée. — *b.* manque.

l'innocent devant qui je parle, et si ne veulx, par cela, soustenir ung mauvais faict. Mais je m'estonne de l'entreprinse, qui de soy ne vault rien, et je ne loue l'entreprenant, qui ne l'a mise à fin, plus par craincte de sa femme que par amour. Je loue que ung homme ayme sa femme comme Dieu le commande, mais quant il ne l'ayme poinct, je n'estime gueres de la craindre. — A la verité, luy respondit Parlamente, si l'amour ne vous rendoit bon mary, j'estimerois bien peu ce que vous feriez par craincte. — Vous n'avez garde, Parlamente, dist Hircan, car l'amour que je vous porte me rend plus obeissant à vous que la craincte de mort ny d'enfer. — Vous en direz ce qu'il vous plaira, dist Parlamente, mais j'ay occasion de me contanter de ce que j'ay veu et congneu de vous; et de ce que je n'ay poinct sceu, n'en ay-je poinct voulu doubter ny encores moins m'en enquerir [737]. — Je trouve une grande folie, dist Nomerfide, à celles qui s'enquerent de si près de leurs mariz, et les mariz aussy, des femmes; car il suffise au jour de sa malice, sans avoir tant de soulcy du lendemain. — Si est-il aucunes foys necessaires, dist Oisille, de s'enquerir des choses qui peuvent toucher l'honneur d'une maison pour y donner ordre, mais non pour faire mauvais jugement des personnes, car il n'y a nul qui ne faille [738]. — Aucunes foys, dist Geburon, il est advenu des inconveniens à plusieurs, par faulte de bien et soingneusement s'enquerir de la faulte de leurs femmes. — Je vous prie, dist Longarine, si vous en sçavez quelque exemple, que vous ne nous le veillez celler. — J'en sçay bien ung, dist Geburon; puis que vous le voulez, je le diray. »

SOIXANTIESME NOUVELLE

Un Parisien, faute de s'estre bien enquis de sa femme (qu'il pensoit estre morte), combien qu'elle feit bonne chere avec un chantre du Roy, espousa en secondes noces une autre femme qu'il fut contraint laisser, après en avoir eu plusieurs enfants et demeuré ensemble XIIII ou XV ans, pour reprendre sa premiere femme [739].

En la ville de Paris, y avoit ung homme de si bonne nature, qu'il eut faict conscience de croyre ung homme estre couché avecq sa femme, quant encores il l'eut veu. Ce pauvre homme-là espousa une femme de si mauvays gouvernement, qu'il n'estoit possible de plus, dont jamais il ne s'aperceut, mais la traictoit comme la plus femme de bien du monde. Un jour que le Roy Loys XIIe alla à Paris, sa femme s'alla habandonner à ung des chantres dudit seigneur. Et quant elle veit que le Roy s'en alloit de la ville de Paris et ne povoit plus veoir le chantre, se delibera d'habandonner son mary et de le suyvre. A quoy le chantre s'accorda et la mena en une maison qu'il avoit auprès de Bloys, où ilz vesquirent ensemble long temps. Le pauvre mary trouvant sa femme adirée [a], la chercha de tous costez; mais, en fin, luy fut dict qu'elle s'en estoit allée avecq le chantre. Luy, qui vouloit recouvrer sa brebis perdue, dont il avoit faict très mauvaise garde, luy rescripvit force lettres, la priant retourner à luy et qu'il la reprendroit si elle vouloit estre femme de bien. Mais, elle, qui prenoit si grand plaisir d'oyr le chant du chantre avecq lequel elle estoit, qu'elle avoit oblyé la voix de son mary, ne tint compte de toutes ses bonnes parolles, mais s'en mocqua; dont le mary courroucé luy feit sçavoir qu'il la demanderoit par justice à l'Eglise, puis que autrement ne vouloit retourner avecq luy. Ceste femme, craingnant que si la justice y mectoit la main, elle et son chantre en pourroient avoir à faire, pensa une cautelle [b] digne d'une telle main. Et, feignant d'estre malade, envoia querir quelques femmes de bien de la ville pour la venir visiter; ce que voluntiers elles feirent, esperans par ceste malladie la retirer de sa mauvaise vie; et, pour ceste fin, chascun luy faisoit les plus belles remonstrances. Lors, elle, qui faingnoit estre griefvement malade, feit semblant de plourer et de congnoistre son peché, en sorte qu'elle faisoit pitié à toute la compaignye, qui cuydoit fermement qu'elle parlast du fonds de son cueur. Et, la voiant ainsy reduicte et repentante, se meirent à la consoler, en luy disant que Dieu n'estoit pas si terrible comme beaucoup de prescheurs [740] le peignoient, et que jamais il ne luy refuseroit sa misericorde. Sur ce bon propos, envoyerent querir ung homme de bien pour la confesser; et le lendemain vint le curé du lieu pour luy administrer le sainct Sacrement, qu'elle receut avecq tant de bonnes mynes, que toutes les

a. perdue. — *b.* imagina une ruse.

femmes de bien de ceste ville, qui estoient presentes, pleuroient de veoir sa devotion, louans Dieu qui par sa bonté avoit eu pitié de ceste pauvre creature; après, faingnant de ne povoir plus menger, l'extreme unction par le curé luy fut apportée, par elle receue avec plusieurs bons signes, car à peyne povoit-elle avoir sa parolle, comme l'on estimoit. Et demora ainsy bien long temps, et sembloit que peu à peu elle perdist la veue, l'ouye et les autres sens; dont chascun se print à crier *Jesus !* A cause de la nuyct qui estoit prochaine, et que les dames estoient de loing, se retirerent toutes. Et ainsy qu'elles sortoient de la maison, on leur dist qu'elle estoit trespassée, et, en disant leur *de profundis* pour elle, s'en retournerent en leurs maisons. Le curé demanda au chantre où il voulloit qu'elle fust enterrée, lequel luy dist qu'elle avoit ordonné d'estre enterrée au cimetiere, et qu'il seroit bon de la y porter la nuyct. Ainsy fut ensepvelye ceste pauvre malheureuse, par une chamberiere qui se gardoit bien de luy faire mal. Et, depuis, avecq belles torches, fut portée jusques à la fosse que le chantre avoit faict faire. Et quant le corps passa devant celles qui avoient assisté à la mectre [741] en unction, elles saillirent toutes de leurs maisons et accompaignerent jusques à la terre; et bientost la laisserent femmes et prebstres. Mais le chantre ne s'en alla pas, car incontinant qu'il veid la compaignye ung peu loing, avec sa chamberiere desfouyrent sa fosse où il avoit s'amye plus vive que jamais; et l'envoya secretement en sa maison, où il la tint longuement cachée.

Le mary qui la poursuivoit vint jusques à Bloys demander justice; et trouva qu'e le estoit morte et enterrée, par l'estimation de toutes les dames de Bloys, qui luy compterent la belle fin qu'elle avoit faicte. Dont le bon homme fut bien joieulx de croire que l'ame de sa femme estoit en paradis, et luy despeché [a] d'un si meschant corps. Et avecq ce contentement, retourna à Paris, où il se maria avecq une belle honneste jeune femme de bien et bonne mesnagiere, de laquelle il eut plusieurs enfans. Et demeurerent ensemble quatorze ou quinze ans; mais, à la fin, la renommée, qui ne peut rien celler, le vint advertir que sa femme n'estoit pas morte, mais demouroit avecq ce meschant chantre [742],

a. séparé, délivré.

chose que le pauvre homme dissimulla tant qu'il peut, faingnant de rien sçavoir et desirant que ce fust ung mensonge. Mais sa femme, qui estoit saige, en fut advertye; dont elle portoit une si grande angoisse, qu'elle en cuyda mourir d'ennuy. Et, s'il eut esté possible, sa conscience saulve, eust voluntiers dissimulé sa fortune, mais il luy fut impossible, car incontinant l'Eglise y voulut mectre ordre; et, pour le premier, les separa tous deux jusques ad ce que l'on sceut la verité de ce faict. Allors fut contrainct ce pauvre homme laisser la bonne, pour pourchasser la mauvaise; et vint à Bloys, ung peu après que le Roy François Ier fut Roy, auquel lieu il trouva la Royne Claude et Madame la Regente, devant lesquelles vinct la plaincte [743]; demandant celle qu'il eut bien voulu ne trouver poinct, mais force luy estoit, dont il faisoit grande pitié à toute la compaignye. Et, quant sa femme luy fut presentée, elle voulut soustenir longuement que ce n'estoit poinct son mary [744], ce qu'il eust voluntiers creu s'il eust peu. Elle, plus marrye que honteuse, lui dist qu'elle aymoit mieulx mourir que retourner avecq luy; dont il estoit très contant. Mais les dames, devant qui elle parloit si deshonnestement, la condamnerent qu'elle retourneroit, et prescherent si bien ce chantre par force menasses, qu'il fut contrainct de dire à sa layde amye qu'elle s'en retournast avec son mary et qu'il ne la vouloit plus veoir. Ainsy, chassée de tous costez, se retira la pauvre malheureuse où elle debvoit mieulx estre traictée de son mary qu'elle n'avoit merité.

« Voylà, mes dames, pourquoy je dis que, si le pauvre mary eust esté bien vigilant après sa femme, il ne l'eust pas ainsy perdue, car la chose bien gardée est difficillement perdue, et l'habandon faict le larron. — C'est chose estrange, dist Hircan, comme l'amour est fort, où il semble moins raisonnable ! — J'ay ouy dire, dist Simontault, que l'on auroit plus tost faict rompre deux mariages [745], que separer l'amour d'un prebstre et de sa chamberiere. — Je croy bien, dist Ennasuitte; car ceulx qui lyent les autres par mariage, sçavent si bien faire le neu, que rien que la mort n'y peut mectre fin; et tiennent les docteurs, que le langaige spirituel est plus grand que nul autre; par consequent, aussi l'amour spirituelle passe toutes les autres. — C'est une chose, dist Dagoucin, que je ne sçaurois pardonner aux dames d'habandonner ung mary honneste ou ung amy, pour un prebstre, quelque beau et honneste que sceut estre. — Je vous prye, Dagoucin, dist Hircan, ne vous meslez poinct de parler de nostre mere saincte Eglise; mais croyez que c'est grand plaisir aux pauvres femmes crainctifves et secrettes de pecher avecq ceulx qui les peuvent absouldre, car il y en a qui ont plus de honte de confesser une chose, que de la faire. — Vous parlez, dist Oisille, de celles qui n'ont poinct congnoissance de Dieu, et qui cuydent que les choses secrettes ne soient pas une foys revelées devant la Compaignye celeste; mais je croy que ce n'est pas pour chercher la confession, qu'ilz cherchent les confesseurs, car l'Ennemy les a tellement aveuglez, qu'elles regardent à s'arrester au lieu qu'il leur semble le plus couvert et le plus seur, que de se soucyer d'avoir absolution du mal dont elles ne se repentent poinct. — Comment repentir ? dist Saffredent, mais s'estiment plus sainctes que les autres femmes; et suis seur qu'il en y a qui se tiennent honorées de perseverer en leur amityé. — Vous en parlez de sorte, dist Oisille à Saffredent, qu'il semble que vous en sçachiez quelcune ? Parquoy je vous prie que demain, pour commancer la journée, vous nous en veullez dire ce que vous en sçavez, car voylà desjà le dernier coup de vespres qui sonne, pour ce que noz religieux sont partiz, incontinant qu'ils ont oy la dixiesme nouvelle et nous ont laissé parachever nos debatz. » En ce disant, se leva la compaignye; et arriverent à l'eglise, où ils trouverent qu'on les avoit actenduz. Et, après avoir oy leurs vespres, souppa la compaignye toute ensemble, parlant de plusieurs beaulx comptes. Après soupper, selon leurs coustumes, s'en allerent ung peu esbattre au pré, et reposerent, pour avoir le lendemain meilleure memoire.

FIN DE LA SIXIESME JOURNÉE.

LA SEPTIESME JOURNÉE

EN LA SEPTIESME JOURNÉE, ON DEVISE DE CEULX QUI ONT FAIT TOUT LE CONTRAIRE DE CE QU'ILZ DEVOIENT OU VOULOIENT.

PROLOGUE

Au matin, ne faillit madame Oisille de leur administrer la salutaire pasture qu'elle print en la lecture des Actes et vertueux faictz des glorieux chevaliers et apostres de Jesus-Christ, selon sainct Luc, leur disant que ces comptes-là debvoient estre suffisans pour desirer veoir ung tel temps et pleurer la difformité de cestuy-cy envers cestuy-là. Et, quant elle eut suffisamment leu et exposé le commencement de ce digne livre, elle les pria d'aller à l'eglise, en l'unyon que les apostres faisoient leur oraison, demandans à Dieu sa grace, laquelle n'est jamais refusée à ceulx qui en foy la requierent. Ceste opinion fut trouvée d'un chascun très bonne. Et arriverent à l'eglise, ainsy que l'on commenceoit la messe du Sainct Esperit, qui sembloit chose venir à leur propos, qui leur feit oyr le service en grand devotion. Et, après, allerent disner [746], ramentevans [a] ceste vie apostolicque; en quoy ils prindrent tel plaisir, que quasi leur entreprinse estoit oblyée; de quoy s'advisa Nomerfide, comme la plus jeune, et leur dist : « Madame Oisille nous a tant boutez en devotion, que nous passons l'heure accoustumée de nous retirer, pour nous preparer à racompter noz nouvelles [747]. » Sa parolle fut occasion de faire lever toute la compaignye; et, après avoir bien [748] demeuré en leurs chambres, ne faillirent poinct de se trouver au pré, comme ilz avoient faict le jour de devant. Et, quant ilz furent bien à leurs ayses, madame Oisille dist à Saffredent : « Encores que je suis asseurée que vous ne direz rien à l'advantaige

a. rappelant.

des femmes, si est-ce qu'il fault que je vous advise de dire la Nouvelle, que dès hier soir vous aviez preste. — Je proteste, madame, respondit Saffredent, que je n'acquerray poinct l'honneur [749] de mesdisant, pour dire verité; ny ne perdray poinct la grace des dames vertueuses, pour racompter ce que les folles ont faict; car j'ay experimenté que c'est que d'estre seulement eslongné de leur veue; et, si je l'eusse esté autant de leur bonne grace, je ne fusse pas à ceste heure en vie. » Et, en ce disant, tourna les oeilz au contraire de celle qui estoit cause de son bien et de son mal; mais, en regardant Ennasuitte, la feit aussi bien rougir, comme si ce eust esté à elle à qui le propos se fust addressé; si est-ce qu'il n'en fut moins entendu du lieu où il desiroit estre oy. Madame Oisille l'asseura qu'il povoit dire verité librement, aux despens de qui il appartiendroit. A l'heure, commencea Saffredent, et dist.

SOIXANTE ET UNIESME NOUVELLE

Un mary se reconcilye avec sa femme, après qu'elle eust vescu XIIII ou XV ans avec un chanoyne d'Authun [750].

Auprès de la ville d'Authun, y avoit une fort belle femme, grande, blanche et d'autant belle façon de visaige que j'en aye poinct veu. Et avoit espousé ung très honneste homme, qui sembloit estre plus jeune qu'elle; lequel l'aymoit et traictoit tant bien [751], qu'elle avoit cause de s'en contanter. Peu de temps après qu'ilz furent mariez, la mena en la ville d'Authun pour quelques affaires; et, durant le temps que le mary pourchassoit la justice, sa femme alloit à l'eglise prier Dieu pour luy. Et tant frequenta ce lieu sainct, que ung chanoine fort riche fut amoureux d'elle, et la poursuivyt si fort, que en fin la pauvre malheureuse s'accorda à luy, dont le mary n'avoit nul soupson et pensoit plus à garder son bien que sa femme. Mais quant ce vint au departir et qu'il fallut retourner en la maison qui estoit loing de la dicte ville sept grandes lieues, ce ne fut sans ung trop grand regret. Mais le chanoyne luy promist que souvent la iroit visiter : ce qu'il feit, feingnant aller en quelque voiage, où son chemyn s'addressoit [a] tousjours par

a. passait.

la maison de cest homme; qui ne fut pas si sot, qu'il ne s'en apperceut, et y donna si bon ordre, que quant le chanoyne y venoit, il n'y trouvoit plus sa femme, et la faisoit si bien cacher, qu'il ne povoit parler à elle. La femme, congnoissant la jalousie de son mary, ne feit semblant qu'il luy despleust. Toutesfois, se pensea qu'elle y donneroit ordre, car elle estimoit ung enfer perdre la vision de son Dieu. Ung jour que son mary estoit allé dehors de sa maison, empescha si bien les chamberieres et varletz, qu'elle demeura seulle en sa maison. Incontinant, prend ce qui luy estoit necessaire et sans autre compaignye que de sa folle amour qui la portoit [752], s'en alla de pied à Authun, où elle n'arriva pas si tard, qu'elle ne fut recongneue de son chanoine, qui la tint enfermée et cachée plus d'un an, quelques monitions [a] et excommunications qu'en fit gecter son mary, lequel, ne trouvant aultre remede, en feit la plaincte à l'evesque, qui avoit ung archediacre autant homme de bien qu'il en fust poinct en France. Et luy-mesmes cherchea si diligemment en toutes les maisons des chanoines, qu'il trouva celle que l'on tenoit perdue, laquelle il mist en prison et condamna le chanoyne en grosse penitence. Le mary, sçachant que sa femme estoit retournée par l'admonition du bon archediacre et de plusieurs gens de bien, fut contant de la reprandre, avecq les sermens qu'elle luy feit de vivre, en temps advenir, en femme de bien; ce que le bon homme creut volontiers, pour la grande amour qu'il luy portoit. Et la ramena en sa maison, la traictant aussi honnestement que paravant, sinon qu'il luy bailla deux vielles chamberieres qui jamais ne la laissoient seule, que l'une des deux ne fust avecq elle. Mais, quelque bonne chere que luy fist son mary, la meschante amour qu'elle portoit au chanoyne luy faisoit estimer tout son repos en tourment; et, combien qu'elle fust très belle femme, et, luy, homme de bonne complexion [753], fort et puissant, si est-ce qu'elle n'eut jamais enfans de luy [754], car son cueur estoit tousjours à sept lieues de son corps, ce qu'elle dissimulloit si bien qu'il sembloit à son mary qu'elle eut oblyé tout le passé comme il avoit faict de son costé. Mais la malice d'elle n'avoit pas ceste opinion, car, à l'heure qu'elle veid son mary mieulx l'aymant et moins la soupsonnant, vat feindre

a. avertissements.

d'estre malade; et continua si bien ceste faincte, que son pauvre mary estoit en merveilleuse peyne, n'espargnant bien ne chose qu'il eust, pour la secourir. Toutesfoys, elle joua si bien son roolle, que luy et tous ceulx de la maison la pensoient malade à l'extremité, et que peu à peu elle s'affoiblissoit; et, voyant que son mary en estoit aussi marry qu'il en debvoit estre joieulx, le pria qu'il luy pleust l'auctorizer de faire son testament; ce qu'il feit voluntiers en pleurant. Et elle, ayant puissance de tester, combien qu'elle n'eut enfans, donna à son mary ce qu'elle luy povoit donner, luy requerant pardon des faultes qu'elle luy avoit faictes; après, envoya querir le curé, se confessa, receut le sainct Sacrement de l'autel tant devotement que chascun ploroit de veoir une si glorieuse fin. Et, quant ce vint le soir, elle pria son mary de luy envoier querir l'extreme unction, et qu'elle s'affoiblissoit tant, qu'elle avoit paour de ne la povoir recepvoir vive. Son mary, en grande dilligence, la luy feit apporter par le curé; et elle, qui la receut en grande humilité, incitoit chascun à la louer. Quant elle eut faict tous ses beaulx misteres, elle dist à son mary que, puisque Dieu luy avoit faict la grace d'avoir prins tout ce que l'Eglise commande, elle sentoit sa conscience en si très grande paix, qu'il luy prenoit envye de soy reposer ung petit, priant son mary de faire le semblable, qui en avoit bon besoing, pour avoir tant pleuré et veillé avecq elle. Quant son mary s'en fut allé et tous ses varletz avec luy, deux pauvres vielles, qui en sa santé l'avoient si longuement gardée, ne se doubtans plus de la perdre, sinon par mort, se vont très bien coucher à leur aise. Et quant elle les ouyt dormyr et ronfler bien hault, se leva toute en chemise et saillist hors de sa chambre, escoutant si personne de leans faisoit poinct de bruict. Mais, quant elle fut asseurée de son baston, elle sceut très bien passer par ung petit huys d'un jardin qui ne fermoit poinct; et, tant que la nuyct dura, toute en chemise et nudz piedz, feist son voiage à Authun devers le sainct qui l'avoit gardée de morir. Mais, pour ce que le chemin estoit long, n'y peut aller tout d'une traicte, que le jour ne la surprint. A l'heure, regardant par tout le chemyn, advisa deux chevaulcheurs qui couroient bien fort; et, pensant que ce fust son mary qui la chercheast, se cacha tout le corps dedans ung maraiz et la teste entre les jongs; et son mary, passant près d'elle, disoit à ung sien serviteur, comme un homme desesperé : « Ho ! la meschante ! Qui eust pensé que, soubz le manteau des sainctz sacremens de l'Eglise, l'on eut peu couvrir ung si villain et habominable cas ! » Le serviteur luy respondit : « Puis que Judas, prenant ung tel mourceau [755], ne craingnit à trahir son maistre, ne trouvez point estrange la trahison d'une femme ! » En ce disant, passe oultre le mary; et la femme demoura plus joyeuse, entre les jongs, de l'avoir trompé, qu'elle n'estoit en sa maison, en ung bon lict, en servitude. Le pauvre mary la cherchea par toute la ville d'Authun; mais il sceut certainement qu'elle n'y estoit poinct entrée; parquoy s'en retourna sur ses brisées, ne faisant que se complaindre d'elle et de sa grande perte; ne la menassant poinct moins que de la mort, s'il la trovoit, dont elle n'avoit paour en son esperit, non plus qu'elle sentoit de froid en son corps, combien que le lieu et la saison meritoient de la faire repentir de son damnable voiage. Et qui ne sçauroit comment le feu d'enfer eschauffe ceulx qui en sont rempliz, l'on debvroit estimer à merveille comme ceste pauvre femme, saillant d'un lict bien chault, peut demorer tout ung jour en si extreme froidure. Si ne perdit-elle poinct le cueur ny l'aller, car, incontinant que la nuyct fut venue, reprint son chemyn; et, ainsy que l'on vouloit fermer la porte d'Authun, y arriva ceste pelerine, et ne faillit d'aller tout droict où demoroit son corps sainct, qui fut tant esmerveillé de sa venue, que à peyne povoit-il croyre que ce fut elle. Mais, quant il l'eut bien regardée et visitée de tous costez, trouva qu'elle avoit oz et chair, ce que ung esperit n'a poinct; et ainsy se asseura que ce n'estoit fantosme, et dès l'heure, furent si bien d'accord, qu'elle demoura avecq luy quatorze ou quinze ans. Et, si quelque temps elle fut cachée, à la fin elle perdit toute craincte, et, qui pis est, print une telle gloire d'avoir un tel amy, qu'elle se mectoit à l'eglise devant la plus part des femmes de bien de la ville [756], tant d'officiers que aultres. Elle eut des enfans du chanoyne, et entre autres une fille qui fut mariée à un riche marchant; et si gorgiase [a] à ses nopces, que toutes les femmes de la ville en murmuroient très fort, mais n'avoient pas la puissance d'y mectre ordre. Or, advint que en ce temps-là, la Royne Claude, femme du Roy François, passa par la

a. élégante.

ville d'Authun [757], ayant en sa compaignye madame la Regente, mere du dict Roy et la duchesse d'Alençon, sa fille [758]. Vint une femme de chambre de la Royne, nommée Perrette, qui trouva la dicte duchesse et luy dist : « Madame, je vous supplye, escoutez-moy, et vous ferez œuvre plus grande que d'aller oyr tout le service du jour. » La duchesse s'arresta voluntiers, sçachant que d'elle ne povoit venir que tout bon conseil. Perrette luy alla racompter incontinant comme elle avoit prins une petite fille, pour luy ayder à savonner le linge de la Royne; et, en luy demandant des nouvelles de la ville, luy compta la peyne que les femmes de bien avoient de veoir ainsy aller devant elles la femme de ce chanoyne, de laquelle luy compta une partie de sa vie [759]. Tout soubdain, s'en alla la duchesse à la Royne et à madame la Regente, leur compter ceste histoire; qui, sans-autre forme de procès, envoierent querir ceste pauvre malheureuse, laquelle ne se cachoit poinct, car elle avoit changé sa honte en gloire d'estre dame de la maison d'ung si riche homme. Et, sans estre estonnée ny honteuse, se vint presenter devant les dictes dames, lesquelles avoient si grande honte de sa hardiesse, que soubdain [760] elles ne luy sceurent que dire. Mais, après, luy feit madame la Regente telles remontrances qui deussent avoir faict pleurer une femme de bon entendement. Ce que poinct ne feit ceste pauvre femme, mais, d'une audace très grande, leur dist : « Je vous supplie, mes dames, que voulez garder que l'on ne touche poinct à mon honneur, car, Dieu mercy ! j'ay vescu avec monsieur le chanoine si bien et si vertueusement, qu'il n'y a personne vivant qui m'en sceut reprendre. Et, s'il ne fault point que l'on pense que je vive contre la volunté de Dieu, car il y a trois ans qu'il ne me fut riens, et vivons aussy chastement et en aussy grande amour, que deux beaulx petitz anges, sans que jamais entre nous deux y eut eu parolle ne volunté au contraire. Et, qui nous separera fera grand peché, car le bon homme, qui a bien près de quatre vingtz ans, ne vivra pas longuement sans moy, qui en ay quarante cinq. » Vous povez penser comme à l'heure les dames se peurent tenir [761]; et les remonstrances que chascun luy feit, voiant l'obstination qui n'estoit amollye pour parolles que l'on luy dist, pour l'aage qu'elle eut, ne pour l'honnorable compaignye. Et, pour l'humillier plus fort, envoierent querir le bon archediacre d'Authun, qui la comdemna d'estre en prison ung an, au pain et à l'eaue. Et les dames envoyerent querir son mary, lequel par leur bon exhortement fut contant de la reprendre, après qu'elle auroit faict sa penitence. Mais, se voiant prisonniere et le chanoyne deliberé de jamais ne la reprendre, mercyant les dames de ce qu'elles luy avoient gecté ung diable de dessus les espaulles, eut une si grande et si parfaicte contriction, que son mary, en lieu d'actendre le bout de l'an, l'alla reprendre, et n'atendit pas quinze jours, qu'il ne la vint demander à l'archediacre; et depuis ont vescu en bonne paix et amityé.

« Voylà, mes dames, comment les chaisnes de sainct Pierre sont converties par les maulvais ministres en celles de Sathan, et si fortes à rompre, que les sacremens qui chassent les diables des corps sont à ceulx-cy les moiens de les faire plus longuement demeurer en leur conscience. Car les meilleures choses sont celles, quant l'on en abuse, dont l'on faict plus de maulx. — Vrayement, dist Oisille, ceste femme estoit bien malheureuse, mais aussy fut-elle bien pugnye de venir devant telz juges que les dames que vous avez nommées, car le regard seul de madame la Regente estoit de telle vertu, qu'il n'y avoit si femme de bien, qui ne craingnist de se trouver devant ses oeilz indigne de sa veue [762]. Celle qui en estoit regardée doulcement s'estimoit meriter grand honneur, sçachant que femmes autres que vertueuses ne povoit ceste dame veoir de bon cueur. — Il seroit bon [763], dist Hircan, que l'on eust plus de craincte des oeilz d'une femme, que du sainct Sacrement, lequel, s'il n'est receu en foy et charité, est en dannation eternelle. — Je vous prometz, dist Parlamente, que ceulx qui ne sont poinct inspirez de Dieu craingnent plus les puissances temporelles, que spirituelles. Encores je croy que la pauvre creature se chastia plus par la prison et l'opinion de ne plus veoir son chanoyne, qu'elle ne feit pour remonstrance qu'on luy eut sceu faire. — Mais, dist Simontault, vous avez oblyé la principale cause qui la feit retourner à son mary. C'est que le chanoyne avoit quatre vingtz ans, et son mary estoit plus jeune qu'elle. Ainsy gaingna ceste bonne dame en tous ses marchez; mais, si le chanoyne eut esté jeune, elle ne l'eut poinct voulu habandonner. Les enseignemens des dames n'y eussent pas eu plus de valleur que les sacremens qu'elle avoit prins. — Encores, ce dist Nomerfide, me semble qu'elle faisoit bien de ne confesser poinct son peché si aisement, car ceste offense se doibt dire à Dieu humblement [764] et la nyer fort et ferme devant les hommes, car, encores qu'il fust vray, à force de mentir et jurer, on engendre quelque doubte à la verité. — Si est-ce, dist Longarine, qu'ung peché à grand peine peult estre si secret, qu'il ne soit revellé, sinon quant Dieu par sa misericorde le couvre de ceulx qui pour l'amour de luy en ont vraye repentance [765]. — Et que direz-vous, dist Hircan, de celles qui n'ont pas plus tost faict une folye, qu'elles ne la racomptent à quelcun ? — Je treuve bien estrange, respondist Longarine; et est bien signe que le peché ne leur desplaist pas; et, comme je vous ay dict, celluy qui n'est couvert de la grace de Dieu ne se sçauroit nyer devant les hommes, et y en a maintes, qui, prenans plaisir à parler de telz propos [766], se font gloire de publier leurs vices, et aultres, qui, en se coupant, s'accusent [767]. — Je vous prie, dist Saffredent, si vous en sçavez quelcune, je vous donne ma place, et que nous la dictes. — Or, escoutez doncques, dist Longarine. »

SOIXANTE DEUXIESME NOUVELLE

Une damoyselle, faisant, soubz le nom d'une autre, un compte à quelque grande dame, se coupa si lourdement, que son honneur en demora tellement taché, que jamais elle ne le peut reparer [768].

Au temps du Roy François premier, y avoit une dame du sang roial, accompaignée d'honneur, de vertu et de beaulté, et qui sçavoit bien dire ung compte et de bonne grace, et en rire aussy, quant on luy en disoit quelcun [769]. Ceste dame, estant en l'une de ses maisons, tous ses subgects et voisins la vindrent veoir, pour ce qu'elle estoit autant aymée que femme pourroit estre. Entre aultres, vint une damoiselle, qui escoutoit que chascun lui disoit tous les comptes qu'ilz pensoient, pour luy faire passer le temps. Elle s'advisa qu'elle n'en feroit moins que les aultres et luy dist : « Madame, je voys faire ung beau compte, mais vous me promectez que vous n'en parlerez poinct. » A l'heure, luy dist : « Madame, le compte est très veritable, je le prens sur ma conscience. C'est qu'il y avoit une damoiselle maryée, qui vivoit avec son mary très honnestement, combien qu'il fust viel et elle jeune. Ung gentil homme, son voisin, voyant qu'elle avoit espouzé ce viellard, fut amoureux d'elle et la pressa par plusieurs années, mais jamais il n'eut responce d'elle, sinon telle que une femme de bien doibt faire. Ung jour, se pensa le gentil homme, que, s'il la povoit trouver à son advantaige, que par adventure elle ne luy seroit si rigoureuse; et, après avoir longuement debattu avecq la craincte du danger où il se mectoit, l'amour qu'il avoit à la damoiselle luy osta tellement la craincte, qu'il se delibera de trouver le lieu et l'occasion. Et feit si bon guet, que ung matin, ainsi que le gentil homme, mary de ceste damoiselle, s'en alloit en quelque aultre de ses maisons, et partoit dès le poinct du jour pour le chault [a] [770], le jeune folastre vint à la maison de ceste jeune damoiselle, laquelle il trouva dormant en son lict; et advisa que les chamberieres s'en estoient allées dehors de la chambre. A l'heure, sans avoir le sens de fermer la porte, s'en vint coucher tout houzé [b] et esperonné dedans le lict de la damoiselle; et quant elle s'esveilla, fut autant marrye qu'il estoit possible. Mais, quelques remonstrances qu'elle luy sceut faire, il la print par force, luy disant que, si elle reveloit ceste affaire, il diroit à tout le monde qu'elle l'avoit envoyé querir; dont la damoiselle eut si grand paour, qu'elle n'osa crier. Après, arrivant quelques des chamberieres, se leva hastivement. Et ne s'en fust personne aperceu, sinon l'esperon qui s'estoit attaché au linceul [c] de dessus l'emporta tout entier; et demeura la damoiselle toute nue sur son lict. » Et combien qu'elle feit le compte d'une aultre ne se peut garder de dire à la fin : « Jamais femme ne fust si estonnée que moy, quant je me trouvay toute nue. » Alors, la dame, qui avoit oy le compte sans rire, ne s'en peut tenir à ce dernier mot, en luy disant : « Ad ce que je voy, vous en povez bien racompter l'histoire. » La pauvre damoiselle chercha ce qu'elle peut pour cuyder reparer son honneur, mais il estoit vollé desjà si loing, qu'elle ne le povoit plus rappeller.

« Je vous asseure, mes dames, que, si elle eut grand

a. pour éviter la chaleur. — *b.* portant ses houseaux, ses bottes. — *c.* drap.

desplaisir à faire ung tel acte, elle en eust voullu avoir perdu la memoire. Mais, comme je vous ay dict, le peché seroit plus tost descouvert par elle-mesme, qu'il ne pourroit estre sceu, quant il n'est poinct couvert de la couverture [771] que David dict rendre l'homme bien heureux. — En bonne foy, dist Ennasuitte, voylà la plus grande sotte, dont je oy jamais parler, qui faisoit rire les autres à ses despens. — Je ne trouve poinct estrange, dist Parlamente, de quoy la parolle ensuict le faict, car il est plus aisé à dire que à faire. — Dea, dist Geburon, quel peché avoit-elle faict ? Elle estoit endormye en son lict; il la menassoit de mort et de honte : Lucresse, qui estoit tant louée, en feit bien aultant. — Il est vray, dist Parlamente; je confesse qu'il n'y a si juste à qui il ne puisse mescheoir [a]; mais, quand on a prins grand desplaisir à l'euvre, l'on en prent aussi à la memoire, pour laquelle effacer Lucresse se tua; et ceste sotte a voullu faire rire les aultres. — Si semble-il, dist Nomerfide, qu'elle fut femme de bien, veu que par plusieurs fois elle avoit esté priée et elle ne se voulut jamais consentir; tellement qu'il fallut que le gentil homme s'aydast de tromperie et de force pour la decepvoir. — Comment ! dist Parlamente; tenez-vous une femme quicte de son honneur, quant elle se laisse aller, mais qu'elle [b] ait usé deux ou trois foys de refuz ? Il y auroit doncques beaucoup de femmes de bien, qui sont estimées le contraire, car l'on en a assez veu qui ont longuement reffusé celluy où leur cueur s'estoit adonné, les unes pour craincte de leur honneur, les aultres pour plus ardemment se faire aymer et estimer. Parquoy l'on ne doibt poinct faire cas d'une femme si elle ne tient ferme jusques au bout [772]. — Et si ung homme refuse une belle fille, dist Dagoucin, estimerez-vous grande vertu ? — Vrayement, dist Oisille, si ung homme jeune et sain usoit de ce reffuz, je le trouverois fort louable, mais non moins dificille à croyre. — Si en congnois-je, dist Dagoucin, qui ont refusé des adventures que tous les compaignons cherchoient. — Je vous prie, dist Longarine, que vous prenez ma place pour le nous racompter, mais souvenez-vous qu'il fault icy dire verité. — Je vous prometz, dist Dagoucin, que je la vous diray si purement, qu'il n'y aura nulle coulleur pour la desguiser. »

a. commettre une faute. — *b.* à condition qu'elle.

SOIXANTE TROISIESME NOUVELLE

Le refuz qu'un gentilhomme feit d'une avanture que tous ses compaignons cerchoyent, luy fut imputé à bien grande vertu; et sa femme l'en ayma et estima beaucoup plus qu'elle n'avoit fait [773].

En la ville de Paris, se trouverent quatre filles, dont les deux estoient sœurs, de si grande beaulté, jeunesse et frescheur, qu'elles avoient la presse de tous les amoureux. Mais ung gentil homme, qui pour lors avoit esté faict prevost de Paris par le Roy [774], voyant son maistre jeune et de l'aage pour desirer telle compaignye, practiqua si bien toutes les quatre, que, pensant chascune estre pour le Roy, s'accorderent à ce que le dist prevost voulut, qui estoit de se trouver ensemble en ung festin où il convya son maistre, auquel il compta l'entreprinse, qui fut trouvée bonne du dict seigneur et de deux aultres bons personnages de la court; et s'accorderent tous troys d'avoir part au marché. Mais, en cherchant le quatriesme compaignon, vat arriver un seigneur beau et honneste, plus jeune de dix ans que tous les autres [775], lequel fut convié en ce bancquet : lequel l'accepta de bon visaige, combien que en son cueur il n'en eut aucune volunté; car, d'un costé, il avoit une femme qui luy portoit de beaulx enfans, dont il se contentoit très fort, et vivoient en telle paix que pour rien il n'eut voulu qu'elle eut prins mauvais soupson de luy; d'autre part, il estoit serviteur d'une des plus belles dames qui fut de son temps en France, laquelle il aymoit, estimoit tant, que toutes les aultres luy sembloient laydes auprès d'elle; en sorte que, au commencement de sa jeunesse, et avant qu'il fut marié, n'estoit possible de luy faire veoir ne hanter aultres femmes, quelque beaulté qu'elles eussent; et prenoit plus de plaisir à veoir s'amye et de l'aymer parfaictement que de tout ce qu'il sceut avoir d'une aultre. Ce seigneur s'en vint à sa femme et luy dist en secretz l'entreprinse que son maistre faisoit : et que de luy il aymoit autant morir, que d'accomplir ce qu'il avoit promis; car, tout ainsy que, par collere, n'y avoit homme vivant qu'il n'osast bien assaillir, aussy, sans occasion, par ung guet à pens, aymeroit mieulx morir, que de faire ung meurdre, si l'honneur ne le y contraingnoit; et pareillement, sans une extresme force d'amour, qui est l'aveuglement des hommes vertueux, il aymeroit myeulx mourir, que rompre son mariage, à l'apetit d'aultruy; dont sa femme l'ayma et estima plus que jamais n'avoit faict, voiant en une si grande jeunesse habiter tant d'honnesteté; et, en luy demandant comme il se pourroit excuser, veu que les princes trouvent souvent mauvais ceulx qui ne louent ce qu'ilz ayment. Mais il luy respondit : « J'ay tousjours oy dire que le saige a le voiage ou une malladie en la manche, pour s'en ayder à sa necessité. Parquoy, j'ay deliberé de faindre, quatre ou cinq jours devant, estre fort malade : à quoy vostre contenance me pourra bien fort servir. — Voylà, dist sa femme, une bonne et saincte ypocrisie; à quoy je ne fauldray de vous servir de myne la plus triste dont je me pourray adviser; car qui peut eviter l'offense de Dieu et l'ire du prince est bien heureux. » Ainsy qu'ilz delibererent ils feirent; et fut le Roy fort marry d'entendre, par la femme, la malladye de son mary, laquelle ne dura gueres, car, pour quelques afaires qui vindrent, le Roy oblia son plaisir pour regarder à son debvoir, et partyt de Paris. Or, ung jour, ayant memoire de leur entreprinse qui n'avoit esté mise à fin, dist à ce jeune seigneur : « Nous sommes bien sotz d'estre ainsy partiz si soubdain, sans avoir veu les quatre filles que l'on nous avoit promises estre les plus belles de mon royaulme. » Le jeune seigneur luy respondit : « Je suis bien aise dont vous y avez failly, car j'avois grand paour, veu ma maladie, que moy seul eusse failly à une si bonne advanture. » A ces parolles ne s'aperceut jamais le Roy de la dissimullation de ce jeune seigneur, lequel depuis fut plus aymé de sa femme, qu'il n'avoit jamais esté.

A l'heure se print à rire Parlamente et ne se peut tenir de dire : « Encores il eust mieulx aymé sa femme, si ce eut esté pour l'amour d'elle seulle. En quelque sorte que ce soit, il est très louable. — Il me semble, dist Hircan, que ce n'est pas grand louange à ung homme de garder chasteté pour l'amour de sa femme; car il y a tant de raisons, que quasi il est contrainct : premierement, Dieu luy commande, son serment le y oblige, et puis Nature qui est soulle [a], n'est point subjecte à tentation ou desir, comme la

[a]. rassasiée.

necessité; mais l'amour libre que l'on porte à s'amye, de laquelle on n'a poinct la joïssance ne autre contentement que le veoir et parler et bien souvent mauvaise response, quant elle est si loyalle et ferme, que, pour nulle adventure qui puisse advenir, on ne la peut changer, je diz que c'est une chasteté non seulement louable, mais miraculeuse. — Ce n'est poinct de miracle, dist Oisille, car où le cueur s'adonne, il n'est rien impossible au corps. — Non aux corps, dist Hircan, qui sont desjà angelisez. » Oisille luy respondit : « Je n'entens poinct seullement parler de ceulx qui sont par la grace de Dieu tout transmuez en luy, mais des plus grossiers esperitz que l'on voye ça-bas entre les hommes. Et, si vous y prenez garde, vous trouverez ceulx qui ont mys leur cueur et affection à chercher la perfection des sciences, non seulement avoir oblyé la volupté de la chair, mais les choses les plus necessaires, comme le boire et le manger; car, tant que l'ame est par affection dedans son corps, la chair demeure comme insensible; et de là vient que ceulx qui ayment femmes belles, honnestes et vertueuses, ont tel contentement à les veoir et à les oyr parler; et ont l'esperit si contant, que la chair est appaisée de tous ses desirs. Et ceulx qui ne peuvent experimenter ce contentement sont les charnelz, qui, trop enveloppez de leur graisse, ne congnoissent s'ilz ont ame ou non. Mais, quant le corps est subgect à l'esperit, il est quasi insensible aux imperfections de la chair, tellement que leur forte opinion les peult randre insensibles. Et j'ai congneu ung gentil homme qui, pour monstrer avoir plus fort aymé sa dame que nul autre, avoit faict preuve à tenir une chandelle avecq les doigtz tout nudz [776], contre tous ses compaignons; et, regardant sa femme, tint si ferme, qu'il se brusla jusques à l'oz; encores, disoit-il n'avoir poinct senty de mal. — Il me semble, dist Geburon, que le diable, dont il estoit martire, en debvoit faire ung sainct Laurent, car il y en a peu de qui le feu d'amour soit si grand, qu'il ne craingne celluy de la moindre bougye; et, si une damoiselle m'avoit laissé tant endurer pour elle, je demanderois grande recompence, ou j'en retirerois ma fantaisye [777]. — Vous vouldriez doncques, dist Parlamente, avoir vostre heure, après que vostre dame auroit eu la sienne, comme feit ung gentil homme d'auprès de Valence en Espaigne, duquel ung commandeur, fort homme de bien, m'a faict le compte ?

— Je vous prie, ma dame, dist Dagoucin, prenez ma place et le nous dictes, car je croy qu'il doibt estre bon. — Par ce compte, dist Parlamente, mes dames, vous regarderez deux fois ce que vous vouldrez refuser, et ne vous fier au temps present, qu'il soit tousjours ung; parquoy, congnoissans sa mutation [a], donnerez ordre à l'advenir. »

SOIXANTE QUATRIESME NOUVELLE

Après qu'une damoyselle eut, l'espace de cinq ou six ans, experimenté l'amour que luy portoit ung gentil homme, desirant en avoir plus grande preuve, le meit en tel desespoir que, s'estant rendu religieux, ne le peut recouvrer quand elle voulut [778].

En la cité de Valence, y avoit ung gentil homme, qui, par l'espace de cinq ou six ans, avoit aymé une dame si parfaictement, que l'honneur et la conscience de l'un et de l'autre n'y estoient poinct blessé, car son intention estoit de l'avoir pour femme; ce qui estoit chose fort raisonnable, car il estoit beau, riche et de bonne maison. Et si ne s'estoit poinct mys en son service, sans premierement avoir sceu son intention, qui estoit de s'accorder à mariage par la volunté de ses amys, lesquelz, estans assemblez pour cest effect, trouverent le mariage fort raisonnable, par ainsy que la fille y eut bonne volunté [779], mais elle, ou cuydant trouver mieulx, ou voulant dissimuler l'amour qu'elle luy avoit portée, trouva quelque difficulté; tellement que la compaignye assemblée se departyt, non sans regret, et qu'elle n'y avoit peu mectre quelque bonne conclusion, congnoissant le party, d'un costé et d'autre, fort raisonnable; mais sur tout fut ennuyé [780] le pauvre gentil homme, qui eut porté son mal patiemment, s'il eut pensé que la faulte fut venue des parens, et non d'elle. Et congnoissant la verité, dont la creance luy causoit plus de mal que la mort, sans parler à s'amye ne à aultre, se retira en sa maison. Et, après avoir donné quelque ordre à ses affaires, s'en alla en ung lieu sollitaire, où il mist peyne d'oblier ceste amityé, et la convertit entierement en celle de Nostre

a. combien il est changeant.

Seigneur, à laquelle il estoit plus obligé. Et, durant ce temps-là, il n'eut aucunes nouvelles de sa dame en de ses parens; parquoy print resolution, puis qu'il avoit failly à la vie la plus heureuse qu'il pourroit esperer, de prendre et choisir la plus austere et desagreable qu'il pourroit ymaginer. Et, avecq ceste triste pensée qui se povoit nommer desespoir, s'en alla randre religieux en ung monastere de sainct Françoys, non loing de plusieurs de ses parens, lesquelz, entendans sa desesperance, feirent tout leur effort d'empescher sa deliberation; mais elle estoit si très fermement fondée en son cueur, qu'il n'y eut ordre de l'en divertir. Toutesfois, congnoissans d'ond [a] son mal estoit venu, penserent de chercher la medecine et allerent devers celle qui estoit cause de ceste soubdaine devotion. Laquelle, fort estonnée et marrye de cest inconvenient, ne pensant que son refuz pour quelque temps luy servist seullement d'experimenter sa bonne volunté et non de le perdre pour jamais, dont elle veoyoit le dangier evident, luy envoya une epistre, laquelle, mal traduicte, dict ainsy :

Pour ce qu'amour, s'il n'est bien esprouvé
Ferme et loial, ne peut estre approuvé,
J'ay bien voulu par le temps esprouver
Ce que j'ay tant desiré de trouver :
C'est ung mary remply d'amour parfaict,
Qui par le temps ne peut estre desfaict.
Cela me feit requerir mes parens
De retarder, pour ung ou pour deux ans,
Ce grand [781] lien, qui jusqu'à la mort dure,
Qui à plusieurs engendre peyne dure.
Je ne feis pas de vous avoir refuz;
Certes jamais de tel vouloir ne fuz,
Car oncques nul que vous ne sceuz aymer,
Ny pour mary et seigneur estimer.
O quel malheur ! Amy, j'ay entendu
Que, sans parler à nulluy [b], t'es rendu
En ung couvent et vie trop austere,
Dont le regret me garde [782] de me taire,
Et me contrainct de changer mon office,
Faisant celluy dont as usé sans vice :
C'est requerir celluy dont fuz requise,
Et d'acquerir celluy dont fuz acquise.
Or doncques, amy, la vie de ma vie,
Lequel perdant, n'ay plus de vivre envye,

a. d'où. — *b*. personne.

Las ! plaise-toy vers moi tes oeilz tourner,
Et, du chemyn, où tu es, retourner.
Laisse le gris [a] et son austerité;
Viens recepvoir cette felicité
Qui tant de foys par toy fut desirée.
Le temps ne l'a deffaicte ou emportée :
C'est pour toy seul, que gardée me suis,
Et sans lequel plus vivre je ne puys.
Retourne doncq et veulle t'amye croire,
Resfreichissant la plaisante memoire
Du temps passé, par ung sainct mariage.
Croy moy, amy, et non poinct ton courage,
Et soys bien seur que oncques ne pensay
De faire rien où tu fusses offensé,
Mais esperois te randre contanté
Après t'avoir bien experimenté.
Or ay-je faict de toy l'experience :
Ta fermeté, ta foy, ta patience
Et ton amour, sont cogneuz clairement,
Qui m'ont acquise à toy entierement.
Viens doncques, amy, prendre ce qui est tien :
Je suis à toy, sois doncques du tout mien.

Ceste epistre, portée par ung sien amy, avecq toutes les remonstrances qu'il fut possible de faire, fut receue et leue du gentil homme Cordelier, avecq une contenance tant triste, accompaignée de souspirs et de larmes, qu'il sembloit qu'il vouloit noyer et brusler ceste pauvre epistre, à laquelle ne feit nulle responce, sinon dire au messaigier que la mortiffication de sa passion extresme luy avoit cousté si cher, qu'elle luy avoit osté la volunté de vivre et la craincte de morir; parquoy requeroit celle qui en estoit l'occasion, puis qu'elle ne l'avoit pas voulu contanter en la passion de ses grans desirs, qu'elle ne le voulut tormenter à l'heure qu'il en estoit dehors, mais se contanter du mal passé, auquel il ne peut trouver remede que de choisir une vie si aspre, que la continuelle penitence luy faict oblier sa douleur; et, à force de jeusnes et disciplines, affoiblir tant son corps, que la memoire de la mort luy soit pour souveraine consolation, et que surtout il la prioit qu'il n'eust jamais nouvelle d'elle, car la memoire de son nom seullement luy estoit ung importable [b] purgatoire. Le gentil homme retourna avecq ceste triste responce et en feit le rapport à

a. la robe grise de saint François. — *b.* insupportable.

celle qui ne le peut entendre sans l'importable[a] regret. Mais amour, qui ne veult permectre l'esperit faillir jusques à l'extremité, luy meist en fantaisie que, si elle le povoit veoir, que la veue et la parolle auroient plus de force que n'avoit eu l'escripture. Parquoy, avecq son pere et ses plus proches parens, s'en allerent au monastere où il demeuroit, n'aiant rien laissé en sa boueste[b] qui peust servir à sa beaulté, se confiant que, s'il la povoit une foys regarder et ouyr, que impossible estoit que le feu, tant longuement continué en leurs cueurs, ne se ralumast plus fort que devant. Ainsy, entrant au monastere, sur la fin de vespres, le feit appeller en une chappelle dedans le cloistre. Luy, qui ne sçavoit qui le demandoit, s'en alla ignoramment à la plus forte bataille où jamais avoit esté. Et, à l'heure qu'elle le veid tant palle et desfaict, que à peyne le peut-elle recongnoistre, neantmoins remply d'une grace non moins amyable que auparavant, l'amour la contraignit d'avancer ses bras pour le cuyder embrasser; et la pitié de le veoir en tel estat luy feit tellement affoiblir le cueur, qu'elle tomba esvanouye. Mais le pauvre religieux, qui n'estoit destitué de la charité fraternelle, la releva et assist dedans ung siege de la chappelle. Et, luy, qui n'avoit moins de besoing de secours, faignit ignorer sa passion, en fortiffiant son cueur en l'amour de son Dieu contre les occasions qu'il voyoit presentes, tellement qu'il sembloit à sa contenance ignorer ce qu'il voyoit. Elle, revenue de sa foiblesse, tournant ses oeilz tant beaulx et piteulx[c] vers luy, qui estoient suffisans de faire amolir un rochier, commencea à luy dire tous les propos qu'elle pensoit dignes de le retirer du lieu où il estoit. A quoy respondit le plus vertueusement qu'il luy estoit possible; mais, à la fin, feit tant[783] le pauvre religieux, que son cueur s'amolissoit par l'abondance des larmes de s'amye, comme celluy qui voyoit Amour, ce dur archer[784], dont tant longuement il avoit porté la douleur, ayant sa fleische dorée preste à luy faire nouvelle et plus mortelle playe; s'enfuyt de devant l'Amour et l'amye, comme n'aiant autre povoir que parfouyr[d]. Et, quant il fut en sa chambre enfermé, ne la voullant laisser aller sans quelque resolution, luy vat escripre trois motz en espaignol,

a. insupportable. — *b.* boîte, coffret à parfums ou à bijoux. — *c.* pleins de pitié. — *d.* s'enfuir.

que j'ay trouvé de si bonne substance que je ne les ay voulu traduire pour en diminuer leur grace; lesquels luy envoia par ung petit novice, qui la trouva encores à la chapelle, si desesperée, que, s'il eust esté licite de se rendre Cordeliere, elle y fut demourée; mais, en voiant l'escripture :

Volvete don venesti, anima mia,
Que en las tristas vidas es la mia [a],

pensa bien que toute esperance luy estoit faillye; et se delibera de croyre le conseil et de ses amys, et s'en retourna en sa maison mener une vie aussi melancolicque, comme son amy la mena austere en la religion.

« Vous voyez, mes dames, quelle vengeance le gentil homme feit à sa rude amye, qui, en le pensant experimenter, le desespera, de sorte que, quant elle le voulut, elle ne le peut recouvrer. — J'ay regret, dist Nomerfide, qu'il ne laissa son habit pour l'aller espouser; je croy que ce eut esté ung parfaict mariage. — En bonne foy, dist Simontault, je l'estime bien sage; car qui a bien pensé le faict de mariage [785], il ne l'estimera moins fascheulx que une austere religion; et luy, qui estoit tant affoibly de jeusnes et d'abstinences, craignoit de prendre une telle charge qui dure toute la vie. — Il me semble, dist Hircan, qu'elle faisoit tort à ung homme si foible, de le tanter de mariage; car c'est trop pour le plus fort homme du monde. Mais, si elle luy eust tenup ropos d'amityé, sans l'obligation que de volunté, il n'y a corde qui n'eust esté desnouée. Et, veu que pour l'oster de purgatoire, elle luy offroit ung enfer je dis qu'il eut grande raison de la refuser et luy faire sentir l'ennuy qu'il avoit porté de son refuz. — Par ma foy, dit Ennasuitte, il y en a beaucoup qui, pour cuyder mieulx faire que les aultres, font pis ou bien le rebours de ce qu'ilz veullent [786]. — Vrayement, dist Geburon, combien que ce ne soit à propos, vous me faictes souvenir d'une qui faisoit le contraire de ce qu'elle vouloit; dont il vint ung grand tumulte à l'eglise Sainct-Jehan de Lyon. — Je vous prie, dist Parlamente, prenez ma place et le nous racomptez. — Mon compte, dist Geburon, ne sera pas long ne si piteux [b] que celluy de Parlamente. »

a. Retournez là d'où vous êtes partie, ô mon âme, les épreuves de ma vie sont si pénibles. — *b.* triste.

SOIXANTE CINQUIESME NOUVELLE

La fausseté d'un miracle que les prestres Sainct-Jean de Lyon vouloyent cacher, fut decouverte par la congnoissance de la sotye d'une vieille [787].

En l'eglise Sainct-Jehan de Lyon, y a une chappelle fort obscure, et, dedans, ung Sepulcre faict de pierre à grans personnages eslevez, comme le vif [a]; et sont à l'entour du sepulcre plusieurs hommes d'armes couchez. Ung jour, ung souldart se pourmenant dans l'eglise, au temps d'esté qui faict grand chault, luy print envye de dormyr. Et, regardant ceste chappelle obscure et fresche, pensa d'aller garder le Sepulcre, en dormant comme les aultres, auprès desquels il se coucha. Or advint-il que une bonne vielle fort devote arriva au plus fort de son sommeil, et, après qu'elle eut dict ses devotions, tenant une chandelle ardante en sa main, la voulut attacher au Sepulcre. Et, trouvant le plus près d'icelluy cest homme endormy, la luy voulut mectre au front, pensant qu'il fut de pierre. Mais la cire ne peut tenir contre la pierre; la bonne dame, qui pensoit que ce fust à cause de la froideure de l'ymage [b], luy vat mectre le feu contre le front, pour y faire tenir sa bougye. Mais l'ymage, qui n'estoit insensible, commencea à crier; dont la bonne femme eut si grand paour, que, comme toute hors du sens, se print à cryer miracle, tant que tous ceulx qui estoient dedans l'eglise coururent, les ungs à sonner les cloches, les aultres à veoir le miracle. Et la bonne femme les mena veoir l'ymaige qui estoit remuée; qui donna occasion à plusieurs de rire, mais les plusieurs [788] ne s'en povoient contanter, car ilz avoient bien deliberé de faire valloir ce Sepulcre et en tirer autant d'argent [789] que du crucifix [790] qui est sur leur pupiltre [c], lequel on dict avoir parlé, mais la comedie print fin pour la congnoissance de la sottise d'une femme.

« Si chascun congnoissoit quelles sont leurs sottises, elles ne seroient pas estimées sainctes ny leurs miracles verité [791]. Vous priant, mes dames, doresnavant regarder à quelz sainctz vous baillerez vos chandelles. — C'est

a. de grandeur naturelle. — *b.* la statue. — *c.* jubé.

grande chose, dist Hircan, que, en quelque sorte que ce soit, il fault tousjours que les femmes facent mal. — Est-ce mal faict, dist Nomerfide, de porter des chandelles au Sepulcre ? — Ouy, dist Hircan, quant on mect le feu contre le front aux hommes, car nul bien ne se doibt dire bien, s'il est faict avecq mal. — Pensez que la pauvre femme cuydoit avoir faict ung beau present à Dieu d'une petite chandelle ! ce dist madame Oisille. Je ne regarde poinct la valleur du present, mais le cueur qui le presente. Peut estre que ceste bonne femme avoit plus d'amour à Dieu, que ceulx qui donnent les grandz torches, car, comme dict l'Evangile, elle donnoit de sa necessité. — Si ne croy-je pas, dist Saffredent, que Dieu, qui est souveraine sapience, sceut avoir agreable la sottise des femmes; car, nonobstant que la simplicité luy plaist, je voy, par l'Escripture, qu'il desprise l'ignorant; et, s'il commande d'estre simple comme la coulombe, il ne commande moins d'estre prudent comme le serpent. — Quant est de moy, dit Oisille, je n'estime poinct ignorante celle qui porte devant Dieu sa chandelle, ou cierge ardant, comme faisant amende honorable, les genoulx en terre et la torche au poing devant son souverain Seigneur, auquel confesse sa dannacion [a], demandant en ferme esperance la misericorde et salut. — Pleut à Dieu, dist Dagoucin, que chascun l'entendist aussy bien que vous, mais je croy que ces pauvres sottes ne le font pas à ceste intention. » Oisille leur respondit : « Celles qui moins en sçavent parler sont celles qui ont plus de sentiment de l'amour et volunté de Dieu; parquoy ne fault juger que soy-mesmes [792]. » Ennasuitte, en riant, luy dist : « Ce n'est pas chose estrange que d'avoir faict paour à ung varlet qui dormoit, car aussy basses femmes qu'elle ont bien faict paour à de bien grands princes, sans leur mectre le feu au front. — Je suis seur, dist Geburon, que vous en sçavez quelque histoire que vous voulez racompter ? Parquoy, vous tiendrez mon lieu, s'il vous plaist. — Le compte ne sera pas long, dist Ennasuitte, mais, si je le povois representer tel que advint, vous n'auriez poinct envye de pleurer. »

a. ses péchés.

SOIXANTE SIXIESME NOUVELLE

Monsieur de Vendome et ma dame la princesse de Navarre, reposans ensemble, furent une apres disnée surpris, par une vieille chambriere, pour un prothonotaire et une damoyselle qu'elle doubtoit se porter quelque amytié. Et, par ceste belle justice, fut declaré aux estrangers ce que les plus privez de la maison ignoroient [793].

L'année que monsieur de Vendosme espousa la princesse de Navarre [794], après avoir festoyé à Vendosme les Roy et Royne, leur pere et mere, s'en allerent en Guyenne avecq eulx, et, passans par la maison d'un gentil homme où il y avoit beaucoup d'honnestes et belles dames, danserent si longuement avecq la bonne compagnye, que les deux nouveaulx mariez se trouverent lassez; qui les feit retirer en leur chambre et, tous vestuz, se mirent sur leur lict, où ilz s'endormirent, les portes et fenestres fermées, sans que nul demourast avecq eulx. Mais, au plus fort de leur sommeil, ouyrent ouvryr leur porte par dehors, et, en tirant le rideau, regarda le dict seigneur, qui ce povoit estre, doubtant que ce fut quelqu'un de ses amys, qui le voulsist surprandre. Mais il veid entrer une grande vielle chamberiere, qui alla tout droict à leur lict; et, pour l'obscurité de la chambre, ne les povoit congnoistre; mais, les entrevoyant bien près de l'autre, se print à cryer : « Meschante, villaine, infame que tu es ! il y a long temps que je t'ay soupçonnée telle, mais, ne le povant prouver, l'ay esté dire à ma maistresse ! A ceste heure, est ta villenye si congneue, que je ne suis poinct deliberée de la dissimuller. Et toy, villain appostat, qui as pourchassé en ceste maison une telle honte, de mectre à mal ceste pauvre garse, si ce n'estoit pour la craincte de Dieu, je t'assommerois de coups là où tu es ! Lyeve-toy, de par le diable [795] ! lieve-toy, car encores semble-il que tu n'as poinct de honte ! » Monsieur de Vendosme et madame la princesse, pour faire durer le propos plus longuement, se cachoient le visaige l'un contre l'autre, rians si très fort que l'on ne povoit dire mot. Mais la chamberiere, voyant que pour ses menasses ne se vouloient lever [796], s'approcha plus près pour les tirer par les bras. A l'heure, elle congneut tant aux visaiges que aux habillemens, que ce n'estoit poinct ce qu'elle cherchoit. Et, en les recongnoissant, se gecta à genoulx, les supliant luy pardonner la faulte qu'elle avoit faicte de leur oster leur repos. Mais monsieur de Vendosme, non contant d'en sçavoir si peu, se leva incontinant, et pria la vielle de luy dire pour qui elle les avoit prins; ce que soubdain ne voulut dire, mais, en fin, après avoir prins son serment de ne jamais le reveler, luy declara que c'estoit une damoiselle de leans, dont ung prothonotaire [797] estoit amoureux; et que long temps elle y avoit faict le guet, pour ce qu'il lui desplaisoit que sa maistresse se confiast en ung homme qui luy pourchassoit ceste honte. Et ainsy les prince et princesse enfermez, comme elle les avoit trouvez, furent long temps à rire de leur adventure. Et combien qu'ilz ayent racompté l'histoire, si est-ce que jamais ne voulurent nommer personne à qui elle touchast.

« Voylà, mes dames, comme la bonne dame, cuydant faire une belle justice, declara aux princes estrangiers ce que jamais les varletz privez de la maison n'avoient entendu. — Je me doubtois bien, dist Parlamente, quelle maison c'est, et qui est le prothonotaire, car il a gouverné desja assez de maisons de dames que quant il ne peult avoir la grace de la maistresse, il ne fault [a] poinct de l'avoir de l'une des damoiselles; mais, au demorant, il est honneste et homme de bien. — Pourquoy dictes-vous *au demorant*, dist Hircan, veu que c'est l'acte qu'il face dont je l'estime aultant homme de bien? » Parlamente luy respondit : « Je voy bien que vous congnoissez la malladye et le patient, et que, s'il avoit besoing d'excuse, vous ne luy fauldriez d'advocat; mais si est-ce que je ne me vouldrois fier en la maniere d'un homme qui n'a sceu conduire la sienne, sans que les chamberieres en eussent congnoissance. — Et pensez-vous, dist Nomerfide, que les hommes se soulcient que l'on le sçache, mais qu'ilz [b] viennent à leur fin? Croiez, quant nul n'en parleroit que eulx-mesmes, encores fauldroit il qu'il fust sceu. » Hircan leur dist en collere : « Il n'est pas besoing que les hommes aient dict tout ce qu'ilz sçavent. » Mais elle, rougissant, luy respondit : « Peut estre qu'ilz ne diroient chose à leur advantage [798]. — Il semble, à vous oyr parler, dist Simontault, que les hommes prennent

a. manque. — *b*. pourvu qu'ilz.

plaisir à oyr mal dire des femmes, et suis seur que vous me tenez de ce nombre-là ? Parquoy, j'ay grande envye d'en dire bien d'une, afin de n'estre de tous les autres tenu pour mesdisant. — Je vous donne ma place, dist Ennasuitte, vous priant de contraindre vostre naturel, pour faire vostre debvoir à nostre honneur. » A l'heure, Simontault commencea : « Ce n'est chose si nouvelle [799], mes dames, d'oyr dire de vous quelque acte vertueulx qui me semble ne debvoir estre celé [a], mais plus tost escript en lettres d'or, afin de servir aux femmes d'exemple et aux hommes d'admiration. Voyant en sexe fragille ce que la fragillité refuse, c'est l'occasion qui me fera racompter ce que j'ay ouy dire au cappitaine Robertval et à plusieurs de sa compaignye. »

SOIXANTE SEPTIESME NOUVELLE

Une pauvre femme, pour saubver la vie de son mary, hasarda la sienne, et ne l'abandonna jusques à la mort [800].

C'est que faisant le dict Robertval ung voiage sur la mer, duquel il estoit chef par le commandement du Roy son maistre, en l'isle de Canadas [801]; auquel lieu avoit deliberé, si l'air du païs eut esté commode, de domourer et faire villes et chasteaulx [802]; en quoy il fit tel commencement, que chacun peut sçavoir. Et, pour habituer [b] le pays de chretiens, mena avecq luy de toutes sortes d'artisans [803], entre lesquelz y avoit ung homme qui fut si malheureux, qu'il trahit son maistre et le mist en danger d'estre prins des gens du pays. Mais Dieu voulut que son entreprinse fut si tost congneue, qu'elle ne peut nuyre au cappitaine Robertval, lequel feit prendre ce meschant traistre, le voulant pugnyr comme il l'avoit merité; ce qui eut esté faict, sans sa femme qui avoit suivy son mary par les perilz de la mer; et ne le voulut habandonner à la mort, mais, avecq force larmes, feit tant, avecq le cappitaine et toute la compaignie, que, tant pour la pitié d'icelle que pour le service qu'elle leur avoit faict, luy accorda sa requeste, qui fut telle que le mary et la femme furent

a. caché. — *b.* peupler.

laissez en une petite isle, sur la mer, où il n'abitoit que bestes sauvaiges; et leur fut permis de porter avecq eulx ce dont ilz avoient necessité. Les pauvres gens, se trouvans tous seulz en la compaignye des bestes saulvaiges et cruelles, n'eurent recours que à Dieu seul, qui avoit esté toujours le ferme espoir de ceste pauvre femme. Et, comme celle qui avoit toute consolation en Dieu, porta pour sa saulve garde, norriture et consolation, le Nouveau Testament, lequel elle lisoit incessamment. Et, au demourant, avecq son mary, mectoit peine d'accoustrer ung petit logis le mieulx qu'il leur estoit possible; et, quant les lyons et aultres bestes en aprochoient pour les devorer, le mary avecq sa harquebuze, et elle, avecq des pierres, se defendoient si bien, que, non seullement les bestes ne les osoient approcher, mais bien souvent en tuerent de très bonnes à manger; ainsy, avecq telles chairs et les herbes du païs, vesquirent quelque temps. Et quant le pain leur fut failly, à la longue, le mary ne peut porter telle norriture; et, à cause des eaues qu'ilz buvoient, devint si enflé, que en peu de temps il morut, n'aiant service ne consolation que de sa femme, laquelle le servoit de medecin et de confesseur; en sorte qu'il passa joieusement de ce desert en la celeste patrie. Et la pauvre femme, demeurée seulle, l'enterra le plus profond en terre qu'il fut possible; si est-ce que les bestes en eurent incontinant le sentyment, qui vindrent pour manger la charogne. Mais la pauvre femme, en sa petite maisonnette, de coups de harquebuze, defendoit que la chair de son mary n'eust tel sepulcre. Ainsy vivant, quant au corps de vie bestiale, et, quant à l'esperit, de vie angelicque, passoit son temps en lectures, contemplations, prieres et oraisons, ayant ung esperit joieulx et content dedans ung corps emmaigry et demy mort. Mais Celluy qui n'habandonne jamais les siens, et qui, au desespoir des autres, monstre sa puissance, ne permist que la vertu qu'il avoit mise en ceste femme fut ignorée des hommes, mais voulut qu'elle fut congneue à sa gloire; et feit que, au bout de quelque temps, ung des navires de ceste armée passant devant ceste isle, les gens, qui estoient dedans adviserent quelque fumée qui leur feit souvenir de ceulx qui y avoient esté laissez, et delibererent d'aller veoir ce que Dieu en avoit faict. La pauvre femme, voiant approcher le navire, se tira au bort de la mer, auquel lieu la trouverent à leur arrivée. Et, après en avoir rendu louange à Dieu, les mena en sa pauvre maisonnette, et leur monstra de quoy elle vivoit durant sa demeure; ce que leur eust esté incroïable, sans la congnoissance qu'ilz avoient que Dieu est puissant de nourrir en ung desert ses serviteurs, comme aux plus grands festins du monde. Et, ne povans demeurer en tel lieu, emmenerent la pauvre femme avecq eulx droict à la Rochelle, où, après ung navigage, ilz arriverent [804]. Et quant ilz eurent faict entendre aux habitans la fidelité et perseverance de ceste femme, elle fut receue à grand honneur de toutes les dames, qui voluntiers luy baillerent leurs filles pour aprendre à lire et à escripre. Et, à cest honneste mestier-là, gaingna le surplus de sa vie, n'aiant autre desir que d'exhorter ung chascun à l'amour et confiance de Nostre Seigneur, se proposant pour exemple par la grande misericorde dont il avoit usé envers elle [805].

« A ceste heure, mes dames, ne povez-vous pas dire que je ne loue bien les vertuz que Dieu a mises en vous, lesquelles se monstrent plus grandes que le subgect est plus infirme ? — Mais ne sommes pas marries, dist Oisille, dont vous louez les graces de Nostre Seigneur en nous, car, à dire vray, toute vertu vient de luy; mais il fault passer condemnation que aussy peu favorise l'homme à l'ouvrage de Dieu, que la femme, car l'ung et l'autre, par son cueur et son vouloir, ne faict rien que planter, et Dieu seul donne l'accroissement. — Si vous avez bien veu l'Escripture, dist Saffredent, sainct Pol dist que : « Apollo a planté, et qu'il a arrousé [806] »; mais il ne parle poinct que les femmes ayent mis les mains à l'ouvraige de Dieu. — Vous vouldriez suyvre, dist Parlamente, l'opinion des mauvais hommes qui prennent ung passaige de l'Escripture pour eulx et laissent celluy qui leur est contraire. Si vous avez leu sainct Pol jusques au bout, vous trouverez qu'il se recommande aux dames, qui ont beaucoup labouré avecq luy en l'Evangille [807]. — Quoy qu'il y ait, dist Longarine, ceste femme est bien digne de louange, tant pour l'amour qu'elle a porté à son mary, pour lequel elle a hazardé sa vie, que pour la foy qu'elle a eu à Dieu, lequel, comme nous voyons, ne l'a pas habandonnée. — Je croy, dist Ennasuitte, quant au premier, il n'y a femme icy qui n'en voulust faire autant pour saulver la vie de son mary. — Je croy, dist Parlamente, qu'il y a des mariz qui sont si bestes, que celles qui vivent avecq eulx ne doibvent poinct trouver estrange de vivre avecq leurs semblables [808]. » Ennasuitte ne se peut tenir de dire, comme prenant le propos pour elle : « Mais que les bestes ne me mordent poinct, leur compaignye m'est plus plaisante que des hommes qui sont colleres et insuportables. Mais je suyvrai mon propos, que, si mon mary estoit en tel dangier, je ne l'habandonnerois, pour morir. — Gardez-vous, dist Nomerfide, de l'aymer tant : trop d'amour trompe et luy et vous, car partout il y a le moien; et, par faulte d'estre bien entendu, souvent engendre hayne par amour. — Il me semble, dist Simontault, que vous n'avez poinct mené ce propos si avant, sans le confirmer de quelque exemple. Parquoy, si vous en sçavez, je vous donne ma place pour le dire. — Or doncques, dist Nomerfide, selon ma coustume, je vous le diray court et joieulx. »

SOIXANTE HUICTIESME NOUVELLE

La femme d'un apothicaire, voyant que son mary ne faisoit pas grand compte d'elle, pour en estre mieulx aymée, pratiqua le conseil qu'il avoit donné à une sienne commere, malade de mesme maladye qu'elle, dont elle ne se trouva si bien qu'elle; et s'engendra hayne pour amoui [809].

En la ville de Pau en Bearn, eust ung appothicaire que l'on nommoit maistre Estienne, lequel avoit espousé une femme bonne mesnagiere et de bien et assez belle pour le contenter. Mais, ainsy qu'il goustoit de differentes drogues, aussy faisoit-il de differentes femmes, pour sçavoir mieulx parler de toutes complexions; dont sa femme estoit tant tormentée, qu'elle perdoit toute patience, car il ne tenoit compte d'elle, sinon la sepmaine saincte par penitence. Ung jour, estant l'apothicaire en sa bouitcque, et sa femme cachée derrière luy, escoutant ce qu'il disoit, vint une femme, commere de cest appothicaire, frappée de mesme malladye comme sa femme, laquelle en soupirant dist à l'appothicaire : « Helas, mon compere, mon amy, je suis la plus malheureuse femme du monde, car j'ayme mon mary plus que moy-mesme, et ne faictz que penser à le servir et obeyr; mais tout mon labeur est perdu, pour ce qu'il ayme mieulx la plus meschante, plus orde [a] et salle de la ville que moy. Et je vous prie, mon compere, si vous sçavez poinct quelque drogue qui luy peut changer sa complexion, m'en vouloir bailler; car, si je suys bien traictée de luy, je vous asseure de le vous randre de tout mon povoir. » L'appoticaire, pour la consoller [810], luy dist qu'il sçavoit d'une pouldre que, si elle en donnoit avecq ung bouillon ou une rostie [b], comme pouldre de duc, à son mary, il luy feroit la plus grande chere du monde. La pauvre femme, desirant veoir ce miracle, lui demanda que c'estoit et si elle en pourroit recouvrer. Il luy declara qu'il n'y avoit rien que de la pouldre de cantarides, dont il avoit bonne provision; et, avant que partir d'ensemble, le contraingnit d'accoustrer [c] ceste pouldre; et en print ce qu'il luy faisoit de mestier [d], dont depuis elle le mercia plusieurs foys, car son mary, qui estoit fort et puissant et qui n'en print pas trop, ne s'en trouva poinct pis. La femme de l'appothicaire entendit tout ce discours; et pensa en elle-mesmes qu'elle avoit necessité de ceste recepte aussy bien que sa commere. Et, regardant au lieu où son mary mectoit le demourant de la pouldre, pensa qu'elle en useroit quant elle en verroit l'occasion; ce qu'elle feit avant trois ou quatre jours, que son mary sentyt une froideur d'estomac, la priant luy faire quelque bon potaige; mais elle luy dict que une rottie à la pouldre de duc luy seroit plus profitable. Et luy commanda de luy en aller bientost faire une et prendre de la synammome et du sucre en la bouticque; ce qu'elle feit et n'oblia le demourant de la pouldre qu'il avoit baillée à sa commere, sans regarder doze, poix ne mesure [811]. Le mary mengea la rostie, et la trouva très bonne; mais bientost s'apperceut de l'effet, qu'il cuyda appaiser avecq sa femme; ce qu'il ne fut possible, car le feu le brusloit si très fort, qu'il ne sçavoit de quel costé se tourner, et dist à sa femme qu'elle l'avoit empoisonné et qu'il vouloit sçavoir qu'elle avoit mys en sa rostye. Elle luy confessa la verité et qu'elle avoit aussy bon mestier [e] de ceste recette, que sa commere. Le pauvre apothicaire ne la sceut batre que d'injures, pour le mal en quoy il estoit; mais la chassa de devant luy et envoya prier l'appothicaire

a. malpropre, repoussante. — *b.* rôti. — *c.* préparer. — *d.* suivant la quantité qu'il lui disait être nécessaire. — *e.* grand besoin.

de la Royne de Navarre de le venir visiter. Lequel luy bailla tous les remedes propres pour le guerir; ce qu'il feit en peu de temps, le reprenant très aprement, dont il estoit si sot de conseiller à aultruy de user des drogues qu'il ne vouloit prendre pour luy; et que sa femme avoit faict ce qu'elle debvoit, veu le desir qu'elle avoit de se faire aymer de luy. Ainsy fallut que le pauvre homme print patience de sa follye et qu'il recongneust avoir esté justement pugny de faire tumber sur luy la mocquerie qu'il preparoit à aultruy.

« Il me semble, mes dames, que l'amour de ceste femme n'estoit moins indiscrete que grande. — Appellez-vous aymer son mary, dist Hircan, de luy faire sentyr du mal, pour le plaisir qu'elle esperoit avoir ? — Je croy, dict Longarine, qu'elle n'avoit intention que de recouvrer l'amour de son mary, qu'elle pensoit bien esgarée. Pour ung tel bien, il n'y a rien que les femmes ne facent. — Si est-ce, dist Geburon, que une femme ne doibt donner à boyre et à manger à son mary, pour quelque occasion que ce soyt, qu'elle ne sçaiche, tant par experience que par gens sçavans, qu'il ne lui puisse nuyre; mais il fault excuser l'ignorance. Ceste-là est excusable, car la passion plus aveuglante, c'est l'amour, et la personne la plus aveuglée, c'est la femme qui n'a pas la force de conduire saigement ung si grand faiz [812]. — Geburon, dist Oisille, vous saillez hors [a] de vostre bonne coustume, pour vous rendre de l'opinion de voz compaignons. Mais si a-il des femmes qui ont porté l'amour et la jalousie patiemment. — Ouy, dist Hircan, et plaisamment, car les plus saiges sont celles qui prennent autant de passetemps à se mocquer des œuvres de leurs mariz, comme les mariz de les tromper secretement, et, si vous me voulez donner le rang, afin que madame Oisille ferme le pas à ceste Journée, je vous en diray une dont toute la compaignye a congneu la femme et le mary. — Or commencez doncques, dist Nomerfide. » Et Hircan, en riant, leur dist :

a. rompez avec.

SOIXANTE NEUFVIESME NOUVELLE

Une damoyselle fut si saige, qu'ayant trouvé son mary blutant en l'habit de sa chambriere, qu'il attendoit soubz espoir d'en obtenir ce qu'il en prouchassoit, ne s'en feit que rire et passa joyeusement son temps de sa folye [813].

Au chasteau d'Odoz [814] en Bigorre, demoroit ung escuier d'escuyrie du Roy, nommé Charles [815], Italien, lequel avoit espousé une damoiselle, fort femme de bien et honneste; mais elle estoit devenue vielle, après luy avoir porté plusieurs enfans. Luy aussy n'estoit pas jeune; et vivoit avecq elle en bonne paix et amityé. Quelques foys, il parloit à ses chamberieres, dont sa bonne femme ne faisoit nul semblant; mais doulcement leur donnoit congé quant elle les congnoissoit trop privées [816] en la maison. Elle en print ung jour une qui estoit saige et bonne fille, à laquelle elle dist les complexions [a] de son mary et les siennes, qui les chassoit aussitost qu'elle les congnoissoit folles. Ceste chamberiere, pour demourer au service de sa maistresse en bonne estime, se delibera d'estre femme de bien. Et, combien que souvent son maistre luy tint quelques propos au contraire, n'en voulut tenir compte, et le racompta tout à sa maistresse; et toutes deux passoient le temps de la follye de luy. Un jour que la chamberiere beluttoit [b] en la chambre de derriere, ayant son sarot [c] [817] sur la teste, à la mode du pays (qui est faict comme ung cresmeau [d], mais il couvre tout le corps et les espaulles par derriere), son maistre, la trouvant en cest habillement, la vint bien fort presser. Elle, qui, pour mourir n'eust faict ung tel tour, feit semblant de s'accorder à luy; toutesfoys, luy demanda congé d'aller veoir, premier, si sa maistresse s'estoit poinct amusée à quelque chose, afin de n'estre tous deux surprins; ce qu'il accorda. Alors, elle le pria de mectre son sarot [818] en sa teste et de beluter en son absence, afin que sa maistresse ouyt tousjours le son de son beluteau [e]. Ce qu'il feit fort joieusement, aiant esperance d'avoir ce qu'il demandoit. La chamberiere, qui n'estoit poinct melencolicque, s'en courut à sa maistresse, lui disant :

a. caractère, habitudes. — *b.* blutait du blé. — *c.* sarreau, sorte de blouse. — *d.* sorte de bonnet ou de béguin. — *e.* blutoir.

« Venez veoir vostre bon mary, que j'ay aprins à beluter pour me deffaire de luy. » La femme feit bonne dilligence pour trouver ceste nouvelle chamberiere. En voiant son mary le sarot en la teste et le belluteau entre ses mains, se print si fort à rire, en frappant des mains, que à peine luy peut-elle dire : « Goujate, combien veulx-tu par moys de ton labeur ? » Le mary, oiant ceste voix et congnoissant qu'il estoit trompé, gecta par terre ce qu'il portoit et tenoit, pour courir sus à la chamberiere, l'appelant mille fois meschante, et si sa femme ne se fut mise au devant, il l'eut payée de son quartier [a]. Toutesfois, le tout s'appaisa au contentement des partyes; et puis vesquirent ensemble sans querelles [819].

« Que dictes-vous, mes dames, de ceste femme ? N'estoit-elle pas bien saige de passer tout son temps du passetemps de son mary ? — Ce n'est pas passetemps, dist Saffredent, pour le mary d'avoir failly à son entreprinse. — Je croy, dist Ennasuitte, qu'il eut plus de plaisir de rire avecq sa femme, que de se aller tuer, en l'aage où il estoit, avecq sa chamberiere. — Si me fascheroit-il bien fort, dist Simontault, que l'on me trouvast avecq ce beau cresmeau. — J'ay oy dire, dist Parlamente, qu'il n'a pas tenu à vostre femme qu'elle ne vous ayt trouvé bien près de cest habillement, quelque finesse que vous ayez, dont oncques puis elle n'eut repos. — Contentez-vous des fortunes de vostre maison, dist Simontault, sans venir chercher les myennes. Combien que ma femme n'ayt cause de se plaindre de moy, et encores que ce fut tel que vous dictes, elle ne s'en sçauroit apparcevoir, pour necessité de chose dont elle ayt besoing. — Les femmes de bien, dist Longarine, n'ont besoing d'autre chose que de l'amour de leurs mariz, qui seullement les peuvent contenter; mais celles qui cherchent ung contentement bestial, ne le trouveront jamais où honnesteté le commande. — Appelez-vous contentement bestial, dit Geburon, si la femme veult avoir de son mary ce qui luy appartient ? » Longarine lui respondit : « Je dis que la femme chaste, qui a le cueur remply de vray amour, est plus satisfaicte d'estre aymée parfaitement, que de tous les plaisirs que le corps peult desirer [820]. — Je suis de vostre

a. payé ses gages pour la renvoyer.

opinion, dist Dagoucin, mais ces seigneurs icy ne le veullent entendre ne confesser. Je pense que, si l'amour reciprocque ne contente pas une femme, le mary seul ne la contentera pas; car, en vivant de l'honneste amour des femmes, fault qu'elle soyt tentée de l'infernale cupidité des bestes. — Vrayement, dist Oisille, vous me faictes souvenir d'une dame belle et bien maryée, qui, par faulte de vivre de ceste honneste amityé, devint plus charnelle que les pourceaulx et plus cruelle que les lyons. — Je vous requiers, ma dame, ce dist Simontault, pour mectre fin à ceste Journée, la nous vouloir compter. — Je ne puys, dist Oisille, pour deux raisons : l'une pour sa grande longueur; l'autre, pour ce que n'est pas de nostre temps; et si a esté escripte par ung autheur qui est bien croyable, et nous avons juré de ne rien mectre icy qui ayt esté escript. — Il est vray, dit Parlamente, mais, me doubtant du compte que c'est, il a esté escript en si viel langaige, que je croys que, hors mis nous deux, il n'y a icy homme ne femme qui en ayt ouy parler; parquoy sera tenu pour nouveau. » Et, à sa parolle, toute la compaignye la pria de le voloir dire, et qu'elle ne craingnist la longueur, car encores une bonne heure pouvoient demorer avant vespres. Madame Oisille à leur requeste commencea ainsy :

SOIXANTE DIXIESME NOUVELLE

La duchesse de Bourgongne, ne se contentant de l'amour que son mary lui portoit, print en telle amytié un jeune gentil homme, que, ne luy ayant peu faire entendre par mines et œillades son affection, luy declara par paroles : dont elle eut mauvaise issue [821].

En la duché de Bourgoingne, y avoit ung duc [822], très honneste et beau prince, aiant espouzé une femme dont la beaulté le contentoit si fort, qu'elle luy faisoit ignorer ses conditions, tant, qu'il ne regardoit que à luy complaire; ce qu'elle faingnoit très bien luy rendre. Or avoit le duc en sa maison ung gentil homme, tant accomply de toutes les perfections que l'on peult demander à l'homme, qu'il estoit de tous aymé, et principallement du duc, qui dès son enffance l'avoit nourry près sa personne; et, le voiant si bien conditionné, l'aymoit parfaictement et se confyoit en luy de toutes les affaires, que selon son aage il povoit entendre. La duchesse, qui n'avoit pas le cueur de femme et princesse vertueuse, ne se contantant de l'amour que son mary lui portoit, et du bon traictement qu'elle avoit de luy, regardoit souvent ce gentil homme, et le trouvoit tant à son gré, qu'elle l'aymoit oultre raison; ce que à toute heure mectoit peyne de luy faire entendre, tant par regardz piteulx [a] et doulx, que par souspirs et contenances passionnés. Mais le gentil homme, qui jamais n'avoit estudyé que à la vertu, ne povoit congnoistre le vice en une dame qui en avait si peu d'occasion; tellement que oeillades et mynes de ceste pauvre folle n'apportoient aultre fruict que ung furieux desespoir; lequel, ung jour, la poussa tant, que, oubliant qu'elle estoit femme qui debvoit estre priée et refuser, princesse qui debvoit estre adorée, desdaignant telz serviteurs, print le cueur d'un homme transporté pour descharger le feu qui estoit importable [b]. Et, ainsy que son mary alloit au conseil, où le gentil homme, pour sa jeunesse, n'estoit poinct, luy fit signe qu'il vint devers elle; ce qu'il feit, pensant qu'elle eust à luy commander quelque chose. Mais, en soupirant sur son bras, comme femme lassée de trop de repos, le mena pourmener en une gallerie, où elle luy dist : « Je m'esbahys de vous, qui estes tant beau, jeune et tant plain de toute bonne grace, comme vous avez vescu en ceste compaignye, où il y a si grand nombre de belles dames, sans que jamais vous ayez esté amoureux ou serviteur d'aucune? » Et, en le regardant du meilleur oeil qu'elle povoit, se teut pour lui donner lieu de dire : « Madame, si j'estois digne que votre haultesse se peust abbaisser à penser à moy, ce vous seroit plus d'occasion d'esbahissement de veoir ung homme, si indigne d'estre aymé que moy, presenter son service, pour en avoir refuz ou mocquerie. » La duchesse, ayant oy ceste saige response, l'ayma plus fort que paravant, et luy jura qu'il n'y avoit dame en sa court, qui ne fut trop heureuse d'avoir ung tel serviteur; et qu'il se povoit bien essayer à telle advanture, car, sans peril, il en sortiroit à son honneur. Le gentil homme tenoit tousjours les oeilz baissez, n'osant regarder ses contenances qui estoient assez ardantes pour faire brusler une glace;

a. inspirant la pitié. — *b.* insupportable.

et ainsy qu'il se vouloit excuser, le duc demanda la duchesse pour quelque affaire, au conseil, qui luy touchoit, où avec grand regret elle alla. Mais le gentil homme ne feit jamais ung seul semblant d'avoir entendu parolle qu'elle luy eust dicte; dont elle estoit si troublée et faschée, qu'elle n'en sçavoit à qui donner le tort de son ennuy, sinon à la sotte craincte, dont elle estimoit le gentil homme trop plain. Peu de jours après, voiant qu'il n'entendoit poinct son langaige, se delibera de ne regarder craincte ny honte, mais luy declarer sa fantaisie, se tenant seure que une telle beaulté que la sienne ne pourroit estre que bien receue; mais elle eust bien desiré d'avoir eu l'honneur d'estre priée. Toutesfois, laissa l'honneur à part, pour le plaisir; et, après avoir tenté par plusieurs foys de luy tenir semblables propos que le premier, et n'y trouvant nulle response à son grey, le tira ung jour par la manche et luy dist qu'elle avoit à parler à luy d'affaires d'importance. Le gentil homme, avec l'humilité et reverance qu'il luy debvoit, s'en vat devers elle en une profonde fenestre où elle s'estoit retirée. Et, quant elle veid que nul de la chambre ne la povoit veoir, avecq une voix tremblante, contraincte entre le desir et la craincte, luy vat continuer les premiers propos, le reprenant de ce qu'il n'avoit encores choisy quelque dame en sa compaignye, l'asseurant que, en quelque lieu que ce fust, luy ayderoit d'avoir bon traictement. Le gentil homme, non moins fasché que estonné de ses parolles, luy respondit : « Ma dame, j'ay le cueur si bon, que, si j'estois une foys refusé, je n'aurois jamais joye en ce monde; et je me sens tel, qu'il n'y a dame en ceste court qui daignast accepter mon service. » La duchesse, rougissant, pensant qu'il ne tenoit plus à rien qu'il ne fut vaincu, luy jura que, s'il voulloit, elle sçavoit la plus belle dame de sa compaignye qui le recepvroit à grand joye et dont il auroit parfaict contentement. « Helas, ma dame, dist-il, je ne croy pas qu'il y ait si malheureuse et aveugle femme en ceste compaignye, qui me ait trouvé à son gré ! » La duchesse, voiant qu'il n'y vouloit entendre, luy vat entreouvrir le voille de sa passion; et, pour la craincte que lui donnoit la vertu du gentil homme, parla par maniere d'interrogation, luy disant : « Si Fortune vous avoit tant favorisé que ce fut moy qui vous portast ceste bonne volunté, que diriez-vous ? » Le gentil homme, qui pensoit songer, d'oyr une telle parolle, luy dist, le genoulx à terre : « Madame, quant Dieu me fera la grace d'avoir celle du duc mon maistre et de vous, je me tiendray le plus heureux du monde, car c'est la recompense que je demande de mon loial service, comme celluy qui plus que nul autre est obligé à mectre la vie pour le service de vouz deux; estant seur, ma dame, que l'amour que vous portez à mon dict seigneur est accompagnée de telle chasteté et grandeur, que non pas moy, qui ne suys que ung vert de terre, mais le plus grand prince et parfaict homme que l'on sçauroit trouver ne sçauroit empescher l'unyon de vous et de mon dict seigneur. Et quant à moy, il m'a nourry dès mon enfance et m'a faict tel que je suys; parquoy il ne sçauroit avoir fille, femme, seur ou mere, desquelles, pour mourir, je voulsisse avoir autre pensée que doibt à son maistre un loial et fidelle serviteur. » La duchesse ne le laissa pas passer oultre, et, voiant qu'elle estoit en dangier d'un refuz deshonorable, luy rompit soubdain son propos, en lui disant : « O meschant, glorieux et fol, et qui est-ce qui vous en prie ? Cuydez-vous, par vostre beaulté, estre aymé des mouches qui vollent ? Mais, si vous estiez si oultrecuydé de vous addresser à moy, je vous monstrerois que je n'ayme et ne veulx aymer autre que mon mary; et les propos que je vous ay tenu n'ont esté que pour passer mon temps à sçavoir de voz nouvelles, et m'en mocquer comme je faictz des sotz amoureux. — Ma dame, dist le gentil homme, je l'ay creu et croys comme vous le dictes. » Lors, sans l'escouter plus avant, s'en alla hastivement en sa chambre, et voiant qu'elle estoit suivye de ses dames, entra en son cabinet où elle feit ung deuil qui ne se peut racompter; car, d'un costé, l'amour où elle avoit failly luy donna une tristesse mortelle; d'autre costé, le despit, tant contre elle d'avoir commencé ung si sot propos, que contre luy d'avoir si saigement respondu, la mectoit en une telle furie, que une heure se voulloit deffaire [a], l'autre elle vouloit vivre pour se venger de celluy qu'elle tenoit son mortel ennemy.

Après qu'elle eut longuement pleuré, faingnit d'estre mallade, pour n'aller poinct au souper du duc, auquel ordinairement le gentil homme servoit. Le duc, qui plus aymoit sa femme que luy-mesmes, la vint visiter; mais,

a. se détruire, se donner la mort.

pour mieulx venir à la fin qu'elle pretendoit, lui dist qu'elle pensoit estre grosse et que sa grossesse luy avoit faict tomber ung rugme dessus les oeilz, dont elle estoit en fort grand peyne. Ainsy passerent deux ou trois jours, que la duchesse garda le lict, tant triste et melencolicque, que le duc pensa bien qu'il y avoit autre chose que la grossesse. Et vint coucher la nuyct avecq elle, et luy faisant toutes les bonnes cheres qu'il luy estoit possible, congnoissant qu'il n'empeschoit en riens ses continuelz souspirs, luy dist : « M'amye, vous sçavez que je vous porte autant d'amityé que à ma propre vie; et que, defaillant la vostre, la myenne ne peult durer; par quoy, si vous voulez conserver ma santé, je vous prie, dictes-moy la cause qui vous faict ainsy souspirer, car je ne puis croire que tel mal vous vienne seullement de la grossesse. » La duchesse, voiant son mary tel envers elle qu'elle l'eut sceu demander, pensa qu'il estoit temps de se venger de son despit, et, en embrassant son mary, se print à pleurer, luy disant : « Helas, monsieur, le plus grand mal que j'aye, c'est de vous veoir trompé de ceulx qui sont tant obligez à garder vostre bien et honneur. » Le duc, entendant ceste parolle, eut grand desir de sçavoir pourquoy elle lui disoit ce propos; et la pria fort de luy declarer sans craincte la verité. Et, après en avoir faict plusieurs refuz, luy dist : « Je ne m'esbahiray jamais, monsieur, si les estrangiers font guerre aux princes, quant ceulx qui sont les plus obligez l'osent entreprendre si cruelle, que la perte des biens n'est rien au pris. Je le dis, monsieur, pour ung tel gentil homme (nommant celluy qu'elle hayssoit), lequel, estant nourry de vostre main, et traicté plus en parent et en filz que en serviteur, a osé entreprendre chose si cruelle et miserable que de pourchasser à faire perdre l'honneur de vostre femme où gist celluy de vostre maison et de vos enfanz. Et, combien que longuement m'ait faict des mynes tendant à sa meschante intention, si est-ce que mon cueur, qui n'a regard que à vous, n'y povoit rien entendre; dont à la fin s'est declaré par parolle. A quoy je lui ay faict telle responce que mon estat et ma chasteté devoient. Ce neantmoins, je luy porte telle hayne, que je ne le puis regarder : qui est la cause de m'avoir faict demorer en ma chambre et perdre le bien de vostre compaignye, vous supliant, monseigneur, de ne tenir une telle peste auprès de vostre personne; car, après ung tel crime, craingnant que je vous le dye, pourroit bien entreprendre pis. Voylà, monsieur, la cause de ma douleur, qui me semble estre très juste et digne que promptement y donniez ordre. » Le duc, qui d'un costé aymoit sa femme et se sentoit fort injurié, d'austre costé aymant son serviteur, duquel il avoit tant experimenté la fidelité, que à peine povoit-il croyre ceste mensonge estre verité, fut en grand peyne et remply de colere : s'en alla en sa chambre, et manda au gentil homme qu'il n'eut plus à se trouver devant luy, mais qu'il se retirast en son logis pour quelque temps. Le gentil homme, ignorant de ce l'occasion, fut tant ennuyé qu'il n'estoit possible de plus, sçachant avoir merité le contraire d'un si mauvays traictement. Et, comme celluy qui estoit asseuré de son cueur et de ses oeuvres, envoya ung sien compaignon parler au duc et porter une lettre, le supliant très humblement que, si par mauvais rapport, il estoit esloigné de sa presence, il lui pleut suspendre son jugement jusques après avoir entendu de lui la verité du faict et qu'il troveroit que, en nulle sorte, il ne l'avoit offensé. Voiant ceste lettre, le duc rapaisa ung peu sa collere et secretement l'envoia querir en sa chambre, auquel il dist d'un visaige furieux : « Je n'eusse jamais pensé que la peyne que j'ay prins de vous nourrir, comme enfant, se deut convertir en repentance de vous avoir tant advancé, veu que vous m'avez pourchassé ce qui m'a esté plus dommageable que la perte de la vie et des biens, d'avoir voulu toucher à l'honneur de celle qui est la moictyé de moy, pour rendre ma maison et ma lignée infame à jamais. Vous pouvez penser que telle injure me touche si avant au cueur, que, si ce n'estoit le doubte que je faictz s'il est vray ou non, vous fussiez desja au fond de l'eaue, pour vous rendre en secret la pugnition du mal que en secret m'avez pourchassé. » Le gentil homme ne fut poinct estonné de ces propos, car son ignorance le faisoit constamment parler; et luy suplia luy vouloir dire qui estoit son accusateur, car telles parolles se doibvent plus justifier avecq la lance, que avec la langue. « Vostre accusateur, dist le duc, ne porte autres armes que la chasteté; vous asseurant que nul austre que ma femme mesmes ne me l'a declaré, me priant la venger de vous. » Le pauvre gentil homme, voyant la très grande malice de la dame, ne la voulut toutesfoys accuser, mais respondit : « Monseigneur, ma dame peult dire ce qui lui plaist. Vous la congnoissez mieulx que moi; et sçavez si jamais je l'ay veue hors de vostre compaignie, sinon une foys qu'elle parla bien peu à moy. Vous avez aussy bon jugement que prince qui soit [823]; parquoy je vous suplye, monseigneur, juger si jamais vous avez veu en moy contenance qui vous ait peu engendrer quelque soupson. Si est-ce ung feu qui ne se peut si longuement couvrir, que quelquefoys ne soit congneu de ceulx qui ont pareille maladye. Vous supliant, monseigneur, croyre deux choses de moy : l'une que je vous suis si loial, que, quant madame vostre femme seroit la plus belle creature du monde, si n'auroit amour la puissance de mectre tache à mon honneur et fidelité; l'autre est que, quant elle ne seroit poinct vostre femme, c'est celle que je veis oncques dont je serois aussy peu amoureux; et y en a assez d'aultres, où je mectrois plus tost ma fiance. » Le duc commencea à s'adoulcir, oyant ce veritable propos, et luy dist : « Je vous asseure aussy que je ne l'ay pas creue; parquoy faictes comme vous aviez accoustumé, vous asseurant que, si je congnois la verité de vostre costé, je vous aymeray mieulx que je ne feiz oncques; aussy, par le contraire, vostre vie est en ma main. » Dont le gentil homme le mercia, se soubmectant à toute peyne et punition, s'il estoit trouvé coulpable.

La duchesse, voiant le gentil homme servir comme il avoit accoustumé, ne le peut porter en patience, mais dist à son mary : « Ce seroit bien employé, monseigneur, si vous estiez empoisonné, veu que vous avez plus de fiance en vos ennemys mortelz, que en voz amys. — Je vous prie, m'amye, ne vous tormentez poinct de ceste affaire; car, si je congnois que ce que vous m'avez dict soit vray, je vous asseure qu'il ne demeurera pas en vie vingt-quatre heures; mais il m'a tant juré le contraire, veu aussy que jamais ne m'en suis aparceu, que je ne le puis croyre sans grand preuve. — En bonne foy, monseigneur, lui dist-elle, vostre bonté rend sa meschanceté plus grande. Voulez-vous plus grande preuve, que de veoir ung homme tel que luy, sans jamais avoir bruict d'estre d'amoureux ? Croiez, monsieur, que sans la grande entreprinse qu'il avoit mise en sa teste de me servir, il n'eut tant demouré à trouver maistresse, car oncques jeune homme ne vesquit en si bonne compaignye, ainsy solitaire, comme il faict, sinon qu'il ait le cueur en si hault lieu, qu'il se contante de sa vaine esperance. Et, puisque vous pensez qu'il ne vous celle verité, je vous supplye, mectez-le à serment de son amour, car, s'il en aymoit une aultre, je suis contente que vous le croyez; et sinon, pensez que je vous dictz verité. » Le duc trouva les raisons de sa femme très bonnes, et mena le gentil homme aux champs, auquel il dist : « Ma femme me continue tousjours ceste opinion et m'alegue une raison qui me cause ung grand soupson contre vous; c'est que l'on s'esbahit que, vous estant si honneste et jeune, n'avez jamais aymé, que l'on ayt sceu : qui me faict penser que vous avez l'opinion qu'elle dict, de laquelle l'esperance vous rend si content, que vous ne povez penser en une autre femme. Parquoy, je vous prie, comme amy, et vous commande, comme maistre, que vous aiez à me dire, si vous estes serviteur de nulle dame de ce monde. » Le pauvre gentil homme, combien qu'il eut bien voulu dissimuler son affection autant qu'il tenoit chere sa vie, fut contrainct, voiant la jalousie de son maistre, lui jurer que veritablement il en aymoit une, de laquelle la beaulté estoit telle, que celle de la duchesse ne toute sa compaignye n'estoit que laydeur auprès, le supliant ne le contraindre jamais de la nommer; car l'accord de luy et de s'amye estoit de telle sorte qu'il ne se povoit rompre, sinon par celluy qui premier le declareroit. Le duc luy promit de ne l'en presser poinct, et fut tant content de luy, qu'il luy feit meilleure chere qu'il n'avoit poinct encores faict. Dont la duchesse s'aperceut très bien, et, usant de finesse accoustumée, mist peyne d'entendre l'occasion. Ce que le duc ne lui cella : d'où avecques sa vengeance s'engendra une forte jalousie, qui la feit supplier le duc de commander au gentil homme de luy nommer ceste amye, l'asseurant que c'estoit ung mensonge et le meilleur moien que l'on pourroit trouver pour l'asseurer de son dire, mais que, s'il ne luy nommoit celle qu'il estimoit tant belle, il estoit le plus sot prince du monde, s'il adjoustoit foy à sa parolle. Le pauvre seigneur, duquel la femme tournoit l'opinion comme il luy plaisoit, s'en alla promener tout seul avecq ce gentil homme, luy disant qu'il estoit encores en plus grande peyne qu'il n'avoit esté, car il se doubtoit fort qu'il luy avoit baillé une excuse pour le garder de soupsonner la verité, qui le tormentoit plus que jamais; pourquoy lui pria autant qu'il estoit possible de luy declarer celle qu'il aymoit si fort. Le pauvre gentil homme le suplia de ne luy faire faire une telle faulte envers celle qu'il aymoit, que de luy faire rompre la promesse qu'il luy avoit faicte et tenue si long temps, et de luy faire perdre ung jour ce qu'il avoit conservé plus de sept ans; et qu'il aymoit mieulx endurer la mort, que de faire ung tel tort à celle qui luy estoit si loialle. Le duc, voiant qu'il ne luy voulloit dire, entra en une si forte jalousye, que avec ung visaige furieux luy dist : « Or, choisissez de deux choses l'une : ou de me dire celle que vous aymez plus que toutes, ou de vous en aller banny des terres où j'ay auctorité, à la charge que, si je vous y trouve huict jours passez, je vous feray morir de cruelle mort. » Si jamais douleur saisit cueur de loial serviteur, elle print celluy de ce pauvre gentil homme, lequel povoit bien dire : *Angustiæ sunt mihi undique* [824], car d'un costé il voyoit que en disant verité il perdroit s'amye, si elle sçavoit que par sa faulte luy failloit de promesse; aussy, en ne la confessant, il estoit banny du pays où elle demoroit et n'avoit plus de moien de la veoir. Ainsy, pressé des deux costez, luy vint une sueur froide comme celle qui par tristesse approchoit de la mort. Le duc, voiant sa contenance, jugea qu'il n'aymoit nulle dame, fors que la sienne, et que, pour n'en povoir nommer d'aultre, il enduroit telle passion; parquoi luy dist assez rudement : « Si vostre dire estoit veritable, vous n'auriez tant de peyne à la me declarer, mais je croy que vostre offence vous tourmente. » Le gentil homme, picqué de ceste parolle et poulsé de l'amour qu'il luy portoit, se delibera de luy dire verité, se confiant que son maistre estoit tant homme de bien, que pour rien ne le vouldroit reveler. Se mectant à genoulx, devant luy, et les mains joinctes, luy dist : « Mon seigneur, l'obligation que j'ay à vous et le grand amour que je vous porte me force plus que la paour de nulle mort, car je vous voy telle fantaisie et faulse oppinion de moy, que, pour vous oster d'une si grande peyne, je suis deliberé de faire ce que pour nulle torment je n'eusse faict; vous supliant, mon seigneur, en l'honneur de Dieu, me jurer et promectre en foy de prince et de chrestien, que jamais vous ne revelerez le secret que, puisqu'il vous plaist, je suis contrainct de dire. » A l'heure, le duc luy jura tous les sermens qu'il se peut adviser, de jamais à creature du monde n'en reveler riens, ne par parolles, ne par escript, ne par contenance. Le jeune homme, se tenant asseuré d'un si vertueux prince, comme il le congnoissoit, alla bastir le commencement de son malheur, en luy disant : « Il y a sept ans passez, mon seigneur, que, aiant congneu vostre niepce, la dame du Vergier [825], estre vefve et sans party, mys peyne d'acquerir sa bonne grace. Et, pour ce que n'estois de maison pour l'espouser, je me contentois d'estre receu pour serviteur; ce que j'ay esté. Et a voulu Dieu que notre affaire jusques icy fut conduict si saigement, que jamais homme ou femme qu'elle et moy n'en a rien entendu; sinon maintenant vous, monseigneur, entre les mains duquel je mectz ma vye et mon honneur; vous supliant le tenir secret et n'en avoir en moindre estime madame vostre niepce, car je ne pense soubz le ciel une plus parfaicte creature. » Qui fut bien aise, ce fut le duc; car, congnoissant la très grande beaulté de sa niepce, ne doubtant plus qu'elle ne fust plus agreable que sa femme, mais ne povant entendre que ung tel mistere se peust conduire sans moien, luy pria de luy dire comment il le pourroit veoir. Le gentil homme luy compta comme la chambre de sa dame salloit [a] dans ung jardin; et que, le jour qu'il y debvoit aller, on laissoit une petite porte ouverte, par où il entroit à pied, jusques ad ce qu'il ouyt japper ung petit chien que sa dame laissoit aller au jardin, quant toutes ses femmes estoient retirées. A l'heure, il s'en alloit parler à elle toute la nuyct; et, au partir luy assignoit le jour qu'il debvoit retourner; où, sans trop grande excuse, n'avoit encores failly.

Le duc, qui estoit le plus curieux homme du monde, et qui en son temps avoit fort bien mené l'amour, tant pour satisfaire à son soupson que pour entendre une si estrange histoire, le pria de le vouloir mener avecq luy la premiere foys qu'il iroit, non comme maistre, mais comme compaignon. Le gentil homme, pour en estre si avant, luy accorda et luy dist comme ce soir-là mesmes estoit son assignation; dont le duc fut plus aise que s'il eut gaingné ung royaulme. Et, faingnant s'en aller reposer en sa garderobbe, feit venir deux chevaulx pour luy et le gentil homme, et toute la nuyct se myrent en chemyn pour aller [826] depuis Argilly [827] où le duc demoroit, jusques au Vergier [828]. Et laissans

a. ouvrait.

leurs chevaulx hors l'enclosture, le gentil homme feit entrer le duc au jardin par le petit huys, le priant demorer derriere ung noyer, duquel lieu il povoit veoir s'il disoit vray ou non. Il n'eut gueres demeuré au jardin, que le petit chien commencea à japper et le gentil homme marcha devers la tour où sa dame ne falloit à venir au devant de luy, et, le saluant et embrassant, luy dist qu'il luy sembloit avoir esté mille ans sans le veoir, et à l'heure entrerent dans la chambre et fermerent la porte sur eulx. Le duc, ayant veu tout ce mistere, se tint pour plus que satisfaict et attendit là non trop longuement, car le gentil homme dist à sa dame qu'il estoit contrainct de retourner plus tost qu'il n'avoit accoustumé, pour ce que le duc devboit aller dès quatre heures à la chasse, où il n'osoit faillir. La dame, qui aymoit plus son honneur que son plaisir, ne le voulloit retarder de faire son debvoir, car la chose que plus elle estimoit en leur honneste amityé estoit qu'elle estoit secrette devant tous les hommes. Ainsy partit ce gentil homme, à une heure après minuyct; et sa dame, en manteau et en couvrechef le conduisit, non si loing qu'elle vouloit, car il la contraingnoit de retourner, de paour qu'elle ne trouvast le duc; avecq lequel il monta à cheval et s'en retourna au chasteau d'Argilly. Et, par les chemyns, le duc juroit incessamment au gentil homme myeulx aymer morir que de reveler son secret; et print telle fiance et amour en luy, qu'il n'y avoit nul en sa court qui fut plus en sa bonne grace; dont la duchesse devint toute enragée. Mais le duc luy defendit de jamais plus luy en parler; et qu'il en sçavoit la verité, dont il se tenoit contant, car la dame qu'il aymoit estoit plus amyable qu'elle.

Ceste parolle navra si avant le cueur de la duchesse, qu'elle en print une malladye pire que la fiebvre. Le duc l'alla veoir pour la consoler, mais il n'y avoit ordre s'il ne luy disoit qui estoit ceste belle dame tant aymée; dont elle [829] luy faisoit une importunée presse, tant que le duc s'en alla hors de sa chambre, en luy disant : « Si vous me tenez plus de telz propos, nous nous separerons d'ensemble. » Ces parolles augmenterent la malladie de la duchesse, qu'elle faingnyt sentir bouger son enfant : dont le duc fut si joieulx, qu'il s'en alla coucher auprès d'elle. Mais, à l'heure qu'elle le veid plus amoureux d'elle, se tornoit de l'autre costé, luy disant : « Je vous suplye, monsieur, puisque vous n'avez amour ne à femme ne à enfant, laissez-nous morir tous deux. » Et, avecq ces parolles, gecta tant de larmes et de criz, que le duc eut grand paour qu'elle perdist son fruict. Parquoy, la prenant entre ses bras, la pria de luy dire que c'estoit qu'elle vouloit, et qu'il n'avoit rien que ce ne fust pour elle. « Ha, monseigneur, ce luy respondit-elle en pleurant, quelle esperance puis-je avoir que vous fassiez pour moy une chose difficille, quant la plus facille et raisonnable du monde, vous ne la voulez pas faire, qui est de me dire l'amye du plus meschant serviteur que vous eustes oncques ? Je pensois que vous et moy n'eussions que ung cueur, une ame et une chair. Mais maintenant je congnois bien que vous me tenez pour une estrangiere, veu que vos secretz qui ne me doibvent estre cellez, vous les cachez, comme à personne estrange [a]. Helas, monseigneur, vous m'avez dict tant de choses grandes et secrettes, desquelles jamais n'avez entendu que j'en aye parlé; vous avez tant experimenté ma volunté estre esgalle à la vostre, que vous ne povez doubter que je ne soys plus vous-mesme que moy. Et, si vous avez juré de ne dire à aultruy le secret du gentilhomme, en le me disant, ne faillez à vostre serment, car je ne suis ny ne puis estre aultre que vous : je vous ay en mon cueur, je vous tiens entre mes bras, j'ay ung enfant en mon ventre, auquel vous vivez, et ne puis avoir vostre cueur, comme vous avez le mien ! Mais tant plus je vous suys loialle et fidelle, plus vous m'estes cruel et austere : qui me faict mille foys le jour desirer, par une soubdaine mort, delivrer vostre enfant d'un tel pere, et moy, d'un tel mary : ce que j'espere bien tost, puisque vous preferez ung serviteur infidelle à vostre femme telle que je vous suys, et à la vie de la mere d'ung fruict qui est vostre, lequel s'en vat perir, ne povant obtenir de vous ce que plus desire de sçavoir. » En ce disant, embrassa et baisa son mary, arrousant son visaige de ses larmes, avec telz criz et souspirs, que le bon prince, craingnant de perdre sa femme et son enfant ensemble, se delibera de luy dire vray du tout; mais, avant, luy jura que, si jamays elle le reveloit à creature du monde, elle ne mourroit d'autre main que de la sienne : à quoy elle se condanna et accepta la pugnition. A l'heure, le pauvre deceu mary luy racompta tout ce qu'il avoit veu

a. étrangère.

depuis ung bout jusques à l'autre : dont elle feit semblant d'estre contente; mais en son cueur pensoit bien le contraire. Toutesfois, pour la crainte du duc, dissimulla le plus qu'elle peut sa passion.

Et le jour d'une grande feste, que le duc tenoit sa court, où il avoit mandé toutes les dames du pays, et entre aultres sa niepce, après le festin les dances commencerent, où chacun feit son debvoir. Mais la duchesse, qui estoit tormentée, voiant la beaulté et bonne grace de sa niepce du Vergier, ne se povoit resjoyr ny moins garder son despit d'aparoistre. Car, ayant appellé toutes les dames qu'elle feit asseoir à l'entour d'elle, commencea à relever [830] propos d'amour, et, voyant que madame du Vergier n'en parloit poinct, luy dist, avecq ung cueur creu [a] de jalousie : « Et vous, belle niepce, est-il possible que vostre beauté soit sans amy ou serviteur ? — Ma dame, ce luy respondit la dame du Vergier, ma beaulté ne m'a poinct faict de tel acquest, car, depuis la mort de mon mary, n'ay voulu autres amys que ses enfans, dont je me tiens pour contante. — Belle niepce, belle niepce, ce luy respondit madame la duchesse par ung execrable despit, il n'y a amour si secrette, qu'il ne soit sceue, ne petit chien si affaité [b] et faict à la main, duquel on n'entende le japper. » Je vous laisse penser, mes dames, quelle doulleur sentyt au cueur ceste pauvre dame du Vergier, voiant une chose tant longuement couverte estre à son grand deshonneur declarée; l'honneur, si soingneusement gardé et si malheureusement perdu, la tormentoit, mais encore plus le soupson qu'elle avoit que son amy luy eust failly de promesse; ce qu'elle ne pensoit jamais qu'il peust faire, sinon par aymer quelque dame plus belle qu'elle, à laquelle la force d'amour auroit faict declarer tout son faict. Toutesfois, sa vertu fut si grande, qu'elle n'en feit ung seul semblant, et respondit, en riant, à la duchesse qu'elle ne se congnoissoit poinct au langaige des bestes. Et, soubz ceste saige dissimullation, son cueur fut si plein de tristesse, qu'elle se leva, et, passant par la chambre de la duchesse, entra en une garde-robbe où le duc qui se pourmenoit la veid entrer. Et, quant la pauvre dame se trouva au lieu où elle pensoit estre seulle, se laissa tumber sur ung lict avecq si grande foiblesse, que une damoiselle,

a. gonflé, rempli. — *b*. habitué, dressé.

qui estoit assise en la ruelle pour dormir, se leva, regardant par à travers le rideau qui ce povoit estre; mais, voiant que c'estoit madame du Vergier, laquelle pensoit estre seulle, n'osa luy dire riens, et escouta le plus paisiblement qu'elle peut. Et la pauvre dame, avecq une voix demye morte, commencea à se plaindre et dire : « O malheureuse, quelle parolle est-ce que j'ay oye ? Quel arrest de ma mort ay-je entendu ? Quelle sentence de ma fin ai-je receue ? O le plus aymé qui oncques fut, est-ce la recompense de ma chaste, honneste et vertueuse amour ! O mon cueur, avez-vous faict une si perilleuse election et choisy pour le plus loial le plus infidelle, pour le plus veritable, le plus fainct, et pour le plus secret, le plus mesdisant ? Helas ! est-il possible que une chose cachée aux oeilz de tous les humains ait esté revelée à madame la duchesse ? Helas ! mon petit chien tant bien aprins, le seul moien de ma longue et vertueuse amityé, ce n'a pas esté vous, qui m'avez decellé, mais celluy qui a la voix plus criante que le chien abbayant, et le cueur plus ingrat que nulle beste. C'est luy qui, contre son serment et sa promesse, a descouvert l'heureuse vie, sans tenir tort à personne, que nous avons longuement menée ! O mon amy, l'amour duquel seul est entrée dedans mon cueur, avecq lequel ma vie a esté conservée, fault-il maintenant que, en vous declarant mon mortel ennemy, mon honneur soit mis au vent, mon corps en la terre, et mon âme où éternellement elle demorera ! La beaulté de la duchesse est-elle si extresme, qu'elle vous a transmué comme faisoit celle de Circée ? Vous a-elle faict venir de vertueulx vicieux, de bon mauvays, et d'homme beste cruelle ? O mon amy, combien que vous me faillez [a] de promesse, si vous tiendray de la myenne, c'est de jamais ne vous veoir, après la divulgation de nostre amityé; mais aussy, ne povant vivre sans vostre veue, je m'accorde voluntiers à l'extreme douleur que je sens, à laquelle ne veulx chercher remede ne par raison ne par medecine; car la mort seulle mectra la fin, qui me sera trop plus plaisante que demorer au monde sans amy, sans honneur et sans contentement. La guerre ne la mort ne m'ont pas osté mon amy; mon peché ne ma coulpe [b] ne m'ont pas osté mon honneur; ma faulte et mon demerite ne m'ont poinct

a. manquiez. — *b.* faute.

faict perdre mon contentement; mais c'est l'Infortune cruelle, qui rendant ingrat le plus obligé de tous les hommes, me faict recepvoir le contraire de ce que j'ay deservy. Ha ! madame la duchesse, quel plaisir ce vous a esté, quant par mocquerye, m'avez allegué mon petit chien ! Or, joyssez-vous du bien qui à moy seulle appartient ! Or, vous mocquez de celle qui pense par bien celer et vertueusement aymer estre exempte de toute mocquerye ! O ! que ce mot m'a serré le cueur, qui m'a faict rougir de honte et pallyr de jalousye ! Helas ! mon cueur, je sens bien que vous n'en povez plus : l'amour qui m'a recongneue vous brusle; la jalousie et le tort que l'on vous tient, vous glace et admortit, et le despit et le regret ne me permectent de vous donner consolation. Helas ! ma pauvre ame, qui, par trop avoir adoré la creature, avez oblié le Createur[831], il fault retourner entre les mains de Celluy duquel [a] l'amour vaine vous avoit ravie. Prenez confiance, mon ame, de le trouver meilleur pere que n'avez trouvé amy celluy pour lequel l'avez souvent oblyé. O mon Dieu, mon createur, qui estes le vray et parfaict amour, par la grace duquel l'amour que j'ay portée à mon amy n'a esté tachée de nul vice, sinon de trop aymer, je suplye vostre misericorde de recepvoir l'ame et l'esperit de celle qui se repent avoir failly à vostre premier et très juste commandement; et, par le merite de Celluy duquel l'amour est incomprehensible, excusez la faulte que trop d'amour m'a faict faire; car en vous seul j'ay ma parfaicte confiance. Et adieu, amy, duquel le nom sans effect me creve le cueur ! » A ceste parolle, se laissa tumber tout à l'envers, et lui devint la couleur blesme, les levres bleues et les extremitez froides.

En cest instant, arriva en la salle le gentil homme qu'elle aymoit; et, voiant la duchesse qui dansoit avecq les dames, regarda partout où estoit s'amye; mais, ne la voiant poinct, entra en la chambre de la duchesse, et trouva le duc qui se pourmenoit, lequel devinant sa pensée, luy dist en l'oreille : « Elle est allée en ceste garderobbe, et sembloit qu'elle se trouvoit mal. » Le gentil homme luy demanda s'il lui plaisoit bien qu'il y allast; le duc l'en pria. Ainsy qu'il entra dedans la garderobbe, trouva madame du Vergier, qui estoit au dernier pas de sa mortelle vye; laquelle il embrassa luy

a. à qui.

disant : « Qu'est-cecy, m'amye ? Me voulez vous laisser ? » La pauvre dame, oyant la voix que tant bien elle congnoissoit, print ung peu de vigueur, et ouvrit l'oeil, regardant celluy qui estoit cause de sa mort; mais, en ce regard, l'amour et le despit creurent si fort, que avec ung piteulx souspir rendit son ame à Dieu. Le gentil homme, plus mort que la morte, demanda à la damoiselle comme ceste maladie luy estoit prinse. Elle luy compta du long les parolles qu'elle luy avoit oy dire. A l'heure, il congneut que le duc avoit revelé son secret à sa femme; dont il sentit une telle fureur, que, embrassant le corps de s'amye, l'arrousa longuement de ses larmes, en disant : « O moy, traistre, meschant et malheureux amy, pourquoy est-ce que la pugnition de ma trahison n'est tumbée sur moy, et non sur elle, qui est innocente ? Pourquoy le ciel ne me fouldroya-il pas le jour que ma langue revela la secrette et vertueuse amityé de noz deux ? Pourquoy la terre ne s'ouvrit pour engloutir ce faulseur de foy ? O ma langue, pugnye sois-tu comme celle du Mauvais Riche en enfer ! O mon cueur, trop crainctif de mort et de bannissement, deschiré soys-tu des aigles perpetuellement comme celluy de Ixion ! Helas ! m'amye, le malheur des malheurs, le plus malheureux qui oncques fut, m'est advenu ! Vous cuydant garder, je vous ay perdue; vous cuydant veoir longuement vivre avec honneste et plaisant contentement, je vous ambrasse morte, mal contant de moy, de mon cueur et de ma langue jusques à l'extremité ! O la plus loyalle et fidelle femme qui oncques fut, je passe condannation d'estre le plus desloyal, muable et infidelle de tous les hommes ! Je me vouldrois voluntiers plaindre du duc, soubz la promesse duquel me suys confié, esperant par là faire durer nostre heureuse vie; mais, helas ! je debvois sçavoir que nul ne povoit garder mon secret myeulx que moy-mesmes. Le duc a plus de raison de dire le sien à sa femme que moy à luy. Je n'accuse que moy seul de la plus grande meschanceté qui oncques fut commise entre amys. Je debvois endurer estre gecté en la riviere, comme il me menassoit; au moins, m'amye, vous fussiez demorée vefve et moy glorieusement mort, observant la loy que vraye amityé commande; mais, l'ayant rompue, je demeure vif [a]; et vous, par aymer parfaictement, estes

a. vivant.

morte, car vostre cueur tant pur et nect n'a sceu porter, sans mort, de sçavoir le vice qui estoit en vostre amy. O mon Dieu ! pourquoy me creastes-vous homme, aiant l'amour si legiere et cueur tant ignorant ? Pourquoy ne me creastes-vous le petit chien qui a fidellement servy sa maistresse ? Helas, mon petit amy, la joye que me donnoit vostre japper est tournée en mortelle tristesse, puisque aultre que nous deux a oye vostre voix ! Si est-ce, m'amye, que l'amour de la duchesse ne de femme vivant ne m'a faict varier, combien que par plusieurs foys la meschante m'en ait requis et pryé ; mais ignorance m'a vaincu, pensant à jamais asseurer nostre amityé. Toutesfois, pour estre ignorant, je ne laisse d'estre coulpable, car j'ay revelé le secret de m'amye ; j'ai faulsé ma promesse, qui est la seulle cause dont je la voy morte devant mes œilz. Helas ! m'amye, me sera la mort moins cruelle que à vous, qui par amour a mis fin à vostre innocente vie. Je croy qu'elle ne daigneroit toucher à mon infidelle et miserable cueur, car la vie deshonorée et la memoire de ma perte, par ma faulte, est plus importable [a] que dix mille mortz. Helas, m'amye, si quelcun par malheur ou malice, vous eust osé tuer, promptement j'eusse mis la main à l'espée pour vous venger. C'est doncques raison que je ne pardonne à ce meurtrier, qui est cause de vostre mort par ung acte plus meschant que de vous donner ung coup d'espée. Si je sçavois un plus infame bourreau que moy-mesmes, je le prierois d'executer vostre traistre amy. O amour ! par ignoramment aymer, je vous ay offensé : aussy vous ne me voulez secourir, comme vous avez faict celle qui a gardé toutes vos loix. Ce n'est pas raison que, par ung si honneste moyen, je define [b], mais raisonnable que ce soyt par ma propre main. Puisque avecq mes larmes j'ay lavé vostre visaige et avecq ma langue vous ay requis pardon, il ne reste plus que avecq ma main je rende mon corps semblable au vostre et laisse aller mon ame où la vostre ira, sçachant que ung amour vertueux et honneste n'a jamays fin en ce monde ne en l'aultre. » Et, à l'heure, se levant de dessus le corps, comme ung homme forcené et hors du sens, tira son poignard, et, par grande violance, s'en donna au travers du cueur ; et de rechef print s'amye entre ses bras, la baisant par telle

a. insupportable. — *b.* meure.

affection, qu'il sembloit plus estre attainct d'amour que de la mort.

La damoiselle, voiant ce coup, s'en courut à la porte cryer à l'ayde. Le duc, oyant ce cry, doubtant le mal de ceulx qu'il aymoit, entra le premier dedans la garderobe; et, voiant ce piteux couple, s'essaya de les separer, pour saulver, s'il eust été possible, le gentil homme. Mais il tenoit s'amye si fortement qu'il ne fut possible de la luy oster jusques ad ce qu'il fut trespassé. Toutesfoys, entendant le duc qui parloit à luy, disant : « Helas ! qui est cause de cecy ? » avecq ung regard furieux, luy respondit : « Ma langue et la vostre [832], monseigneur. » Et, en ce disant, trespassa, son visaige joinct à celluy de s'amye. Le duc, desirant d'entendre plus avant [833], contraingnit la damoiselle de luy dire ce qu'elle en avoit veu et entendu; ce qu'elle feit tout du long, sans en espargner rien. A l'heure, le duc, congnoissant qu'il estoit cause de tout le mal, se gecta sur les deux amans mortz; et, avecq grands criz et pleurz, leur demanda pardon de sa faulte, en les baisant tous deux par plusieurs foys. Et puys, tout furieux, se leva, tira le poignard du corps du gentil homme, et, tout ainsy que ung sanglier, estant navré [a] d'un espieu, court d'une impetuosité contre celluy qui a faict le coup, ainsy s'en alla le duc chercher celle qui l'avoit navré jusques au fondz de son ame; laquelle il trouva dansant dans la salle, plus joieuse qu'elle n'avoit accoustumé, comme celle qui pensoit estre bien vengée de la dame du Vergier. Le duc la print au millieu de la dance et luy dist : « Vous avez prins le secret sur vostre vie, et sur vostre vie tombera la pugnition. » En ce disant, la print par la coeffure et luy donna du poignard dedans la gorge, dont toute la compaignie fut si estonnée, que l'on pensoit que le duc fut hors du sens. Mais, après qu'il eut parachevé ce qu'il vouloit, assembla en la salle tous ses serviteurs et leur compta l'honneste et piteuse histoire de sa niepce et le meschant tour que luy avoit faict sa femme, qui ne fut, sans faire pleurer les assistans. Après, le duc ordonna que sa femme fust enterrée en une abbaye qu'il fonda en partye pour satisfaire au peché qu'il avoit faict de tuer sa femme; et feit faire une belle sepulture où les corps de sa niepce et

a. blessé.

du gentil homme furent mys ensemble, avec une epithaphe declarant la tragedie de leur histoire. Et le duc entreprint ung voiage sur les Turcs, où Dieu le favorisa tant, qu'il en rapporta honneur et proffict, et trouva à son retour son filz aisné suffisant [a] de gouverner son bien, luy laissa tout, et s'en alla rendre religieux en l'abbaye où estoit enterrée sa femme et les deux amans, et là passa sa vieillesse heureusement avecq Dieu [834].

« Voilà, mes dames, l'histoire que vous m'avez priée de vous racompter; que je congnois bien à voz oeilz n'avoir esté entendue sans compassion. Il me semble que vous debvez tirer exemple de cecy, pour vous garder de mectre vostre affection aux hommes, car, quelque honneste ou vertueuse qu'elle soyt, elle a tousjours à la fin quelque mauvays desboire. Et vous voiez que sainct Pol, encores aux gens mariez ne veult qu'ilz aient ceste grande amour ensemble. Car, d'autant que nostre cueur est affectionné à quelque chose terrienne, d'autant s'esloigne-il de l'affection celeste; et plus l'amour est honneste et vertueuse et plus difficille en est à rompre le lien, qui me faict vous prier, mes dames, de demander à Dieu son Sainct Esperit, par lequel vostre amour soyt tant enflambée en l'amour de Dieu, que vous n'aiez poinct de peyne, à la mort, de laisser ce que vous aymez trop en ce monde. — Puisque l'amour estoit si honneste, dist Geburon, comme vous nous la paignez, pourquoy la falloit-il tenir si secrette ? — Pour ce, dist Parlamente, que la malice des hommes est telle, que jamais ne pensent que grande amour soyt joincte à honnesteté; car ilz jugent les hommes et les femmes vitieux [835], selon leurs passions. Et, pour ceste occasion, il est besoing, si une femme a quelque bon amy, oultre ses plus grands prochains parents, qu'elle parle à luy secretement, si elle y veult parler longuement; car l'honneur d'une femme est aussi bien mys en dispute, pour aymer par vertu, comme par vice, veu que l'on ne se prent que ad ce que l'on voyt. — Mais, ce dist Geburon, quant ce secret-là est decellé, l'on y pense beaucoup pis. — Je le vous confesse, dist Longarine; parquoy, c'est le meilleur du tout de n'aymer poinct. — Nous appellons de ceste

a. capable.

sentence, dist Dagoucin, car, si nous pensions les dames sans amour, nous vouldrions estre sans vie. J'entends de ceux qui ne vivent que pour l'acquerir; et, encores qu'ilz n'y adviennent, l'esperance les soustient et leur faict faire mille choses honnorables jusques ad ce que la vieillesse change ces honnestes passions [836] en autres peynes. Mais qui penseroit que les dames n'aymassent poinct, il fauldroit, en lieu d'hommes d'armes, faire des marchans; et, en lieu d'acquerir honneur, ne penser que à amasser du bien. — Doncques, dist Hircan, s'il n'y avoit poinct de femmes, vous vouldriez dire que nous serions tous meschans [837] ? Comme si nous n'avions cueur que celluy qu'elles nous donnent ! Mais je suis bien de contraire opinion, qu'il n'est rien qui plus abbate le cueur d'un homme que de hanter ou trop aymer les femmes. Et, pour ceste occasion, defendoient les Hebrieux, que, l'année que l'homme estoit marié, il n'allast poinct à la guerre, de paour que l'amour de sa femme ne le retirast des hazardz que l'on y doibt sercher. — Je trouve, dist Saffredent, ceste loy sans grande raison, car il n'y a rien qui face plustost sortir l'homme hors de sa maison, que d'estre marié, pource que la guerre de dehors n'est pas plus importable [a] que celle de dedans, et croy que, pour donner envye aux hommes d'aller en pays estranges [b] et ne se amuser en leurs fouyers, il les fauldroit marier. — Il est vray, dist Ennasuitte, que le mariage leur oste le soing de leur maison; car ilz s'en fyent à leurs femmes et ne pensent que à acquerir honneur, estans seurs que leurs femmes auront assez de soing du proffict. » Saffredent luy respondist : « En quelque sorte que ce soit, je suis bien ayse que vous estes de mon opinion. — Mais, ce dist Parlamente, vous ne debatez de ce qui est le plus à considerer : c'est pourquoy le gentil homme qui estoit cause de tout le mal ne mourut aussy tost de desplaisir, comme celle qui estoit innocente. — Nomerfide luy dist : « C'est pource que les femmes ayment mieulx que les hommes. — Mais c'est, ce dist Simontault, pource que la jalousie des femmes et le despit les faict crever, sans sçavoir pourquoy; et la prudence des hommes les faict enquerir de la verité : laquelle congneue, par bon sens, monstrent leur grand cueur, comme feit ce gentil homme, et, après

a. pénible. — *b*. à l'étranger.

avoir entendu qu'il estoit l'occasion du mal de s'amye, monstra combien il l'aymoit, sans espargner sa propre vie. — Toutesfoys, dist Ennasuitte, elle morut par vraye amour, car son ferme et loial cueur ne povoit endurer d'estre si villainement trompée. — Ce fut sa jalousie, dist Simontault, qui ne donna lieu à la raison; et creut le mal qui n'estoit poinct en son amy, tel comme elle le pensoit; et fut sa mort contrainete, car elle n'y povoit remedier; mais celle de son amy fut voluntaire, après avoir congneu son tort. — Si, fault-il, dist Nomerfide, que l'amour soyt grand, qui cause une telle douleur. — N'en ayez poinct de paour, dist Hircan, car vous ne morrez poinct d'une telle fiebvre. — Non plus, dit Nomerfide, que vous ne vous tuerez, après avoir congneu vostre offence. » Parlamente, qui se doubtoit le debat estre à ses despens, leur dist, en riant : « C'est assez que deux soient mortz d'amour, sans que l'amour en face battre deux autres, car voilà le dernier son de vespres qui nous departira, veullez ou non. » Par son conseil, la compaignie se leva, et allerent oyr vespres, n'oblians en leurs bonnes prieres les ames des vraiz amans, pour lesquelz les religieux, de leur bonne volunté, dirent ung *de Profundis*. Et, tant que le soupé dura, n'eurent aultres propos que de madame du Vergier; et, après avoir ung peu passé leur temps ensemble, chascun se retira en sa chambre, et ainsy mirent fin à la septiesme Journée.

FIN DE LA SEPTIESME JOURNÉE

LA HUICTIESME JOURNÉE

EN LA HUICTIESME JOURNÉE ON DEVISE DES PLUS GRANDES ET PLUS VERITABLES FOLYES DONT CHACUN SE PEUT AVISER [a].

PROLOGUE

Le matin venu, s'enquirent si leur pont s'advançoit fort, et trouverent que, dedans deux ou trois jours, il pourroit estre achevé, ce qui despleut à quelques ungs de la compaignie, car ilz eussent bien desiré que l'ouvrage eust duré plus longuement, pour faire durer le contantement qu'ilz avoient de leur heureuse vie; mais, voians qu'ilz n'avoient plus que deux ou trois jours de bon temps, se delibererent de ne le perdre pas, et prierent madame Oisille de leur donner la pasture spirituelle, comme elle avoit accoustumé; ce qu'elle feit. Mais elle les tint plus long temps que auparavant; car elle vouloit, avant partir, avoir mis fin à la Canonicque de sainct Jehan [838]. A quoy elle s'acquicta si très bien, qu'il sembloit que le Sainct Esperit, plain d'amour et de doulceur, parlast par sa bouche. Et, tous enflambez de ce feu, s'en allerent oyr la grand messe, et, après, disner ensemble, parlans encores de la Journée passée, se defians d'en povoir faire une aussy belle. Et, pour y donner ordre, se retirerent chascun en son logis [839] jusques à l'heure qu'ilz allerent en leur chambre des comptes [840], sur le bureau de l'herbe verte, où desjà trouverent les moynes arrivez, qui avoient prins leurs places. Quant chascun fut assis, l'on demanda qui commenceroit; Saffredent dist : « Vous m'avez faict l'honneur d'avoir commencé deux Journées; il me semble que nous ferions tort aux dames, si une seulle n'en commençoit deux. — Il fauldra doncques, dist madame Oisille, que nous demeurions icy longuement, ou que ung de vous et

a. d'où chacun peut devenir plus sage.

une de nous soit sans avoir commancé une Journée. — Quant à moy, dist Dagoucin, si j'eusse esté esleu, j'eusse donné ma place à Saffredent. — Et moy, dist Nomerfide, j'eusse donné la myenne à Parlamente, car j'ay tant accoustumé de servir, que je ne sçaurois commander. » A quoy toute la compaignye s'accorda, et Parlamente commencea ainsy : « Mes dames, nos Journées passées ont esté plaines de tant de saiges comptes, que je vous vouldrois prier que ceste-cy le soit de toutes les plus grandes follyes, et les plus veritables, que nous nous pourrions adviser. Et, pour vous mectre en train, je voys commencer. »

SOIXANTE ONZIESME NOUVELLE

La femme d'un scellier, griefvement malade, se guerit et recouvra la parole (qu'elle avoit perdue l'espace de deux jours), voyant que son mary tenoit sur un lyt trop privement sa chambriere, pendant qu'elle tiroit à la fin [841].

En la ville d'Amboise, il y avoit ung scellier, nommé Brimbaudier [842], lequel estoit sellier de la Royne de Navarre, homme duquel on povoit juger la nature, à veoir la coulleur du visaige, estre plus serviteur de Bachus que des prestres de Diane. Il avoit espouzé une femme de bien, qui gouvernoit son mesnaige très saigement : dont il se contentoit. Ung jour, on luy dist que sa bonne femme estoit mallade et en grand dangier, dont il monstra estre autant courroucé qu'il estoit possible. Il s'en alla en grande dilligence, pour la secourir. Et trouva sa pauvre femme si bas, qu'elle avoit plus de besoing de confesseur que de medecin; dont il feit ung deuil le plus piteux du monde. Mais pour bien le representer, fauldroit parler gras comme luy, et encores seroit-ce plus qui pourroit paindre son visaige et sa contenance. Après qu'il luy eut faict tous les services qu'il luy fut possible, elle demanda la croix, que on luy feit apporter. Quoy voiant, le bon homme s'alla gecter sur ung lict, tout desesperé, criant et disant avecq sa langue grasse : « Helas ! mon Dieu, je perdz ma pauvre femme ! Que feray-je, moy malheureux [843] ! » et plusieurs telles complainctes. A la fin, regardant qu'il n'y avoit personne en la chambre que une jeune chamberiere assez belle et en bon poinct, l'appella tout bas à luy, en luy disant : « M'amye, je me meurs, je suis pis que trespassé de veoir ainsy morir ta maistresse ! Je ne sçay que faire, ne que dire, sinon que je me recommande à toy; et te prie prendre le soing de ma maison et de mes enfans. Tiens les clefz, que j'ay à mon costé. Donne ordre au mesnaige, car je n'y sçaurois plus entendre [844]. » La pauvre fille, qui en eut pitié, le reconforta, le priant de se vouloir desesperer, et que, si elle perdoit sa maistresse, elle ne perdist son bon maistre. Il luy respondist : « M'amye, il n'est possible, car je me meurs. Regarde comme j'ay le visaige froid, approche tes joues des myennes, pour les me rechaulfer [845]. » Et, en ce faisant, il luy mist la main au tetin, dont elle cuyda faire quelque difficulté, mais la pria n'avoir poinct de craincte, car il fauldroit bien qu'ilz se veissent de plus près. Et, sur ces mots, la print entre ses bras, et la gecta sur le lict. Sa femme, qui n'avoit compaignye que de la croix et l'eau benoiste, et n'avoit parlé depuis deux jours, commencea, avecq sa faible voix, de crier le plus hault qu'elle peut : « Ha ! ha ! ha ! je ne suis pas encore morte ! » Et, en les menassant de la main, disoit : « Meschant, villain, je ne suis pas morte ! » Le mary et la chamberiere, oyans sa voix, se leverent; mais elle estoit si despite contre eulx, que la collere consuma l'humidité du caterre [a] qui la gardoit de parler, en sorte qu'elle leur dist toutes les injures dont elle se povoit adviser. Et, depuis ceste heure-là, commencea de guerir : qui ne fut, sans souvent reprocher à son mary le peu d'amour qu'il lui portoit [846].

« Vous voiez, mes dames, l'ypocrisye des hommes : comme pour ung peu de consolation ilz oblyent le regret de leurs femmes ! — Que sçavez-vous, dist Hircan, s'il avoit oy dire que ce fut le meilleur remede que sa femme povoit avoir ? Car, puisque par son bon traictement il ne la povoit guerir, il vouloit essaier si le contraire lui seroit meilleur : ce que très bien il experimenta. Et m'esbahys comme vous qui estes femmes, avez declairé la condition de vostre sexe, qui plus amende par despit que par doulceur. — Sans point de faulte, dist Longarine, cella [847] me feroit bien, non seullement saillir du lict, mais d'un sepulcre tel que

a. catarrhe, rhume.

celluy-là. — Et quel tort luy faisoit-il, dist Saffredent, puisqu'il la pensoit morte, de se consoler ? Car l'on sçaict bien que le lien de mariage ne peut durer sinon autant que la vie; et puis après, on est deslié. — Oui, deslié, dist Oisille, du serment et de l'obligation; mais ung bon coeur n'est jamais deslyé de l'amour. Et estoit bien tost oblié son deuil, de ne povoir actendre que sa femme eust poussé le dernier souspir. — Mais ce que je trouve le plus estrange, dist Nomerfide, c'est que, voiant la mort et la croix devant ses oeilz, il ne perdoit la volunté d'offenser Dieu. — Voylà une belle raison ! dist Symontault; vous ne vous esbahiriez doncques pas de veoir faire une folie, mais que [a] on soit loing de l'eglise et du cymetiere [848] ? — Mocquez-vous tant de moy que vous vouldrez, dist Nomerfide; si est-ce que la meditation de la mort rafroidyt bien fort ung cueur, quelque jeune qu'il soit. — Je serois de vostre opinion, dist Dagoucin, si je n'avois oy dire le contraire à une princesse. — C'est doncques à dire, dist Parlamente, qu'elle en racompta quelque histoire. Parquoy, s'il est ainsy, je vous donne ma place pour la dire. » Dagoucin commencea ainsy :

SOIXANTE DOUZIESME NOUVELLE

En exerçant le dernier œuvre de misericorde et ensevelissant un corps mort, ung religieux exerça les œuvres de la chair avec une religieuse et l'engrossa [849].

En une des meilleures villes de France, après Paris, y avoit ung hospital richement fondé, assavoir d'une prieure et quinze ou seize religieuses, et, en ung autre corps de maison devant, y avoit ung prieur et sept ou huict religieux, lesquelz tous les jours disoient le service, et les religieuses, seulement leurs patenostres et heures de Nostre Dame, pour ce qu'elles estoient occuppées au service des mallades. Ung jour, vint à mourir ung pauvre homme, où toutes les religieuses s'assemblerent. Et, après luy avoit faict tous les remedes pour sa santé, envoierent querir ung de leurs religieux pour le confesser. Puys, voiant qu'il s'affoiblissoit, luy baillerent l'unction [b], et peu à peu perdit la parolle. Mais, pour ce qu'il demeura

a. pourvu que. — *b*. l'Extrême-Onction.

longuement à passer, faisant semblant d'oyr, chascune se mirent à luy dire les meilleures parolles qu'elles peurent, dont à la longue elles se fascherent; car, voyans la nuyct venue et qu'il faisoit tard, s'en allerent coucher l'une après l'autre; et ne demoura, pour ensepvelir le corps, que une des plus jeunes avecq ung religieux qu'elle craignoit plus que le prieur ny aultre, pour la grande austerité dont il usoit tant en parolles que en vie. Et, quant ilz eurent bien cryé *Jesus* à l'oreille du pauvre homme, congneurent qu'il estoit trespassé. Parquoy tous deux l'ensevelirent. Et, en exerceant ceste derniere oeuvre de misericorde, commencea le religieux à parler de la misere de la vie et de la bienheureuseté de la mort; en ces propos passerent la minuyct [850]. La pauvre fille ententivement escoutoit ces devotz propos, et le regardant les larmes aux oeilz : où il print si grant plaisir, que, parlant de la vie advenir, commencea à l'ambrasser, comme s'il eut eu envye de la porter entre ses bras en paradis. La pauvre fille, escoutant ces propos, et l'estimant le plus devost de la compaignie, ne l'osa refuser. Quoy voiant, ce meschant moyne, en parlant tousjours de Dieu, paracheva avecq elle l'oeuvre que soubdain le diable leur mit au cueur, car paravant n'en avoit jamais été question; l'asseurant que ung peché secret n'estoit poinct imputé devant Dieu, et que deux personnes non liez ne peuvent offencer en tel cas, quant il n'en vient poinct de scandalle; et que, pour l'eviter, elle se gardast bien de le confesser à aultre que à luy. Ainsy se departirent d'ensemble, elle la premiere, qui, en passant par une chappelle de Nostre Dame, voulut faire son oraison, comme elle avoit de coustume. Et quant elle commencea à dire : « Vierge Marie ! » il luy souvint qu'elle avoit perdu ce tiltre de virginité, sans force ny amour, mais par une sotte craincte; dont elle se print tant à pleurer, qu'il sembloit que le cueur luy deust fandre. Le religieux, qui de loing ouyt ces souspirs, se doubta de sa conversion, par laquelle il povoit perdre son plaisir; dont, pour l'empescher, la vint trouver prosternée devant ceste ymaige, la reprint aygrement, et luy dist que, si elle en faisoit conscience [a], qu'elle se confessast à luy et qu'elle n'y retournast plus, si elle ne vouloit, car l'un et l'aultre sans peché estoit en sa liberté [851].

a. un cas de conscience.

La sotte religieuse, cuydant satisfaire envers Dieu, s'alla confesser à luy, mais, pour penitence, il luy jura qu'elle ne pechoit poinct de l'aymer, et que l'eaue benoiste povoit effacer ung tel peccadille. Elle, croyant plus en luy que en Dieu, retourna au bout de quelque temps à luy obeyr; en sorte qu'elle devint grosse, dont elle print ung si grand regret, qu'elle suplia la prieure de faire chasser hors du monastere ce religieux, sçachant qu'il estoit si fin, qu'il ne fauldroit [a] poinct à la seduire. L'abbesse [852] et le prieur, qui s'accordoient fort bien ensemble, se mocquerent d'elle, disans qu'elle estoit assez grande pour se defendre d'un homme, et que celluy dont elle parloit estoit trop homme de bien. A la fin, à force d'impétuosité, pressée du remords de la conscience, leur demanda congé d'aller à Romme, car elle pensoit, en confessant son peché aux piedz du pape, recouvrer sa virginité. Ce que très voluntiers le prieur et la prieure luy accorderent, car ilz aymoient myeulx qu'elle fut pelerine contre sa reigle, que renfermée et devenir si scrupuleuse comme elle estoit, craignans que son desespoir luy feit renoncer à la vye que l'on mene là dedans; lui baillant de l'argent pour faire son voiage. Mais Dieu voulut que [853], elle estant à Lyon, ung soir, après vespres, sur le pupiltre [b] de l'eglise de Sainct Jehan, où madame la duchesse d'Alençon, qui depuis fut royne de Navarre, alloit secretement faire quelque neufvaine avecq trois ou quatre de ses femmes, estant à genoulx devant le crucifix, ouyt monter en hault quelque personne, et, à la lueur de la lampe, congneut que c'estoit une religieuse. Et, afin d'entendre ses devotions, se retira la duchesse au coing de l'autel. Et la religieuse, qui pensoit estre seulle, se agenouilla; et, en frappant sa coulpe, se print à pleurer tant, que c'estoit pityé de l'oyr, ne criant sinon : « Helas !mon Dieu, ayez pitié de ceste pauvre pecheresse ! » La duchesse, pour entendre que c'estoit, s'approcha d'elle, en luy disant : « M'amye, qu'avez-vous, et d'où estes-vous ? Qui vous amene en ce lieu cy ? » La pauvre religieuse, qui ne la congnoissoit poinct, luy dist : « Helas ! m'amye, mon malheur est tel, que je n'ay recours que à Dieu, lequel je suplie me donner moien de parler à madame la duchesse d'Alençon, car, à elle seule, je conterai mon affaire, estant

a. manquerait. — *b.* jubé.

asseurée que, s'il y a ordre, elle le trouvera. — M'amye, ce luy dist la duchesse [854], vous povez parler à moy comme à elle, car je suis de ses grandes amyes. — Pardonnez-moy, dist la religieuse, car jamais aultre qu'elle ne saura mon secret. » Alors la duchesse luy dist qu'elle povoit parler franchement et qu'elle avoit trouvé ce qu'elle demandoit. La pauvre femme se gecta à ses piedz, et, après avoir pleuré et cryé luy racompta ce que vous avez ouy de sa pauvreté. La duchesse la reconforta si bien, que, sans lui oster la repentance continuelle de son peché, luy mist hors de l'entendement le voiage de Romme, et la renvoya en son prieuré, avecq des lettres à l'evesque du lieu, pour donner ordre de faire chasser ce religieux scandaleux.

« Je tiens ce compte de la duchesse mesme, par lequel vous povez veoir, mes dames, que la recepte de Nomerfide ne sert pas à toutes personnes. Car ceulx-ci, touchans et ensevelissans le mort, ne furent moins [a] tachez de leur lubricité. — Voylà une intention, dist Hircan, de laquelle je croy que homme jamais ne usa : de parler de la mort et faire les oeuvres de la vie. — Ce n'est poinct oeuvre de vie, dist Oisille, de pecher; car on sçaict bien que peché engendre la mort. — Croyez, dist Saffredent, que ces pauvres gens ne pensoient poinct à toute ceste theologie. Mais, comme les filles de Lot enyvroient leur pere, pensans conserver nature humaine; aussy, ces pauvres gens vouloient reparer ce que la mort avoit gasté en ce corps, pour en refaire ung tout nouveau; parquoy, je n'y voy nul mal, que les larmes de la pauvre religieuse, qui tousjours pleuroit et tousjours retournoit à la cause de son pleur. — J'en ay veu assez de telles, dist Hircan, qui pleurent leurs pechés et rient leur plaisir tout ensemble. — Je me doubte, dist Parlamente, pour qui vous le dictes, dont le rire a assez duré, et seroit temps que les larmes commenceassent. — Taisez-vous, dist Hircan; encores n'est pas finée la tragédie qui a commencé par rire [855]. — Pour changer mon propos, dist Parlamente, il me semble que Dagoucin est sailly dehors de nostre deliberation, qui estoit de ne dire compte que pour rire, car le sien est trop piteux [b]. — Vous avez dict, dist Dagoucin, que vous ne racompterez que de

a. n'en furent pas moins — *b.* triste.

follyes, et il me semble que je n'y ai pas failly; mais, pour en oyr ung plus plaisant, je donne ma voix à Nomerfide, esperant qu'elle rabillera ma faulte. — Aussy ay-je ung compte tout prest, respondit-elle, digne de suyvre le vostre, car je parle de religieux et de mort. Or, escoutez le bien, s'il vous plaist. »

CY FINENT LES COMPTES ET NOUVELLES
DE LA FEUE ROYNE DE NAVARRE,
QUI EST CE QUE L'ON A PEU RECOUVRER [856].

APPENDICE

I

Propos facétieux d'un Cordelier en ses sermons[857].

Près la ville de Bleré en Touraine, y a un village nommé Sainct-Martin le Beau[858], où fut appelé un Cordelier du couvent de Tours, pour prescher les avents, et le caresme ensuyvant. Ce Cordelier, plus enlangagé[a] que docte, n'ayant quelquesfois de quoy parler pour achever son heure, s'amusoit à faire des comptes qui satisfaisoient aucunement à ces bonnes gens de village. Un jour de jeudi absolut[b], preschant de l'aigneau pascal, quant ce vint à parler de le manger de nuict, et qu'il veit, à sa predication, de belles jeunes dames d'Amboise, qui estoient là freschement aornées pour y faire leurs Pasques, et y sejourner quelques jours après, il se voulut mettre sur le beau bout[c]. Et demanda à toute l'assistence des femmes, si elles ne sçavoient que c'estoit de manger de la chair crue de nuict : « Je le vous veux apprendre, mes dames ! » ce dist-il. Les jeunes hommes d'Amboise là presens, qui ne faisoient que d'y arriver avec leurs femmes, sœurs et niepces, et qui ne cognoissoient l'humeur du pelerin, commencerent à s'en scandaliser. Mais, après qu'ils l'eurent escouté davantage, ils convertirent le scandale en risée, mesmement quand il dist que, pour manger l'aigneau, il falloit avoir les reins ceints, des pieds en ses souliers, et une main à son baston. Le Cordelier les voyant rire, et se doutant pourquoy, se reprint incontinent : « Eh bien, dit-il, des souliers en ses pieds et un baston en sa main : blanc chapeau, et chapeau blanc, est-ce pas tout un ? » Si ce fut lors à rire, je croy que vous n'en doubtez point. Les dames mesmes ne s'en

a. bavard. — *b.* jeudi saint. — *c.* mener une joyeuse existence.

peurent garder, auxquelles il s'attacha d'autres propos recreatifs. Et, se sentant près de son heure, ne voulant pas que ces dames s'en allassent mal contentes de luy, il leur dist : « Or ça, mes belles dames, mais que [a] vous soyez tantost à cacqueter parmy les commeres, vous demanderez : Mais qui est ce maistre frere, qui parle si hardiment ? C'est quelque bon compaignon ? Je vous diray, mes dames, je vous diray, ne vous en estonnez pas, non, si je parle hardiment; car je suis d'Anjou, à vostre commandement. » Et, en disant ces mots, mit fin à sa predication, par laquelle il laissa ses auditeurs plus prompts à rire de ses sots propos, qu'à pleurer en la memoire de la passion de Nostre Seigneur, dont la commemoration se faisoit en ces jours-là. Ses autres sermons, durant les festes, furent quasi de pareille efficace. Et comme vous sçavez que tels freres n'oublient pas à se faire quester, pour avoir leurs oeufs de Pasques, en quoy faisant on leur donne, non seulement des oeufs, mais plusieurs autres choses, comme du linge, de la filace, des andouilles, des jambons, des eschinées [b], et autres menues chosettes, quand ce vint le mardy d'après Pasques, en faisant ses recommendations, dont telles gens ne sont point chiches, il dist : « « Mes dames, je suis tenu à vous rendre graces de la liberalité dont vous avez usé envers nostre pauvre convent, mais si faut-il que je vous die, que vous n'avez pas consideré les necessitez que nous avons; car la plus part de ce que nous avez donné, ce sont andouilles, et nous n'en avons point de faulte, Dieu mercy : nostre convent en est tout farcy. Qu'en ferons-nous donc de tant ? Sçavez-vous quoy ? mes dames, je suis d'avis que vous mestiez vos jambons parmy nos andouilles, vous ferez belle aumosne ! » Puis, en continuant son sermon, il feit venir le scandale à propos, et en discourant assez brusquement par dessus, avec quelques exemples, il se meit en grande admiration, disant : « Eh dea, messieurs et mesdames de Sainct-Martin, je m'estonne fort de vous, qui vous scandalisez pour moins que rien, et sans propos, et tenez vos comptes de moy partout, en disant : « C'est un grand cas ! mais qui l'eust cuydé, que le beau pere eust engrossy la fille de son hostesse ? » Vrayement, dist-il, voilà bien de quoy s'esbahir qu'un moyne ait engrossy

a. puisque, dès que. — *b.* quartier dans le dos du porc.

une fille ! Mais venez ça, belles dames : ne devriez-vous pas bien vous estonner davantage, si la fille avoit engrossy le moyne ? »

« Voylà, mes dames, les belles viandes, de quoy ce gentil pasteur nourrissoit le troupeau de Dieu. Encores estoit-il si effronté, que, après son peché, il en tenoit ses comptes en pleine chaire, où ne se doit tenir propos qui ne soit totalement à l'erudition [a] de son prochain, et à l'honneur de Dieu premierement. — Vrayment, dist Saffredent, voilà un maistre moyne. J'aimerois quasi autant frere Anjibaut, sur le dos duquel on mettoit tous les propos facetieux qui se peuvent rencontrer en bonne compagnie. — Si ne trouvai-je point de risées en telles derisions, dit Oisille, principalement en tel endroict. — Vous ne dictes pas, ma dame, dist Nomerfide, qu'en ce temps-là, encore qu'il n'y ait pas fort longtemps, les bonnes gens de village, voire la plus part de ceux des bonnes villes, qui se pensent bien plus habiles que les autres, avoient tels predicateurs en plus grande reverence, que ceux qui les preschoient purement et simplement le sainct Evangile. — En quelque sorte que ce fust, dist lors Hircan, si n'avoit-il pas tort de demander des jambons pour des andouilles; car il y a plus à manger. Voire, et, si quelque devotieuse creature l'eust entendu par amphibologie, comme je croirois bien que lui-mesme l'entendit, luy ny ses compagnons ne s'en feussent point mal trouvez, non plus que la jeune garse qui en eut plein son sac. — Mais voyez-vous quel effronté c'estoit, dist Oisille, qui renversoit le sens du texte à son plaisir, pensant avoir affaire à bestes comme luy, et, en ce faisant, chercher impudemment à suborner les pauvres femmelettes, à fin de leur apprendre à manger de la chair crue de nuict ? — Voire, mais vous ne dictes pas, dist Simontault, qu'il voyoit devant luy ces jeunes tripieres d'Amboise, dans le baquet desquelles il eust volontiers lavé son... Nommeray-je ? Non, mais vous m'entendez bien : et leur en faire gouster, non pas roty, ains tout groulant [b] et fretillant pour leur donner plus de plaisir. — Tout beau, tout beau, seigneur Simontault, dist Parlamente; vous vous obliez : avez-vous mis en reserve vostre accous-

a. édification. — *b.* grouillant, remuant.

tumée modestie, pour ne vous en plus servir qu'au besoing ? — Non, ma dame, non, dist-il; mais le moyne peu honneste m'a ainsi faict esgarer. Parquoy, à fin que nous rentrions en noz premieres erres [a], je prie Nomerfide, qui est cause de mon esgarement, donner sa voix à quelqu'un, qui face oublier à la compaignie nostre commune faulte. — Puis que me faictes participer à vostre coulpe, dist Nomerfide, je m'adresseray à tel qui reparera nostre imperfection presente. Ce sera Dagoucin, qui est si sage, que, pour mourir, ne vouldroit dire une follie. »

II

De deux amans qui ont subtillement jouy de leurs amours, et de l'heureuse issue d'icelles [859].

En la ville de Paris, y avoit deux citoyens de mediocre estat, l'un politic [b], et l'autre marchand de draps de soye; lesquels de toute ancienneté se portoient fort bonne affection, et se hantoient familierement. Au moyen de quoy, le fils du politic, nommé Jaques, jeune homme, assez mettable en bonne compaignie, frequentoit souvent, soubz la faveur de son pere, au logis du marchand; mais c'estoit à cause d'une belle fille qu'il aymoit, nommée Françoise Et feit Jaques si bien ses menées envers Françoise, qu'il congneut qu'elle n'estoit moins aymante qu'aymée. Mais, sur ces entrefaictes, se dressa le camp de Provence contre la descente de Charles d'Autriche [860], et fut force à Jacques de suyvre le camp, pour l'estat auquel il estoit appellé. Durant lequel camp, et dès le commencement, son pere alla de vie à trespas : dont la nouvelle luy apporta double ennuy, l'un, pour la perte de son pere, l'autre, pour l'incommodité de reveoir si souvent sa bien aymée, comme il esperoit à son retour. Toutefois, avecques le temps, l'un fut oublié, et l'autre s'augmenta; car, comme la mort est chose naturelle, principalement au pere plustost qu'aux enfans, aussi la tristesse s'en escoule peu à peu. Mais l'amour,

a. sur nos brisées, à notre propos. — *b.* employé dans une administration du pouvoir central ou du gouvernement local.

au lieu de nous apporter mort, nous rapporte vie, en nous communiquant la propagation des enfans, qui nous rendent immortels; et cela est une des principales causes d'augmenter noz desirs. Jaques donc, estant de retour à Paris, n'avoit aucun autre soing ny pensement [a] que de se remettre au train de la frequentation vulgaire du marchand, pour, sous ombre de pure amitié, faire trafic de sa plus chere marchandise. D'autre part, Françoise, pendant son absence, avoit esté fort sollicitée d'ailleurs, tant à cause de sa beauté que de son esprit, et aussi qu'elle estoit, long temps y avoit, mariable, combien que le pere ne s'en mist pas fort en son devoir, fust ou pour son avarice, ou par trop grand desir de la bien colloquer [b], comme fille unique. Ce qui ne faisoit rien à l'honneur de la fille : pour ce que les personnes de maintenant se scandalisent beaucoup plustost que l'occasion ne leur en est donnée, et principalement quand c'est en quelque point qui touche la pudicité de belle fille ou femme. Cela fut cause que le pere ne feit point le sourd ny l'aveugle au vulgaire caquet et ne voulut ressembler beaucoup d'autres, qui, au lieu de censurer les vices, semblent y provoquer leurs femmes et enfans; car il la tenoit de si court, que ceux mesmes qui n'y tendoient que sous voile de mariage n'avoient point ce moyen de la voir que bien peu : encore estoit-ce toujours avecques sa mere.

Il ne fault pas demander si cela fut fort aigre à supporter à Jaques, ne pouvant resoudre en son entendement que telle austerité se gardast sans quelque grande occasion, tellement qu'il vacilloit fort entre amour et jalousie. Si est-ce qu'il se resolut d'en avoir la raison, à quelque peril que ce fust; mais premierement, pour congnoistre si elle estoit encore de mesmes affection que auparavant, il alla tant et vint, qu'un matin à l'eglise, oyant la messe près d'elle, il apparceut à sa contenance qu'elle n'estoit moins aise de le veoir que luy elle : aussi, luy, cognoissant la mere n'estre si severe que le pere, print quelques fois, comme inopinement, la hardiesse, en les voyant aller de leur logis jusques à l'eglise, de les acoster avecques une familiere et vulgaire reverence, et sans se trop avantager : le tout expressement, et à fin de mieux parvenir à ses

a. préoccupation. — *b*. placer.

attentes. Bref, en approchant le bout de l'an de son pere, il se delibera, au changement du deuil, de se mettre sur le bon bout, et faire honneur à ses ancestres. Et en tint propos à sa mere, qu'il le trouva bon, desirant fort de le veoir bien marié, pource qu'elle n'avoit pour tous enfans que luy et une fille ja mariée bien et honnestement. Et, de faict, comme damoiselle d'honneur qu'elle estoit, luy poussoit encor le cueur à la vertu par infinité d'exemples d'autres jeunes gens de son aage, qui s'avançoient d'eux-mesmes, au moins qui se monstroient dignes du lieu d'où ils estoient descenduz. Ne restoit plus que d'adviser où ils se fourniroient. Mais la mere dist : « Je suis d'advis, Jaques, d'aller chez le compere sire Pierre (c'estoit le pere de Françoise); il est de noz amis : il ne nous voudroit pas tromper. » Sa mere le chatouilloit bien où il se demangeoit; neantmoins il tint bon, disant : « Nous en prendrons là où nous trouverons nostre meilleur et à meilleur marché. Toutesfois (dit-il), à cause de la congnoissance de feu mon pere, je suis bien content que nous y allions premier qu'ailleurs. » Ainsi fut prins le complot, pour un matin, que la mere et le fils allerent veoir le sire Pierre, qui les recueillit fort bien, comme vous sçavez que les marchans ne manquent point de telles drogues. Si feirent desployer grandes quantitez de draps de soye de toutes sortes, et choisyrent ce qui leur en falloit. Mais ils ne peurent tomber d'accord : ce que Jaques faisoit à propos, pource qu'il ne voyoit point la mere de s'amie; et fallut à la fin qu'ils s'en allassent, sans rien faire, voir ailleurs quel il y faisoit. Mais Jaques n'y trouvoit rien si beau que chez s'amie : où ils retournerent quelque temps après. Lors s'y trouva la dame, qui leur feit le meilleur recueil [a] du monde. Et, après les menées qui se font en telles boutiques, la femme du sire Pierre, tenant encor plus roide que son mary, Jaques luy dist : « Et dea, madame, vous estes bien rigoureuse ! Voilà, que c'est : Nous avons perdu nostre pere, on ne nous congnoist plus. » Et feit semblant de plorer et de s'essuyer les yeux, pour la souvenance paternelle; mais c'estoit à fin de faire sa menée. La bonne femme, vefve, mere de Jaques, y allant à la bonne foy, dist aussi : « Depuis sa mort, nous ne nous sommes plus frequentez, que si jamais

a. accueil.

ne nous fussions veuz. Voilà le compte que l'on tient des pauvres femmes vefves ! » Alors se racointerent-elles de nouvelles caresses, se promettans de se revisiter plus souvent que jamais. Et, comme ils estoient en ces termes, vindrent d'autres marchans que le maistre mena luy-mesmes en son arriere boutique. Et le jeune homme, voyant son apoinct, dist à sa mere : « Mais, ma demoiselle, j'ay veu que ma dame venoit bien souvent, les festes, visiter les saincts lieux qui sont en noz quartiers, et principalement les religions [a]. Si quelques fois elle daignoit, en passant, prendre son vin, elle nous feroit plaisir et honneur. » La marchande, qui n'y pensoit en nul mal, luy respondit qu'il y avoit plus de quinze jours qu'elle avoit deliberé d'y faire un voyage, et que, si le prochain dimanche en suyvant il faisoit beau, elle pourroit bien y aller, qui ne seroit sans passer par le logis de la damoiselle, et la revisiter. Cette conclusion prinse, aussi fut celle du marché des draps de soye, car il ne falloit pas pour quelque peu d'argent laisser fuyr si belle occasion.

Le complot prins, et la marchandise emportée, Jaques, congnoissant ne pouvoir bien luy seul faire une telle entreprinse, fut contrainct se declarer à un sien fidele amy. Si se conseillerent si bien ensemble qu'il ne restoit que l'execution. Parquoy, le dimanche venu, la marchande et sa fille ne faillirent, au retour de leurs devotions, de passer par le logis de la damoiselle vefve, où elles la trouverent avec une sienne voisine, devisans en une gallerie de jardin, et la fille de la vefve, qui se promenoit par les allées du jardin avecques Jaques et Olivier. Luy, aussi tost qu'il veid s'amie, se forma [b], en sorte qu'il ne changea nullement de contenance. Si alla en ce bon visaige recevoir la mere et la fille, et, comme c'est l'ordinaire que les vieux cherchent les vieux, ces trois dames s'assemblerent sur un banc qui leur faisoit tourner le dos vers le jardin : dans lequel, peu à peu, les deux amans entrerent, se promenans jusques au lieu où estoient les deux autres. Et ainsi, de compaignie, s'entre-caresserent quelque peu, puis se remirent au promenoir : où le jeune homme compta si bien son piteux cas à Françoise, qu'elle ne pouvoit accorder et si n'osoit refuser ce que son amy demandoit, tellement qu'il congneut

a. monastères. — *b*. se composa un visage.

qu'elle estoit bien fort aux alteres [a]. Mais il fault entendre que, pendant qu'ils tenoient ces propos, ils passoient et repassoient souvent au long de l'abry où estoient assises les bonnes femmes, à fin de leur oster tout soupçon : parlans, toutesfois, de propos vulgaires et familiers, et quelque fois un peu rageans folastrement [b] parmy le jardin. Et y furent ces bonnes femmes si accoustumées, par l'espace d'une demie heure, qu'à la fin Jaques feit le signe à Olivier, qui joua son personnage envers l'autre fille qu'il tenoit, en sorte qu'elle ne s'apparceut point que les deux amans entrerent dans un preau couvert de cerisaye, et bien cloz de hayes, de rosiers et de groiseliers fort haults; là où ils feirent semblant d'aller abattre des amendes à un coing du preau, mais ce fut pour abbatre prunes. Aussi, Jaques, au lieu de bailler la cotte verte à s'amye, luy bailla la cotte rouge [c], en sorte que la couleur luy en vint au visaige pour s'estre trouvée surprise un peu plus tost qu'elle ne pensoit. Si eurent-ils si habilement cueilly leurs prunes, pour ce qu'elles estoient meures, que Olivier mesme ne le pouvoit croire, n'eust esté qu'il veid la fille tirant la veuë contre bas [d], et monstrant visaige honteux : qui luy donna marque de la verité, pource qu'auparavant elle alloit la teste levée, sans crainte qu'on veist en l'oeil la veine, qui doit être rouge, avoir pris couleur azurée : de quoy Jaques s'apercevant, la remeit en son naturel, par remonstrances à ce necessaires. Toutesfois, en faisant encor deux ou trois tours de jardin, ce ne fut point sans larmes et soupirs, et sans dire maintesfois : « Helas ! estoit-ce pour cela que vous m'aymiez ? Si je l'eusse pensé ! Mon Dieu, que feray-je ? Me voilà perdue pour toute ma vie ! En quelle estime m'aurez-vous doresnavant ? Je me tiens asseurée que vous ne tiendrez plus compte de moy au moins si vous estes du nombre de ceux qui n'ayment que pour leur plaisir. Helas ! que ne suis-je plus tost morte que de tumber en ceste faulte ? » Ce n'estoit pas sans verser forces larmes qu'elle tenoit ce propos. Mais Jacques la reconforta si bien, avec tant de promesses et sermens, qu'avant qu'ils eussent parfourny trois autres tours de jardin, et qu'il eust

a. remplie d'angoisse. — *b.* se poursuivant rapidement. — *c.* non content de la renverser sur l'herbe, lui prit sa virginité. — *d.* regardant à terre.

faict le signe à son compaignon, ils rentrerent encores au preau par ung autre chemin, où elle ne sceut si bien faire, qu'elle ne receust plus de plaisir à la seconde cotte verte qu'à la premiere : voire et si s'en trouva si bien dès l'heure, qu'ils prindrent deliberation pour adviser comment ils se pourroient reveoir plus souvent et plus à leur aise, en attendant le bon loisir du pere. A quoy leur ayda grandement une jeune femme, voisine du sire Pierre, qui estoit aucunement parente du jeune homme et bien amye de Françoise. En quoy ils ont continué sans scandale (à ce que je puis entendre) jusques à la consommation du mariage, qui s'est trouvé bien riche pour une fille de marchand, car elle estoit seule. Vray est que Jaques a attendu le meilleur du temporel [a] jusques au decès du pere, qui estoit si serrant [b], qu'il luy sembloit que ce qu'il tenoit en une main l'autre luy desrobboit.

« Voilà, mes dames, une amitié bien commencée, bien continuée, et mieulx finie; car, encores que ce soit le commun d'entre vous hommes de desdaigner une fille ou femme, depuis qu'elle vous a esté liberale de ce que vous cherchez le plus en elle, si est-ce que ce jeune homme, estant poulsé de bonne et sincere amour, et ayant cogneu en s'amie ce que tout mary desire en la fille qu'il espouse, et aussi la congnoissant de bonne lignée et saige, au reste de [c] la faulte que luy-mesme avoit commise, ne voulut point adulterer ny estre cause ailleurs d'un mauvais mariage : en quoy je trouve grandement louable. — Si est-ce, dist Oisille, qu'ils sont tous deux dignes de blasme, voire le tiers aussi, qui se faisoit ministre ou du moins adherant à un tel violement [d]. — M'appellez-vous cela *violement*, dist Saffredent, quand les deux parties en sont bien d'accord? Est-il meilleur mariage que cestuy-là qui se fait ainsi d'amourettes? C'est pourquoy on dict, en proverbe, que les mariages se font au ciel. Mais cela ne s'entend pas des mariages forcez, ny qui se font à prix d'argent, et qui sont tenuz pour très approuvez, depuis que le pere et la mere y ont donné consentement. — Vous en direz ce que vous vouldrez, repliqua Oisille, si fault-il que nous recongnoissions l'obeissance paternelle, et, par desfault d'icelle,

a. héritage. — *b.* avare. — *c.* à la suite de. — *d.* viol.

avoir recours aux autres parents. Autrement, s'il estoit permis à tous et à toutes de se marier à volunté, quants [a] mariages cornuz trouveroit l'on ? Est-il à presupposer qu'un jeune homme et une fille de douze ou quinze ans sçachent ce que leur est propre ? Qui regarderoit bien le contennement de tous les mariages, on trouveroit qu'il y en a pour le moins autant de ceux qui se sont faits par amourettes dont les yssues en sont mauvaises, que de ceux qui ont esté faicts forcement; pour ce que les jeunes gens, qui ne sçavent ce qui leur est propre, se prennent au premier qu'ils trouvent, sans consideration : puis, peu à peu ils descouvrent leurs erreurs, qui les faict entrer en de plus grandes; là où, au contraire, la plus part de ceux qui se font forcement, procedent du discours de ceux qui ont plus veu et ont plus de jugement que ceux à qui plus il touche : en sorte que, quand ils viennent à sentir le bien qu'ils ne congnoissoient, ils le savourent et embrassent beaucoup plus avidement et de plus grande affection. — Voire, mais vous ne dictes pas, ma dame, dist Hircan, que la fille estoit en hault aage, nubile, congnoissant l'iniquité du pere, qui laissoit moisir son pucelage, de peur de desmoisir ses escuz [b]. Et ne sçavez-vous pas que nature est coquine ? Elle aimoit, elle estoit aimée, elle trouvoit son bien prest, et si se pouvoit souvenir du proverbe que : « Tel refuse, qui après muse [c] ». Toutes ces choses, avecques la prompte execution du poursuivant, ne luy donnerent pas loisir de se rebeller. Aussi, avez-vous oy qu'incontinent après on congneut bien à sa face qu'il y avoit en elle quelque mutation notable. C'estoit (peult-estre) l'ennuy du peu de loisir qu'elle avoit eu pour juger si telle chose estoit bonne ou mauvaise; car elle ne se feit pas grandement tirer l'aureille pour en faire le second essay. — Or, de ma part, dist Longarine, je n'y trouverois point d'excuse, si ce n'estoit l'approbation de la foy du jeune homme, qui, se gouvernant en homme de bien, ne l'a point abandonnée, ains l'a bien voulue telle qu'il l'avoit faicte. En quoy il me semble grandement louable, veu la corruption depravée de la jeunesse du temps present. Non pas que, pour cela, je vueille excuser la premiere faulte qui

a. combien de. — *b.* faire cesser de moisir, lâcher ses écus. — *c.* reste en plan.

l'accuse tacitement, d'un rapt pour le regard de la fille et de subornation en l'endroit de la mere. — Et point, point, dist Dagoucin; il n'y a rapt ny subornation : tout s'est fait de pur consentement, tant du costé des deux meres, pour ne l'avoir empesché, bien qu'elles ayent esté deceues, que du costé de la fille, qui s'en est bien trouvée : aussi, ne s'en est-elle jamais plaincte. — Tout cela n'est procedé, dist Parlamente, que de la grande bonté et simplicité de la marchande, qui, sous tiltre de bonne foy, mena, sans y penser, sa fille à la boucherie. — Mais aux nopces, dist Simontault : tellement que ceste simplicité ne fut moins profitable à la fille, que dommageable à celle qui se laissoit aisement tromper par son mary. — Puis que vous en sçavez le compte, dist Nomerfide, je vous donne ma voix, pour nous le reciter. — Et je n'y ferai faulte, dist Simontault, mais que vous promettiez de ne pleurer point. Ceux qui disent, mes dames, que vostre malice passe celle des hommes auroient bien à faire de mettre un tel exemple en avant, que celui que maintenant je vous voys racompter, où je pretens non seulement vous declarer la grande malice d'un mary, mais aussi la très grande simplicité et bonté de sa femme. »

III

D'un Cordelier qui faict grand crime envers les marys de battre leurs femmes [861].

En la ville d'Angoulesme, où se tenoit souvent le comte Charles, pere du Roy François, y avoit ung Cordelier, nommé Vallés, homme sçavant et fort grand prescheur, en sorte que les advents [a] il prescha en la ville devant le comte [862] : dont sa reputation augmenta encores davantage. Si advint que, durant les advents, un jeune estourdy de la ville, ayant espousé une assez belle jeune femme, ne laissoit pour cela de courir par tout, autant et plus dissolument que les non mariez. De quoy la jeune femme, advertie, ne se pouvoit taire, tellement que bien souvent elle en recevoit ses gages [b], plus tost et d'autre façon

a. les sermons du temps de l'Avent. — *b.* elle en était payée de retour.

qu'elle n'eust voulu, et toutesfois, elle ne laissoit, pour cela, de continuer en ses lamentations, et quelques fois jusques à injures; parquoy le jeune homme s'irrita, en sorte qu'il la battit à sang et marque : dont elle se print à crier plus que devant. Et pareillement ses voisines, qui sçavoient l'occasion, ne se pouvoient taire, ains crioyent publiquement par les rues, disans : « Et fy, fy de telz marys ! au diable, au diable ! » De bonne encontre, le Cordelier de Vallés passoit lors par là, qui en entendit le bruit et l'occasion; si se delibera d'en toucher un mot le lendemain à sa predication, comme il n'y faillit pas; car, faisant venir à propos le mariage et l'amitié que nous y devons garder, il le collauda [a] grandement, blasmant les infracteurs d'iceluy, et faisant comparaison de l'amour conjugale à l'amour paternelle. Et si dist, entre autres choses, qu'il y avoit plus de danger et plus griefve punition à un mary de battre sa femme, que de battre son pere ou sa mere : « Car, dist-il, si vous battez vostre pere ou vostre mere, on vous envoyra pour penitence à Rome; mais, si vous battez vostre femme, elle et toutes ses voisines vous envoyront à tous les diables, c'est à dire en enfer. Or, regardez quelle difference il y a entre ces deux penitences; car, de Rome, on en revient ordinairement; mais d'enfer, oh ! on n'en revient point : *nulla est redemptio.* » Depuis cette predication, il fut adverty que les femmes faisoient leur Achilles [b] de ce qu'il avoit dict, et que les marys ne pouvoient plus chevir [c] d'elles : à quoy il s'advisa de mettre ordre, comme à l'inconvenient des femmes. Et, pour ce faire, en l'un de ses sermons, il accompara les femmes aux diables, disant que ce sont les deux plus grands ennemis de l'homme, et qui le tentent sans cesse, et desquels il ne se peut despestrer, et par especial de la femme : « Car, dist-il, quant aux diables, en leur monstrant la croix, ils s'enfuyent; et les femmes, tout au rebours, c'est cela qui les aprivoise, qui les faict aller et courir, et qui faict qu'elles donnent à leurs mariz infinité de passions. Mais sçavez-vous que vous y ferez, bonnes gens ? Quand vous verrez que vos femmes vous tourmenteront ainsi sans cesse, comme elles ont accoustumé, demanchez la croix, et du manche chassez-les au loing : vous n'aurez point faict trois ou quatre fois ceste expe-

a. loua.— *b.* se faisaient fortes. — *c.* venir à bout.

nience vivement, que vous ne vous en trouviez bien; et verrez que, tout ainsi que l'on chasse le diable en la vertu de la croix, aussi chasserez-vous et ferez taire voz femmes en la vertu du manche de ladicte croix, pourveu qu'elle n'y soit plus attachée. »

« Voilà une partie des predications de ce venerable de Vallés, de la vie duquel je ne vous feray autre recit, et pour cause; mais bien vous diray-je, quelque bonne mine qu'il feist (car je l'ay congneu), qu'il tenoit beaucoup plus le party des femmes que celuy des hommes. — Si est-ce, ma dame, dist Parlamente, qu'il ne le monstra pas à ce dernier sermon, donnant instruction aux hommes de les mal traicter. — Or, vous n'entendez pas sa ruze, dist Hircan; aussi, n'estes-vous pas exercitée à la guerre pour user des stratagemes y requis, entre lesquels cestuy-cy est un des plus grands, sçavoir est mettre sedition civile dans le camp de son ennemy : pource que lors il est trop plus aisé à vaincre. Aussi, ce maistre moyne cognoissoit bien que la hayne et courroux de entre le mary et la femme sont le plus souvent cause de faire lascher la bride à l'honnesteté des femmes, laquelle honnesteté, s'emancipant de la garde de la vertu, se trouve plus tost entre les mains des loups qu'elle ne pense estre esgarée. — Quelque chose qu'il en soit, dist Parlamente, je ne pourrois aimer celuy qui auroit mis divorce entre mon mary et moy, mesmement jusques à venir à coups, car, au battre, fault l'amour [a]. Et toutesfois (à ce que j'en ay ouy dire) ils font si bien les chatemites, quand ils veullent avoir quelque avantage sur quelqu'une, et sont de si attrayante maniere en leur propos, que je croirois bien qu'il y auroit plus de danger de les escouter en secret, que de recevoir publiquement des coups d'un mary, qui, au reste de cela [b], seroit bon. — A la verité, dist Dagoucin, ils ont tellement descouvert leurs menées de toutes parts que ce n'est point sans cause que l'on les doit craindre, combien qu'à mon opinion la personne qui n'est point soupsonneuse est digne de louange. — Toutesfois, dist Oisille, on doit soupçonner le mal qui n'est point que de tomber, par sotement croire, en celuy qui est [863]. »

a. il n'est plus d'amour lorsqu'on se bat. — *b.* à part cela.

IV

Du sale desjeuner, preparé par un varlet d'apoticaire à un advocat et à un gentil homme [864].

En la ville d'Alençon, au tems du duc Charles dernier, y avoit un avocat nommé Maistre Anthoynne Bacheré, bon compagnon et bien aymant à dejeuner au matin. Un jour etant à sa porte, vid passer un gentilhomme devant soy qui se nommoit Mons. de la Tirelyere, lequel à cause du très grand froid qu'il faisoit etoit venu à pied de sa maison en la ville et n'avoit pas oublié sa grosse robe fourrée de renars. Et quand il vid l'avocat qui etoit de sa complexion, luy dit comme il avoit faitz ses affaires et qu'il ne restoit que de trouver quelque bon dejeuner. L'avocat luy repondit qu'ilz trouveroient assez de dejeuners mes qu'ilz eussent un defrayeur et en le prenant par de souz le braz luy dit : « Alons mon compere, nous trouverons peut ettre quelque sot qui payera l'ecot pour nous deus. » Il y avoit derrière eus le valet d'un apothicaire fin et inventif auquel cet avocat menoit tousjours la guerre. Mais le valet pensa à l'heure qu'il s'en vengeroit et sans aler plus loin de dys pas, trouva derriere une maison un bel etron tout gelé, lequel il meit dedans un papier et l'envelopa si bien qu'il sembloit un petit pain de sucre. Il regarda ou etoient les deux comperes et, en passant par devant eus, fort hativement entra en une maison et laissa tomber de sa manche le pain de sucre comme par megarde, ce que l'avocat leva de terre en grand'joye et dit au seigneur de la Tyrelyere : « Ce fin valet payera aujourd'huy notre ecot. Mais alons vitement afin qu'il ne nous trouve sur notre larcin. » Et entrant en une taverne, dit à la chambriere : « Faites-nous beau foeu et nous donnez bon pain et bon vin avec quelque morceau fryand, nous aurons bien de quoy payer. » La chambriere les servit à leur volonté. Mais en s'echauffant à boire et à manger, le pain de sucre que l'avocat avoit en son sin commença à degeler et la puanteur en etoit si grande que ne pensant jamais qu'elle deut saillir d'un tel lieu, dit à la chambriere : « Vous avez le plus puant et le plus ord menage que je vi jamais. Je croi que vous laissez chier les enfans par la place. » Le seigneur de la Tyrelyere qui avoit sa par de ce bon parfum ne luy en dit pas moins, mais la chambriere, courroucée de ce qu'ilz l'appeloient ainsi vilaine leur dit en colere : « Par saint Pierre, la maison est si honnette qu'il n'y a merde si vous ne luy avez apportée. » Les deux compagnons se leverent de la table en crachant et se vont mettre devant le feu pour se chauffer et en se chauffant, l'avocat tira son mouchoir de son sin tout plein de cyrop du pain de sucre fondu, lequel à la fin il meit en lumiere.

Vous pouvez penser quelle moquerie leur feit la chambriere à laquelle ilz avoient dit tant d'injures et quelle honte avoit l'avocat de se voir surmonter par un valet d'apothicaire au metier de tromperie dont toute sa vie il s'etoit melé. Mais n'en eut point la chambriere tant de pitié qu'elle ne leur feit aussi bien payer leur ecot comme ilz s'etoient bien fait servir en leur disant qu'ilz devoient ettre bien yvres, car ilz avoient bu par la bouche et par le nez.

Les pauvres gens s'en alerent avec leur honte et leur depense mais ilz ne furent pas plus tot en la rue qu'ilz veirent le valet de l'apothicaire qui demandoit à tout le monde si quelcun avoit point trouvé un pain de sucre envelopé dedans du papier. Et ne se sceurent si bien detourner de luy qu'il ne cryat à l'avocat : « Monsieur, si vous avez mon pain de sucre, je vous prie, rendez-le moy, car les larcins ne sont pas fort profitables à un pauvre serviteur. » A ce cry saillirent tout plein de gens de la ville pour ouyr leur debat. Et fut la chose si bien verifiée que le valet d'apothicaire fut aussi content d'avoir été derobé que les autres furent marrys d'avoir fait un si vilain larcin; mais esperans de luy rendre une autre fois, s'appaiserent.

V

Histoire d'un curé auvergnat [865].

Il y a des gens qui ne sont jamais sans responce ou expedient de peur que l'on les estiment ignorans et ayment mieulx parler sans propos ne raison que soy taire, comme feit celuy dont je vous veil faire le compte.

En Auvergne, près la ville de Rion, y avoit ung curé

qui n'estoit moins glorieux que ignorant et voulloit parler de touttes choses encores qu'il ne les entendict point. Un dimanche que l'on a acoustumé de sonner des haulx bois quant on leve le *Corpus Domini*, le curé, après avoir dit ce qu'il savoit par usaige jusques à l'elevation de l'hostie, tourna la teste du costé du peuple, faisant signe que l'on sonast des instrumens; mais, après avoir attendu quelque temps et que son clerc luy dist qu'ilz n'estoient point venuz, s'aresta sur la coustume, pensa qu'il ne seroit poinct honneste d'eslever en hault le Sainct Sacrement sans trompette et pour donner à la faulte de ce qu'il n'y en avoit poinct, en levant les mains haultes avec le Sacrement, chanta le plus hault qu'il luy fut possible le son que les trompettes ont acoustumé de dire en tel acte, contrefaisant ceste armonie avec sa langue et gorge, commença à crier : « Tarantan tan tant, Tarantan ta », dont le peuple fut si estonné qu'il ne se peult contenir de rire. Et quant, après la messe, il sceut que l'on c'estoit mocqué de luy, il leur dit : « Bestes que vous estes, il faut que vous entendiez que l'on ne peult crier trop hault en l'honneur du Saint-Sacrement ».

Quelques ungs qui le voioient sy glorieux que d'une chose mal faicte il vouloit avoir louange, cherchant de là en avant à oyr sa bonne doctrine et le voyant quelque jour disputer avec quelques prebstres ausy sçavantz que luy, s'aprocherent et entendirent que l'un des prebstres luy disoit qu'il estoit en ung scrupulle, lequel il valloit mieux dire : *Hoc est corpus meus* ou *Hoc est corpum meum*. L'un des prebstres soustenoit l'un et l'autre l'autre et comme ceulx qui estimoient leur curé en sçavoir et praticque, ceulx qui escoutoient leur propos luy dirent : « Monsieur, pensez bien à ceste matiere, car elle est de grande importance ». Il leur respondit : « Il n'est ja besoin d'y penser si fort, car comme homme experimenté, je vous y responderay promptement : entendez, que j'ay autresfois esté en ce scrupulle, mais quant ces petites resveries me viennent en l'entendement, je laisse tout cela et ne dictz ne l'un ne l'autre, mais en leur lieu, je diz mon *Ave Maria* et voula comme j'en eschappe au grand repos de ma conscience. »

Combien que le compte soit fort brief, mes Dames, je l'ay voulu mettre icy afin que, par cela, congnoissiez tousjours que ainsy que l'homme sçavant se juge ordinairement ignorant, ausy l'ignorant, en deffendant son ignorance, veult estre estimé sçavant. »

« Mes dames, après vous avoir compté, durant neuf jours neuf histoires que j'estime très veritables, j'ay esté en peine de vous racompter la dixieme, pour ce que ung nombre infini de beaulx comptes de toutes sortes differantes me sont venuz au devant, en façon que ne pouvois cheoisir le plus digne de tenir ce lieu, estant en deliberation de n'en dire plus. Et en ceste pencée, m'en allay pourmener en ung jardin où je trouvé l'ung de mes anciens amys, auquel je comptay la peine en quoy j'estois de trouver compte digne de fermer le pas aux autres. Alors luy, qui estoit homme d'entendement, qui avoit esté nourry toute sa jeunesse en Italie durant que le grand maistre de Chaulmont gouvernoit Milan, me pria, pour la fin de ce dixiesme, que j'en voulsisse escripre ung qu'il tenoit aussy veritable que l'evangile, lequel estoit advenu au plus grand amy qu'il eust en ce monde. Et, pour la promesse que luy ay faicte de l'escripre, n'ay eu crainte de la longueur, mais l'ay mis icy pour celles qui auront plus de loisir de le veoir que les autres. Et combien que ne le trouvez aux cronicques du pays dont je le racompte, si est-ce que je vous asseure estre vray, mais l'amour que je porte aux trespassez m'a contrainct de changer le nom, ne cherchant autre chose, en le racomptant, que satisfere à celuy qui m'en a prié [866]. »

NOTES ET VARIANTES

1. VAR. : de France et Espagne que d'autres lieux *(T)*.

2. VAR. : Viarnoys *(A)*. Le gave de Pau.

3. VAR. : tirèrent *(T)*.

4. Ce nom que l'on trouve aussi orthographié *Osille* désigne, comme on l'a vu (cf. *Introduction*, p. XII), Louise de Savoie, la mère de François Ier et de Marguerite d'Angoulême, *Osyle* étant l'anagramme de *Loyse*. Louise de Savoie, née en 1476, était veuve depuis 1499.

5. L'ancienne abbaye de Prémontrés de Sarrance, célèbre pour le culte de la Vierge qui y était rendu. Située sur le gave d'Aspe (arr. Oloron, cant. Accous), elle était une étape pour les pèlerins qui se rendaient à Saint-Jacques de Compostelle par le Somport. — Marguerite connaissait parfaitement les lieux qu'elle décrit pour y avoir fait de longs séjours, notamment en 1546; cf. JOURDA, *op. cit.*, p. 322.

6. La phrase depuis les mots *non qu'elle fust si supersticieuse* ne se trouve ni dans l'édition de 1558 (Boaistuau) ni dans celle de 1559 (Gruget), les éditeurs l'ayant omise par prudence, au moment où Henri II reprenait avec une vigueur accrue la lutte contre les réformés.

7. VAR. : la meilleure partie *(T)*.

8. Texte de *T* ; on lit *bandelier* dans *A*.

9. VAR. : partager *(T)*.

10. VAR. : les *deux* dames *(T)*.

11. VAR. : qui estoit requeste fort aisée *à faire (T, G)*.

12. Il faut reconnaître ici le deuxième mari de Marguerite, Henri d'Albret et non pas, comme le voulaient Le Roux de Lincy et les éditeurs postérieurs, Charles d'Alençon, son premier époux. Hircan est l'anagramme de *Hanric*, forme béarnaise de Henri; on trouve toujours dans *T* la forme *Hircain*.

13. C'est ainsi que Marguerite se désigne elle-même.

14. Cette jeune veuve doit être identifiée avec la baillive de Caen, Aimée Motier de La Fayette, dame de Longray; le nom de ce fief a inspiré à Marguerite la forme Longarine.

15. Les commentateurs ont hésité pour identifier ce personnage entre le comte d'Agoust et Antoine Héroët. M. Jourda (*op. cit.*,

p. 765) y reconnaît Nicolas Dangu, abbé de Juilly et de Saint-Savin de Tarbes, évêque de Séez et de Mende, qui fut un des familiers de la reine.

16. VAR. : Parlamente et l'autre damoiselle vefve Longarine et l'un des deux gentilz hommes estoit Dagoucin, l'autre Saffredan. — On ne peut retenir l'identification proposée par le bibliophile Jacob ou Le Roux de Lincy de Saffredent avec l'amiral de Bonnivet. F. Frank et Jourda proposent plutôt d'y voir Jean de Montpezat époux de Françoise de Fimarcon, Nomerfide — nom d'une des participantes du dialogue, qui va suivre — déguisant le nom de ce fief.

17. Saint-Savin, Hautes-Pyrénées, arr. et cant. Argelès; abbaye bénédictine.

18. VAR. : d'autant qu'*aus hommes y a quelque misericorde et aux bestes non.* Car. *(T, G).*

19. Pierrefitte-Nestalas, Hautes-Pyrénées, arr. et cant. Argelès; la forme *Peyrebitte* atteste l'évolution de l'*f* initiale qui dans les parlers du Sud-Ouest passe à *h.*

20. Femme de Saffredent; cf. ci-dessus, n. 16.

21. On a vu plus haut (cf. *Introduction*, p. VIII) que Marguerite a désigné sous ce nom, que l'on trouve aussi orthographié *Emarsuite*, Anne de Vivonne mariée à François, baron de Bourdeille (Simontault) et mère de Brantôme, elle était dame d'honneur de Marguerite dès 1529. Le témoignage de Brantôme qui dit de sa mère qu'elle était une des devisantes des contes de la reine de Navarre est formel.

22. VAR. : Avec les *sainctes* exhortations du bon abbé, de *s*'estre ainsy *(T).*

23. Il est avec Oisille et Simontault le plus âgé des devisants. Peut-être faut-il voir en lui, comme le propose F. Frank (*Heptaméron*, t. I, p. CXX) et comme paraît l'admettre M. Jourda (*op. cit.*, p. 764), le seigneur de Burye, lieutenant général du roi en Guyenne, qui fit partie de l'entourage de la reine après 1540. — Ce nom est toujours orthographié *Guebron* dans *G.*

24. Le 8 septembre, fête de la Nativité de la Vierge.

25. Le texte de A : « A Serrance en luy donnant [un blanc] en son voiage, deist que... » est défectueux; nous lui avons substitué le texte de *T.*

26. VAR. : se *voyant* seul *(G).*

27. VAR. : *feirent* une joye *(T, G).*

28. VAR. : qu'elle *le tenoit pour (G).*

29. VAR. : laisserent l'*entreprise (T).*

30. VAR. : les fournit *des meilleurs chevaus qui fussent en Lavedan, de bonnes capes de Bear, de force vivres* et de *(T, G).*

31. Les mots *qui estoit vray hypocrithe* manquent dans les deux

éditions de 1558 et de 1559 pour la même raison de prudence que nous avons mentionnée plus haut : cf. n. 6.

32. *Assemblée* omis dans *A*.

33. VAR. : d'Oleron, *veulent passer par le gave (T)*; *ne* veulent passer par le gave *(G)*.

34. de *devenir* malades *(T)*.

35. VAR. : pour passer le temps *aussi joyeusement que nous pourrons. Sa compaigne, Nomerfide, dist que c'estoit bien advisé et que si elle estoit un jour sans passetemps, elle seroit morte le lendemain.* Tous les gentilz hommes... *(G)*.

36. VAR. : et ce *commencement* là *(A)*.

37. VAR. : cherché *toutes autres choses où n'ay trouvé* contentement *(G)*.

38. VAR. : La *damoiselle* leur dist *(A)*.

39. VAR. : satisfaict a vostre *dame (A)*.

40. Il s'agit du *Décameron* de Jean Boccace qu'Antoine Le Maçon, conseiller du roi et trésorier de l'extraordinaire des guerres, avait traduit en français pour la première fois en 1545; l'ouvrage était dédié à Marguerite elle-même : il connut un tel succès que de nouvelles éditions en furent données en 1548, puis en 1551 et 1553. — Cette mention de la traduction d'Antoine Le Maçon fournit la preuve que Marguerite a composé son Prologue au plus tôt en 1545 et alors que la plupart des nouvelles étaient écrites : cf. notre *Introduction*, p. IX.

41. Le second fils de François Ier, Henri, devenu dauphin par la mort de son frère aîné en 1536.

42. Catherine de Médicis, qui épousa Henri en 1533.

43. Marguerite de Navarre elle-même.

44. VAR. : Et *premièrement* lesdictes dames, et monseigneur le Daulphin avecques *elles, conclurent* d'en faire *(G)*.

45. Les « grandes affaires » auxquelles Marguerite fait ici allusion et qui sont contemporaines de la publication de la traduction de Boccace publiée avec privilège du 2 novembre 1544 par Antoine Le Maçon sont l'invasion de la France par les Impériaux en 1544, la campagne d'Italie avec la victoire de Cérisoles et la signature du traité de Crépy.

46. Le traité d'Ardres signé le 7 juin 1546 entre François Ier et Henry VIII.

47. Il ne doit pas être question ici de la naissance du dauphin François survenue le 20 janvier 1544 et qui se situe donc un an avant la publication d'A. Le Maçon mais plutôt de celle d'Élisabeth, la future femme de Philippe II, qui naquit le 2 avril 1545.

48. On peut citer parmi ces « aultres choses » la mort du dauphin

Charles, duc d'Orléans, en septembre 1545, qui fit tant de peine à Marguerite.

49. VAR. : là, *assez* noz aises *(A)*.

50. VAR. : vous asseurant qu'ilz auront ce present icy plus aggreable. Toutesfois, quoy que je die, si quelqu'un d'entre vous trouve chose plus plaisante, je m'accorderai *(T, G)* ; les mots *en lieu d'ymaiges ou de patenostres* sont en outre supprimés dans *G*.

51. VAR. : qu'il *auroit* besoin *(T)*.

52. VAR. : vous vous contenterez *(T, G)*.

53. VAR. : fut veu *un pareil à la verité (T)* ; un *pareil (G)*.

54. VAR. : si *mole* et *(T, G)*.

55. VAR. : Commencez quelque bonne chose et l'on vous ecoutera. Simontault, convié de toute la compagnie commença à dire *(T, G)*.

56. Le sommaire de Gruget est le suivant : « Une femme d'Alençon avoit deux amis, l'un pour le plaisir, l'autre pour le profit; elle fit tuer celuy des deux qui premier s'en apperceut, dont elle impetra remission pour elle et son mari fugitif, lequel depuis, pour sauver quelque argent, s'adressa à un necromancien, et fut leur entreprise descouverte et punie. »

57. Ici commence dans *G* la première nouvelle.

58. Charles duc d'Alençon, le premier mari de Marguerite.

59. Les éditions de 1558 et de 1559 ont substitué à l'*evesque de Sées*, la périphrase *un prelat d'eglise duquel je tairay le nom, pour la reverence de l'estat*. — L'évêque de Séez était alors Jacques de Silly; nommé le 26 février 1511, il occupa ce siège jusqu'au 24 avril 1539, date de sa mort.

60. VAR. : des *invocations (G)*.

61. Les éditions de 1558 et de 1559 ont ici encore supprimé les mots *nommé du Mesnil*.

62. VAR. : son plaisir, *ledict fils du lieutenant (G)*.

63. VAR. : que quant il *entendroit cella*, le chastieroit *(A)* ; que quand il *entendroit cela, il se chastiroit de l'aymer (G)*.

64. VAR. : comme *le prelat (G)*.

65. VAR. : ce fut *le fils du lieutenant (G)*.

66. VAR. : la plainte *à son prelat (G)*.

67. VAR. : se tenir à *Argenton (A)*.

68. VAR. : au fils du lieutenant *(G)*.

69. VAR. : et *du prelat (G)*.

70. VAR. : s'en alla à *Argenton (A)*.

71. VAR. : et qu'il n'en *croioit* riens *(T)*.

72. VAR. : qui ne doubtoit point de sa conspiration *(A)*.

73. VAR. : envoya *secrettement de ses serviteurs querir le jeune homme* qui *(G)*.

74. VAR. : qui ne se *doubtoit* du mal *(A)*.

75. M. Le Roux de Lincy a découvert aux Archives nationales (J 234, nº 191) et publié dans son édition de l'*Heptaméron* (t. IV, p. 214), la lettre de rémission que François Ier accorda en juillet 1526 à Michel de Saint-Aignan et où l'on retrouve, mais atténués pour sa défense que présentait ledit Michel de Saint-Aignan, les faits qui constituent cette première nouvelle. Ainsi Marguerite restait-elle fidèle à sa promesse de ne dire que des histoires vraies; ici le nom du héros n'est même pas modifié.

76. Jean Brinon, conseiller, puis premier président du Parlement de Rouen, chancelier d'Alençon et de Berry, juriste distingué et diplomate averti, fut l'homme de confiance de Marguerite et surtout de Louise de Savoie qui le chargea de 1524 à 1527 de plusieurs missions en Angleterre et notamment durant la régence, en juin 1525, de la négociation du traité de Moore (30 août 1525) qui rétablissait la paix entre la France et l'Angleterre.

77. Cl. Gruget a laissé subsister ici, par inadvertance, le nom de Gilles du Mesnil.

78. Marguerite décrit ici une curieuse scène d'envoûtement dont la pratique fut si répandue au XVIe siècle et notamment dans les milieux italiens de la cour.

79. Les mots *nommé Neaufle* ont été omis dans *G*.

80. Jean de La Barre, prévôt et gouverneur de Paris de 1526 à sa mort en mars 1534 (nouveau style). Marguerite le mettra encore en scène dans la 63e nouvelle.

80 *bis*. VAR. : en quelque *autre grieve* peyne *corporelle (T, G)*.

81. Bernard d'Ornezan, baron de Saint-Blancard, général des galères du roi, puis amiral du Levant. Marguerite le connaissait particulièrement puisqu'il avait été chargé d'organiser son voyage en mer lorsqu'elle était allée en Espagne négocier la mise en liberté de François Ier.

82. Les mots *ni estre danné* sont omis dans *G*.

83. VAR. : elle favoriseroit mon *compagnon (A)*. Ici se termine la première nouvelle dans *T*.

84. VAR. : par une *chose* veritable *(A)*.

85. Le sommaire de Cl. Gruget est le suivant : « Piteuse et chaste mort de la femme d'un des muletiers de la Royne de Navarre ».

86. Les faits qui constituent cette nouvelle doivent donc être replacés peu après août 1530, époque à laquelle Marguerite accoucha d'un fils, Jean, qui ne devait vivre que deux mois. — A l'article qu'il consacre à Marie Stuart, Brantôme (éd. Lalanne, t. VII, p. 438),

rappelle cette nouvelle, soupçonnant le bourreau de la reine d'avoir agi sur sa victime comme le muletier.

87. VAR. : si *vite autour de la* table *(T)*.

88. VAR. : elle mouroit *et de son salut respondit par signes si evidens que la parolle n'eust sceu mieux monstrer que sa confiance estoit en la mort de Jesus-Christ, lequel esperoit voir en sa cité celeste*. Et ainsi avec *(G)*.

89. VAR. : et s'*enquist* de ...eut double *occasion* de *(A)*.

90. VAR. : comme ceste cy *a resisté (A)*.

91. VAR. : ne se donnent poinct aux *honneurs (A)*.

92. VAR. : de ses vertus *et le coronne de sa gloire*. Et souvent *(T, G)*.

92 *bis*. VAR. : Ne nous *confions* point en noz vertus *(T)* ; duquel il nous peult effacer *(A)*. Ces mots et la fin de la phrase manquent dans *G*. — On trouve à plusieurs reprises dans l'*Apocalypse* mention des noms des élus qui sont inscrits au livre de Vie, mais nulle part la citation telle que nous la donne Marguerite.

93. La troisième nouvelle commence ici dans *T*.

94. VAR. : trouvé mauvays. *Par quoy il commença ainsi son conte (T)*.

95. Le sommaire de Cl. Gruget est le suivant : « Un roy de Naples, abusant de la femme d'un gentil homme, porte en fin luy-mesme les cornes. »

96. VAR. : auquel la *civete* estoyt *(A)*. — Il s'agit vraisemblablement ici d'Alphonse V dit le Savant ou le Magnanime, roi d'Aragon et de Sicile, de 1443 à sa mort en 1458. Il avait épousé en 1415 Marie, fille d'Henri III, roi de Castille, avec qui il vécut en mauvaise intelligence, menant lui-même une vie fort licencieuse.

97. VAR. : pour ne perdre *sa* presence *du* Roy *(T, G)*.

98. VAR. : si secretement que l'*homme (G)*.

99. VAR. : le Roy la *cherissoit, si n'en peut-il rien croire (G)*.

100. VAR. : ce *feu* tant difficile à couvrir commencea *(T, G)*.

101. VAR. : en ce despit pensa de rendre la pareille au Roy s'il luy *(T, G)*.

102. La phrase : « Le gentil homme lui dist » a été omise par le copiste de *A*.

103. VAR. : vous rendroit *tel contentement (G)*.

104. VAR. : afin que *ne* trouvant en luy *(T)*.

105. VAR. : pas bien *souldé* l'amour *(A)*.

106. VAR. : et *va* rememorer *(T)*.

107. VAR. : me semble que la verité *(A)*.

108. VAR. : *de ce qui* croist *plus tant plus il le veult (A)*.

109. Le membre de phrase : « ne vous imite à m'aimer, au moins celle de vous » a été omis dans *A*.

110. Cette phrase cache une allusion à la représentation des mystères au Moyen Age et pendant la Renaissance. Après les mystères de la Passion et de la Résurrection, venait la représentation du Mystère de la Vengeance où se trouvaient exposés les malheurs qui avaient poursuivi les responsables de la mort du Christ.

111. VAR. : à demye lieue *de la ville (T)*.

112. VAR. : *grand* pitié *(T)*.

113. VAR. : luy faisoient des *cornets (G)*.

114. VAR. : que la *corne (A)*.

115. VAR. : ma *quello* le porta *(T)*; les mots *porto le* sont omis dans *A*.

116. VAR. : *lequel* luy *(T)*.

117. VAR. : est caché au *cerf (G)*.

118. VAR. : mais *contentez* vous *(T, G)*.

119. VAR. : vesquirent longuement... jusques à ce que *(T, G)*.

120. VAR. : vous *donneront* des cornes de cheuvreul, vous leur en *rendez* de celles de cerf *(T)*.

121. VAR. : il *se* tint *très* content *(T)*.

122. Dans *T*, ce dernier paragraphe constitue le premier de la 4e nouvelle.

123. Le sommaire de Cl. Gruget est le suivant : « Temeraire entreprise d'un gentil homme à l'encontre d'une princesse de Flandres et le dommage et honte qu'il en receut. »

124. VAR. : et meilleure *compagnie (T, G)*.

125. Nous devons à Brantôme l'identification des personnages mis en scène dans cette quatrième nouvelle. A l'en croire, les deux héros de cette aventure auraient été l'amiral de Bonnivet et Marguerite elle-même. Rapportant dans ses *Vies des Hommes illustres et grands Capitaines français* la vie de l'amiral, il poursuit : « Il y a un conte dans les Nouvelles de la Reyne de Navarre qui parle d'un seigneur, favory d'un Roy qui, l'ayant convié en une de ses maisons et toute sa court, avoit faict une trappelle en sa chambre qui alloit en la ruelle du lict d'une grande Princesse pour coucher avec elle; comme il fist et y coucha mais, comme dict le conte, il n'en tira d'elle que des esgratignures : toutesfois, c'est assavoir. Ce conte est de luy, mais je ne nommeray point la Princesse. » (Ed. Lalanne, t. III, p. 67.) En fait, Brantôme nomme cette princesse dans la notice qu'il consacre dans ses *Dames galantes* (t. IX, p. 679) à Mme de Chastillon qui « bailla ce beau conseil à cette Dame et grande Princesse... Et si voulez sçavoir de qui la nouvelle s'entend, c'estoit de la Reyne mesme de Navarre et de l'admiral de Bonnivet, ainsi que je tiens de ma feu grand mere, dont pourtant me semble que ladite Royne n'en devoit celer son nom puisque l'autre ne peut rien gagner sur sa chasteté. »

Guillaume Gouffier de Bonnivet, créé amiral de France le 31 décembre 1517, fut un des hommes de confiance de François Ier qui le chargea de plusieurs missions diplomatiques en Allemagne et en Angleterre; nommé gouverneur de Guyenne, il s'empara de Fontarabie puis, en qualité de lieutenant général du roi, mit le siège devant Milan en 1523. Il devait trouver la mort à Pavie le 24 février 1524. Marguerite en fera également le héros de la 14e nouvelle.

Quant à la dame d'honneur de Marguerite, Mme de Chastillon, c'était Blanche de Tournon qui avait épousé en secondes noces Jacques de Châtillon, mort en 1512 à Ferrare. Elle était fille de Jacques de Tournon et de Jeanne de Polignac et sœur du cardinal François de Tournon.

On remarquera que sans le témoignage de Brantôme il eût été très difficile d'identifier les héros de ce conte dont l'auteur a, à dessein, faussé les données historiques. Marguerite, en effet, ne fut veuve qu'une fois, son second mari, Henri de Navarre, lui ayant survécu; d'autre part, elle eut une fille de son second mariage, Jeanne d'Albret. L'amiral de Bonnivet étant mort à Pavie, mais n'étant pas encore qualifié d'amiral, l'aventure rapportée ici doit être datée des environs de 1520.

126. VAR. : si bien tapissée, accoustrée par le haut *(G)*.

127. VAR. : *j'entreprends* une chose *(A)*.

128. VAR. : par *ung* service *(A)*.

129. VAR. : sans luy *ne pouvoit* toute *(A)*.

130. VAR : la voyant ainsy, luy dist *(A)*.

131. VAR. : qui diminue *(A)*.

132. VAR. : encores qu'*ilz* le fuyent le plus qu'*ilz* peuvent *(A)*.

133. La cinquième nouvelle commence ici dans *T*.

134. Le sommaire de Cl. Gruget est le suivant : « Une bastelière s'eschappa de deux cordeliers qui la vouloient forcer, et feit si bien que leur peché fut descouvert à tout le monde ».

135. Deux-Sèvres, arr. et canton Niort.

136. La Sèvre Niortaise est en effet très large à la hauteur de Coulon.

137. VAR. : elle dist *au beau-pere le jeune : (G)*.

138. VAR. : il *se loue* de moy *(T)*.

139. VAR. : *ceux de la justice* y allerent *(T)*.

140. VAR. : ces pauvres *fratres (G)*.

141. Marguerite cite ici les propres termes de la Genèse (III, 8) : *Abscondit se Adam a facie Dei.*

142. VAR. : prins et *estre mis* [correction postérieure au lieu de *menez*] *(A) ; menez (G)*.

143. VAR. : à nos femmes. Le mary disoit : « *Ils n'osent toucher*

l'argent la main nue et veulent bien manier les cuisses des femmes qui sont plus dangereuses. » Les autres disoient *(G)*. Frank remarque à cette occasion combien les premiers éditeurs de Marguerite avaient dans leurs interpolations un langage beaucoup plus libre que le sien.

144. Transposition du passage de saint Mathieu (XXIII, 27) : *Similes estis sepulcris dealbatis quæ a foris parent hominibus speciosa, intus vero plena sunt ossibus mortuorum et omni spurcitia.*

145. Autre transposition de saint Mathieu (XII, 33) : *Siquidem ex fructu arbor cognoscitur*, ou de saint Luc (VI, 44) : *Unaquaque enim arbor ex fructu suo cognoscitur.*

146. Les mots *furent recoux et delivrez* sont omis dans *A*.

147. VAR. : vouldroit charger; *furent renvoiez à leur couvent par le juge en enterinant la requeste du gardien* qui estoit homme de bien *et la furent chapitrez de sorte* que oncques puis *(T)*.

148. Le passage allant de *quant il n'y auroit* à *coustume que vertu* a été omis dans *G*.

149. VAR. : leur chasteté, *que doivent faire celles qui, ayant leur vie acquise, n'ont autre occupation que verser ès sainctes lettres et à ouyr sermons et predications et à s'appliquer et exercer en tout acte de vertu ?* C'est là *(G)*.

150. VAR. : moins *ou ilz* ont faict sonner le tabourin de ce qu'*ilz* ont faict *(A)*.

151. VAR. : « Parlamente dist : Je voy bien que Simontault a desir de parler, parquoy je luy donne ma voix : car apres deux tristes nouvelles, il ne fauldra à nous en dire une qui ne nous fera point plourer. — Je vous remercie, dist Simontault, car en me donnant vostre voix, il ne s'en fault gueres que ne me nommez plaisant, qui est un nom que je trouve trop fascheux; et pour m'en venger, je vous monstreray qu'il y a des femmes qui font bien semblant d'estre chastes envers quelques uns et pour quelque temps, mais la fin les monstre telles qu'elles sont, comme vous verrez par une histoire très veritable que je vous diray ». *(G)*. On remarquera que cette version de Cl. Gruget rompt l'ordonnance de la composition de l'*Heptaméron* en donnant la parole à Simontault qui a déjà dit la première histoire, alors que chaque devisant ne doit prendre la parole qu'une fois dans chaque journée. Cf. également ci-dessous n. 713.

152. La sixième nouvelle commence ici dans *T*.

153. Le sommaire de Cl. Gruget est le suivant : « Subtilité d'une femme qui fit évader son amy, lors que son mary (qui estoit borgne) les pensoit surprendre. »

154. Cf. ci-dessus n. 58. En faisant d'un valet de son premier mari le héros de cette nouvelle, Marguerite donne un semblant de cadre historique à un conte inspiré en réalité de nos vieux fabliaux et repris maintes fois par les conteurs avant la reine elle-même. C'est ainsi qu'on retrouve ce thème dans le fabliau de *la male Dame*, dans le *Décaméron*

de Boccace (septième journée, 6e nouvelle) et enfin dans les *Cent Nouvelles nouvelles* (éd. P. Champion, Paris. E. Droz, 1928, 2 vol. in-4°, t. I, p. 53).

155. Var. : avecq elle *qui voyt* venir *(A)*.

156. Var. : Si vous pensez, *dit Nomerfide à Hircan*, que les finesses *des hommes* dont chacun *(T)*. — La septième nouvelle commence ici dans *T*; les finesses d'*un* des hommes *(G)*.

157. Le sommaire de Cl. Gruget est le suivant : « Un marchant de Paris trompe la mere de s'amie pour couvrir leur faulte. »

158. Le copiste de *A* a omis les mots *et cherir*.

159. Var. : le *cherissoit* plus *(G)*.

160. La huitième nouvelle commence ici dans *T*.

161. Le sommaire de Cl. Gruget est le suivant : « Un quidam ayant couché avec sa femme au lieu de sa chambriere, y envoya son voisin qui le feit cocu sans que sa femme en sceust rien. »

162. Alais, Gard, chef-lieu d'arrondissement. Ici encore Marguerite donne un cadre géographique à une nouvelle dont le thème a été maintes fois utilisé avant elle, notamment dans le *Meunier d'Aleu*, fabliau d'Enguerrand d'Oisy (Recueil de fabliaux publié par A. de Montaiglon, t. II, p. 31), dans le *Décameron* de Boccace (nouvelle IV de la huitième journée), dans les *Facéties* du Pogge et dans les *Cent Nouvelles nouvelles* (nouvelle IX, éd. P. Champion, t. I, p. 37).

163. Var. : qui sont *ainsy* font *(A)*.

164. *Si* omis dans *A*.

165. Var. : au change de quoy il ne craignoyt sinon que la diversité des viandes plaist *(T)* ; *au* change *de quoy* il ne *craignoit sinon que* la diversité des viandes *ne pleust (G)*.

166. Var. : au *gateau (G)*.

167. Var. : telles *merites (A)*.

168. Var. : au *party* du *(A)*.

169. Var. : le plus *voyement (G)*.

170. Var. : *ne* seroys-je pas bien coqu *(A)*.

171. Var. : à l'oreille et preschées souz le tect *(T)* ; à l'oreille *sont* preschées *sur* le tect *(G)*.

172. Les mots de *Hircan* à *luy dist* sont omis dans *A*.

173. Var. : *repliqua* Saffredent *(T)*.

174. Var. : a qui *ilz touschent (A)*.

175. Ici commence la neuvième nouvelle dans *T*.

176. Var. : leur *merite (A)*.

177. La phrase allant de *vous voulez tomber* a *dist Dagoucin* a été omise dans *A*.

178. VAR. : ne desir de bien aymé *(A)*.

179. VAR. : la *Republique* de Platon *(T, G)*. — Il s'agit du fameux traité du philosophe où se trouvent exprimées les idées qui constituent ce que l'on appelle le « platonisme » de Marguerite de Navarre, exprimé ici par Dagoucin.

180. VAR. : *dire* ma pensée *(A)*.

181. VAR. : mis *aux* Innocents, *de ce que* l'Eglise *(A)*.

182. VAR. : vous *y puissiez* adjouster foy *(A)*.

183. VAR. : je vous *reciteray une histoire advenue depuis* trois ans *(G)*.

184. Le commentaire de Cl. Gruget est le suivant : « Piteuse mort d'un gentil-homme amoureux pour avoir trop tard receu consolation de celle qu'il aimoit. »

185. Les indications que nous donne la reine : histoire véritable, arrivée il n'y a pas trois ans, entre Dauphiné et Provence sont trop vagues pour rendre possible l'identification du jeune homme pauvre et de basse origine et de la jeune fille riche et de haute extraction. Mais on se rappelle involontairement l'aventure du troubadour Jaufré Rudel qui, follement épris de la comtesse de Tripoli, *la Princesse lointaine*, au récit de ses mérites, s'embarqua pour la rejoindre, mais expira au moment où la comtesse venait le saluer sur le bateau qui l'avait amené. (Cf. Raynouard, *Choix des Poésies originales des Troubadours*, Paris, 1820, 6 volumes in-8°, t. V, p. 165.)

186. VAR. : *que luy qui ne l'avoit pretendue meilleure, se contentoit très fort (T)* ; se contentoit *(G)*.

187. VAR. : de *tous leurs repos (A)*.

188. VAR. : que la *beauté de sa* fille *(T, G)*.

189. VAR. : s'amye *non plus* que luy *(G)*.

190. VAR. : languissant le plus *fort qu'il peut en son extreme foiblesse*, estendit *(G) ; estendit* omis dans *A*.

191. VAR. : la vive *presque morte d'avec le mort (G)*.

192. VAR. : esté meschant veu que *(A)*.

193.

Car nature n'est pas si sote
Qu'ele face naistre marote
Tant seulement pour Robichon
. . . .
Ainz nous a faiz, beau fiz, n'en doutes,
Toutes pour touz et touz pour toutes.

(Éd. Ernest Langlois, vers 13879-13886.)

194. VAR. : seroit *impossible (G)*.

195. Ici commence la dixième nouvelle dans *T*.

196. Le sommaire de Cl. Gruget est le suivant : « Amours d'Amadour et Florinde, où sont contenues maintes ruses et dissimulations, avec la très louable chasteté de Florinde. »

197. Aranda de Moncayo, province de Saragosse, district de Villarroya.

198. On trouve toujours *Florinde* dans *G*.

199. Ferdinand le Catholique, roi d'Aragon, qui avait épousé en 1469 Isabelle de Castille (les « rois catholiques »).

200. L'édition de 1558 porte comme *T* : « En son chateau de la Jafferie ». Cette leçon est la bonne, donnant la forme francisée de l'espagnol *Aljaferia*. Le *castillo de la Aljaferia*, construit par Ben-Aljafa (d'où son nom), se dresse à l'ouest de Saragosse, à quelques minutes des dernières maisons de la ville; il était une des résidences des rois d'Aragon et sert aujourd'hui de caserne.

201. Don Henri d'Aragon, comte de Ribagorce, vice-roi de Catalogne à l'époque où se situe la nouvelle.

202. Par le traité de Blois (1505) aux termes duquel Ferdinand devait épouser Germaine de Foix, nièce de Louis XII.

203. Var. : par la *frequence des* longues *(A)*.

204. Var. : pour *pourveoir* à *(G)*.

205. Les mots *car il n'avoit nul moyen de parler à elle* sont omis dans *G*.

206. Var. : avoit *esté nourrie d'enfance* avec Floride tellement qu'elle sçavoit *(T, G)*.

207. Var. : *bien* disant *(A)*.

208. Var. : *s'estimast* de *ne* le veoir *(A)*.

209. Var. : n'en avoient *(A)*.

210. Don Alphonse d'Aragon, comte de Ribagorce, duc de Segorbe, seul héritier mâle de la maison de Castille, fils d'Henri d'Aragon, duc de Segorbe; ce dernier avait été nommé l'Infant de la Fortune parce qu'il était né en 1445 après la mort de son père. (Note de l'éd. Le Roux de Lincy et Montaiglon, t. IV, p. 235.)

211. Vraisemblablement le fils de Remon Folch V, en faveur de qui le comté de Cardonne fut érigé en duché par les Rois catholiques. — On trouve partout dans *G* le duc de *Cadouce*.

212. Var. : couple de *la chrestienté (G)*.

213. Var. : a ung sien frere qui estoit *chevalier d'honneur* de la Royne *(T)*.

214. Var. : les parens, le *chevalier d'honneur (T)*.

215. Var. : et *gaigna ce poinct* qu'elle luy declaira *(G)*.

216. Var. : escrivoit souvent Amadour *à sa femme (G) ; Amadour* omis dans *A*.

217. Var. : le *cherissoit* en tous lieux *(G)*.

218. Var. : mensonge, *elle* luy *communicqueroit* une verité *(A)*.

219. Var. : je doubtois que *pensériez une grande outrecuydance a* moy qui suis *(T, G)*.

220. Les mots *de vous compter par le menu* sont omis dans *A*.

221. Salces, Pyrénées-Orientales, arrondissement de Perpignan : place forte.

222. VAR. : luy *poursuiveyrent (A)*.

223. VAR. : Quand Floride *se trouva seule après* le departement *(G)*.

224. VAR. : car *au lieu de compte faudroit faire un bien grand livre (G)*.

225. Pierre Manrique de Lara, comte de Trevigno, fut fait duc de Nagera par les Rois catholiques Ferdinand et Isabelle.

226. C'est en 1503 qu'une flotte mauresque vint ravager les côtes de Catalogne. — Les mots *envoya un grand nombre de fustes et autres vaisseaux* sont omis dans *A*.

227. VAR. : les *navires* veirent *(A)* ; les *navires cogneurent* que le lieu *(G)*.

228. VAR. : la maison *où il* tenoit *fort* contre eux *(G)*.

229. VAR. : deux ans *prisonnier* du *(T)*.

230. VAR. : par trop faindre, la *faute* ne fust *(T)*.

231. VAR. : qu'elle *luy* portoit, pensa *(A)*.

232. Le passage allant de *le mectant à si grande* à *sur sa foy* a été omis dans *T*.

233. VAR. : en *promissent* mauvaise *(A)*.

234. VAR. : povoir *reveoir (A)*.

235. VAR. : pour le *conseiller (A)*.

236. Les mots *quoi qu'ils fassent* sont omis dans *A*.

237. VAR. : qui *ne* se laisse *(A)*.

238. VAR. : ne doubtez point que ceux qui ont esprouvé les forces d'amour ne rejettent le blasme sur vous qui m'avez tellement ravy ma liberté et esblouy mes sens par vos divines graces que, ne sçachant desormais que faire, je suis contrainct de m'en aller, sans espoir de jamais vous reveoir, asseuré toutesfois que, quelque part où je sois, vous aurez tous jours part du cueur qui demeurera vostre à jamais soit sur terre, soit sur eau ou entre les mains de mes plus cruels ennemis. Mais si j'avois... *(G)*.

239. VAR. : mort en *telle rompure (G)*.

240. VAR. : autant estimée que *j'ayme (T)*.

241. VAR. : en pourroit recevoir *quelque desplaisir (G)*.

242. VAR. : de *rançon (A)*.

243. VAR. : de la mort, *au hazard de laquelle il s'exposoit ; sa pensée conclute et deliberée*, feit tant envers *(T, G)*.

244. VAR. : tort à *sa beaulté* en *la* diminuant *(T, G)*.

245. VAR. : quelques *replicques* de *(A)*.

246. VAR. : et à *ceste pitié et honnesteté* que *(G)*.

247. VAR. : vostre *meschanceté et appetit desordonné* à *(G)*.

248. VAR. : qu'elle *avoit tousjours evité par force* d'y resister *(G)*.

249. Les mots *sinon que* sont omis dans *A* et remplacés dans *T* par *et*.

250. VAR. : je seray *pour jamais (G)*.

251. VAR. : de *s'en venger* pour *(A)*.

252. Cette phrase a été omise dans *G*.

253. Le membre de phrase allant de *Amadour* à *deux corps* a été omis dans *A*.

254. VAR. : qu'il ne *fut besoing y retourner pour le second (G)*.

255. Les mots *en oyt le bruict* ont été omis dans *A* et dans *T*.

256. VAR. : *le* prenant pour mary et *pour* Celluy qui *(A)*.

257. VAR. : *mais quand* nous les menons dancer *(T, G)*.

258. VAR. : *Le bien servir et loyal estre*
Le serviteur faict estre maistre (T).

259. VAR. : et *contentement* à *(G)*.

260. C'est le commentaire des Saintes Écritures dont il a déjà été question dans le Prologue comme d'une occupation favorite d'Oisille.

261. Ici commence la onzième nouvelle dans *T*.

262. VAR. : car je m'y estois desja toute resolue, me souvenant d'un compte qui me fut faict l'année passée par une bourgeoise de Tours, natifve d'Amboise qui m'afferma avoir été présente aux prédications du cordelier dont je veulx parler *(G)*. — Cette variante est nécessitée en effet par la substitution faite par Cl. Gruget de la nouvelle publiée ici en Appendice (nº I) à la XIᵉ nouvelle des manuscrits qui suit.

263. Cette nouvelle se trouve dans tous les manuscrits et, dans l'édition Boaistuau, porte le nº 19. Mais dans l'édition Gruget (1559) elle a été remplacée par la nouvelle intitulée *Propos facetieux d'un Cordelier en ses sermons* dont on trouvera le texte sous le nº I de l'Appendice.

264. VAR. : de leur *vendange* que *(T)*.

265. Les mots *et de la deesse Cerès* sont omis dans *A* et dans *T*.

266. Ici commence la douzième nouvelle dans *T*.

267. Le sommaire de Cl. Gruget est le suivant : « L'incontinence d'un Duc et son impudence pour parvenir à son intention, avec la juste punition de son mauvais vouloir. »

268. Les mots *de la maison de Medicis* sont omis dans *G*.

269. Le commentaire de cette nouvelle — la première version en français de l'histoire de Lorenzaccio — a été donné par A. Rally dans la *Revue du XVIᵉ siècle*, t. XI (1924), p. 208-221. Nous ne donnerons donc ici que quelques précisions indispensables pour l'intelligence du

texte. Les événements auxquels il est fait allusion datent de 1537; le 6 janvier, Alexandre de Médicis, premier duc de Florence et époux de Marguerite, née d'une union de Charles-Quint avec Marguerite de Gest, fut assassiné par son cousin Lorenzino, né en 1514, mort en 1548, assassiné à Venise. Lorenzino agit avec un complice dont Marguerite ne nous donne pas le nom et qui s'appelait Michel del Favolaccino dit Scoronconcolo. Son crime commis, Lorenzino demanda à l'évêque de Marzi l'ouverture des portes de la ville en donnant comme prétexte la maladie de son frère Julien de Médicis. Il se réfugia à Venise où se trouvait Filippo Strozzi et, après un séjour de quelques mois à Constantinople auquel Marguerite fait également allusion dans la nouvelle, il gagna la France où il résida de décembre 1537 à octobre 1544, puis il retourna à Venise, où il fut assassiné en 1548,donc un an après que Marguerite eut écrit sa nouvelle.

270. Les mots *plus meur* sont omis dans *A* et dans *T*.

271. VAR. : pourchasser *l'honneur* de *(A)*.

272. VAR. : bien *estimée* de *(A)*.

273. Le passage allant de *Les dames disoient* à *des deux costez* a été omis dans *T*.

274. Marguerite fait ici allusion au poème d'Alain Chartier dont elle cite textuellement deux vers :

> *Si gracieuse maladie*
> *Ne met gueres de gens à mort,*
> *Mais il siet bien que l'on le die*
> *Pour plus tost attraire confort ;*
> *Tel se plaint et tourmente fort*
> *Qui n'a pas les plus aspres deulx*
> *et, s'Amours griefve tant, au fort*
> *Mieux en vault ung dolent que deux.*
> (Éd. A. Du Chesne, p. 509.)

Le poème est écrit en forme de dialogue entre une Dame et son Amant qui meurt parce que sa dame n'a pas voulu compatir à ses douleurs. Marguerite y fera de nouveau allusion dans la 56e nouvelle.

275. VAR. : que elle dame *(A)*.

276. VAR. : nous *conjurons* nostre diable *au (A)*.

277. Les mots *plusieurs comme on fait* sont omis dans *A* et *T*. — idolatrer comme *plusieurs autres (G)*.

278. Les mots *mais n'en parlons plus* sont omis dans *T* qui commence ainsi la treizième nouvelle : « Afin que la colere de Saffredant ne feit deplaisir ny à luy ny à autre, laisserent ce propos et regardans à qui... ».

279. Le sommaire de Cl. Gruget est le suivant : « Un capitaine de galeres, soubs ombre de devotion, devint amoureux d'une damoiselle, et ce qui en advint. »

280. Louise de Savoie qui reçut le titre de régente à deux reprises,

en 1515-1516, puis pendant la campagne d'Italie qui devait se terminer à Pavie et la captivité de François Ier, de juillet 1523 à 1526. C'est de juillet à septembre 1517 que la cour séjourna en Normandie, voyage auquel il est fait allusion un peu plus loin.

281. VAR. : d'un Crucifix et d'une Notre-Dame de Pitié *(T)*. Nous disons communément une *Pietà*, Vierge assise portant sur ses genoux le Christ mort.

282. VAR. : pour *l'honnesteté et* amityé *(A)*.

283. VAR. : mes plainctes et *douleurs (G)*.

284. VAR. : Et devant Dieu *et le Ciel* estre dicte *(T)*; devant Dieu *et le Ciel doit* estre dicte *(G)*.

285. VAR. : *que pour* oster *(A)*.

286. VAR. : m'a declaré *(T)*.

287. Les mots *furent tous tuez* manquent dans *A* et dans *T*.

288. VAR. : vindrent *chercher* à *(A)*.

289. VAR. : y estre *receu (T, G)*.

290. VAR. : comme j'ay dict seullement sont pugniz *(A)*.

291. Ici prend fin la treizième nouvelle dans *T* qui commence ainsi la quatorzième : « Madame Oisille, prevoyant que si ce propos prenoit plus long trait, ilz entreroient si avant en dispute que malaisement le reste de la journée pourroit suffir à en sortir, fut d'avis avec toute la compagnie de n'en parler plus et pria Parlamente de donner sa voix... ».

292. Le sommaire de Cl. Gruget est le suivant : « Subtilité d'un amoureux qui, soubs la faveur du vray amy, cueilla d'une dame Milannoise le fruict de ses labeurs passez. »

293. Charles d'Amboise, seigneur de Chaumont, neveu du cardinal Georges d'Amboise, le ministre de Louis XII, se distingua, tout jeune encore, à la tête de son armée chargée de défendre le Milanais et fut ensuite nommé gouverneur de Milan en 1507. Créé par la suite amiral, grand maître et maréchal de France, il entra avec Louis XII à Gênes en 1504, combattit en 1509 à Agnadel et mourut empoisonné l'année suivante à Corregio.

294. Nous renvoyons sur ce personnage, qui a déjà été mis en scène par Marguerite dans la quatrième nouvelle, à la notice que nous lui avons consacrée ci-dessus, n. 125.

295. VAR. : l'autre en *vertu (A)*.

296. Les mots *qu'avoit l'un de ses freres* sont omis dans *A*.

297. VAR. : estre trop *seur (A)*.

298. VAR. : d'elle *esteingnit premierement le flambeau qui ardoit en sa chambre* puis se despouilla *(G)*.

299. VAR. : que c'estoit d'*aler* au nom *(T)*.

300. Var. : sans *parler à elle (G).*

301. Les mots *la pria* sont omis dans *A*.

302. On n'a pas manqué d'identifier l'héroïne de ce conte avec la belle et grande dame de Milan, la *señora Clerice* dont Brantôme parle dans le chapitre qu'il a consacré à l'amiral Bonnivet. (Éd. Lalanne, t. III, p. 68.) A en croire le chroniqueur — qui d'ailleurs ne fait cette fois aucune allusion au récit de Marguerite — Bonnivet aurait conseillé à François Ier de reprendre la lutte en Italie uniquement pour avoir la faculté de retrouver cette maîtresse à Milan. Mais aucun élément dans la nouvelle ne peut être retenu pour permettre d'affirmer le bien fondé de cette identification qui, au reste, n'aurait d'autre intérêt que de mettre un nom sur cette Italienne dont on ignore tout par ailleurs.

303. Ici prend fin la quatorzième nouvelle dans *T* qui commence ainsi la quinzième : « Après qu'Hircan se fut teu, Simontault ne se feit deux fois tirer l'oreille pour donner sa voix, mais se sentant suffisamment invité par luy et qu'il estoit en son rang de choisir et commander à tel de la compagnie que bon lui sembloit, commencea ainsy : « Je regardois tantot Longarine qui parloit toute seule; je pense qu'elle recordoit quelque bon roolle et parce qu'elle n'a poinct accoustumé de celer la verité soit contre homme ou contre femme, je luy donne ma voix de bien bon cueur. »

304. Var. : à la louange des femmes *et moins à leurs advantages (T).*

305. Le sommaire de Cl. Gruget est le suivant : « Une dame de la court du Roy, se voyant dedaignée de son mary qui faisoit l'amour ailleurs, s'en vengea par peine pareille. »

306. Var. : belle et grande et que son mirouer et quelqu'un qui ne vous aymera pas luy remontront sa beaulté *(T, G).*

307. Var. : qu'*ennuy occupe joye et aussi qu'ennuy par joye prend fin.* Parquoy *(G).*

308. Les mots *la maistresse de* sont omis dans *A* et *T*.

309. Var. : la *femme* luy *(A).*

310. Var. : luy advint de *parler à homme* en public *(G).*

311. Le membre de phrase allant de *estant retournée* à *ses gardes* a été omis dans *A*.

312. Var. : de la *craincte* de la mort *(A)*; de la *crainte de mourir (G).*

313. Var. : et au *party* de luy *(A).*

314. Var. : de ne vous *donner* foy *(A).*

315. Var. : confession *ou crainte* de honte *(G).*

316. Les mots *et l'amye de vostre maistre* sont omis dans *G*.

317. L'édition de Gruget *(G)* porte : « ... ou vous ou moy. Je

n'estime homme sage ny experimenté qui ne vous donne le tort, veu que je suis jeune et ignorante, desprisée... »

318. Var. : l'un *de* l'aultre *(A)*.

319. Var. : le gentilhomme *maryé (A)*.

320. Var. : vous en alliez à travers les *champs le beau galot*. Et quant il fut assez loing *(G)*.

321. Ici prend fin la quinzième nouvelle dans *T* qui commence ainsi la seixième : « Nomerfide à qui il tardoit d'oyr une histoire plus advantageuse pour les femmes que la precedente, voyant que sa compagnie ne prenoit grand gout au propos de Saffredan et que, si on le vouloit ecouter, la journée passeroit en querelles, pria Longarine de donner sa voix à quelcun, laquelle regardant Geburon luy dist... »

322. Le sommaire de Cl. Gruget est le suivant : « Une dame milannoise approuva la hardiesse et grand cueur de son amy dont elle l'aima depuis de bon cueur. »

323. Cf. ci-dessus, n. 293. Le héros de l'aventure est encore ici Guillaume Gouffier de Bonnivet déjà mis en scène dans les 4e et 12e nouvelles. L'identification est due en effet à Brantôme qui, au sixième discours de ses *Dames galantes*, rapporte la même histoire en la mettant au compte du futur amiral et en citant expressément les *Cent Nouvelles* de la reine de Navarre.

324. Var. : de la *troupe (T)*.

325. Var. : pensant *par intermission* avoir rompu *(T)*.

326. Var. : le loup *le louvier (A)*.

327. Var. : *duquel* il *doubte* estre *(T)* ; *duquel* il *doibt* estre *(G)*.

328. Ici commence la dix-septième nouvelle dans *T*.

329. Le copiste de *A* a écrit, sans doute sous la dictée, « pour sa vie *hayt* l'honneur. » — Le texte de *T* porte : « Si un homme s'étant montré asseuré contre les Milannoys pour sauver sa vie et l'honneur de sa dame est estimé de vous tant hardy, que doit ettre... »

330. Le sommaire de Cl. Gruget est le suivant : « Le Roy François monstra sa generosité au comte Guillaume qui le vouloit faire mourir. »

331. Guillaume, comte de Furstemberg, célèbre capitaine de lansquenets au service de François Ier. Dans le discours qu'il lui a consacré dans ses *Capitaines étrangers*, Brantôme n'omet pas de mentionner sa tentative de trahison dont Marguerite a fait le sujet de cette nouvelle et, cette fois encore, renvoie au recueil de contes de la Reine. — On ne peut cependant dater avec Lalanne (t. II, p. 432) les événements rapportés dans cette nouvelle de l'année 1538, époque où le comte Guillaume était pourtant au service de François Ier, l'amiral de Bonnivet, Louis de La Tremoïlle et Fl. Robertet étant morts à cette date. C'est vraisemblablement au cours d'un des séjours que François Ier fit à Dijon d'avril à juillet 1521 que les faits doivent être rapportés.

Guillaume de Furstemberg aurait ainsi trahi le roi à deux reprises, une première fois après 1521 et une deuxième fois après 1538, puisqu'on le retrouve au service de Charles-Quint en 1543. Le comte Guillaume est en effet cité à la « pointe » des troupes impériales au siège de Fontarabie en 1522 dans les *Mémoires de Guillaume du Bellay.* (Éd. Bourrilly, t. I, p. 242-243.)

332. Berald ou Berthold, que les auteurs de l'*Art de vérifier les dates* (t. III, p. 613) donnent comme premier comte de Maurienne en 1020, était en effet le fils de Lothaire III, Margrave de la Marche septentrionale de Saxe.

333. Louis II de La Trémoïlle, vicomte de Thouars, prince de Talmont, nommé gouverneur de Bourgogne par Louis XII en 1501, occupa cette charge jusqu'à sa mort à Pavie en 1525.

334. Florimond Robertet, conseiller à la Chambre des comptes du Forez, puis trésorier de France, devint secrétaire des finances sous Charles VIII et garda son titre sous Louis XII et François Ier; il fut l'auxiliaire le plus dévoué de Louise de Savoie durant sa régence. Il mourut à Paris le 29 novembre 1527. Dès 1526, il avait résigné ses fonctions que François Ier partagea entre ses fils, Claude devenant trésorier de France et François secrétaire des finances.

335. VAR. : dist Parlamente, *vous avez* raison *(T)*.

336. VAR. : que les *poëtes et autres* nous *(G)*.

337. VAR. : le Roy *n'est point renommé à tort car* c'est l'un des plus *(T)*.

338. Ici commence la dix-huitième nouvelle dans *T*.

339. Le sommaire de Cl. Gruget est le suivant : « Une belle jeune dame experimente la foy d'un jeune escolier, son amy, avant que luy permettre advantage sur son honneur. »

340. VAR. : de la fantaisie, *sautant incontinent jusques à l'autre*, jugerez *(T)*.

341. VAR. : sans jamais *la prier de chose contre sa promesse (T)*.

342. VAR. : à *l'asseurante personne* de *(A)*.

343. Les mots *que le premier fust* sont omis dans *A*.

344. Il s'agit ici d'un chapitre des *Decrétales* de Boniface VIII où il est traité de ceux qui, par des sortilèges ou des conjurations magiques, espéraient annihiler les facultés naturelles de leurs ennemis.

345. Ici commence la dix-neuvième nouvelle dans *T*.

346. *histoire* omis dans *A*.

347. Le sommaire de Cl. Gruget est le suivant : « De deux amans qui, par désespoir d'estre mariez ensemble, se rendirent en religion, l'homme à sainct François et la fille à saincte Claire. »

348. Jean-François II de Gonzague, marquis de Mantoue, avait

épousé, le 15 février 1490, Isabelle d'Este, fille d'Hercule Ier, duc de Ferrare, et sœur du duc Alphonse Ier d'Este.

349. VAR. : où *illec* fauldroit *tousjours* vivre *(A)*.

350. VAR. : en vous *ayant*, je ne scaurois *avoir* ceste *(A)*.

351. VAR. : la *science*, mon *(A)*.

352. VAR. : la conscience *promectent*, je *(A)*.

353. Les mots *de dire adieu* sont omis dans *A*.

354. Les mots *le peu de bien qu'il avoit* sont omis dans *A*.

355. Monastère des Franciscains réformés par le concile de Constance en 1415.

356. VAR. : ses larmes *courans* sur *(A)*.

357. VAR. : Et s'ils viennent
Et nous tiennent *(T)*.

358. Les mots *ceste deliberation* sont omis dans *A*.

359. Les mots *et tient* sont omis dans *A*.

360. VAR. : icy *ignorer*, mes dames *(G)*.

361. VAR. : qui cerchent *et très bien* ayment quelque *(A)*.

362. VAR. : ayme *les pommes*, *les poires*, *les poupées* et autres *(G)*.

363. VAR. : ès choses *transitoires (T)*.

364. VAR. : la plus part des *hommes sont deceuz, lesquels ne s'amusent qu'aux choses exterieures et contemnent le plus precieux qui est dedans.* — Si je scavois... *(G)*.

364 *bis*. Qui enim non diligit fratrem suum quem videt, Deum quem non videt quomodo potest diligere ? Saint Jean, épitre 1, chap. IV, v. 20.

365. Ici prend fin la dix-neuvième nouvelle dans *T* qui commence ainsi la vingtième : « Voyant Dagoucin que nul n'avoit satisfait à la demande d'Ennasuitte et qu'elle ne s'en pourroit aler sans reponse qu'au grand deshonneur des hommes et advantage des femmes repreint son propos et luy dit : Il y en a... »

366. VAR. : du *camaleon* qui *(G)*. — On croyait alors communément que le caméléon vivait de l'air qu'il respirait.

367. Le sommaire de Cl. Gruget est le suivant : « Un gentil homme est inopinement guary du mal d'amours, trouvant sa damoiselle rigoureuse entre les bras de son palefrenier. »

368. VAR. : le seigneur *du Ryant (G)*. Un état des officiers de l'Hôtel du Roi pour l'année 1522-1523 porte parmi les Écuyers de l'Écurie « Monsieur de Rian » aux gages de 200 livres par an (Arch. nat., KK 98, fol. 6vo). Le *Catalague des Actes de François Ier* (t. V, p. 701) mentionne également à la date du 11 mai 1525 le don fait par le roi à François de La Forest, sr de Rians, de la charge de capitaine de quarante lances provenant de la compagnie du feu sr de Sainte-

Mesme. Ce nom n'est donc pas supposé par Marguerite de Navarre, mais l'histoire dont le personnage est ici le héros repose en fait sur un thème maintes fois repris depuis les contes des *Mille et une Nuits* jusqu'à la *Joconde* de La Fontaine.

369. VAR. : de se contenter *seulement, sans oultrepasser*, de ceste *(G)*.

370. VAR. : le cueur de celle *qu'il pensoit tant honneste (G)*.

371. VAR. : qui ayment *parfaitement (G)*.

372. VAR. : estre si meschante *de laisser* ung *(G)*.

373. Sorte de petit masque ou de loup qui dissimulait le haut du visage.

VAR. : que trois après, se partit ceste compaignie, mettant fin au second discours et recit d'histoires *(G)*.

374. VAR. : et mal entonné *que la hate qu'ilz avoient eue en retournant du pré ou ilz avoient été oyr ces contes en étoit cause. Parquoy leur bonne volonté connue*, leur fut permis *(T)*.

375. C'est-à-dire, comme dans les précédents prologues, le passage de l'Écriture Sainte qui sera lu et commenté par Oisille.

376. VAR. : et si *aux precedens propos ils s'estoient contentez, aux seconds ne le furent pas moins*, et n'eust esté *(G)*.

377. Ici commence la vingt et unième nouvelle dans *T*.

378. Le sommaire de Cl. Gruget est le suivant : « L'honneste et merveilleuse amitié d'une fille de grande maison et d'un bastard et l'empeschement qu'une Royne donna à leur mariage, avec la sage response de la fille à la Royne. »

379. Marguerite fait ici allusion à Anne de Bretagne qui, au dire de Brantôme, chercha toujours à s'entourer de nombreuses dames et filles d'honneur.

380. Dès le XVIIIe siècle, l'identification de Rolandine avec Anne de Rohan a été faite par dom Morice (*Histoire généalogique des maisons de Porhoët et de Rohan*, Bibl. nat., nouv. acq. fr. 3065, fol. 118) et confirmée encore par Le Roux de Lincy puis Max Prinet (*Portrait d'Anne de Rohan, la Rolandine de l'Heptaméron* dans *Revue du seizième siècle*, t. III, 1926, p. 70). Anne de Rohan, fille aînée de Jean II, vicomte de Rohan, et de Marie de Bretagne, épousa en 1515 Pierre de Rohan, baron de Fontenay-l'Abattu, qui mourut à Pavie en 1525. A la mort de son frère aîné, Jacques, en octobre 1527, elle devint l'héritière de la branche aînée des Rohan mais, par une transaction du même mois d'octobre 1527, elle dut abandonner une partie de cet héritage à son frère, Claude de Rohan, évêque de Quimper. A tous ces faits, Marguerite fera allusion dans la nouvelle.

381. Anne de Bretagne et Anne de Rohan avaient en effet pour ancêtre commun le duc Jean V, dont Marie de Bretagne, mère d'Anne de Rohan, et Anne de Bretagne étaient les arrière-petites-filles.

382. Anne de Bretagne garda longtemps rancune à Jean II, vicomte

de Rohan, père d'Anne de Rohan de ce qu'il lui avait contesté l'héritage des derniers ducs de Bretagne.

383. Il n'a pas été possible jusqu'alors d'identifier ce personnage, les commentateurs ayant proposé un bâtard de la maison de Gonzague ou Jean, bâtard d'Angoulême, légitimé par lettre de Charles VII en 1458. Mais ce dernier aurait alors eu une cinquantaine d'années au moment où il aurait épousé Anne de Rohan, ce qui paraît peu vraisemblable. On a également avancé le nom de Louis de Bourbon, bâtard de l'évêque de Liége.

384. VAR. : et *se plaignans l'un à l'autre de leurs infortunes (G)*.

385. VAR. : mais lui *respondit que, si elle eust pensé que luy ou un autre luy eust deplu, elle n'eust jamais parlé à luy (G)*.

386. Les mots *dont la Royne ne scauroit rien* sont omis dans *A*.

387. VAR. : à elle *que tant il aimoit*, faisoit *(G)*.

388. VAR. : et *oncques* depuis *(A)*.

389. Les mots de *je penseray mieux* à *grand seigneur* sont omis dans *A*.

390. VAR. : ce peu de *commencement* donna *(T)*.

391. VAR. : qui se *peuvent* penser *(T)*.

392. Les mots *près de Tours* sont omis dans *G*.

393. Les mots *de reseul* sont omis dans *G*.

394. VAR. : elle *n'y avoit point* parlé *(G)*.

395. VAR. : luy dist *que c'estoit pour trouver quelques lettres qu'il pensoit qu'il portast (G)*.

396. VAR. : à la vertu, *bonnesteté et bonne grace* qui *(G)*.

397. VAR. : c'est d'user *ma vie* en *(G)*.

398. VAR. : pour moy, *je ne craindrois poinct* ceulx *(A)*.

399. Les mots *je ne dois plorer*, attestés dans les autres mss et dans *G*, sont omis dans *A*. On lit dans *T :* trop eventé, *avez fait sortir un scandale qui montre assez l'envye* que vous avez de mon deshonneur *ettre* plus grande que *le vouloir de* conserver l'honneur de votre maison et de voz parens. Mais puisqu'ainsi...

400. VAR. : preparez, *ce que* en luy *(A)*.

401. VAR. : et combien qu'elle *eust* failly *(G)*.

402. VAR. : digne d'estre racomptée *après ceste nouvelle (G)*. — Marguerite annonce ainsi un nouveau conte qui nous a été effectivement conservé parmi ceux qui constituent l'état présent de l'*Heptaméron :* c'est la quarantième nouvelle où il est question du père de Rolandine, Jean II, vicomte de Rohan, et du célèbre château de Josselin facilement reconnaissable sous la forme *Jossebelin*. Cette nouvelle, comme la présente, sera contée par Parlamente, c'est-à-dire Marguerite elle-même.

403. Nous avons vu qu'Anne de Rohan épousa en effet en 1517

Pierre de Rohan, troisième fils de Pierre de Rohan, maréchal de Gié.

404. Claude de Rohan, évêque de Quimper; cf. ci-dessus, n. 380.

405. Var. : ou de *long* temps *(A)*.

406. Var. : mais *je vous prieray*, mes dames, continuer *(T)*.

407. On trouve dans *G* la variante fautive : « En bonne foy, dist Parlamente, Oisille...

408. Var. : et les hommes *de bien (T, G)*.

409. Ici prend fin la vingt et unième nouvelle dans *T* qui commence ainsi la vingt-deuxième : « La compagnie se tint à la conclusion de Simontault pour n'estre plus au desavantage de l'une que de l'autre partie et se tournant vers Parlamente et regardant à qui elle donneroit sa voix pour oyr quelque autre bon conte. Je la donne... »

410. Marguerite rappelle ici la cinquième nouvelle où, pour la première fois, des cordeliers ont été mis en scène et qui a, en effet, été contée par Geburon.

411. « Omnis homo mendax »; Psalm. CXV, 2. — « Qui faciat bonum non est usque ad unum »; Psalm. XIII, 2.

412. Var. : « et n'est celuy qui face bien aucun non jusques à um » *(G)*.

413. Le sommaire de Cl. Gruget est le suivant :

« Un prieur reformateur, soubs umbre de son hypochrisie, tente tous moyens pour seduire une saincte religieuse dont en fin sa malice est descouverte. »

414. C'est ici l'histoire secrète d'Étienne Gentil, prieur de Saint-Martin-des-Champs de 1508 à 1536, que Marguerite va conter. Celui-ci fut en effet chargé en 1524 de réformer une abbaye du diocèse de Soissons; il avait, l'année précédente, formé une association de prières avec les religieuses de l'abbaye de Jouarre (*Gallia christiana*, t. VII, col. 539).

415. Var. : tremblaient *de peur (T, G)*.

416. Les mots *au commencement* sont omis dans *A*.

417. Var. : de faire *office* de *(G)*.

418. Var. : de ce malheureux *resveur* ainsy *(A)*.

419. Abbaye de bénédictines dans la vallée de Chevreuse.

420. C'est la sœur d'Antoine Héroët, dit la Maisonneuve, mort évêque de Digne en 1544, poète bien connu de Marguerite, auteur de la *Parfaicte Amye*.

421. Var. : ce qu'il *cognoissoit* estre *(G)*.

422. Les mots *qu'il ne povoit avoir grande esperance* sont omis dans *A*.

423. Var. : en l'*arbre de la* croix *(T)*.

424. Marie de Luxembourg, comtesse de Marle et de Soissons, veuve de Jacques de Savoie, avait épousé en 1487 François de Bourbon,

comte de Vendôme, qui mourut à Verceil en octobre 1495. Marie de Luxembourg se retira alors dans son château de La Fère, près de Laon, où elle fonda, en 1518, un monastère de Bénédictines, le Calvaire. Cf. *Gallia christiana*, t. IX, col. 627.

425. VAR. : pour ceste *fin*, le *(A)*.

426. Les mots *Il luy dist* sont omis dans *A*.

427. VAR. : cause, *remectez* ceste *(A)*.

428. Marguerite elle-même; ce témoignage est une preuve entre tant d'autres que la reine a mis en scène des personnages qu'elle connaissait parfaitement et narré des aventures qui lui avaient été rapportées personnellement.

429. Marguerite désigne ici Catherine d'Albret, fille de Jean d'Albret, roi de Navarre, abbesse de l'abbaye de Montivilliers, près du Havre et la sœur de celle-ci Madeleine d'Albret, abbesse de la Trinité de Caen.

430. Antoine Duprat, chancelier de France depuis 1515, créé cardinal en 1530, mourut le 9 juillet 1535. C'est donc entre ces deux dernières dates que se place l'aventure qui fait l'objet de cette nouvelle.

431. VAR. : et *le prieur* se retira *(A)*.

432. VAR. : *de* Dieu mises en elle *(A)*.

433. Aujourd'hui Gy-les-Nonains dans le Loiret, arrondissement de Montargis, canton de Château-Renard. — VAR. : de l'abbaye nommée *Gien (G)*.

434. Saint Paul, première épître aux Corinthiens : « Quae stulta sunt mundi elegit Deus ut confundat sapientes et infirma mundi elegit Deus ut confundat fortia. Et ignobilia mundi et contemptibilia elegit Deus ut ea quae non sunt ut ea quae sunt destrueret. Ut non glorietur omnis caro in conspectu eius. »

435. VAR. : par la *confession* de *(A)*.

436. « Omnis qui se exaltat, humiliabitur et qui se humiliat, exaltabitur »; saint Luc, XIV, 11 et XVIII, 14.

437. La violente réplique de Nomerfide a été prudemment remplacée par Cl. Gruget par les mots « car je ne m'arreste point à telles gens ».

438. Ici commence la vingt-troisième nouvelle dans T.

439. Toute cette phrase a été également supprimée dans *A* et par Cl. Gruget.

440. VAR. : sa voix, *la priant de dire quelque chose en l'honneur de (T) ; à l'honneur des freres religieux (G)*.

441. Le sommaire de Cl. Gruget est le suivant : « Trois meurtres advenuz en une maison, à sçavoir en la personne du seigneur, de sa femme et de leur enfant, par la meschanceté d'un cordelier. »

442. VAR. : à *personne quelconque* de *(G)*.

443. VAR. : osté le dormir, *ainsi* la craincte qui tousjours suit *le péché* et la meschanceté *(T)*; *aussi* la crainte, qui tousjours suit la meschanceté *(G)*.

444. VAR. : et larmes *le pria* sçavoir *(T)*; *le pria de faire* toute diligence de sçavoir *(G)*.

445. VAR. : où il *avoit logé (T, G)*.

446. Tout le passage allant de « *Et alors elle* à *bonté et misericorde* a été omis dans *G*.

447. VAR. : hors *la conscience* de Dieu *(T)*.

448. Les mots *le corps qui combatoit contre icelle* sont omis dans *A*.

449. *mené* omis dans *A*.

450. Les mots *et l'embrassant luy dist* sont omis dans *A*.

451. Les mots *dist le gentil homme* sont omis dans *A*.

452. François Olivier fut successivement conseiller au Parlement de Paris, maître des requêtes, chancelier d'Alençon, premier président au Parlement et enfin chancelier de France du 28 avril 1545 à sa mort en 1559.

L'allusion de Marguerite à François Olivier, chancelier de France, permet d'établir que la nouvelle a été composée par la Reine après 1545.

453. VAR. : que de les *brusler (T)*. Les mots *car ce sont ceulx qui ont puissance de brusler et deshonorer les autres* ont été, toujours par prudence, omis dans *G*.

454. Ici prend fin la vingt-troisième nouvelle dans *T* qui supprime les mots « et scachons qui aura la voix d'Oisille ».

455. VAR. : à quelqu'un, *laquelle incontinant se print à dire (T)*. — La phrase : *La compaignie trouva* à *à quelqu'un* a été omise dans *A* et dans *G*.

456. VAR. : n'ose respondre, dist Dagoucin, diray ce que je pense à tout le moins *(A)*.

457. Le sommaire de Cl. Gruget est le suivant : « Gentile invention d'un gentil homme pour manifester ses amours à une Royne, et ce qu'il en advint. »

458. VAR. : de cannetille *et couvert d'autres enrichissemens rares et singuliers*. Il estoit *(T)*.

459. VAR. : le harnoys estoit tout *doré* et esmaillé *(T, G)*.

460. Les mots de *il ouvrit* à *les siens* sont omis dans *A*.

461. VAR. : une *si grande*, si haute et *si* difficile *(T, G)*.

462. VAR. : *Et le soir*, la supplia *(A)*.

463. VAR. : ceste passion d'*amour que n'est le François (G)*.

464. VAR. : l'a *fait enfin congnoistre (T)*.

465. VAR. : ne l'ay *congneu* tel *(T, G)*.

466. Ce vers est omis dans *A*.

467. Var. : *Et j'ay le rien*, en offensant, aimé *(G)*.

468. Var. : la plus *malheureuse* dame *(T)*.

469. Var. : la plus *fole et cruelle (T, G)*.

470. Var. : car en *ung* jour *(A)*.

471. Var. : jamais je ne *serois* femme *(G)*.

472. Ici prend fin la vingt-quatrième nouvelle dans *T*.

473. Tout le passage allant de *Madame Oisille voyant* à *la parole et dist* a été omis dans *A* et dans *G*.

474. Var. : *detourner* la raison *(T)*.

475. Var. : de necessité *en laquelle les met le desir de la servitude d'amour et par cette necessité leur est* non seulement permis *(T, G)*.

476. Le sommaire de Cl. Gruget est le suivant : « Subtil moyen dont usoit un grand prince pour jouyr de la femme d'un advocat de Paris. »

477. Cette phrase et les allusions que l'on trouvera un peu plus loin à l'amitié qui unissait ce prince à sa sœur permettent de penser qu'il s'agit de François Ier lui-même. Le *Journal d'un Bourgeois de Paris* (éd. Bourrilly, p. 15) relate d'ailleurs à l'année 1515 les amours du prince avec la fille de l'avocat Le Coq, femme de l'avocat Jacques Disome. On s'explique ainsi le sens réel de la variante attestée par plusieurs manuscrits de l'*Heptaméron* et en particulier le ms. fr. 1520 de la Bibl. nat. qui, au lieu de « plus estimé que *nul autre* », donnent « plus estimé que *neuf hommes* » : le jeu de mots pour les devisants était transparent. On trouve également cette variante dans *G*.

478. Var. : d'amour, ce qu'*il meritoit bien estre reprins quelque temps*, mercia *(A)*.

479. Var. : qu'elle *pourroit finer (G)*..., et l'*appresta la plus* honneste *(G)*.

480. La fin de la phrase depuis *de ses affaires* est omise dans *A*. — Les mots *de longue main* sont omis dans *G*.

481. Var. : mais *luy dist* que là *(A)*.

482. Les mots *vous me parlez de* sont omis dans *A*.

483. La parenthèse a été omise dans *A*.

484. Var. : la vérité *telle que je l'ay mise icy par escrit et qu'elle feit l'honneur de me le compter*. C'est à fin que vous cognoissiez, mes dames, qu'il n'y a malice d'advocat ny finesse de moine qu'amour, en cas de necessité, ne face tromper par ceux qui sont parfaicts en amour; et puis qu'Amour scait *(T, G)*. — On remarquera toutefois que, toujours par prudence, Cl. Gruget a omis les mots *qui sont coutumiers de tromper tous autres*.

485. Le passage, tronqué dans *A*, a été rétabli d'après *T*.

486. Au chapitre LVI du livre Ier des *Essais*, Montaigne fera allusion à cette nouvelle en confirmant qu'il ne peut s'agir que de François Ier et en se récriant que Marguerite puisse voir dans l'attitude du roi un témoignage de sincère dévotion, ajoutant : « mais ce n'est pas par cette preuve seulement qu'on pourroit vérifier que les femmes ne sont guières propres à traiter les matières de la théologie ».

487. Ici prend fin la vingt-cinquième nouvelle dans *T* qui commence ainsi la vingt-sixième : « Les propos precedens meirent la compagnie en telle contrariété d'opinions que pour en avoir resolution fut à la fin contraincte renvoyer ceste dispute aux theologiens suyvant l'advis de Geburon qui incontinent somma Longarine de donner sa voix a quelcun laquelle lui dist. Je la donne... »

488. VAR. : de *sot*, legier *(A)*.

489. Le sommaire de Cl. Gruget est le suivant : « Plaisant discours d'un grand seigneur pour avoir la jouyssance d'une dame de Pampelune. »

490. Gabriel d'Albret, seigneur d'Avesnes et de Lesparre, vice-roi de Naples, puis sénéchal de Guyenne, quatrième fils d'Alain, sire d'Albret dit le Grand; il mourut sans avoir été marié après avoir testé en faveur du cardinal d'Albret, son frère.

491. Le célèbre monastère de Catalogne près de Barcelone.

492. Les mots *tirast aussi nostre esprit à l'amour de sa divinité* son omis dans *A*.

493. Olite, en Navarre espagnole, ancienne résidence des rois de Navarre.

494. Aujourd'hui Taffalla, près de Pampelune.

495. Cette phrase a été remplacée par Cl. Gruget par la suivante, moins compromettante évidemment : « Je vous prie vous recorder de ma constance et n'attribuez point à cruauté ce qui doit estre imputé à l'honneur, à la conscience et à la vertu, lesquels nous doivent estre plus chers mille fois que nostre propre vie. »

496. « In manus tuas, Domine, commendo animam meam. » Psaume XXXIX, 6.

497. VAR. : plus de *deux* ans le noir *(G)*. — A deux reprises Brantôme fait allusion — pour la condamner d'ailleurs — à l'héroïne de cette aventure qui « aima mieux cacher son feu et le couver dans sa poictrine qui en brusloit et mourir, que de faillir à son honneur... c'estoit une sotte et peu soigneuse du salut de son ame, d'autant qu'elle mesme se donnoit la mort, estant en sa puissance de l'en chasser. » (*Dames galantes*, éd. Lalanne, t. IX, p. 211 et 544).

498. VAR. : que le *cueur*, vous *(A)*.

499. VAR. : l'*original* et *(A)*.

500. « Omnis qui odit fratrem suum homicida est » saint Jean, épître I, chap. III, v. 15.

501. Ici prend fin la vingt-sixième nouvelle dans *T* qui commence ainsi la vingt-septième : « Saffredant connut à la contenance de la plus part des assistans que cette dispute commençoit fort à les ennuyer pour ce qu'elle sentoit plus sa predication que son conte, ne retenant rien ou bien peu de la familiarité tant requise ès discours et devis communs. Parquoy, la laissant là, donna sa voix à Ennasuitte, la priant... »

502. Le sommaire de Cl. Gruget est le suivant : « Temerité d'un sot secretaire qui sollicita d'amour la femme de son compaignon, dont il receut grande honte. »

503. Ici prend fin la vingt-septième nouvelle dans *T* qui commence ainsi la vingt-huitième : « Ennasuitte, pour ne laisser refroidir la bonne devotion qu'avait Simontault de leur faire un autre conte de ce mesme secretaire duquel elle avoit faict le precedent, soudain le print au mot et luy dict : « Afin, Symontault, qu'il ne tienne à moy que ne soyons participans de l'histoire que dites scavoir de ce gentil secretaire, je vous donne ma voix de bien bon cueur. Alors Simontault... »

504. Var. : beaucoup plus *grande (G)*.

505. Le sommaire de Cl. Gruget est le suivant : « Un secretaire pensoit affiner quelqu'un qui l'affina, et ce qui en advint. »

506. Marguerite met vraisemblablement ici en scène Jean Frotté, son fidèle secrétaire, « contrôleur général et secrétaire des finances des roy et royne de Navarre ». — Le livre des dépenses de la reine, qu'il tint de 1540 à 1549 et qui est si précieux pour l'histoire des dernières années de Marguerite, a été publié par H. de La Ferrière-Percy en 1862.

507. Var. : du meilleur jambon de *Basque (T, G)*.

508. Var. : son *passetemps* le dimanche *(A)*.

509. Var. : de *Basque (T, G)*.

510. Var. : et *laissa là* le marchant, sans *le convier (G)*.

511. Var. : de cest *esguillon de vin (T, G)*.

512. Var. : Celuy scait quelque chose qui connoit ne le connoitre pas *(T)*. — Ici prend fin la vingt-huitième nouvelle dans *T* qui commence ainsi la vingt-neuvième : « L'heure les pressoit si fort que pour parachever la journée et satisfaire à leur propos, Simontault fut contrainct s'avancer de donner sa voix à Nomerfide, les asseurant que par sa rhetorique elle ne les tiendroit pas longuement. De fait, Nomerfide acceptant le commandement de Simontault commença ainsi : « Puis, dit-elle, qu'il vous plait, je vous en vay bailler un tout tel... »

513. Le sommaire de Cl. Gruget est le suivant : « Un bon Jannin de village, de qui la femme faisoit l'amour avecques son curé, se laissa aiseement tromper. »

514. Mayenne, arrondissement Mayenne, canton Gorron. — On lit dans *G : Arcelles*

515. Les mots *pour la venir confesser* sont omis dans *A*.

516. *Amour...*
C'est teigne qui riens ne refuse,
Les pourpres et les bureaus use,
Car ausinc bien sont amouretes
Souz bureaus come souz brunetes.
Le Roman de la Rose, éd. Ernest Langlois (Société des Anciens textes), vers 4331-4334.

517. Ici prend fin la vingt-neuvième nouvelle dans *T* qui commence ainsi la trentième : « Saffredant feit un peu de pause pour reprendre ses espritz et commenceant plus que devant à enfoncer matiere fut interrompu par Nomerfide laquelle luy dit : « Je vous prie, laissons là... »
La fin de la phrase est omise dans *G*.

518. Le sommaire de Cl. Gruget est le suivant : « Merveilleuse exemple de la fragilité humaine qui, pour couvrir son horreur, encourt de mal en pis. »

519. Le cardinal Georges d'Amboise, le célèbre ministre de Louis XII, fut légat en France de 1500 à sa mort en 1510. Louis d'Amboise, évêque d'Albi, de 1474 à 1502, reçut la légation d'Avignon.

520. Les mots *que celle qui court ordinairement* sont omis dans A.

521. VAR. : *de faire enfans* aux autres *(G)*.

522. Charles d'Amboise, seigneur de Chaumont, neveu du cardinal d'Amboise, dont Marguerite, a déjà parlé dans la quatorzième nouvelle; cf. ci-dessus, n. 293.

523. Les mots *lequel se nomme le cappitaine de Montesson* sont omis dans *G*.

524. VAR. : de biens; l'*envoya querir* et luy compta *(G)*.

525. Catherine, sœur de Gaston III de Foix, dit Gaston Phébus, épousa, le 14 juin 1484, Jean d'Albret, roi de Navarre.

526. On retrouve ici les éléments de ces épitaphes au premier abord énigmatiques dont on rencontre plusieurs exemples dans des églises du nord de la France, telle celle-ci dans la collégiale d'Ecouis :

Ci-gît l'enfant, ci-gît le père,
Ci-gît la sœur, ci-gît le frère,
Ci-gît la femme et le mari,
Et ne sont que deux corps ici.

ou cette autre où figurent les trois personnes du conte :

Ci-gît le fils, ci-gît la mère,
Ci-gît la fille avec le père,
Ci-gît la sœur, ci-gît le frère,
Ci-gît la femme et le mari,
Et ne sont que trois corps ici.

Le Roux de Lincy (éd. de l'*Heptaméron*, t. IV, p. 281 et suiv.) a d'ailleurs signalé ces épitaphes et aussi les recueils de nouvelles où l'antique histoire d'Œdipe et de Jocaste se trouve reprise.

527. « Domine vim patior, responde pro me »; le passage se trouve en réalité dans Isaïe, XXXVIII, 14.

528. VAR. : ilz n'ont poinct d'*emotion (T)*.

529. A. de Montaiglon (t. IV, p. 284) propose pour expliquer ce passage, d'après l'historien milanais Guiseppe Ripamonti, l'aventure d'une certaine Guglielmina et de son complice Saramita qui, sous couleur de piété, avaient au début du XIVe siècle, constitué une association secrète de femmes que l'archevêque de Milan Francesco Fontana dut dissoudre pour les turpitudes qui s'y livraient. L'archevêque ordonna en outre que Saramita fût brûlé vif avec les ossements déterrés de Guglielmina. — Le texte de *A* et de *T* et de *G* porte : « mectre les femmes au couvent des hommes et les hommes au couvent des femmes ».

530. « Uxorem duxi et ideo non possum venire »; saint Luc, XIV, 26.

531. Ici commence dans *T* la trente et unième nouvelle.

532. François Bonvalot, abbé de Saint-Vincent de Besançon, oncle du cardinal Granvelle, représenta Charles-Quint en qualité d'ambassadeur à la cour de France de mars 1539 à août 1541. Les nombreuses dépêches de son ambassade sont conservées aux Archives de Simancas en Espagne après avoir été longtemps déposées aux Archives nationales à Paris.

533. Les mots *et je le vous voys racompter* sont omis dans *G*.

534. Le sommaire de Cl. Gruget est le suivant : « Excerable cruauté d'un cordelier pour parvenir à sa detestable paillardise, et la punition qui en fut faicte. »

535. Le thème de ce récit se retrouve identique dans le fabliau de Rutebeuf, *Frère Denise* (*Œuvres*, éd. A. Jubinal, t. I, p. 260).

536. Ici prend fin la trente et unième nouvelle dans *T* qui commence ainsi la suivante : « Après qu'Oisille eut fermé le pas de l'histoire du Cordelier, regardant Geburon, luy demanda : A qui donnerez-vous... »

537. Le passage allant de *et ne la pouvoir avoir* à *n'est pas la mort* a été omis dans *A*.

538. Le sommaire de Cl. Gruget est le suivant : « Punition, plus rigoureuse que la mort, d'un mary envers sa femme adultere. »

539. Ce personnage peu connu doit être le même que Claude Bernage que Louis XI envoyait d'Amboise le 21 juillet 1475 pour s'assurer que l'on travaillait aux fortifications de Reims (cf. *Lettres de Louis XI*, t. VI, p. 5). Il n'apparaît pas cité dans la correspondance de Charles VIII.

540. VAR. : de laquelle les *pertuys* etoient bouchez d'argent *(T, G)*.

541. VAR. : car l'*ornement* des cheveux *(G)*.

542. VAR. : *Si* vostre patience... la plus *heureuse* femme (*A*, *T*, *G*).

543. Jean Perréal, dit de Paris, est le peintre fameux de la fin du XVe siècle dont le nom même était resté à peu près ignoré jusqu'aux travaux du comte Léon de Laborde. Célèbre dans la région de Lyon, il vint à la cour de Charles VIII où il reçut le titre de peintre ordinaire et de valet de chambre du roi. Louis XII et François Ier lui gardèrent successivement leur faveur ; son contemporain, Jean Le Maire de Belges, n'hésite pas à le nommer un second Zeuxis ou Appelles, nous n'avons malheureusement conservé aucune œuvre qui puisse être attribuée avec certitude à l'artiste. La figure énigmatique du peintre qui fut aussi un écrivain a été récemment éclairée par un article d'A. Vernet, *Jean Perréal, poète et alchimiste*, dans *Bibl. d'Humanisme et Renaissance*, t. III (1943), p. 214-252.

544. Ici prend fin la trente-deuxième nouvelle dans *T* qui commence ainsi la suivante : « Geburon n'eut si tost achevé de parler qu'Oisille donna sa voix à Simontault, disant qu'elle sçavoit bien qu'il n'épargneroit personne, à quoy il luy repondist : Autant vaudrait que me meissiez à sus... »

545. Le sommaire de Cl. Gruget est le suivant : « Abomination d'un prestre incestueux, qui engrossa sa sœur sous pretexte de saincte vie, et la punition qui en fut faicte. »

546. Cherves, Charente, arrondissement et canton Cognac. — On lit *Cherletz* dans *A* et *Cherleus* dans *T*.

547. Les mots *ce que elle ne dissimuloit poinct* ont été omis dans *A*.

548. On lit : aagée de près de *XIII* ans dans *A*, *T* et *G*.

549. Cette leçon qui est celle de tous les manuscrits et de l'édition Gruget doit être conservée, si étonnante qu'elle puisse paraître. Le sens est : c'est pour en tirer profit; on retire toujours du profit de dire la vérité (cf. *Heptaméron*, de l'éd. Frank, t. III, p. 537). La correction proposée par P. Lacroix : c'est pour *en gausser* n'est pas satisfaisante et se révèle au surplus inutile.

550. VAR. : mourir *de peur (G)*.

551. Le sommaire de Cl. Gruget est le suivant : « Deux cordeliers trop curieux d'escouter, eurent si belles afres qu'ils en cuiderent mourir. »

552. Fors, Deux-Sèvres, arrondissement Niort et canton Prahecq, chef-lieu d'une seigneurie dont Jacques Poussart était alors possesseur. Ce Jacques Poussart eut la charge de bailli de Berry et fut, à ce titre, en relations avec Marguerite.

553. Grip; aujourd'hui Gript, Deux-Sèvres, arrondissement Niort, canton Beauvoir.

554. VAR. : en disant : Je *foulle* l'orgueil de Platon *(G)*.

555. VAR. : luy respondit *soudainement que vrayement il le foulloit, mais avec une plus grande presumption, car certes Diogenes usoit d'un tel mespris de netteté par une certaine gloire et arrogance (G)*.

556. VAR. : et ruyne *de tous les autres (G)*.

557. Ce passage paraphrase le chapitre premier de l'épître de saint Paul aux Romains, notamment versets 21 à 27.

558. VAR. : les fruits de l'*infidelité* intérieure *(G)*.

559. Ici prend fin la vingt-quatrième nouvelle dans *T* qui commence ainsi la suivante : « Simontault prevoyant que le propos sur lequel ilz etoient pourroit prendre bien long trait, pour y obvier s'avança de parler et leur dit : Regardez, je vous prie d'ont nous sommes partis et où nous sommes venuz... »

560. VAR. : pour vous abbatre *par une exemple que par ung aultre vous avez prins, je vous en diray* un exemple *(G)*.

561. Le sommaire de Cl. Gruget est le suivant : « Industrie d'un sage mary pour divertir l'amour que sa femme portoit à un cordelier. »

562. VAR. : pour estre *nouvelles* sages *(G)*.

563. VAR. : ayant *monstré à son maistre le moyen* de *(A)*.

564. Le texte de *A* porte *anglotz* qui est évidemment une mauvaise lecture pour *Antechrist*, attesté par les autres manuscrits.

565. VAR. : ainsi *indiscrettement et detestoit sa follie. Et ayant de là en après delaissé toute superstition, se donna* du tout *(G)*.

566. Ici prend fin la trente-cinquième nouvelle dans *T* qui commence ainsi la trente-sixième : « Parlamente voyant Ennasuitte si fort offensée de ce qu'elle avoit dit que de depit et colere tout son sang luy etoit monté au visage, commença à dire : « Or bien, de peur d'entrer... »

567. Le sommaire de Cl. Gruget est le suivant : « Un president de Grenoble, adverty du mauvais gouvernement de sa femme, y meit si bon ordre que son honneur n'en fut interessé, et si s'en vengea. »

568. Dans son édition de l'*Heptaméron* (t. IV, p. 293 et suiv.), A. de Montaiglon a reproduit une notice de l'érudit dauphinois J. Roman qui identifie le Président, héros de l'aventure, avec Geoffroy Carles, premier Président au Parlement de Grenoble et Président du Sénat de Turin. D'origine piémontaise, Geoffroy Carles avait été nommé par Charles VIII conseiller au Parlement de Grenoble en 1493. Il fut employé par Louis XII dans de nombreuses négociations diplomatiques, puis chargé de l'éducation de Renée de France, la future duchesse de Ferrare. Il mourut en 1516. Après que sa femme, Marguerite Du Mottet, l'eut trompé, Geoffroy Carles adopta pour cimier à ses armes un ange tenant l'index sur sa bouche, voulant signifier qu'il fallait savoir se taire pour mieux se venger. (Cf. Guy Allard, *Dictionnaire du Dauphiné et Présidents et premiers Présidents du Parlement du Dauphiné*, éd. Gariel, *Bibliothèque historique et littéraire du Dauphiné*, t. I, p. 81.)

569. VAR. : un jeune clerc, *beau et advenant*. Quant le mary *(G)*. — Gruget a supprimé le nom de Nicolas jusqu'au passage : « Et vous Nicolas *(ainsi se nommoit son clerc)*, cachez-vous... »

570. VAR. : fort amoureux *merite plus aisement pardon qu'un autre qui peche ne l'estant point ; car, si l'amour le tient parfaitement lié, la raison ne luy commande pas facilement.* Et si nous voulons *(G).*

571. VAR. : furieuse follye *et qui ne s'attende avoir pardon, veu que l'amour vray est un degré pour monter à l'amour parfaicte de Dieu où nul ne peult monter facilement qui n'ait passé par l'echelle des tribulations, angoisses et calamitez de ce monde visible et qui n'aime son prochain et ne luy veule et souhaitte autant de bien comme à soy-mesme, qui est le lien de perfection.* Car sainct Jean dict *(G).*

572. « Qui enim non diligit fratrem suum quem videt, Deum quem non videt quomodo potest diligere ? ». Saint Jean, Épître I, v. 20; cf. ci-dessus, n. 364 *bis*.

573. Le texte de *A* porte : comme *Longarine,* qui est une faute évidente de lecture du copiste.

574. Ici prend fin la trente-sixième nouvelle dans *T* qui commence ainsi la suivante : « Quand Saffredant se fut teu, Ennasuitte reprint la parole et dit : « Je donne ma voix à Dagoucin, car je croy... »

575. Le sommaire de Cl. Gruget est le suivant : « Prudence d'une femme pour retirer son mary de la folle amour qui le tourmentoit. »

576. Loué, Sarthe, arrondissement le Mans, chef-lieu de canton. — La seigneurie de Loué appartenait au début du XVIe siècle à la maison de Laval, issue de celle de Montmorency. On notera que le nom de Loué, reproduit par tous les manuscrits, ne paraît pas dans les éditions de Boaistuau et de Cl. Gruget.

577. VAR. : à coupper les bois *de haute fustaye* et engaiger *(G).*

578. Ici prend fin la trente-septième nouvelle dans *T* qui commence ainsi la suivante : « Ce propos fut mené en telle contrariété d'opinions que pour en avoir certaine resolution, chacun condescendit à l'advis de ma dame Oisille, laquelle trouvant la compagnie plus attentive et préparée à ouyr quelque chose de nouveau que jamais ne l'avoit veue, pria Dagoucin user de son commandement; ce qu'il feit et donna sa voix à Longarine, laquelle lui dit : Vous me faictes... »

579. Le sommaire de Cl. Gruget est le suivant : « Memorable charité d'une femme de Tours envers son mary putier. »

580. On trouve dans *T* la forme *metaise.*

581. « Non egent qui sani sunt medico »; saint Luc, V, 31.

582. Ici prend fin la trente-huitième nouvelle dans *T* qui commence ainsi la trente-neuvième : « Pour faire finir le sermon de Geburon, Longarine donna sa voix à Saffredant, lequel commencea ainsi : J'espere vous montrer... »

583. Le sommaire de Cl. Gruget est le suivant : « Bonne invention pour chasser le lutin. »

584. Grignols, Dordogne, arrondissement Périgueux, canton Saint-

Astier. Jean de Talleyrand, seigneur de Grignols et Fouquerolles, maire et capitaine de Bordeaux, fut chambellan de Charles VIII et premier maître d'hôtel et chevalier d'honneur d'Anne de Bretagne. Dans l'article qu'il consacre à cette reine, Brantôme (*Dames illustres*, éd. Lalanne, t. VII, p. 316), en parle à plusieurs reprises comme d'un homme très instruit et facétieux.

585. VAR. : *Revigne (G).*

586. Ici prend fin la trente-neuvième nouvelle dans *T* qui commence ainsi la quarantième : « Saffredan ne se trouva gueres empeché à choisir celuy d'entre eus auquel il donneroit sa voix, car chaqu'un s'etoit fort bien aquité de son devoir, exceptée Parlamente à laquelle il dit : Il n'y a plus que vous à tenir son reng, mais quand il y en auroit un cent d'autres, je vous donnerai toujours ma voix pour estre celle... »

587. Allusion à la vingt et unième nouvelle, l'histoire de Rolandine que Parlamente avait racontée pour commencer la troisième journée.

588. Le sommaire de Cl. Gruget est le suivant : « Un seigneur feit mourir son beau-frère, ignorant l'alliance. »

589. Les mots *qui s'appeloit le conte de Jossebelin* sont omis dans *G*. Le nom dissimule à peine celui de Josselin qui est d'ailleurs donné dans *T*. Il s'agit, on l'a vu, de Jean II, vicomte de Rohan, comte de Porhoët et de Léon, qui après de nombreux démêlés avec le duc de Bretagne passa au service de Louis XI, puis de Charles VIII qui, en 1491, le nomma lieutenant-général en basse Bretagne. Il mourut en 1516. Jean II de Rohan était fils de Marie de Lorraine, seconde femme d'Alain IX, vicomte de Rohan, qui eut également de lui une fille, Catherine de Rohan, morte sans avoir été mariée, qui est l'héroïne de cette nouvelle.

590. VAR. : autre *contenance* que *(G).*

591. Ce gentilhomme époux clandestin de Catherine de Rohan et victime de Jean II de Rohan serait, au dire de dom Morice, René de Kéradreux; le meurtre aurait été commis en 1478 : arrêté en novembre de la même année sur l'ordre du duc de Bretagne, Jean II ne recouvra la liberté qu'en février 1484.

592. Cf. la vingt et unième nouvelle et ci-dessus, n. 380.

593. Ici commence dans *T* la quarante et unième nouvelle.

594. VAR. : dont la *faulte de* l'execution a faict sans *cruaulté* commencer *(A).*

595. Le sommaire de Cl. Gruget est le suivant : « Estrange et nouvelle penitence donnée par un cordelier confesseur à une jeune damoiselle. »

596. Il s'agit ici du traité de Cambrai conclu entre François Ier et Charles-Quint en juin 1529 et connu sous le nom de Paix des Dames. Marguerite d'Autriche, tante de Charles-Quint, représentait en effet

l'empereur cependant que François Ier était représenté par sa mère Louise de Savoie. Marguerite participa également aux négociations préliminaires et à la signature du traité.

597. Françoise de Luxembourg, comtesse de Gavre, femme de Jean IV, comte d'Egmont.

598. Jeanne, dame de Fiennes, eut de son premier mari Jean de Châtillon, qu'elle avait épousé en décembre 1319, Mahaut de Châtillon qui, en épousant Guy de Luxembourg, comte de Ligny, porta la terre de Fiennes dans la maison de Luxembourg. (Cf. La Chenaye-Desbois, *Dictionnaire de la noblesse*, *verbo* Fiennes.)

599. Cl. Gruget, jugeant tout le passage trop osé, l'a modifié en partie et supprimé pour le reste dans son édition qui porte seulement après les mots *qui aggravent le péché* : « Comment, dist Hircan, pensez-vous que les cordeliers ne soient pas hommes comme nous et excusables, et principalement cestuy-là, se sentant seul de nuict avec une belle fille. — Vrayement, dist Parlamente, s'il eust pensé à la nativité de Jésus-Christ qui estoit representée ce jour-là, il n'eust pas eu la volonté... »

600. VAR. : pour ung bon rubis *et nous donnons garde de leurs seductions à l'endroit des filles qui ne sont pas toujours bien avisées (T, G).*

Ce passage ajouté d'une autre encre, mais par la même main, termine la quarante et unième nouvelle dans *T* qui commence ainsi la suivante : « Voyant Parlamente que la compagnie etoit en tout et par tout de son avis, demanda à Saffredant à qui il donneroit sa voix lequel luy dit : Puisque vous me le demandez... »

601. VAR. : à qui donnera *Hircan* sa voix... à vous-mesmes, dist *Hircan*, à qui *(G)*.

602. Le sommaire de Cl. Gruget est le suivant : « Continence d'une jeune fille contre l'opiniastre poursuitte amoureuse d'un des grands seigneurs de France et l'heureux succez qu'en eut la damoiselle. »

603. Il n'est pas de doute que Marguerite veuille ainsi désigner son propre frère, le futur François Ier; on se souvient qu'elle a déjà usé de la même périphrase dans la vingt-cinquième nouvelle. La ville de Touraine est donc Amboise où résidait Louise de Savoie.

604. Titre porté par un des officiers de la maison du roi, de la reine ou des princes.

605. Marguerite de Navarre qui, à la fin du dialogue précédent, assure en effet avoir été témoin de l'aventure.

606. Cette dernière phrase a été omise dans *A*.

607. VAR. : vaincre son cueur; *et voyant les occasions et moyens qu'elle avoit*, *je dy* qu'elle se povoit *(G)*.

VAR. : la nommeray *Camille (G)*.

608. Ici se termine la quarante-deuxième nouvelle dans *T* qui commence ainsi la quarante-troisième : « Ce propos feit souvenir à

Geburon d'une qui avoit plus de crainte d'offenser les oeilz des hommes que Dieu, son honneur ny l'amour et pour ce que Parlamente voyoit bien qu'il ne demandoit pas mieux que de leur en faire le conte pendant qu'il en avoit la memoire fresche, le pria de ce faire et luy donna sa voix. Geburon doncq commença ainsi : « Il y a des personnes... »

609. Le sommaire de Cl. Gruget est le suivant : « L'hypocrisie d'une dame de court fut descouverte par le demenement de ses amours, qu'elle pensoit bien celer. » — Partout dans son édition, Cl. Gruget remplace le nom de Jambicque par celui de Camille.

610. VAR. : *reprenoit* tant la folle amour *(G)*.

611. VAR. : elle les en *blasmoit (G)*.

612. Brantôme qui par sa mère, suivante de la reine de Navarre, était mieux que quiconque informé des personnages réels mis en scène par Marguerite dans ses contes, nous a révélé le nom du gentilhomme héros de cette nouvelle; il s'agit de son propre oncle, le sire de la Châtaigneraie, célèbre pour le duel qui l'opposa au sire de Jarnac et où il devait trouver la mort en 1547. (*Dames galantes*, 2e discours, éd. Lalanne, t. IX, p. 238.)

613. Ici se termine la quarante-troisième nouvelle dans *T* qui commence ainsi la suivante : « Hircan soutenoit fort et ferme le dire de Parlamente ne se pouvoir ny devoir entendre que des femmes sages et honnestes, comme elle-mesmes; depuis luy accorda aysement pour n'en vouloir connoitre d'autres. Mais Nomerfide dit que s'il n'y en avoit poinct de foles... »

614. Le dialogue se termine ainsi dans *G* : « S'il n'y en avoit point de folles, dist Nomerfide, ceux qui veulent estre creuz de tout ce qu'ils disent et font pour suborner la simplicité feminine se trouveroient bien loing de leur espoir. Je vous prie, Nomerfide, dist Guebron, que je vous donne ma voix afin que nous donniez quelque compte à ce propos. — Je vous en diray un, dist Nomerfide, autant à la louenge d'un amant que le vostre a esté au mespris des folles femmes. »

615. Cette nouvelle se trouve à sa place dans tous les manuscrits de l'*Heptaméron*, mais elle manque dans l'édition Boaistuau de 1558, et Claude Gruget, dans son édition de 1559, l'a remplacée par le conte que nous publions en appendice sous le no II.

616. Robert II de La Marck, duc de Bouillon, seigneur de Sedan et de Floranges, avait épousé, en 1491, Catherine de Croye, fille de Philippe VI de Croye, comte de Chimay.

617. VAR. : *qui* pour ung petit d'apparance, *s*'estiment demydieux *(A* et *T)*.

618. Il n'a pas été possible jusqu'alors d'identifier ce personnage, vraisemblablement un dominicain.

619. VAR. : ecrites par *autheurs etniques (T)*.

620. Ici prend fin la quarante-quatrième nouvelle dans *T* qui commence ainsi la suivante : « Nonobstant la solution d'Oisille, Simontault persista en son opinion qu'une femme bonne, douce et simple est plus aisée à tromper qu'une fine et malicieuse, qui meut Nomerfide de penser qu'il en sçavoit quelqu'une... »

621. Le sommaire de Cl. Gruget est le suivant : « Un mary, baillant les innocens à sa chambriere, trompoit la simplicité de sa femme. »

622. Charles duc d'Orléans, troisième fils de François Ier et de Claude de France, mort en septembre 1545; la rédaction de cette nouvelle est donc postérieure à cette date, mais antérieure à mars 1547, date de la mort de François Ier.

623. Marguerite fait ici allusion à une ancienne coutume suivant laquelle, au matin du 28 décembre, fête des saints Innocents, dite aussi alors fête des Fous, les jeunes gens cherchaient à surprendre les femmes au lit et, quand ils les y trouvaient, à les battre de verges pour les punir de leur paresse.

624. Ici se termine la quarante-cinquième nouvelle dans *T*, qui commence ainsi la suivante : « Afin que les paroles d'Hircan ne fussent prises aussi crument qu'il les avoit proferées, Parlamente sa femme voulut bien supleer leur defectuosité, faisant entendre à la compagnie que graces à Dieu, ils avoient tous deux vecu jusques à present en si grande amityé que jamais l'un ne fut plus mal aysé à contenter que l'autre et que ces paroles bien entendues ne denigroient en rien son honneur mais confirmoient la bonne opinion qu'elle avoit tousjours eue de luy, inferant de là que si l'amour reciprocque... »

625. La réplique de Parlamente a été omise dans *G*, ainsi que les deux dernières de Simontault et d'Oisille.

626. Comme la quarante-quatrième nouvelle, cette nouvelle se trouve à sa place dans tous les manuscrits de l'*Heptaméron*, mais elle manque dans l'édition Boaistuau de 1558 et a été remplacée par Claude Gruget dans son édition de 1559 par le conte que nous publions en appendice sous le nº III.

627. Charles, comte d'Angoulême, fils de Jean comte d'Angoulême et petit-fils de Louis d'Orléans et de Valentine Visconti, né en 1459, mort le 1er janvier 1496.

628. C'est à dessein que nous imprimons De Val*é* et non De Vale comme le portent toutes les éditions de l'*Heptaméron ;* cette orthographe peut seule permettre le jeu de mot que l'on trouvera quelques lignes plus bas « Devallez, devallez, monsieur ! ». — Le conte publié à la place de celui-ci par Gruget et qui met en scène le même cordelier porte d'ailleurs l'orthographe *Valles* qu'il faut également écrire *Vallés*.

629. Juges appartenant aux tribunaux chargés de connaître des causes dont certains seigneurs ou communautés religieuses directement placés sous la juridiction du roi étaient parties.

630. VAR. : Monsieur de Valé, devalez *(T)*.

631. Ici prend fin la quarante-sixième nouvelle dans *T* qui commence ainsi la quarante-septième : « Madame Oisille se doutant bien que Dagoucin ne parloit poinct par cueur et qu'il ne disoit chose qu'il ne peut montrer à l'œil par quelque exemple, luy donna sa voix pour en dire qu'il en sçavoit. Luy doncq, pour obeir à son commandement, commença ainsi : « Je sçai un conte si veritable que vous prendrez plaisir... »

632. Le sommaire de Cl. Gruget est le suivant : « Un gentil-homme du Perche, soupçonnant à tort de l'amitié de son amy, le provocque à exécuter contre luy la cause de son soupçon. »

633. VAR. : *Puisque vous le voulez*, je le feray *(G, T)*.

634. VAR. : qu'elle *avoit accoustumé (G)*.

635. Ici se termine la quarante-septième nouvelle dans *T* qui commence ainsi la quarante-huitième : « Ennasuitte feit quelque difficulté sur l'opinion de Longarine qu'elle trouvoit un peu etrange en ce principalement qu'elle avoit touché à la chasteté pource qu'une femme peut bien estre non chaste sans peché. De quoy etonnée, madame Oisille luy demanda : Comment... »

636. Le sommaire de Cl. Gruget est le suivant : « Deux cordeliers, une premiere nuict de nopces, prindrent l'un après l'autre la place de l'espousé, dont ils furent bien chastiez. »

637. VAR. : qui n'avoit pas *satisfait* à *(G)*.

638. Marguerite fait vraisemblablement allusion à ce passage de l'épître de saint Jacques : « Religio munda et immaculata apud Deum et Patrem haec est : visitare pupillos et viduas in tribulatione eorum et immaculatum se custodire ab hoc saeculo. » Jac., I, 27.

Cette citation de saint Jacques est omise dans *G*.

639. Ici prend fin la quarante-huitième nouvelle dans *T* qui commence ainsi la suivante : « Afin que les dames qui par le conte precedent pensoient bien avoir barre sur les hommes ne s'en alassent sans leur change, Hircan se print à dire que si elles luy vouloient promettre de ne se courroucer poinct contre luy, qu'il leur feroit un conte d'une grande dame... »

640. Le sommaire de Cl. Gruget est le suivant : « Subtilité d'une comtesse pour tirer secrettement son plaisir des hommes, et comme elle fut decouverte. »

641. VAR. : En la court d'un Roy de France nommé Charles *(G)*.

642. Charles VIII. Les travaux de Le Roux de Lincy et de P. Lacroix ont en effet permis d'identifier les trois gentilshommes dont il sera question plus loin et qui appartenaient à l'entourage du souverain. *Astillon* dissimule à peine Jacques de Châtillon, chambellan de Charles VIII, qui fut tué au siège de Ravenne en 1512, et dont le nom est d'ailleurs écrit *Hatillon* dans *T*; de même *Valnebon* représente Germain de Bonneval, chambellan du roi, mourut à Pavie en 1525;

quant à *Durassier*, c'est Jacques Galliot de Genouillac, seigneur d'Acier, qui devait être plus tard célèbre comme grand maître de l'artillerie et mourir gouverneur du Languedoc en 1546. Il n'a malheureusement pas été possible jusqu'alors d'identifier la comtesse, héroïne de la nouvelle. Brantôme qui y fait allusion ne nous a pas révélé son nom. (*Dames galantes*, Discours IV, éd. Lalanne, t. IX, p. 717.)

643. Cf. note précédente.

644. VAR. : *content d'estre sept* ou *huit* jours *(T)*.

645. Le nom de ce personnage est écrit *Durassiel* dans *A* et *Duraciel* dans *T*.

646. VAR. : s'endurcissoient *(A* et *T)*.

647. Cf. ci-dessus, n. 642.

648. VAR. : Ha, vertu *bieu ! j'avois* bien *(G)*.

649. VAR. : Par le sang *bieu (G)*.

650. Ici se termine la quarante-neuvième nouvelle dans *T* qui commence ainsi la cinquantième : « Longarine ne se peut accorder à l'opinion d'Hircan pour ce qu'elle disoit y en avoir et en sçavoir qui avoient aymé jusques à la mort. Hircan eut si grande envye d'oyr ceste nouvelle qu'il luy donna sa voix pour congnoistre... »

651. Le sommaire de Cl. Gruget est le suivant : « Un amoureux, après la saignée, reçoit le don de mercy dont il meurt, et sa dame pour l'amour de lui. »

652. VAR. : d'amour *avance l'autre de* malheur *(A)*.

653. VAR. : le regard *de* la *pareille* de celle *(A)*.

654. La première lettre de saint Jean.

655. Ce rappel de saint Paul est omis dans *G*.

656. Ici commence dans *T* la cinquante et unième nouvelle.

657. Le sommaire de Cl. Gruget est le suivant : « Perfidie et cruauté d'un duc italien. »

658. François-Marie della Rovere, neveu du pape Jules II, préfet de Rome, né le 24 mars 1491, mort en 1538, épousa Eléonore-Hippolyte de Gonzague, fille de Jean-François II, marquis de Mantoue et sœur de Frédéric, duc de Mantoue.

659. Aucun de ces noms ne paraît dans *G* où on lit seulement : « Un duc d'Italie (duquel tairay le nom) avoit un fils... » VAR. : nommé le *Parfaict*... premier duc de *Navarre (A)*.

660. Guidubaldo della Rovere, né en 1514.

661. Ce nom ne paraît pas non plus dans *G*.

662. Le passage allant de *de se retirer* à *luy donner congé* a été omis dans *A*.

663. VAR. : print *confiance* en sa promesse *(G)*.

664. Notre manuscrit *(A)* porte, ainsi d'ailleurs que *T* : subjects

à *tous* vices, erreur évidente comme le prouve la suite du dialogue qui fait allusion aux *trois* vices des Italiens. — On lit après ces mots dans *G* : « Je dy la plus part, car il y en a d'autant gens de bien qu'en toutes autres nations. »

665. VAR. : en *dient* de si très incroyables que ceste-cy n'est au prix *d*'une petite peccatile *(G)*.

666. Les troupes françaises, conduites par Louis XII, s'emparèrent de Rivolta, près de Milan, en 1509.

667. VAR. : si *amoureux* ne si plaisant *(G)*.

668. VAR. : La répartie de Hircan a été omise dans *G*, Cl. Gruget tenant à ménager, comme on l'a vu plus haut déjà (cf. n. 664), les nombreux Italiens qui résidaient à la cour.

669. Ici se termine la cinquante et unième nouvelle dans *T* qui commence ainsi la suivante : « Madame Oisille se trouva de l'opinion de Longarine ou peu s'en faloit, assurant que nul n'étoit plus ignorant que celuy qui cuydoit sçavoir. Ce que confirma Geburon, combien qu'il semblat en approcher d'assez loin et dit : Je n'ai jamais veu mocqueur... »

670. La plupart des manuscrits et l'édition de Cl. Gruget donnent de cette nouvelle une autre version que nous avons reproduite d'après *T* en appendice, sous le n° IV.

671. Le sommaire de Cl. Gruget est le suivant : « Du sale desjeuner préparé par un varlet d'apoticaire à un advocat et à un gentil-homme. »

672. La Tirelière, lieu dit sur le territoire de la commune de Saint-Germain-du-Corbeis, à quatre kilomètres d'Alençon, siège d'une petite seigneurie mouvant du duché d'Alençon.

673. La fin de la phrase de *et n'avoit oblié* a été omise dans *A*.

674. Petit masque, sorte de loup couvrant le haut du visage.

675. Ici prend fin la cinquante-deuxième nouvelle dans *T* qui commence ainsi la suivante : « Dagoucin trouva mauvais que Parlamente louoit autant l'hypocrisie des dames que la vertu. Mais Longarine l'adoucit un peu, luy remontrant que veritablement la vertu seroit... »

676. Le sommaire de Cl. Gruget est le suivant : « Diligence personnelle d'un prince pour estranger un importun amoureux. »

677. Aucune conjecture n'a été tentée jusqu'alors pour identifier ce prince de Belhoste, vraisemblablement l'un des princes italiens qui vivaient à la cour de François Ier. Le nom du prince disparaît dans *G* qui le remplace par les mots *un seigneur*, de même qu'un peu plus loin ceux de Madame de Neufchastel et du seigneur des Cheriotz.

678. Vraisemblablement Jeanne de Hochberg, fille de Philippe, comte de Neufchâtel et veuve de Louis d'Orléans, duc de Longueville; leur second fils, Louis II, duc de Longueville et prince de Neufchâtel, mourut en 1537. Sa mère lui survécut jusqu'en 1543.

679. L'identité de ce personnage n'a pu être décelée jusqu'ici.

680. On lit dans certains manuscrits que nous n'avons pas retenus pour l'établissement de notre texte : « elle qui estoit fille d'*Eve.* »

681. Ici se termine la cinquante-troisième nouvelle dans *T* qui commence ainsi la cinquante-quatrième : « Il sembla bien à Ennasuitte que Saffredan n'avoit point mise cette chamberiere en avant sans occasion et qu'il falloit necessairement qu'il en sceut quelque plaisant conte. Par quoy luy donna sa place, le priant de leur en dire ce qu'il en sçavoit. Saffredan feit reponse qu'il en etoit content; et combien que le conte qu'il leur aloit dire fut fort court, si aymoit-il mieus les faire un peu rire que plorer longuement. Il commença doncq ainsi. »

682. Le sommaire de Cl. Gruget est le suivant : « D'une damoiselle de si bonne nature que, voyant son mary qui baisoit sa chambriere, ne s'en feit que rire et, pour n'en dire autre chose, dist qu'elle rioit à son ombre. »

683. Ce personnage n'a pu, jusqu'alors, être identifié.

684. VAR. : son lict, *elle le veid contre une muraille blanche où reverberoit la clarté de la chandelle et recogneut* très bien le portrait *(G)*.

685. VAR. : qu'il *baisa* ceste face *(G)*.

686. « Similes sunt pueris sedentibus in foro et loquentibus ad invicem et dicentibus : cantavimus vobis tibiis et non saltastis; lamentavimus et non plorastis. » Saint Luc, VII, 32.

687. Le grand blanc ou demi-gros était une pièce de monnaie qui valait dix deniers tournois; l'écu valait, lui, trois livres, soit 720 deniers. La phrase signifie donc que les hommes valent beaucoup mieux lorsqu'ils sont mariés depuis longtemps qu'au moment où ils prennent femme.

688. VAR. : Ceste *bonne* femme *(G)*.

689. Ici se termine la cinquante-quatrième nouvelle dans *T* qui commence ainsi la suivante : « Quand Simontault entendit que cette bonne damoiselle n'etoit en rien scrupuleuse qu'en la conscience de son mary, ne se peut garder de rire comme il faisoit toutes et quantes fois que en telle matière principalement on parloit de la conscience qu'il disoit estre une chose dont il ne voudroit jamais que sa femme eut soucy. A quoy Nomerfide luy respondit : « Il seroit bien employé que vous eussiez... »

690. Le sommaire de Cl. Gruget est le suivant : « Finesse d'une Espaignole pour frauder les cordeliers du laiz testamentaire de son mary. »

691. Ce passage a été remplacé par prudence dans *G* par les mots : « pensa de satisfaire à son peché s'il donnoit tout aux mendians, sans avoir esgard que sa femme et ses enfans mourroient de faim après son decez ».

692. VAR. : d'Espagne, *qui estoit presque tout ce qu'il avoit de bien* fust vendu *(G)*.

693. Les mots *seduict par l'avarice des prebstres* ont été omis dans G.

694. VAR. : mais de « donner tout ce qu'on a à sa mort et de faire languir de faim sa famille puis après, je n'approuve pas cela et me semble que Dieu auroit aussi acceptable qu'on eust sollicitude des pauvres orphelins qu'on a laissez sur terre, lesquels, n'ayans moyen de se nourrir et accablez de pauvreté, quelquefois au lieu de benir leurs peres, les maudissent quand ils se sentent pressez de faim, car celui qui cognoist les cueurs ne peult estre trompé et ne jugera pas seulement selon les œuvres... Pourquoy est-ce donc, dist Guebron, que l'avarice est aujourd'huy si enracinée en tous les estats du monde que la pluspart des hommes s'attendent à faire des biens lors qu'ilz se sentent assailliz de la mort et qu'il leur fault rendre compte à Dieu ? Je croy qu'ils mettent si bien leurs affections en leurs richesses que s'ils les pouvoient emporter avecques eux, ils le feroient volontiers. Mais c'est l'heure où le Seigneur leur faict sentir plus griefvement son jugement que à l'heure de la mort, car tout ce qu'ils ont faict, tout le temps de leur vie, bien ou mal, en un instant se represente devant eux. C'est l'heure où les livres de noz consciences sont ouverts et où chacun peult y veoir le bien et le mal qu'il a faict : car les esprits malings ne laissent rien qu'ils ne proposent au pecheur ou pour l'induire à une presumption d'avoir bien vescu ou à une deffiance de la misericorde de Dieu, à fin de les faire trebucher du droict chemin. Il me semble, Hircan, dist Nomerfide, que vous sçavez quelque histoire à ce propos. Je vous prie, si la pensez digne de ceste compagnie, qu'il vous plaise nous la dire. — Je le veux bien, dist Hircan, et, combien qu'il me fasche de compter quelque chose à leur desadvantage, n'est ce que veu que nous n'avons espargné ny Roys, ny Ducs, ny Comtes, ny Barons, ceux icy ne se doivent tenir offensez si nous les mettons au rang de tant de gens de bien, mesmes que nous ne parlons que des vicieux : car nous sçavons qu'il y a des gens de bien en tous estats et que les bons ne doivent estre interessez pour les mauvais. Laissons doncques ces propos et donnons commencement à nostre histoire. » *(G)*. — On reconnaîtra une fois de plus la prudence de Cl. Gruget qui substitue ces considérations fort orthodoxes et d'ordre général à la violente attaque contre l'avarice et la rapacité des religieux du texte primitif de la Reine de Navarre.

695. VAR. : en un passage, par la bouche du Psalmiste, parlant des oblations humaines que

Le sacrifice agreable et bien pris
De l'Eternel c'est une ame dolente
Un cueur soumis, une ame penitente
Ceus là, Seigneur, ne te sont à mespris

Et en un autre de saint Paul... *(T)*.

696. « Cor contritum et humiliatum Deus non despicit ». Psaumes, L, 18.

697. « Vos enim estis templum Dei vivi, sicut dicit Deus »; saint Paul, aux Corinthiens, II, VI, 16.

698. Ici prend fin la cinquante-cinquième nouvelle dans *T* qui commence ainsi la suivante : « Nomerfide jugea incontinent qu'Hircan ne fut entré si avant à depecher la vie des Cordeliers, s'il n'eut été bien asseuré de son baton et qu'il n'eut eu en main quelque exemple pour eclaircir et confirmer son dire, qui fut cause qu'elle le pria de leur vouloir faire entendre s'il en sçavoit quelcun digne de la compagnie. « Je le veuil bien, repondit-il, combien qu'il me fache... »

699. *Non ragioniam di lor, ma guarda e passa.*
L'Enfer, chant III, vers 51.

700. Le sommaire de Cl. Gruget est le suivant : « Un cordelier marie frauduleusement un autre cordelier, son compagnon, à une belle jeune damoiselle, dont ils sont puis après tous deux puniz. »

701. VAR. : le lerrez tourner *(A)*.

702. VAR. : doncques *estre* mestier *(G)*.

703. Ce passage du poème d'Alain Chartier a déjà été cité par Marguerite dans le dialogue qui suit la douzième nouvelle; cf. ci-dessus, n. 274.

704. Ici prend fin la cinquante-sixième nouvelle dans *T* qui commence ainsi la cinquante-septième : « La *Dame sans mercy* alleguée par Parlamente ne fut receue de Simontault par notable docteur, sinon en ce que non seulement elle est facheuse mais le faict estre... »

705. Le sommaire de Cl. Gruget est le suivant : « Compte ridicule d'un Milhort d'Angleterre qui portoit un gand de femme, par parade, sur son habillement. »

706. Il s'agit ici de Guillaume de Montmorency, père du connétable Anne de Montmorency, que Louis XI envoya en effet à la tête d'une importante mission française en Angleterre de mai à juin 1482, pour confirmer les traités de trêve passés avec Édouard IV. (Cf. Calmette et Périnelle, *Louis XI et l'Angleterre*, Paris, 1930, in-8°, p. 252.)

707. VAR. : en la gloire *(A)* ; en angoisse *(T)*.

708. Le passage allant de *la vieille chanson* à *luy batoit car* a été omis dans *A*.

709. VAR. : Il est vray, dist *Simontault (G)*.

710. VAR. : *Voilà, dist Oisille*, comme toutes *(G)*.

711. « Salutate invicem in osculo sancto »; saint Paul, aux Romains, XVI, 16; I aux Corinthiens, XVI, 20; II aux Corinthiens, XIII, 12.

712. VAR. : celle des hommes *se detournans de la verité ;* ces derniers mots ajoutés de la même main mais d'une autre encre terminent la cinquante-septième nouvelle dans *T* qui commence ainsi la suivante :

« Simontaut, pour montrer à la compagnie que non obstant le dire de Madame Oisille, les hommes etoient plus croyables que les femmes, commença ainsi : « Il est tout certain qu'il y a eu plus d'hommes... »

713. VAR. : puisque j'ai bien, dist *Simontault (G)*. Cette leçon constitue une erreur dans la distribution des devisants, Simontault ayant déjà dit la cinquante-deuxième histoire de cette même journée. Cf. une erreur identique ci-dessus, n. 151.

714. Le sommaire de Cl. Gruget est le suivant : « Une dame de court se venge plaisamment d'un sien serviteur d'amourettes. »

715. La fin de la phrase de *et les plus desesperez* a été omise dans *A*.

716. VAR. : à plus long *entretenement (T, G)*.

717. VAR. : puis se *renouveloit (T, G)*.

718. VAR. : parquoy *luy* qui n'avoit ny en armes *ny en hardiesse faute de sagesse (T)*.

719. VAR. : car il ne la trouveroit qu'accompagnée de la bonne volonté qu'elle luy portoit *(T)*.

720. VAR. : s'en alla *à deux grandes princesses desquelles elle estoit familière (G)*. — On reconnaîtra ici la prudence habituelle de Cl. Gruget qui supprime les noms de personnages contemporains.

721. Marguerite de France, fille de François Ier, qui devait épouser, en 1559, Emmanuel-Philibert, duc de Savoie.

722. Jacqueline de Longvic, mariée en 1538 à Louis de Bourbon, duc de Montpensier.

723. VAR. : la court *et retourna par un autre coté (T)*.

724. VAR. : *Ce que tout entierement* les dames voyoient, dont ne s'aperceut oncques *(G)*.

725. VAR. : et deffenses *(G)*.

726. VAR. : du *tour (T, G)*.

727. VAR. : par vos *oraisons (G)*.

728. Ici se termine la cinquante-huitième nouvelle dans *T* qui commence ainsi la suivante : « Longarine, sçachant très bien qui etoit la damoyselle qui avoit joué ce bon tour au gentilhomme dont l'histoire vient d'estre racomptée, dit qu'elle ne trouvoit nulle finesse... »

728 *bis*. VAR. : qui feit confesser à Simontault qu'elle en sçavoit plus que luy et luy donna sa place... *(T)*; les mots *Comment son mary? dist Simontault* sont omis dans *G*.

729. VAR. : Longarine doncq pour luy obeir commença ainsi *(T)*.

730. Le sommaire de Cl. Gruget est le suivant : « Un gentil homme pensant acoler en secret une des demoiselles de sa femme, est par elle surprins. »

731. VAR. : qu'*il s'asseurast qu'elle ne le feroit* jamais cocqu *(G)*.

732. VAR. : son proffict, *comme elle feit*, retirant à part *(T) ; et un soir elle* retira à part *(G)*.

733. VAR. : et encores *contre la faveur* qu'elle *(T)*.

734. VAR. : à l'heure *de l'assignation (T)*.

735. Les mots de *car il scavoit* à *par mocquerie* sont omis dans *A*.

736. Plusieurs commentateurs, notamment Le Roux de Lincy et P. Lacroix, ont voulu voir dans cette dame qui fait l'objet des cinquante-huitième et cinquante-neuvième nouvelles, Marguerite elle-même. Mais rien de ce que l'on sait de la vie privée de la reine ne permet d'adopter cette hypothèse.

737. Ici prend fin la cinquante-neuvième nouvelle dans *T* qui commence ainsi la suivante : « Nomerfide fut de l'opinion de Parlamente et dit qu'elle trouvoit une grande folye à celles qui s'enquierent de si près de leurs marys et aux marys aussi qui trop curieusement observent leurs femmes, car il suffit... »

738. VAR. : qui ne faille *aucunes fois (T, G)*.

739. Le sommaire de Cl. Gruget est le suivant : « Une Parisienne abandonne son mary pour suivre un chantre, puis, contrefaisant la morte, se feit enterrer. »

740. VAR. : beaucoup de prescheurs *indiscrets (G)*.

741. VAR. : à la *voir* mectre *(T, G)*.

742. VAR. : ce meschant *prestre (T, G)*.

743. La scène se place donc au mois d'octobre 1515, alors que François Ier entré en Italie avait nommé régente Louise de Savoie; l'Itinéraire de François Ier dans le *Catalogue des Actes* mentionne un seul séjour de la régente à Blois en 1515, le 22 octobre.

744. VAR. : son mary, *mais que c'estoit chose apostée (G)*.

745. VAR. : rompre *cent* mariages *(T, G)*.

746. VAR. : et après, *à leur disner, ramanteverent (G)*.

747. Ici commence dans *T* la soixante et unième nouvelle.

748. VAR. : avoir bien *peu* demeuré *(T, G)*.

749. VAR. : le *deshonneur* de medisant *(T, G)*.

750. Le sommaire de Cl. Gruget est le suivant : « Merveilleuse pertinacité d'amour effrontée d'une Bourguignonne envers un chanoine d'Authun. »

751. VAR. : tant bien *qu'elle avoit occasion de l'aymer de mesmes et* s'en contenter *(T)*.

752. Les mots *qui la portoit* sont omis dans *G*.

753. Les mots *homme de bonne complexion* sont omis dans *T*

754. VAR. : de luy, *quelque bien complexionné qu'il fut (T)*.

755. VAR. : prenant ung tel *manteau (T)*.

756. de la ville, *de quelque etat qu'elles fussent (T)*.

757. Vraisemblablement en novembre 1515, lorsque Louise de Savoie se porta d'Amboise au devant de François Ier rentrant d'Italie, ou dans l'été de 1522 lors du séjour que Marguerite et sa mère firent à Autun en accompagnant le roi.

758. VAR. : sa fille, *à laquelle une femme de chambre, nommée Perrette dit (T)*.

759. VAR. : de ce chanoyne, *en luy dechifrant* une partie de sa vie *(T)*.

760. VAR. : que *de prime face* elles *(T)*.

761. VAR. : se peurent tenir *de bien parler à ces bestes (T)*.

762. VAR. : de sa veue, *pour ce que* celle qui en etoit regardée *(T)*; *car la regardant doucement (G)*.

763. VAR. : Si est il meilleur que l'on ayt plus de craincte du Sainct-Sacrement... que des yeux d'une femme *(G)*.

764. VAR. : à Dieu *seulement (G)*.

765. Ici prend fin la soixante et unième nouvelle dans *T*, qui commence ainsi la soixante-deuxième : « Hircan, continuant le propos auquel Nomerfide les avoit faitz tomber dit à Longarine : Que diriez-vous de celles... »

766. VAR. : *à* telz propos, *se sont bien lourdement coupées (T)*.

767. VAR. : en se coupant s'acusent. — Si est-ce coupper bien lourdement, dist Saffredent, mais je vous prie, si vous en scavez quelqu'une *(G)*.

768. Le sommaire de Cl. Gruget est le suivant : « Une damoiselle faisant un compte de l'amour d'elle-mesme, parlant en tierce personne, se declara par megarde. »

769. Vraisemblablement Marguerite de Navarre elle-même.

770. VAR. : pour *la chaleur (G)*.

771. VAR. : de la couverture qui rend l'homme bien heureux, de sorte qu'asseurement nous pouvons dire avec David :

> *O bien heureux celuy dont les commises*
> *Transgressions sont par grace remises ;*
> *Duquel aussi les iniques pechez*
> *Devant son Dieu sont couvertz et cachez.*

En bonne foy... *(T)*.

772. Ici prend fin la soixante-deuxième nouvelle dans *T* qui commence ainsi la suivante : « Après que Parlamente eut conclut qu'une femme pressée de son honneur n'etoit digne d'estre estimée vertueuse pour deux ou troys refuz qu'elle auroit faictz, si elle ne persistoit, Dagoucin voulut sçavoir si le semblable se pouvoit dire de l'homme, pource que, quant à luy, son opinion etoit que si un homme refusoit une fois seulement une belle fille, on ne luy pouvoit imputer ce refuz

à trop grande vertu. A quoy Oisille repondit ainsi : Vrayement si un homme jeune... »

773. Le sommaire de Cl. Gruget est le suivant : « Notable chasteté d'un seigneur françois. »

774. VAR. : *que le Roy qui lors regnoit avoit* faict prevost de Paris, voyant *(G)*. — Jean de La Barre, déjà mentionné dans la première nouvelle; homme de confiance de François Ier, il avait été nommé par lui prévôt de Paris le 18 avril 1526.

775. Les mots *plus jeune de dix ans que tous les autres* ont été omis dans *A*.

776. VAR. : avecq les *dentz trois nuyctz*, contre *(A)*; les doigtz tout nudz, *l'espace de troys nuytz (T)*.

777. Ici se termine la soixante-troisième nouvelle dans *T* qui commence ainsi la suivante : « Parlamante ne laissa Geburon sans reponse et luy dit qu'il sembloit, à l'oyr parler, qu'il voulut avoir son heure après que sa dame auroit... »

778. Le sommaire de Cl. Gruget est le suivant : « Un gentil-homme, desdaigné pour mary, se rend cordelier, de quoy s'amie porte pareille penitence. »

779. VAR. : fort raisonnable, *pourveu que la fille en fut bien d'accord (T) ; pourveu* que la fille y eust bonne volonté *(G)*.

780. VAR. : fut *courroucé* le pauvre *(G)*.

781. VAR. : Ce *long* lien qui jusqu'à la mort dure,
Et a plusieurs engendre peine dure *(T)*.

782. VAR. : Dont le regret *eu garde* de me taire *(T)*.
Dont le regret *faict que ne m'en puis* taire *(G)*.

783. VAR. : à la fin, *sentant* le pauvre religieux *(G)*.

784. VAR. : Amour *sur dur rocher* dont *(A)*.

785. Les mots de *En bonne foy* à *faict de mariage* ont été omis dans *A*.

786. Ici prend fin la soixante-quatrième nouvelle dans *T* qui commence ainsi la soixante-cinquième : « Combien que le dire d'Ennasuitte ne semblat gueres à propos selon l'opinion de Geburon, si est ce qu'il luy feit souvenir d'une femme qui faisoit le contraire de ce qu'elle vouloit, d'ond il advint ung grand tumulte en l'eglise Sainct-Jehan de Lyon et pour ce qu'il disoit en scavoir l'histoire au vray qui n'etoit ne si longue ne si piteuse que le conte de Parlamente, elle-mesme luy donna sa place pour la conter et lors commença ainsi : »

787. Le sommaire de Cl. Gruget est le suivant : « Simplicité d'une vieille qui presenta une chandelle ardante à Sainct Jean de Lyon, et l'attacha contre le front d'un soldat qui dormoit sur un sepulchre; et de ce qui en advint. » — Le sépulcre ou mise au tombeau dont parle Marguerite se trouvait dans la chapelle du Saint-Sépulcre ou du Vendredi-Saint construite au commencement du XVe siècle par Philippe de

Thurey, archevêque de Lyon, et son frère le cardinal Pierre de Thurey. Bégule (*Monographie de la cathédrale de Lyon*, Lyon, 1880, in-fol., p. 81) rapporte le témoignage d'un auteur du XVIIIe siècle qui affirme que ce sépulcre existait encore à cette époque dans la chapelle.

788. VAR. : mais *quelques prestres* ne s'en povoient *(G)*.

789. La nouvelle s'arrête sur ces mots dans *G* qui supprime l'allusion au crucifix qui avait parlé, ainsi que la première phrase du dialogue, pour la même raison de prudence que nous avons déjà constatée à maintes reprises.

790. Le crucifix était de bois recouvert de métal précieux. Comme le Sépulcre, il fut détruit au moment des troubles de 1562. On notera que le passage tout entier a été supprimé dans l'édition de Boaistuau en 1558 et que Gruget, qui l'a rétabli, ne fait aucune mention du crucifix.

791. VAR. : Si chacun les congnoissoit telles qu'elles sont, leur sotye ne seroit pas estimée sainteté ne leur malice verité *(T)*. — Cette phrase manque dans *G*.

792. Ici prend fin la soixante-cinquième nouvelle dans *T* qui commence ainsi la suivante : « Ennasuitte en riant du conte de Geburon se print à dire que ce n'etoit pas chose etrange d'avoir fait peur... »

793. Le sommaire de Cl. Gruget est le suivant : « Compte risible advenu au Roy et Royne de Navarre. »

794. C'est le 20 octobre 1548 que Jeanne d'Albret, fille de Marguerite, dont le premier mariage avec Guillaume, duc de Clèves, avait été annulé, épousa Antoine de Bourbon dont elle devait avoir le futur Henri IV. Marguerite n'ayant survécu que quatorze mois après le mariage de sa fille, ce conte est vraisemblablement un des derniers qui aient été rédigés par la reine.

795. VAR. : *Sus-debout*, de par tous les diables ! sus *debout ! (G)*.

796. VAR. : voyant *que pour ses menaces, ils ne faisoient semblant de s'en emouvoir ny se lever du lict, s'en* approcha *(G)*.

797. Protonotaire apostolique, titre porté par certains dignitaires de l'Église en dehors de la hiérarchie proprement dite; les premiers protonotaires, au nombre de douze, avaient été institués par le pape Clément Ier pour écrire les vies des saints.

798. Ici prend fin dans *T* la soixante-cinquième nouvelle.

799. VAR. : Ce *m*'est chose si nouvelle... quelque acte vertueux *que s'en offrant quelcun, ne* me semble *(T, G)*.

800. Le sommaire de Cl. Gruget est le suivant : « Extreme amour et austerité de femme en terre estrange. »

801. Le premier voyage de Jacques Cartier au Canada se place en 1534, le second en 1536. Le troisième, qui devait avoir lieu l'année suivante, ne fut autorisé qu'en 1540 en raison des protestations élevées par Charles-Quint et Jean III, roi de Portugal. C'est alors que Fran-

çois Ier décida d'adjoindre à Jacques Cartier, comme chef de l'expédition, Jean-François de La Roque, seigneur de Roberval. La flottille quitta La Rochelle le 16 avril 1542 et ne rentra au port qu'en 1544.

802. Les lettres patentes du 15 janvier 1541 enjoignaient en effet à Roberval de construire au Canada des villes et des forts et d'y bâtir des églises.

803. Les mêmes lettres patentes portent bien qu'il s'agit, dans cette affaire, de « faire chose agreable à Dieu... et qui soit à la sanctificacion de son sainct nom et à l'augmentacion de nostre foy crestienne et accroissement de nostre mere saincte eglise catholique ». M. Biggar (*A collection of documents relating to Jacques Cartier and the sieur of Roberval* dans *Publications of the Public Archives of Canada*, nº 14. Ottawa, 1930) et, en complément, R. Marichal (*Les compagnons de Roberval*, dans *Humanisme et Renaissance*, t. I, p. 51) ont montré que, pressé de choisir ses compagnons de voyage, Roberval fut autorisé à prendre dans les prisons les condamnés qui avaient déjà fait l'objet d'un jugement. Ce sont là les « artisans » dont parle Marguerite et le terme peut être retenu en ce sens que les gens des conditions et des métiers les plus divers s'y trouvaient.

804. Le passage allant de *Et ne povant demeurer* à *ilz arriverent* a été omis par inadvertance dans *G*.

805. On vient de montrer ci-dessus le fondement historique de cette nouvelle : son objet propre, donc son authenticité nous sont également confirmés par le géographe de la fin du XVIe siècle, André Thevet, qui, à deux reprises, dans son *Grand Insulaire* et sa *Cosmographie* rapporte la même aventure avec des détails à peine divergents. (Cf. aussi H. Malo, *L'Ile des démons, la Reine de Navarre et Alcofribas* dans *Mercure de France*, 16 août 1910, p. 639, et Charles de La Roncière, *Histoire de la marine française*, t. III, p. 326.)

806. « Ego plantavi, Apollo rigavit »; saint Paul, aux Corinthiens, épître I, chapitre III, verset 6.

807. « Etiam rogo et te germane compar, adjuva illas quae mecum laboraverunt in Evangelio... »; saint Paul, aux Philippiens, IV, 3.

808. Ici prend fin dans *T* la soixante-septième nouvelle.

809. Le sommaire de Cl. Gruget est le suivant : « Une femme faict manger des cantarrides à son mary pour avoir un traict de l'amour, et il en cuida mourir. »

810. Les mots *pour la consoler* sont omis dans *T*.

811. VAR. : sans *tenir ordre* ny mesure *(A)*.

812. Ici se termine la soixante-huitième nouvelle dans *T* qui commence ainsi la suivante : « Madame Oisille ne voulut laisser passer Geburon plus outre et l'arretant tout court, lui dist : Vous saillez hors... »

813. Le sommaire de Cl. Gruget est le suivant : « Un Italien se

laisse affiner par sa chambriere qui faict que la femme trouve son mary blutant au lieu de sa servante. »

814. Odos, près de Tarbes, sur la route de Cauterets. C'est là que mourut Marguerite le 20 décembre 1549.

815. Vraisemblablement Charles de Saint-Séverin, qui apparaît comme écuyer de l'écurie du roi dans un état des officiers de la maison de François Ier en 1522; il appartenait à l'illustre famille des San-Severino de Naples qui, depuis l'expédition de Charles VIII, s'était attachée au service du roi de France.

816. VAR. : trop privées *avec son mary (T)*.

817. VAR. : son *surcot* sur sa teste *(T, G)*.

818. VAR. : son *surcot* en sa teste *(T, G)*.

819. Un conte analogue se trouve sous le titre *le Conseiller au bluteau* dans les *Cent Nouvelles nouvelles*, où le rôle de l'écuyer d'écurie du roi est joué par un président à la Chambre des comptes de Paris (Nouvelle XVII, éd. P. Champion, t. I, p. 56).

820. Ici prend fin la soixante-neuvième nouvelle dans *T* qui commence ainsi la soixante-dixième : « Dagoucin se rangea de l'opinion de Longarine, combien que tous ses compagnons n'y voulussent entendre, l'improuvant en tout et par tout et dit : Je pense que si l'amour... »

821. Le sommaire de Cl. Gruget est le suivant : « L'incontinence furieuse d'une Duchesse fut cause de sa mort et de celle de deux parfaicts amans. »

822. Cf. ci-dessous, n. 834.

823. VAR. : qui soit *en la chrestienté (T, G)*.

824. Daniel, XIII, 22.

825. Ni Boaistuau en 1558, ni Gruget en 1559 ne donnent le nom de la dame du Verger (de Vergy).

826. VAR. : pour aller *où sa niece se tenoit*, laissans *(G.)* Fidèle à son principe, Gruget supprime les noms propres même lorsqu'il s'agit d'une histoire tirée d'un fabliau du Moyen Age.

827. Argilly, Côte-d'Or, arrondissement Beaune, canton Nuits.

828. Vergy, Côte-d'Or, arrondissement Dijon, canton Gevrey-Chambertin.

829. VAR. : dont elle l'*importuna si fort* que *(T)* ; dont elle *luy faisoit une vie importune et le pressa tant* que *(G)*.

830. VAR. : commencea à *reveiller* propos *(T)*.

831. Les mots *avez oblié le Createur* sont omis dans *A*.

832. VAR. : Votre langue et la mienne *(T)*.

833. VAR. : desirant *en sçavoir davantage (T)*.

834. Comme Marguerite nous en a elle-même prévenu dans le

dialogue qui précède, cette nouvelle n'est que la transposition en prose d'un des plus célèbres poèmes de notre littérature médiévale, *la chastelaine de Vergi* (éd. G. Raynaud, dans *Romania*, t. XXI (1892), p. 145 et *Les classiques français du Moyen Age*, Paris, 1912). Bandello, dans ses *Novelle* (IV, VI), s'en était également directement inspiré. On notera cependant que, dans les manuscrits, le nom de l'héroïne est la *dame du Vergier* et que ce nom disparaît dans les éditions de 1558 et 1559. La famille de Vergy, l'une des plus grandes maisons de Bourgogne, comptait en effet plusieurs représentants à la cour de François Ier et c'est peut-être par égard pour eux que Marguerite tenait à modifier légèrement le nom. D'autre part une rédaction en vers dialogués du vieux poème, devenu difficilement compréhensible, avait paru dès 1540 à Paris sous le titre : *Livre d'amours du chevalier et de la dame chastellaine du Vergier comprenant l'estat de leur amour et comment elle fut continuée jusques à la mort* et il est possible que Marguerite ait repris le nom de dame du Vergier d'après cet ouvrage. Il reste qu'en accueillant ce récit dans son *Heptaméron*, Marguerite lui a donné une forme directement accessible et a véritablement sauvé de l'oubli le vieux roman du XIIIe siècle dont l'auteur, resté inconnu, avait fait un chef-d'œuvre.

G. Raynaud (*loc. cit.*, p. 152) a pu établir les données historiques du poème en précisant que la dame de Vergy est Laure de Lorraine, mariée en deuxièmes noces, entre 1259 et 1267, à Guillaume de Vergy, sénéchal de Bourgogne. Laure de Lorraine devenait ainsi la nièce par alliance d'Hugues IV, duc de Bourgogne, dont la deuxième femme, Béatrice de Champagne, est la duchesse mise en scène dans la nouvelle.

835. VAR. : et les femmes *vertueux* selon *(T, G)*.

836. VAR. : passions *et aultres pires*. Mais *(A)*.

837. VAR. : nous serions tous *marchans (T)*.

838. La première épître de saint Jean, beaucoup plus longue en effet, que les deux autres. VAR. : à la *Cronicque* de sainct Jehan *(G)*.

839. VAR. : chacun se retira chez soy *(T)*. Ici se termine le prologue dans *T* qui commence ainsi la soixante et onzième nouvelle : « à l'heure ordinaire arriverent en leur chambre... »

840. Marguerite fait ici un jeu de mots avec la Chambre des Comptes de Paris.

841. Le sommaire de Cl. Gruget est le suivant : « Une femme, estant aux abboiz de la mort, se courrouça en sorte, voyant que son mary accolloit sa chambriere, qu'elle revint en santé ».

842. VAR. : nommé *Brimbaut (T)*, nommé *Bourrihaudier (G)*.

843. VAR. : « Helias, mon Dieu, ze pelz ma pauvle fliemme; que flie-ze, moy pauvle malheulieus ! *(T)*.

844. VAR. : « M'amye, ze me meuilz et suy pis que tliepassé de voil ainsi moulir ta maiteliesse; ze ne zai que faille ne que dille, si non que ze me liecommande à toy et te plie de plendle le soin de ma maison et

de mes enfans. Tien les cliez que z'ai à mon coté et donne odle au menaze, cal ze n'y sauloi plus entendle » *(T)*.

845. VAR. : M'amye, il n'est possiblie, cal ze me meuilz; legalde comme z'ai le vizaize floid, aplosse tes zoues des mienes poul me les lessauffer. *(T)*.

846. On retrouve le thème de cette nouvelle dans les *Contes d'Eutrapel* de Noël du Fail (éd. C. Hippeau, Paris, 1875, 2 vol., in-8°, t. I, p. 80).

847. VAR. : dist Longarine, *un despit* me feroit bien *(G)*.

848. Ici prend fin la soixante et onzième nouvelle dans *T* qui commence ainsi la soixante-douzième : « Nomerfide print les paroles de Simontault comme dites par moquerie, disant qu'il se moquat d'elle tant qu'il voudroit mais que la meditation de la mort refroidissoit merveilleusement... »

849. Le sommaire de Cl. Gruget est le suivant : « Continuelle repentance d'une religieuse pour avoir perdu sa virginité sans force ny par amour. »

850. VAR. : passerent la *nuict* *(T)*.

851. VAR. : car l'un et l'aultre *estoit sans peché à sa liberté* *(G)*.

852. VAR. : *La prieure* et le prieur *(G)*.

853. VAR. : voulut que « cette pauvre religieuse arriva à Lyon, y étant madame la duchesse d'Alençon qui depuis fut Royne de Navarre; et un soir apres veppres, etant ladicte dame sur le pupitre de l'eglise... » *(T)*.

854. Les mots de *car a elle seule* à *dist la duchesse* sont omis dans *A*.

855. Ici commence dans *T* la soixante-treizième nouvelle qui reste également en suspens sur les mots : « Or escoutez le bien s'il vous plaist. »

856. Cette phrase termine l'édition de Cl. Gruget.

857. Cette nouvelle a été substituée par Claude Gruget dans son édition de 1559 à la onzième nouvelle.

858. Indre-et-Loire, arrondissement Tours, canton Amboise.

859. Cette nouvelle a été substituée par Claude Gruget dans son édition de 1559 à la quarante-quatrième nouvelle.

860. Ce fait situe exactement la nouvelle dans l'été de 1536 lorsque les troupes de Charles-Quint pénétrèrent en Provence pour attaquer Marseille; leur progression fut arrêtée par Anne de Montmorency.

861. Cette nouvelle a été substituée par Claude Gruget, dans son édition de 1559, à la quarante-sixième nouvelle.

862. Voir sur le début de cette nouvelle identique à celui de la quarante-sixième nouvelle qu'elle remplace, et sur les personnages qui y figurent, ci-dessus nos notes 627 et 628.

863. Le dialogue rejoint ici celui qui suit la quarante-sixième nouvelle.

864. Cette version, que nous donnons ici en appendice, de la cinquante-deuxième nouvelle a paru dans l'édition de 1559 *(G)*, mais on ne la rencontre pas dans les éditions successives de l'*Heptaméron*, même modernes, sauf dans celle de P. Lacroix qui reproduit *G*. Le Roux de Lincy (t. IV, p. 319) en a donné les premières lignes d'après le ms. fr. 1513. C'est cette version que l'on trouve dans *T* dont nous avons ici suivi le texte en respectant son orthographe.

865. Cette nouvelle n'a jamais été publiée jusqu'ici dans aucune des éditions de l'*Heptaméron*. Nous en avons retrouvé le texte dans le recueil factice de pièces du XVIe siècle conservé à la Bibliothèque nationale (département des Mss., fonds Dupuy, nº 736, fol. 34) dont il a déjà été question dans l'Introduction, dans le ms. fr. 1513 et dans le ms. de l'*Heptaméron* de la Bibliothèque Pierpont Morgan à New-York. La présence de ce conte dans ces deux manuscrits et celle du fragment de dialogue qui lui fait suite dans le ms. Dupuy nous ont engagé à publier ici en appendice ces deux textes où l'on a toutes raisons de voir deux épaves de l'œuvre toujours incomplète de Marguerite de Navarre. Cf. notre étude : *Adrien de Thou et l'*Heptaméron *de Marguerite de Navarre* dans *Humanisme et Renaissance*, t. V (1938), p. 16-36 et tirage à part.

866. Nous renvoyons pour ce prologue (Bibl. nat., fonds Dupuy, nº 736, fol. 34) et les problèmes qu'il pose pour l'histoire du recueil des contes de la reine à notre étude mentionnée dans la note précédente et à l'*Introduction*, ci-dessus, p. IX et X.

INDEX DES NOMS PROPRES

A

B

C

D

E

F

G

S

T

U

V

TABLE DES MATIÈRES

L'HEPTAMÉRON

PREMIÈRE JOURNÉE

Des mauvais tours joués par les femmes aux hommes et par les hommes aux femmes.

DEUXIÈME JOURNÉE

De ce qui promptement tombe en la fantaisie de chacun.

TROISIÈME JOURNÉE

Des dames qui n'ont cherché que l'honnêteté dans leurs amours et de l'hypocrisie et méchanceté des religieux.

QUATRIÈME JOURNÉE

De la vertueuse patience et longue attente des dames et de la prudence des hommes envers les femmes.

CINQUIÈME JOURNÉE

De la vertu des femmes qui ont préféré leur honneur à leur plaisir ; de celles qui ont fait le contraire et de la simplicité de quelques autres.

SIXIÈME JOURNÉE

Des tromperies qui se sont faites d'homme à femme, de femme à homme ou de femme à femme par avarice, vengeance ou maladie.

SEPTIÈME JOURNÉE

De ceux qui ont fait le contraire de ce qu'ils devaient ou voulaient.

HUITIÈME JOURNÉE

Des plus grandes et plus véritables folies dont chacun se peut aviser.

APPENDICE